afgeschreven

Koud vuur

John Lawton

Koud vuur

Een inspecteur Troy-thriller

Karakter Uitgevers B.V.

Oorspronkelijke titel: *Old Flames*

Vertaling: Joost de Wit
Eerder verschenen onder de titel *De lijfwacht*

Opmaak binnenwerk: ZetSpiegel, Best
Omslagontwerp: Mariska Cock
Omslagbeeld: © Dean Conger/CORBIS/HillCreek Pictures

ISBN 978 90 452 0384 3
NUR 332

Voor

SUSAN FREATHY
– agent provocatrice –

Met dankzegging aan

Daniel Edelman, uit Ridgefield, Connecticut, die me geregeld onderdak bood tijdens het schrijven van dit boek.
Arthur Cantor, die hetzelfde deed in Manhattan.
Sarah Teale, die zich bijna vier maanden lang tussen mij, de telefoon en de fax verschanste.
Art Tatum, die in 1956, het laatste jaar van zijn leven, sessie na sessie van zijn beste werk opnam, en me al veertig jaar lang fascineert en intrigeert.

'... de Secret Intelligence Service moest niet alleen opkomen voor de traditionele fatsoensnormen van onze maatschappij, maar daar ook de belichaming van zijn. Binnen haar eigen muren, haar clubs en landhuizen, tijdens gefluisterde lunches, met haar seculiere contacten, moest zij het mystieke wezen van een verdwijnend Engeland omvatten. Wat er verder ook in de grote wereld gebeurde, in eigen land werd Engelands bloem in elk geval gekoesterd. "Engeland mag dan aan het instorten zijn, maar binnen onze geheime elite blijft de onversaagde traditie van de Engelse macht voortbestaan. Wij geloven alleen in onszelf".'
John le Carré

(uit zijn inleiding bij '*Philby: The Spy Who Betrayed a Generation.*' Page, Leitch & Knightley, 1968)

'Om te kunnen verraden, moet je er eerst bij horen.'
Kim Philby

(in een interview met Murray Sayle, 1967)

Proloog

April 1956

April gedroeg zich of het lente was. De onbarmhartigste maand, en een aanfluiting. Overdag was er in Moskou een aarzelend zonnetje, 's nachts heerste er een bittere kou. De verwarming in het vervallen, als gevangenis dienende hotel brandde slechts op onregelmatige tijden, en als die niet werkte kwam elk stukje kleding, elke vierkante centimeter beddengoed van pas. Grauwe dagen, zwarte nachten, en een tinteling in de tepels waartegen de watten in de punten van de beha maar weinig soelaas boden.

De kleine man droeg diverse lagen kleren over elkaar. Wel drie of vier truien, dacht ze, een dikke marineblauwe jopper, wanten over zijn handschoenen, een wollen muts onder een goedkope pet met kleppen van konijnenbont. De kleine man, Yoeri, was in orde. Voor een schurk. De volgzame apparatsjik. Het was de grote man, Misja, waarvoor ze moest uitkijken.

De kleine Yoeri probeerde Engels te leren. Hij was nog nooit buiten Rusland geweest en zou dat, dacht de majoor, ook wel nooit komen, maar hij verdiepte zich graag in de eigenaardigheden van de taal en benutte iedere mogelijkheid die zich voordeed om Engels met haar te spreken.

'Many a mickle maks a muckle,' zei hij eens tegen haar.

'Waar heb je het nou in vredesnaam over?'

Dat wist hij evenmin als zij, maar hij haalde een verfrommeld tijdschrift uit zijn jaszak en gaf dat aan haar.

'Ik hoor thuis in Glasgow,' las ze. 'Het blad voor Schotten in het buitenland. Sydney 1955. Hoe kom je daaraan?'

Hij haalde zijn schouders op.

'Kun jij voor mij ook spullen krijgen?'

'Natuurlijk,' zei hij. 'Zolang...'

De majoor begreep het. Zolang Grote Misja het maar niet wist.

Ze vroeg om een exemplaar van *Huckleberry Finn*. Een week later bracht hij er een voor haar mee. In het Russisch. Vertaald in 1909. Allemachtig, Twain was nog in leven toen dit boek werd gedrukt. In cyrillische letters stond er: Г. Геккельберри Финн (Huckleberry Finn). Dichter bij het origineel hadden ze blijkbaar niet kunnen komen. Gekkelberry. Ze had er nooit over nagedacht hoe dat zou overkomen in haar moedertaal. Het meest Amerikaanse woord in haar Amerikaanse woordenschat – in de categorie van Hoboken, Hoosier en Hominy Grits – overgezet in de taal van haar vader en voorvaderen. Ze lachte tot ze moest huilen en kon de lol ervan in geen van beide talen aan Yoeri uitleggen.

'Is probleem?' vroeg hij.

'Nee,' zei ze. 'Geen probleem. Ik lees het wel. Het is weer eens wat anders.'

Ze was bijna aan het einde, dat zwakke stuk waar Tom Sawyer tussenbeide komt en de plot bederft, toen Misja opdook. Ze schoof het boek snel onder de matras en keek toe hoe hij zich van zijn kleding ontdeed. Dus dat was het dan. Eindelijk. Het hing al heel lang in de lucht, maar ze had altijd geweten dat hij het zou proberen.

Het kostte hem minder dan een minuut om alles wat ze aan kleren droeg van haar af te rukken. Ze verzette zich hevig en wist haar duim en wijsvinger in de kas van een van zijn ogen te planten. Misja verstijfde. Hij kon zich bewegen, dat wist hij, maar hij wist ook dat ze hem in de greep had, en dat hij zijn oog kwijt was als hij zich bewoog.

Ze drukte wat harder, duwde haar duimnagel in de oogbol. 'Hebben ze gezegd dat je me moest vermoorden, Misja?'

Het andere oog staarde haar roerloos aan.

'Zeg wat, verdomme!'

'Nee,' zei hij.

'Als je doorgaat waarmee je nu bezig bent, zul je me moeten afmaken. Want als je dat niet doet, maak ik jou af. En als ze me liever in leven houden, zou ik niet graag in jouw schoenen staan. Snappu?'

Ze drukte nog eens. Hij gilde. Ze liet hem los. Hij sloeg haar met de rug van zijn hand in het gezicht en verliet stampvoetend het vertrek. Daarna gaf hij haar er geregeld van langs, maar hij deed nooit meer een poging zich aan haar te vergrijpen.

Ze had het tellen van de dagen en de weken al een tijd geleden opgegeven, maar het leek niet lang daarna, toen op een vroege ochtend Yoeri verscheen, met een van haar koffers en een van haar jassen, het tot aan de enkels reikende zwarte geval dat ze tijdens haar laatste reis naar Parijs had gekocht. Hij zette de koffer rustig neer en gooide haar de jas toe.

'April doet wat hij wil,' zei hij.

'Gaan we weg?'

Hij knikte.

Was dit het einde? Een autorit het bos in, een kogel in het achterhoofd, een naamloos graf, en haar gegevens verwijderd uit de KGB-archieven? Het zoveelste anonieme slachtoffer van Chroesjtsjov?

'Sorry, majoor,' zei hij. 'Het gaat alleen om een ander hotel. Een halfuurtje verderop.'

Een halfuur. Een halfuur buiten. Licht. Lucht. Beweging.

De auto was een ingedeukte Moskvitsj sedan, van een vale, onbestemde kleur, lomp en onbehouwen, als een vooroorlogse Citroën, de klassieke Gestapowagen, nagetekend door een onhandig kind. Maar er zat in ieder geval een verwarming in. De Russen liep vooruit op de Fransen, en lichtjaren vooruit op de Engelsen wat de verwarming van hun auto's betreft. Deze rook naar gebraden pens, maar deed het tenminste.

Yoeri reed. Misja zat achterin met de majoor, verveeld en moe, de benen gespreid, zodat zijn dikke dijen het grootste deel van de zitruimte in beslag namen. De enkele keer dat Yoeri een glimp van haar opving in het spiegeltje, kon hij haast zweren dat ze inwendig glimlachte als er het een of ander aan haar blikveld voorbijtrok.

Twee straten voor het Rode Plein kwam de bescheiden verkeersstroom tot stilstand. Er kwamen enkele auto's achter ze staan, die de straat blokkeerden en zo nu en dan claxonneerden.

'Uitstappen en kijken wat er aan de hand is,' zei de Grote Misja, en hij onderdrukte een geeuw.

'Baas, het is hartstikke koud!'

'Doe wat ik zeg!'

Yoeri knoopte zijn jopper dicht, en klom uit de auto. Zijn adem deinde in witte wolken voor hem uit. Een paar minuten later was hij weer terug. Hij plofte achter het stuur neer en klapte het portier dicht.

'Tanks,' zei hij. 'Tanks en troepentransportvoertuigen en langeafstandsraketten en duizenden arme pechvogels die lopen te oefenen voor de 1ste Mei.

Het duurt zeker een halfuur voordat die voorbij zijn.'

Misja keek achter zich naar de groeiende rij van stilstaand verkeer.

'Verdomme,' zei hij. 'We zullen moeten wachten. En het uitzitten.'

Hij knoopte zijn beigegrijze, dubbelrijs overjas open, ontknoopte zijn gulp en haalde zijn pik tevoorschijn. Die richtte zich op, onbesneden en lelijk, en roerde zijn kopje in gulzige verwachting. De majoor keek toe.

'Wat heb je toch een lekker mondje, majoor.'

Hij maakte geen grapjes. Hij greep zijn kans. En zij de hare.

Ze stak haar hand uit en streelde hem. Hij sloot zijn ogen en ze voelde hem onwillekeurig sidderen. Daarna knakte ze hem om en hoorde ze hem, toen de tienduizend vergrote bloedvaten scheurden, knappen als wilgenhout. Hij opende zijn mond om te schreeuwen. Ze stompte hem met haar andere hand op zijn keel, en het enige wat hij nog voortbracht was een gesmoord gehijg. Ze stak de hand in zijn jasje en haalde het automatische pistool uit de schouderholster, een volle seconde voordat Yoeri de zijne kon trekken en zich omdraaien in zijn stoel.

'Dwing me niet, Yoeri. Jij hebt me goed behandeld. Dwing me niet je neer te schieten.'

Hij hield zijn pistool met de kolf omhoog en gaf deze aan haar. 'Wegwezen,' zei hij. 'Voordat die smeerlap weer bijkomt.'

Ze reikte naar de deurknop en het laatste wat ze Yoeri dacht te horen fluisteren, was: 'Sterkte. God weet hoe goed je die kan gebruiken.'

Ze was altijd heel voorzichtig geweest, waar het Dorry betrof. Dorry was haar geheim. Dorry was haar vluchtweg. Ze was nooit met Dorry gezien. Ze had haar nooit opgezocht als ze niet honderd procent zeker wist dat ze niet werd gevolgd. Ze beschouwde zichzelf als een expert in het afschudden van achtervolgers. Dat was niet zo moeilijk. Je nam een taxi, betaalde die om naar de andere kant van de stad te rijden, stapte om de hoek uit, zette het op een lopen, en nam een taxi de andere kant op.

Dorry begon te huilen toen ze haar op de stoep zag staan.

'Ik wist niet beter dan dat je dood was,' zei ze door haar tranen heen. 'Al wekenlang. Ze hebben je appartement uitgekamd tot op de vloerplanken. Daarna hebben ze de vloerplanken er ook nog uit gehaald.'

Er was daar niets waar ze wat aan hadden. Alles van belang lag hier. De paspoorten, de reisvergunningen, tweeduizend Amerikaanse dollars en een keur aan afschuwelijke pruiken.

Dorry haalde de koffer tevoorschijn. De majoor verwijderde de valse bodem en doorzocht de inhoud op belastend materiaal. De paspoorten had ze nodig. Als ze Rusland ooit uitkwam, moest ze wel een half dozijn verschillende mensen zijn, voor ze veilig was. Daar had je de brief van Guy Burgess. Waarom had ze die in vredesnaam bewaard? Die kon hen beiden aan de galg brengen. Ze moest hem dan nu maar verbranden. Maar dat deed ze niet. Ze vouwde hem nog eens extra dubbel en legde hem bij de paspoorten.

Dorry had het deurtje van de kachel opengezet en gooide daar alles in wat de majoor haar aangaf.

'Dat ook,' zei ze, en wees op Huck Finn.

'Nee toch. Niet Huck.'

'Huck verraadt alles. Het is je handelsmerk. Bovendien is het een dik boek, dat ons wel twintig minuten warm houdt.'

Ze zette de muisgrijze pruik op en trok de boerse overjas aan. Die voelde aan alsof hij gemaakt was uit een mengsel van paardendeken en kaarsvet. Toen gaf ze het chique zwarte geval aan Dorry.

'O, nee,' zei Dorry, die met haar vinger langs de revers ging. 'Die is zo mooi. En een jaarsalaris waard.'

'En "verraadt alles". Jou past hij niet. Jij bent bijna 1 meter 75, en ik haal net de 1 meter 50 – verbranden, dat ding!'

'Waar wil je naartoe?'

'Naar het Westen. Waar anders?'

'Zul je me schrijven?'

'Natuurlijk. Als ik kan. Ik bedoel. Als het kan.'

'En stuur me dan iets.'

'Wat dan wel? Parfum? Lingerie? Dat soort dingen?'

'Nee. Stuur me een plaat van Elvis Presley.'

'Elvis Presley? Wie is in hemelsnaam Elvis Presley?'

1

Aan het einde van een tunnel dreef een wazig gezicht. Dat kwaakte als een kikker.

'Is dat alles?' vroeg Troy.

'Is wat alles?' vroeg zijn zuster.

'Dat, verdomme, dat! Dat verdraaide ding heeft me bijna vijfenzeventig pond gekost – is dat alles wat het te bieden heeft?'

De man in overall die achter het toestel gehurkt zat en met een schroevendraaier friemelde, keek over de kast heen.

'Het staat allemaal nog in zijn kinderschoenen, hoor. Je mag nog niet verwachten dat je de bioscoop aan huis hebt.'

Het gezicht bewoog zich als een vis, deinend als een besnorde en onwelkome luchtspiegeling. Troy herkende het. Gilbert Harding. Een figuur gemaakt door het nieuwe medium, een tele-betweter, een man met een mening over alles en naar alle waarschijnlijkheid de beroemdste ex-politieman van het land.

'Ik dacht dat we de televisie al jaren geleden hadden uitgevonden,' vervolgde Troy geërgerd. 'Ik dacht dat we hierin een gidsland waren. Ik dacht dat het zoiets was als radar. Voer voor techneuten. Barnes Wallis, Logie Baird en dat soort knapen.'

'Het is je eigen fout,' zei Masja. 'Als je er een had aangeschaft voor de Kroning, zoals alle andere mensen, was het nu allemaal in orde geweest.'

'Je wou toch niet zeggen dat het drie jaar rommelen en friemelen kost om zoiets in orde te krijgen?'

'Nou,' zei ze, 'iets in die richting.'

'Dan wil ik het niet. Neem maar weer mee.'

Gilbert Harding hield op met wiebelen. Voor het eerst kon Troy hem duidelijk verstaan.

'Heb ik het goed als ik denk dat u in de keramische industrie zit?'

Applaus. Een stem achter de schermen zei een totaal onnodig 'ja'.

'Heb ik het goed als ik denk dat u een kleimallenmaker bent?'

Meer applaus. Een derde stem kwam door, en de camera draaide naar een grote man met krulhaar en een hard, maar niet onvriendelijk gezicht, als van een bokser, die mild zat te glimlachen naar een verlegen, onbestemde persoon die op een gegeven moment had bedacht dat het leuk zou zijn als vier mensen in avondkleding een halfuur lang hun tijd verspilden met het raden naar zijn beroep. Troy had nog nooit zoiets absurds gezien.

De telefoon ging en voorkwam dat Troy de man in overall de deur uit gooide of zijn zuster te lijf ging. Het leren leven met de kijkkast, concludeerde hij, zou geen sinecure zijn.

'De Branch wil je spreken,' zei Onions.

'Ik werk niet voor de Branch.'

'Allemachtig, Freddie, hou nou eens op!'

'Stan, ik hoef niets te doen voor die...'

'Ze zijn vandaag twee van hun mensen kwijtgeraakt,' zei Onions botweg. Troy liet dit even inzinken. Goedschiks of kwaadschiks? 'Bedoel je vermoord?'

'Nee. Auto-ongeluk op de A3.'

'Dan begrijp ik niet wat ons dat aangaat.'

'Ze hebben te weinig mankracht. Je moet ze helpen, zeggen ze.'

'Waarmee?'

'Niet via de telefoon, Freddie.'

Troy zuchtte. Hij had gruwelijk de pest aan al dat geheimzinnige gedoe, alsof er iemand anders dan de Special Branch de telefoonlijnen in Engeland aftapte. Maar, als ze om hem persoonlijk hadden gevraagd, interesseerde het hem wel.

'Ga nou maar naar ze toe,' zei Onions. 'Je hoeft je nergens toe te verplichten. Hoor ze maar gewoon even aan.'

Via de Great North Road was het een uur rijden naar Scotland Yard. Troy had nog drie dagen vakantie tegoed, maar wat de rit naar Londen aantrekkelijk maakte, was dat die hem zou bevrijden van zijn zusters, die hem zover hadden gekregen dat hij zo'n kijkkast kocht en nu zonder twijfel hadden gepland zijn avond te verknoeien met hem wegwijs te maken in hun favoriete programma's. Als dit raadspelletje exemplarisch was, kon het onding wat hem betreft in de bediendenkamer worden gezet op het moment dat de zusters hun biezen pakten, zodat hij er verder niets meer mee van doen hoefde te hebben. Tegen de tijd dat ze een nieuwe misplaatste opwelling van moederlijke gevoelens voelden opkomen, was er wel weer een nieuwe modegril aan de orde.

2

Troys Bullnose Morris had in 1952 op zeventienjarige leeftijd de geest gegeven. Hij wilde geen andere. Hij had van de auto gehouden. Hij had zelfs kunnen leven met de spot die men ermee dreef in de jaren dat die aftands begon te worden en hij geen andere wilde. Voor het eerst na de dood van zijn vader in 1943 had hij een deel van zijn erfenis besteed aan een onmiskenbare uitspatting – een vijf liter, zes cilinder Bentley Continental Saloon met een sportcarrosserie van Mulliner. Lang, stijlvol, en met een sterk oplopend plat achtereind, was het een auto uit duizenden en, zoals iedereen die hem kende benadrukte, buitengewoon on-Troy. De genoegdoening die zijn tegendraadsheid hem hiermee schonk, was niet in woorden te omschrijven.

Hij had het portier al open en gooide zijn oude leren aktetas op de passagiersstoel, toen Sasja, zijn andere zus, verscheen. Ze liep van de varkensstallen, die Troy aan de andere kant van de moestuin had laten neerzetten, naar de oprijlaan. Ze wandelde in de voorjaarsschemer met een bosje grasklokjes in haar hand, en neuriede een onbestemde melodie. Zo te zien verkeerde ze in een heel andere stemming dan haar tweelingzuster. Ze begrepen elkaar als door telepathie, maar het tweelingschap kende blijkbaar geen voorschriften voor een gelijkwaardig gedrag of denkpatroon onder alle omstandigheden. Wanneer dat wel het geval was, waren ze natuurlijk niet te harden voor hun medemensen – twee lichamen met maar één inborst, gedachte, en plan. Sasja was nu in een meditatieve bui, dacht Troy.

'Moet je nu al weg?' vroeg ze.

'De Yard,' mompelde Troy, in de hoop dat daarmee alles was gezegd.

'Die Old Spot is een mooi varken geworden. Laat je haar deze maand door een ram bespringen?'

'Ik geloof dat een ram meer voor schapen is.'

Sasja dacht hierover na alsof het een grote openbaring betrof, die geheel nieuwe horizonten opende en stof bood voor vele uren van onschuldig vermaak. Troy ging achter het stuur zitten en reikte naar het portier, maar ze legde haar hand op de raamsponning en liet de dagdromerij even voor wat die was.

'O, nou ja... laat je haar dan door een pappavarken neuken?'

'Tot gauw, Sasja.'

Ze liet het portier los.

'Tot gauw, Freddie.

Troy schakelde de auto in zijn eerste versnelling en liet hem langzaam de oprijlaan af rijden, waarbij het knarsen van het grind onder de wielen meer lawaai maakte dan het motorgeluid. In zijn achteruitkijkspiegeltje zag hij Sasja op het stoepje voor het huis zitten, haar gezicht geheven naar de opkomende maan. Hij reed rond de rij beuken aan de kop van de oprijlaan en verloor haar uit het oog. De weg voor hem lag open, hij reed voorzichtig het hek uit en gaf de Bentley vrij baan naar het zuiden en de grote weg naar Londen.

3

Onions wachtte in Troys kantoor. Hij zat met zijn rug naar de deur, op de rand van een bureau, en keek uit over de maanverlichte Theems. Een karakteristieke houding van hem. In zijn functie van hoofdinspecteur en chef van de afdeling Moordzaken had hij de gewoonte ontwikkeld om mensen op te gaan zoeken. Troy kon zich niet herinneren dat Onions hem ooit op zijn eigen kantoor had ontboden. Hij viel op alle uren van de dag binnen, onverwacht, ongevraagd, en bij tijd en wijle onwelkom, en wilde dan worden bijgepraat, of anders trof Troy hem bij het binnenkomen aan bij de gaskachel, puffend aan een Woodbine, of zoals nu, uitkijkend over de rivier. Ogenschijnlijk niksend – maar dat leek maar zo. Door met zijn neus over de grond te wroeten, kende Onions alle geheimen van zijn ploeg. Hij kon documenten ondersteboven lezen als hij tegenover je aan het bureau zat, en Troy had al lang geleden geleerd niets te laten rondslingeren wat de blik van Onions niet kon verdragen. Zijn benoeming tot assistent-commissaris had daarin geen verandering gebracht. Besprekingen vonden altijd plaats in het kantoor van de ander, informatie werd altijd vergaard op deze willekeurige manier. Troy gaf hem een koekje van eigen deeg. Op dagen waarvan hij wist dat Onions er niet was, doorzocht hij de spullen op diens bureau, net zoals Onions dat bij hem deed. Met als gevolg dat ze geen geheimen voor elkaar hadden, behalve het geheim dat ze geen geheimen hadden.

Onions was ongedurig. Er was, zo te zien, iets aan de hand.

'Mooi,' zei hij alleen maar, toen Troy binnenliep. 'Mooi, mooi.'

Troy maakte hieruit op dat hij in grote opwinding verkeerde. Er was iets – Troy wist nog niet wat – waar hij duidelijk naar uitzag en zich over verkneukelde. Hij gleed van het bureau. Troy hoorde de zware, zwarte hoge schoenen op de vloerplanken bonken. Onions streek met zijn handen over de stoppels die doorgingen voor een haardos, als wilde hij iets ordenen wat toch al niet kon worden geordend, en glimlachte. Troy wierp zijn tas op een stoel en stak zijn handen in zijn jaszakken, waarmee hij een zekere geprikkeldheid en verzet demonstreerde.

'Was je van plan me te zeggen wat er aan de hand is, Stan? Of moet ik ernaar raden?'

'Ted Wintrincham zit op dit moment in zijn kantoor op ons te wachten. Waarom neem je niet een minuutje de tijd en laat je het hem vertellen?'

Troy had geen idee wat hij hiermee aan moest.

'Hoezo?'

'Omdat ik denk dat je het wel leuk zult vinden.'

'Aha.'

'Jazeker, jongeman. Ik denk zelfs dat je, als je het zelfs maar half zo leuk vindt als ik, binnen tien minuten niet meer te houden zult zijn.'

'Stan, Special Branch is ongeveer net zo leuk als de grap van Jimmy Wheeler over de rijstebrij.'

'We hebben het er nog over. Als je Wintrincham hebt aangehoord.'

Hij glimlachte zo schurkachtig, dat het bijna ongepast was. Het leek met deze nauwelijks verholen grijns waarachtig wel of Onions zo direct zelf niet meer te houden zou zijn. Hij liep voorop de lange gang door. Op de trap probeerde Troy wat meer te weten te komen.

'Wie zijn er omgekomen bij dat auto-ongeluk?'

'Herbert Boyle en zijn brigadier. Een jonge jongen, die Briggs heette. Kende je die?'

'Briggs niet. Boyle wel. Dat was ook niet zo moeilijk.'

'Tja. Je kon van hem niet zeggen dat hij een doetje was.'

'Je kon van hem niet zeggen dat hij niet de meest gewetenloze klootzak was die op deze aardbol rondliep,' zei Troy.

'Godallemachtig, Freddie, de man is nog geen drie uur dood.'

Ze kwamen bij Wintrinchams deur. Onions gooide die zonder kloppen open. Ted Wintrincham was een Deputy-Commander, en hoofd van de Special Branch. Een stuk hoger dan Troy, maar dat was voor assistent-commissaris Onions geen reden om hem anders te behandelen dan ieder andere ondergeschikte functionaris. Voor de stier leek de ene porseleinkast veel op de andere. Wintrincham zat achter zijn bureau. Hij stond op om Troy de hand te schudden en iedereen aan elkaar voor te stellen.

'Fijn dat u zo snel kon komen, hoofdinspecteur Troy. U kent inspecteur Cobb, geloof ik?'

Troy keek naar de grote man die ongemakkelijk overeind kwam om zijn uitgestoken hand te schudden. Hij kende Norman Cobb van gezicht. Met zijn bijna 1 meter 90 en ruim honderd kilo zag je die moeilijk over het hoofd. Troy kwam hem al jarenlang tegen in de gangen van de Yard, zonder ooit een woord met hem te hebben gewisseld. Hij vond hem het prototype van een kribbebijter. Bij uitstek geschikt voor de Branch.

'Ik had geloof ik nog niet het genoegen,' antwoordde Troy.

Cobb gaf hem een vermorzelende handdruk en gunde hem een korte blik op zijn glanzende boventanden toen hij probeerde te glimlachen. Troy gooide zijn jas over de rugleuning van een stoel en ging naast Onions zitten, tegenover Wintrincham. Cobb, concludeerde Troy al spoedig, was kil of gewoon slechtgehumeurd. Hij zat daar in zijn keurige blauwe gabardine regenjas, die tot bovenaan zat dichtgeknoopt, als een kind dat door zijn moeder naar een feestje was gestuurd waar hij bij voorbaat al geen zin in had. Wintrincham was een ander verhaal. Hij was de enige persoon bij de Special Branch die Troy aardig vond, de enige met wie hij tijd kon doorbrengen zonder achteraf het gevoel te krijgen dat zijn zakken waren gerold. Hij vroeg zich vaak af hoe de man het had klaargespeeld zo hoog terecht te komen in een baan met zo'n slechte naam. Het was een aardige, vriendelijke plattelander. Bijna een halve eeuw Londen had maar weinig invloed gehad op zijn brouwende Hampshire-accent. Hij sprak nog altijd als een buitenman, en genoot bij het voltallige Londense politiekorps de bijnaam van 'Boer'.

'U heeft het gehoord over inspecteur Boyle en brigadier Briggs, neem ik aan?'

Troy knikte.

'Ik verlies natuurlijk nooit graag mensen, maar nu komt het wel heel erg slecht uit. We hebben deze week een staatsbezoek – dat zal wel voor niemand een geheim zijn.'

Troy keek naar Onions. Onions keek terug. Troy kon haast zweren dat hij knipoogde. Goeie god, hoe lang kon die man dit soort informatie onder zich houden, zonder dat hij ontplofte? Plotseling zag hij haarscherp wat Onions zo inspireerde, zag hij haarscherp waarom hij het had laten aankomen op het verrassingselement, zag hij haarscherp wat hem te wachten stond.

'De kranten staan er uiteindelijk vol van,' vervolgde Wintrincham. 'Eerste Secretaris Chroesjtsjov en... heb ik dat goed uitgesproken, volgens u?'

Hij keek naar Troy voor het antwoord. Troy was met stomheid geslagen.

'Heel goed, sir,' mompelde hij.

'Hoe dan ook. Eerste Secretaris Chroesjtsjov en Maarschalk Boelganin meren in de ochtend in Portsmouth af en gaan morgen voor de middag aan land. Mij is gevraagd de persoonlijke beveiliging te leveren, en ik vind het niet meer dan vanzelfsprekend dat deze geheel en al uit politiemensen in actieve dienst bestaat. Er zijn de gebruikelijke veiligheidsmaatregelen – motorescortes van de Londense politie – maar de persoonlijke lijfwacht wordt gevormd door de Special Branch. Boyle en Briggs waren op weg naar Portsmouth toen ze verongelukten. Waardoor ik nu twee man tekort kom. Het ziet ernaar uit dat u de enige beschikbare politieman bent die aan de noodzakelijke voorwaarden voldoet. U spreekt goed Russisch, werd me verteld.'

'Heel goed, sir,' zei Troy opnieuw.

'Ik weet dat het ongebruikelijk is te vragen om een detachering van een functionaris met uw rang, en ik besef dat u een eigen team moet leiden, maar onder de omstandigheden zou ik erg dankbaar zijn als u ons met deze kwestie zou willen helpen.'

'Het gaat om een detachering van een week, begrijp ik?'

'Eerder tien dagen. Mr. Onions gaat akkoord. Als u wat tijd wilt om er...'

'Nee, nee,' zei Troy. 'Mr. Onions heeft vast al alles gezegd wat nodig is.'

Troy wierp een zijdelingse blik naar Onions, maar die hapte niet en staarde naar de punt van zijn schoen.

'Maar ik heb wel eerst een paar vragen, als dat mag. Wie, bijvoorbeeld, heeft de leiding van deze operatie?'

Vanuit de hoek van het vertrek klonk de stem van Cobb. 'Ik.' Het kwam diep uit de keel, was toonloos en met het accent van de Midlands. Direct daarna kuchte hij in zijn hand, alsof hij niet meer wilde zeggen dan absoluut noodzakelijk was.

'Juist, ja,' zei Troy. 'Hoeveel man hebben we?'

'Vijf,' bromde hij weer. 'Zes, met u erbij. Die dubbele diensten draaien. Vier met Chroesjtsjov. Twee op, twee af. Twee met Boelganin. Zelfde systeem. U komt bij de Maarschalk, en u kunt de nachtdiensten nemen. Dan is er minder werk aan de winkel. Dan laten we het belangrijke werk over aan mijn mannen. Die zijn er tenslotte voor opgeleid.'

Dat ergerde Troy. Hij wist verduiveld goed dat de training van Special Branch uit niet veel anders bestond dan een toelatingsexamen in het openstomen van enveloppen en intrappen van deuren. Wat iedere idioot kon.

'Mijn Russisch zal daarbij van weinig nut zijn, zo te horen,' zei hij.

'Dat is alleen maar voor de zekerheid,' zei Wintrincham. 'Ze hebben natuurlijk hun eigen vertalers bij zich. Maar elders is indertijd beslist dat het misschien beter was als iedereen die geregeld met ze in contact staat, ook de taal spreekt. Zodat niets aan onze aandacht ontsnapt.'

Elders. Als daarmee MI6 werd bedoeld, waarom zei hij dat dan niet? Lieve hemel, durfde niemand meer het woord spion te gebruiken als het om spionnen ging?

'Niets aan onze aandacht ontsnapt?' vroeg Troy zacht.

'Niets... laten we zeggen... van belang. Alles wat u hoort wat belangrijk kan zijn, moet dan aan inspecteur Cobb worden gerapporteerd. En het spreekt vanzelf dat we voor de Russen allemaal gewone politiemensen zijn. En dat ze geen redenen hebben om ervan uit te gaan dat we hun taal spreken.'

'Behalve dan hun natuurlijke wantrouwen,' zei Troy.

'Daar kan ik verder ook niets aan doen. Ik zeg alleen maar dat, als jullie je mond dicht houden en je oren open, de klus verder voor niemand problemen zal opleveren.'

Troy keek weer naar Onions, en merkte dat die terugkeek. Wie in het schuitje zit, dacht hij.

'Eens kijken of ik u goed begrijp, sir,' begon hij, gebruikmakend van een beproefde inleiding die blijk gaf van ingehouden respectvol verzet. 'U wilt dus dat ik Maarschalk Boelganin bespioneer?'

'Niet precies...'

'Ted,' viel Onions in de rede, 'hoe zou je het dan anders willen noemen?'

'Ik weet niet of u zich hiervan bewust bent, sir,' vervolgde Troy, 'maar toen ik een kleine tien jaar geleden een agent van de Amerikaanse regering arresteerde wegens vier aanklachten voor moord – vier aanklachten waarvoor hij vervolgens werd veroordeeld – lieten de functionarissen van deze afdeling me links liggen. De enige uitzondering was wijlen inspecteur Boyle, die me recht in mijn gezicht een verrader noemde. Ook vraag ik me af, sir, of u er zich van bewust bent dat toen iedereen, niemand uitgezonderd, tijdens de oorlog werd doorgelicht, het resultaat van mijn doorlichting, zoals hoofdinspecteur Walsh dat toen noemde, marginaal was. Deze afdeling heeft het nodig geacht me met zekere regelmaat aan deze omstandigheid te herinneren, wanneer die er baat bij had me te portretteren als iemand waarbij vraagtekens konden worden geplaatst als het om de belangen van het politiekorps ging. Mag ik er nu van uitgaan dat mijn geloofwaardigheid bij deze afdeling is gestegen? Wordt mij nu, na al dat water onder die tientallen bruggen, gevraagd een Maarschalk van de Sovjet-Unie te bespioneren?'

Wintrincham stond paf. Troy besefte dat hij waarschijnlijk zelden door zijn eigen mensen op deze manier werd toegesproken, terwijl dat bij Onions en Troy aan de orde van de dag was. Hij kreeg er bijna spijt van. Wintrincham behandelde hem netjes en liet hem de keuze, maar dit was toch een gelegenheid die hij niet mocht laten voorbijgaan.

'Omdat,' besloot Troy, 'ik dat niet doe.'

Wintrincham keek voor hulp naar Onions, maar Cobb nam het woord.

'Neemt u me niet kwalijk, sir, maar dit gelul hoeven we toch niet te slikken. We kunnen heel goed zonder Mr. Troy.'

'Laat de man uitspreken, inspecteur,' zei Onions.
'Ik had toch sterk de indruk dat Mr. Troy zijn zegje had gedaan en zijn pijlen had verschoten, sir.'
'Klep dicht, man. Hij is nog niet klaar. Toch, Freddie?'
Troy was in stilte onder de indruk van de timing. Het leek haast wel telepathie. En het gebruik van zijn voornaam wettigde eigenlijk alles wat hij nu nog zou willen zeggen.
'Nee, sir. Ik wil graag nog één ding stellen.'
Cobb keek met rollende ogen naar het plafond. Troy dacht dat hij hem 'Jezus' hoorde fluisteren.
'Ik wil Maarschalk Boelganin niet bespioneren.'
'Zei ik het niet,' mompelde Cobb.
'Maar Chroesjtsjov wel.'
Cobb en Wintrincham keken elkaar met een nietszeggende blik aan. Troy keek naar Onions, die met zijn armen over elkaar zat te meesmuilen. Troy had altijd gedacht dat hij net zo weinig op had met de Branch als hijzelf. Dat de Branch nu onder zijn leiding stond, was omdat die deel uitmaakte van de afdeling op de Yard waar hij het voor het zeggen had. Troy geloofde niet dat deze kant van zijn bevoegdheid hem veel genoegen schonk.
Eindelijk nam Wintrincham het woord. 'Wie,' vroeg hij Cobb, 'heb jij aangesteld voor Chroesjtsjov?'
'Dat was inspecteur Boyle. Zoals de zaken nu liggen, zou ik dat zelf gaan doen. Het is mijn operatie.'
'Ik wil de operatie niet. Ik wil alleen Chroesjtsjov. Bij voorkeur als hij wakker is. Het zou zonde zijn me op Boelganin te zetten,' zei Troy.
'En waarom dan wel?' snauwde Cobb hem toe.
'Waar heeft u Russisch geleerd, Mr. Cobb?'
'In het leger, in 1946.'
'Ik heb mijn hele leven Russisch gesproken. Het is mijn moedertaal. Verder is Boelganin een zwijgzaam man, vergeleken bij Chroesjtsjov. Als je moet nadenken bij wat Chroesjtsjov zegt, als die los komt, heb je het nakijken. Hij is snel en hij is slecht gehumeurd. En als hij eenmaal doorslaat, ratelt hij aan één stuk door. Wilt u me nu laten geloven dat u nog iemand anders heeft die zo vloeiend Russisch spreekt als ik?'
Cobb staarde hem zwijgend aan.

'Zijn dat uw voorwaarden, Mr. Troy?' vroeg Wintrincham.

'Geen voorwaarden, sir. Ik zou het niet in mijn hoofd halen restricties toe te passen op mijn diensten. Ik probeer alleen praktisch te zijn.'

'Ik denk niet dat ik u geloof, Mr. Troy. Maar het valt niet te ontkennen dat wat het meest geschikt is voor uw eigenliefde ook het meest geschikt is voor de operatie. Ik wijs u toe aan Eerste Secretaris Chroesjtsjov.'

Cobb opende zijn mond om iets te zeggen, maar Wintrincham was hem voor.

'Wat je hier ook tegen in te brengen hebt, Norman, ik wil het niet horen. Ik heb mijn besluit genomen. Jij houdt de leiding. Je hebt zelf genoeg besluiten te nemen om je nog druk te maken over de mijne. Als je instructies hebt voor hoofdinspecteur Troy, laat die dan nu horen, dan kan ik zo langzamerhand naar huis en naar bed. Het is een lange dag geweest.'

Cobb hoestte in zijn vuist. Hij keek met onverholen minachting naar Troy.

'Om zes uur morgenochtend melden bij de garage. We rijden naar Portsmouth voor instructies en wapenuitgifte om half tien. Ik deel dan de mensen en de roosters in. Na aankomst van het Russische schip vangen we de bezoekers op bij het aan land gaan. Terug naar Londen per trein. Officiële regeringsontvangst op Waterloo. En de avonden zijn vrijwel aldoor formeel – u beschikt toch wel over avondkledij, Mr. Troy?'

Nou ja, dacht Troy, hij moest zijn gram toch ergens kwijt.

4

Terug op de gang van hun eigen verdieping kon Troy een triomfantelijk lachje niet onderdrukken. Onions reageerde in dezelfde stijl en trok een door nicotine gevlekte rij tanden bloot. Even leek het erop dat ze beiden uit hun rol zouden vallen. Onions had gelijk, het was kostelijk, het was onweerstaanbaar, het was komisch.

'Wat voor grap was dat dan?' vroeg Onions.

'Hè?'

'Van Jimmy Wheeler over de rijstebrij.'

'Ik bedoelde alleen maar dat die niet leuk is. Iedereen kent hem al. Wheeler tapt die iedere keer als hij optreedt. Zoals Jack Benny met zijn viool.'

'Leuk?' vroeg Onions zich af. 'Volgens mij ken ik hem niet.'

Dan was hij de enige in het Verenigd Koninkrijk, dacht Troy. Maar hij ging vermoedelijk niet veel uit, zelden of nooit naar de bioscoop of het variété, en had waarschijnlijk nog nooit in zijn leven televisie gezien. Wat Onions betrof droeg Charlie Chaplin nog altijd een bolhoed en een slobberbroek, en waren Martin en Lewis een warenhuis.

'Landloper belt aan bij een groot huis. Fijne meneer doet open. Landloper zegt: "Goeienavond, baas. Heeft u misschien een kwartje, of een hapje te eten?"

"Wel," zegt de fijne meneer, "hou je van koude rijstebrij?"

"Heerlijk," zegt de landloper, en de fijne meneer zegt: "Dan moet je morgen terugkomen, want die is nu nog warm."'

Onions dacht hier even over na, met een verbaasd trekje op zijn gezicht.

'Je hebt gelijk,' zei hij. 'Dat is niet leuk.'

5

Er viel die avond niet veel anders meer te doen dan naar huis te gaan, te pakken en te gaan slapen. Het was een korte wandeling van Scotland Yard naar zijn huis in Goodwin's Court. Door de jaren heen had Troy iedere mogelijke route naar huis bedacht en uitgeprobeerd. Langs de Embankment, onder Hungerford Bridge door, via Villiers Street, over de Strand en achterom naar binnen, via Chandos Place en Bedfordbury – wat vlot doorliep, en al met al rustig was. Of langs Whitehall, over Trafalgar Square, voorbij Nelson, langs St Martin-in-the-Fields, St Martin's Lane in, en voorom naar binnen – wat helemaal niet rustig was, en meer voor als hij zin had de toerist uit te hangen. Of, zoals vanavond, in een tegendraadse bui, via Whitehall, door Downing Street, waar de lichten in de werkvertrekken van de premier nog brandden – allerlaatste wijzigingen in het programma, zodat Mr. C. een bezoek kon brengen aan een inmaakbedrijf voor tafelzuur in Middlesborough of oude gekostumeerde Engelse volksdansen in Middle Wallop? – waar de dienstdoende agent onverwacht voor hem salueerde, naar Horse Guards' Parade, over de trap van Carlton House, via Haymarket en links Orange Street in – om daar even te stoppen, een vluchtige blik te slaan op de bovenste verdieping van een oud, smal huis, en dan verder te lopen, Charing Cross Road op, via Cecil Court, en voorlangs naar binnen.

Toen hij binnenkwam begon de telefoon te rinkelen.

'Freddie? Kom even een pintje drinken.'

Waarom Charlie? Waarom nu?

'Nu even niet, Charlie, ik moet morgenochtend voor dag en dauw op pad. En ik moet nog pakken.'

'Ik zit vlakbij, in de Salisbury. Ik zag je voorbijkomen. Kom op. Een halfuurtje maar.'

'Charlie, het is half...'

'Sinds wanneer letten wij op de klok?'

De Salisbury bevond zich aan de andere kant van St Martin's Lane, tegenover de ingang naar Goodwin's Court. In het hart van de West End, nagenoeg ingeklemd tussen de theaters, was het een geliefde kroeg voor acteurs. En Charlie was een soort acteur.

Troy vond hem in de gelagkamer, met een cognac met sodawater, talloze triviale vragen op de lippen, en zijn glinsterende, verknoopte web klaar om Troy in te vangen. Troy kende Charlie al dertig jaar. Ze scheelden maar een paar dagen in leeftijd. Ze beleefden samen hun eerste schooldag, sliepen in dezelfde slaapzaal, en doorstonden bijna acht jaar schouder aan schouder de wisselende omstandigheden van een opleiding waaraan Troy een grondige hekel had gehad. Charlie was inschikkelijker, veronderstelde Troy, toonde meer begrip voor waar het allemaal om draaide. Hij had Troy door die periode heen geholpen, om de sociale en formele obstakels heen, die Troy met stomheid hadden geslagen; soms had hij zich afgevraagd of het de Engelsen allemaal in de bol was geslagen. Niettemin vroeg Troy zijn vader iedere zomer of hij nu van school mocht, en de oude Troy antwoordde iedere zomer dat dit de enige manier was om zijn nieuwe land beter te leren begrijpen en dat hij dus moest blijven. 'Wil je een Engelsman zijn,' vroeg hij, 'of niet? Ik raad het je van ganser harte aan. Ze kunnen zo intolerant zijn jegens buitenlanders.

Als de club zijn deuren openzet, moet je meedoen. Je hoeft er niet in te geloven. Dat is tenslotte on-Engels. Denk aan Conrads *Under Western Eyes.* Ze hebben al lang geleden hun compromis gesloten met het verleden, en geloven dus nergens in. En je hoeft ze ook niet aardig te vinden.'

Charlie had de leiding. Wat er ook aan de hand was, Charlie had de leiding en Troy was een onderofficier. Troy had daar groot profijt van gehad. Aanvankelijk vroeg hij zich af waarom Charlie voor hem had gekozen, want hij diende maar al te vaak in bescherming te worden genomen tegen de perikelen van een gesloten gemeenschap waarvan hij nauwelijks iets begreep. En de prijs die Charlie daarvoor betaalde, was groot. Hij had het opgenomen tegen pestkoppen waar hij zelf geen problemen mee had, maar voor wie Troy, met zijn on-Engelse uiterlijk en zijn korte postuur, een natuurlijk doelwit was. En hij had bij diverse gelegenheden een pak slaag gekregen dat voor Troy was bedoeld.

'Ik voel het niet zo als jij,' had hij gezegd, toen Troy hem vroeg waarom hij de schuld op zich nam voor iets wat Troy had gedaan. Troy geloofde daar niets van, en zei dat ook. Charlie antwoordde: 'Goed, laat ik het dan zo zeggen. Ze slaan mij een stuk minder hard dan ze jou zouden slaan. Ze weten dat jij niet bent als zij, maar denken dat ik dat wel ben. Ze hebben het mis. *Contra mundum*, Fred. Jij en ik tegen de rest van de wereld.'

Troy had dit niet begrepen. Charlie was dit desondanks blijven zeggen.

Hun opleiding had hen beiden tot op zekere hoogte gemaakt tot wat ze nu waren. Beiden hadden hun stek gevonden buiten de normen van de Engelse hogere kringen. Charlie was in 1933 naar Cambridge gegaan, en daarvandaan direct naar de gardetroepen, waar hij tijdens de oorlog was gebleven. Daar zat hij nog steeds, in theorie tenminste, maar dat was allemaal deel van de kolossale bluf die volgens Troy terugging tot aan de oorlog, en misschien zelfs al daarvoor. Gardeofficier stond voor geheim agent, reserve stond voor geheim agent in actieve dienst, detachering bij onze ambassade in Helsinki stond voor belangrijk geheim agent, en detachering bij onze ambassade in Moskou stond voor zeer belangrijk geheim agent. Over dit alles werd nooit een woord gezegd. Charlie en Troy spraken hier nooit over, en hadden er ook nooit over gesproken. Dat hoefde ook niet. Maar weinig mensen op deze wereld waren zulke begenadigde babbelaars als Charlie.

'Hoe gaat het met de meisjes?' vroeg hij met zijn smetteloze glimlach aan Troy.

'Heel goed. Ze zijn nu vijfenveertig en als ik me lang genoeg van ze kan los worstelen om een redelijk objectief oordeel te vormen, moet ik toegeven dat het aantrekkelijke vrouwen zijn.'

'En Sasja? Hoe gaat het met Sasja? Voor haar heb ik altijd een zwak gehad.'

Dat was een leugen. Acceptabel genoeg, aannemelijk genoeg voor ieder ander, maar voor Troy smaakte hij naar een product van Charming Charlie. Op school had een lolbroek die goed onder woorden kon brengen wat zijn ogen zagen, hem Prinses Charming gedoopt. Die benaming weerspiegelde Charlies goeie manieren, zijn goede inborst, zijn seksuele neigingen, zijn gladde praatjes en het onvermijdelijke gevolg daarvan – Charlie kreeg gewoonlijk in alles zijn zin. Met zijn 1 meter 80 op kousenvoeten, weerspannige blonde haardos die tot over zijn voorhoofd reikte en net niet tot een leuke krullenbol vervormde, aardige hartvormige gezicht, lichtblauwe ogen en rij goeie, on-Engelse tanden in een brede mond, had Charlie een voorkomen dat van kinds af aan al tot een sociaal succes had geleid. Troy had hem zien uitgroeien van het lustobject van de pederast tot de droom van iedere vrouw. Troy en hij waren in veel opzichten tegenpolen van elkaar maar, zoals in de loop van de jaren bleek, ook vrienden voor het leven. Charlie leefde er maar op los, zat altijd op zwart zaad, en rolde van de ene crisis in de andere zonder dat de klamme hand van de chaos vat op hem kreeg. Troy herinnerde zich nog heel goed de laatste keer dat hij hem geld had geleend, zo'n drie, vier jaar terug, al was het maar omdat het inderdaad de laatste keer was geweest, en ook omdat het de eerste keer was dat Charlie het had terugbetaald. Driehonderd pond, in gebruikte vijfjes, en met de volslagen doorzichtige leugen dat hij die had gewonnen door in te zetten op de winnaar van de Grand National. Daaraan voorafgaand had Troy met een ontmoedigende regelmaat niet-verhaalbare schulden afbetaald, rekeningen met kleermakers vereffend en dreigende bookmakers afgehouden, waarbij uit het ontbreken van enigerlei rancuneuze gevoelens bleek dat de charme toch wonderen deed. Er waren tijden, dacht Troy, dat Charlie zich altijd uit iedere situatie wist te redden.

'Nee, dat is niet waar,' zei Troy. 'Dat kan helemaal niet. Fysiek kan ik ze uit elkaar houden. Dat heb ik altijd gekund. Maar wat hun karakters betreft, daar kan niemand ook maar een speld tussen krijgen. Ze zijn allebei eender en ze zijn allebei zo stijfhoofdig als wat. Het idee dat je een voorkeur zou kunnen hebben voor de een boven de ander is ondenkbaar, en het idee dat een man serieus een zwak voor een van de twee zou hebben is absurd. Zelfs hun beklagenswaardige echtgenoten kunnen dat niet opbrengen.'

Charlie grinnikte. 'En hoe gaat het met die beste Hugo?'

Sasja was in 1933 met de Honourable Hugh Darbishire getrouwd. Dat was een Engelse aristocratische droogstoppel van de eerste orde, niet bepaald dom, maar veilig, en geheel en al ingekapseld door de zeden en gewoonten van zijn klasse. Troys vader had na de aankondiging van hun verloving opgemerkt dat iedereen in ieder geval wist wat ze Hugh op zijn verjaardag konden geven: een tegoedbon voor de tandarts voor het onderhoud van zijn blaaskaak. De betiteling 'beklagenswaardig' was, wist Troy, eigenlijk niet fair. Hugh was waarschijnlijk even gelukkig als de gemiddelde struisvogel, en om dezelfde redenen. Hij had geen oog voor het zonderlinge gedrag van zijn vrouw en vertelde iedereen met onverholen trots wat een geweldige echtgenote en moeder ze was. Terwijl Sasja, dacht Troy, meestentijds niet eens meer wist hoe haar kinderen heetten. Na het overlijden van Hughs vader, vorig jaar, werd Hugh in het Hogerhuis opgenomen als de Burggraaf van Darbishire. Hij brak toen met de Liberal Party, waar de familie traditioneel lid van was, en sloot zich aan bij de Conservatives. Sinds de dag dat hij de familie bij elkaar riep om dit mede te delen, hadden Hugh en Troys oudere broer Rod niet meer met elkaar gepraat. Rod had hem een 'kinloos wonder' genoemd (in de volksmond de benaming voor een aristocratische nietsnut. vert.), waartegen Hugh zwakjes had geprotesteerd met een 'nou ja, zeg', wat Rod had overtroefd met 'en een stompzinnige idioot ben je ook.'

'Charlie, je hebt me niet hier gevraagd om over Hugh te praten.'

Charlie wenkte de barman en bestelde nog een cognac met sodawater.

'Nee,' glimlachte hij. 'Natuurlijk niet. Ik wilde alleen maar zeggen dat je het niet hoeft te doen.'

'Wat niet hoeft te doen?'

'Je hoeft niet naar Portsmouth te gaan.'

Troy stond paf.

'Hoeft dat niet?'

Charlie schudde krachtig met zijn hoofd en streek daarna een te lange lok blond haar uit zijn gezicht.

'De bal ligt bij mij. De hele verdraaide santenkraam ligt op mijn bordje. Ik hoorde pas een kwartier geleden dat de Branch jou had gestrikt. Echt, je hoeft het niet te doen. Die eikels hadden jou helemaal niet het mes op de keel mogen zetten. Als ze zich eens wat minder druk hadden gemaakt over hun zogenaamde onafhankelijkheid, en mij eerst hadden gevraagd, had ik ze wel gezegd dat ze geen moeite hoefden te doen.'

Dit was voor het eerst dat Charlie toegaf tot de geheime dienst te behoren. Maar Troy was al vastbesloten. Natuurlijk was die Branch een onmogelijke club. Hij had nog meer de pest aan de Special Branch dan aan de geheime dienst, maar niets ter wereld kwam er nu nog tussen hem en de mogelijkheid een week door te brengen in het gezelschap van Nikita Sergejevitsj Chroesjtsjov.

'Nee,' zei hij. 'Het is goed zo. Echt. Ik heb Wintrincham gezegd dat ik het zou doen, en dan doe ik het ook.'

'We hebben je niet nodig. Werkelijk niet.'

'Ik dacht eigenlijk van wel. Waar vind je anders iemand die zo goed Russisch spreekt als ik? Buiten je eigen gelederen, bedoel ik. Maar je kreeg natuurlijk te horen dat je je er buiten moest houden, niet?'

'Denk je nou echt dat Chroesjtsjov zijn mond voorbijpraat tegenover een Londense politieman?'

'Ik heb geen idee. Maar jullie sluiten de mogelijkheid blijkbaar toch niet uit, anders hadden jullie hem niet omringd met een kordon professionele oren, wel? Waar zit jij intussen?'

'Ik blijf erbuiten. En zit in Londen. En als Cobb me niet op de hoogte houdt, zal hij dat flink bezuren. Als ik door de mannen van de Kameraad Eerste Secretaris word gesignaleerd, dan zijn de poppen aan het dansen. Hoe wist je overigens dat we opdracht hadden uit de buurt te blijven?'

'Het verhaal doet de ronde in het Lagerhuis. Mijn broer had het er een paar dagen geleden nog over. Zei dat de opdracht van boven kwam.'

'Dat klopt. Niets is me bespaard. Sprak zelfs met de minister-president. MI5 en MI6 blijven onzichtbaar, anders zwaait er iets.'

Zo hoorde je nog eens wat, dacht Troy. Charlie zou niet bij Eden op het matje worden geroepen als hij er niet de positie naar had, in de wereld van de geheime agenten.

De barman dook op boven Charlies linkerschouder. Zette een cognac met sodawater voor hem neer, maar richtte het woord tot Troy.

'Excuus, Mr. Troy. Een vriend van u in de achterkamer. Vraagt naar u.'

'Johnny?' vroeg Troy.

'Ik vrees van wel.'

'Dronken?'

'Als een Maleier, Mr. Troy. Zou u zo goed willen zijn? Hij vraagt naar u.'

Troy stond op. Charlie volgde. De achterkamer van de Salisbury was prachtig; een pluchen rode ruimte, een weelderig karmozijnen hol, een fluwelen schuilplaats om in te drinken en te dromen. De man genaamd Johnny lag voorover op tafel en kreunde zacht.

'Hoe wist hij dat ik hier was?' vroeg Troy.

'Helderziendheid, als u het mij vraagt. Hoe weet hij anders wie er net naar de bank is geweest, of op welke avond de baas langskomt om te zeggen dat hij zijn rekening moet betalen?'

De man duwde zichzelf langzaam op, met zijn handen tegen de rand van het tafeltje. Zijn zwarte kasjmieren jas en bijbehorende rode sjaal – de stadskleding voor de chic – zaten vol braakselvlekken. Hij stonk naar whisky. Toen hij begon te brabbelen, sloegen de walmen van hem af.

'Freddie, Freddie, ouwe mannetjesputter. Weer goed lazarus, wat?'

Troy stak een hand onder zijn arm en trok hem overeind. Charlie nam de andere arm, en de barman pakte een bruine slappe deukhoed van de kapstok en drukte die stevig op Johnny's hoofd.

'Naar huis, Johnny,' was het enige wat Troy zei, en de mannen sjorden hem via de bar aan de voorkant naar de buitendeur.

'Lukt niet,' brabbelde hij. 'Lukt gewoon niet. Kan er maar niet overheen komen. Snappiewattikbedoel?'

Charlie keek vragend naar Troy, maar Troy had geen tijd voor deze niet uitgesproken vraag.

'Roep een taxi,' zei hij.

'Freddie, ouwe makker,' vervolgde Johnny, 'er zijn van die momenten dat je weleens...' Hij stopte om luidruchtig te boeren. 'Dat je weleens, weleens... goddomme, weleens gewoon met haar zou willen praten. Je weet wel, natuurlijk weet je dat wel. Christus, jij bent de enige die dat weet.'

Charlie had een taxi aangehouden. De chauffeur stopte bij de stoeprand en keek bedenkelijk naar het dronken heerschap dat tegen Troy aan hing.

Troy werkte Johnny op de achterbank, duwde zijn handen weg en klapte het portier dicht.

De chauffeur leunde uit zijn raampje, nek verdraaid naar achteren, ogen vol wantrouwen.

'Waarheen, meneer?' vroeg hij.

'Lowndes Square,' zei Troy.

Toen ging het achterraampje omlaag en stak Johnny zijn hoofd naar buiten.

'Gauw, makker, gauw, oké?'

Charlie wees met zijn duim naar het zuiden, richting Trafalgar Square. Troys naam sliertte nog even achter de taxi aan, toen die wegschoot langs St Martin's Lane.

Troy en Charlie stonden tegenover elkaar op de stoep en maakten geen aanstalten weer naar binnen te gaan.

'Vriend van je?'

'Johnny, dertiende Lord Enniskerry, tiende Burggraaf Lissadell, negende Markies van Fermanagh, en bekende zuipschuit,' somde Troy op.

Charlie keek naar zijn schoenen, en toen weer naar Troy.

'Juist, ja,' zei hij. 'De broer van Diana Brack.'

Hij zweeg. Keek door de straat de taxi na.

'Niet iemand van wie ik zou verwachten dat hij je vriend was.'

'Dat ik zijn zuster heb gedood, staat hierbuiten. Eerlijk gezegd was Johnny volgens mij dol op Diana. Maar door haar te doden, heb ik zijn vader kapotgemaakt. En als er nou echt iets is dat de negende Markies en ik gemeen hebben, is het de haat jegens de achtste Markies. Het spijt me Charlie, maar dit zet een domper op de avond. Als je het niet erg vindt, ga ik nu maar naar huis en naar bed. Ik moest morgen toch al voor dag en dauw op.'

'Weet je zeker dat er verder niks is?'

'Ja, hoor. Ik heb Johnny al tientallen keren stomdronken naar zijn nest geholpen. Ik heb zijn gezever over zijn zusje en zijn vader vaker aangehoord dan ik kan tellen. Er blijft altijd iets van hangen, maar niets wat ik niet aankan.'

Charlie omhelsde Troy. Vluchtig, en met genoeg jovialiteit om door te kunnen gaan voor ruig en mannelijk. Het was een van die dingen waaraan Troy gruwelijk de pest had, maar het was helemaal Charlie, en hij had al lang geleden afgeleerd zich te verweren tegen Charlies ongecontroleerde emotionele uitingen in het openbaar. Troy had, bedacht hij soms, maar vier mensen in zijn leven van wie hij echt hield: zijn vader, al lang dood; Diana Brack, ook al lang dood, door Troy zelf neergeschoten in het laatste jaar van de oorlog; een zekere Larissa Tosca, al lang verdwenen; en Charles Leigh-Hunt. Het zou wel buitengewoon dwaas zijn om dat beetje dat hij nog over had op het spel te zetten.

Hij stak St Martin's Lane over, verwenste Johnny Fermanagh voor diens slechte timing, en ging naar huis. Binnen tien minuten wist hij dat Johnny zijn slaap voor die nacht had verpest, en dat op tijd naar bed daarom ook geen zin meer had. Troy zou niet kunnen slapen. Slaap betekende alleen maar kans op de zich altijd herhalende nachtmerrie, die zich al wel duizend keer in zijn hoofd had afgespeeld, in duizend variaties, maar altijd met hetzelfde einde.

Hij had onlangs nog in Portsmouth gezeten – drie dagen voor een moordonderzoek in februari. Een pooier die aan zijn das was opgehangen aan een lantaarnpaal, en de moordenaar had aan zijn voeten gehangen tot de arme kerel was gestikt. Troy logeerde toen in een redelijk hotel, op loopafstand van de marinewerf – de King Henry, waar een gepensioneerde man van de havenpolitie de scepter zwaaide. Het was pas kwart voor tien. Als hij een paar dingen in een weekendtas gooide en een taxi naar Waterloo nam, kon hij daar rond middernacht zijn, half een op zijn laatst. Dat zou hem afleiden van het hoofd vol onzingedachten dat Johnny Fermanagh hem had bezorgd, en met een beetje geluk kon hij dan na aankomst misschien de slaap wel vatten. Mooier nog, dan kon hij tot zeven uur of zoiets in zijn bed blijven liggen. Hij belde op.

'U treft het, Mr. Troy,' zei ex-brigadier Quigley. 'We hebben nog net één kamer vrij. Ik ben tot één uur op. Vul altijd de voorraden van de bar aan, voor ik ga slapen. Geef maar een paar goeie rammen tegen de deur.'

Buiten op straat hield Troy een taxi aan. Toen hij onderuitzakte op de achterbank en de chauffeur even wachtte om wat verkeer langs te laten, zwaaide de deur van de Salisbury open en kwam Charlie naar buiten. Hij gaapte, rekte zich uit, knoopte zijn jas dicht, sloeg zijn sjaal om zijn nek, en verdween richting Cecil Court. Troy keek hem na, verbaasd over hoezeer ze van elkaar waren vervreemd. Hij vroeg zich af hoe goed je iemand kende wiens hele leven aan elkaar hing van leugens, en realiseerde zich dat Charlie Troy nu oneindig veel beter kende dan Troy Charlie kende, of had kunnen kennen. Dat deed hem pijn. Als jongens hadden ze geen geheimen voor elkaar gehad, zelfs niet waar het Charlies heftige homoseksuele liefdesleven betrof; als jonge mannen hadden ze nauwelijks geheimen voor elkaar gehad, zelfs niet waar het Charlies reusachtige consumptie van vrouwen betrof. Nu vertelde hij Troy haast niets meer. En pas nu drong tot hem door hoe weinig hij Charlie ooit had verteld over zijn verhouding met Diana Brack. Maar daarover had hij dan ook niemand ooit iets verteld. Het was veel makkelijker op te biechten over de dood, dan over de liefde. De jonge Fermanagh had hem dat in een dronken bui eens onder de neus gewreven door een citaat uit Oscar Wilde's afschuwelijke rijmelarij over dit onderwerp: 'Eenieder doodt wat hij liefheeft.' Dit was waarschijnlijk de enige dichtregel die Johnny uit zijn hoofd kende, en hij had nooit helemaal begrepen of het de dappere man was die het zwaard hanteerde of juist de andere, maar had het zonder twijfel goed bedoeld. Maar op dit moment kon Troy wel zonder een dergelijke banaliteit. Hij deed zijn ogen dicht en vroeg de chauffeur hem te waarschuwen als ze bij Waterloo waren.

6

Quigley had een ongezonde aanleg voor melodrama. Zijn hotel lag in de buurt van de haven en was gebouwd in late tudorstijl, vol hoekjes, nissen en kronkelige gangetjes, en had talloze verbouwingen en aanpassingen ondergaan. Een daarvan was elektriciteit in de slaapkamers. Maar niet in de gangen en overlopen, waar Quigley Troy bij het zwaaiende, sputterende schijnsel van een petroleumlamp doorheen voerde. Met zijn arm hoog in de lucht, waarbij de schaduwen van muur tot muur dansten, had hij weinig van een politieman in ruste, maar meer van een derderangsacteur die auditie deed voor de rol van Long John Silver.

'U bent net op tijd. Nog een paar minuten, en ik had de deuren gegrendeld en afgesloten voor de nacht.'

Spaanse matten, dacht Troy. 'Fijn dat u bent opgebleven.'

Quigley zwaaide de deur open naar een grote ruime kamer en wees via de sterk hellende vloer naar een gerieflijk en uitnodigend halfoverkapt ledikant, dat al was opengeslagen, en Troy verwelkomde voor een slaap waarvan hij vurig hoopte dat die droomloos zou zijn. Hij zette zijn tas neer en ontdeed zich van zijn jas, in de hoop dat Quigley niet in een praatgrage bui was.

'Vroeg ontbijt, zei u?'

'Halfacht, als dat niet...'

'Prima, prima, Mr. Troy. Wordt opgediend door een van mijn meisjes. Mary, de jongste. U kent haar vast nog wel. We zitten goed vol, vanavond. Veel van die krantenlui uit Fleet Street, om die Russen morgen te kieken. Niet dat die voor dag en dauw uit de veren zijn. Maar ik heb nog iemand die vroeg op wil. Vertegenwoordiger van ergens uit het noorden. Geen probleem, dus.'

Quigley aarzelde even. Hij kwam opeens op een idee.

'Dat is toch niet de reden van uw bezoek, hè, Mr. Troy? Die Russen en zo?'

Troy glimlachte en zei niets. Alles wat hij zei, zou door Quigley worden opgevat als uitnodiging voor een babbeltje, en hij wilde dolgraag naar bed. Quigley begreep de hint. Troy hoorde de hele weg door de gang terug de vloerplanken knerpen. De wind stak plotseling op en hij voelde de kamer schudden en het oude eikenhout buigen als een mast in de storm.

Spaanse matten, dacht hij, en viel dankbaar in het bed.

De volgende morgen werd hij vroeg wakker en staarde naar het licht dat tussen de gordijnen door naar binnen kierde. Het kon niet later zijn dan half zeven; hij kon niet langer geslapen hebben dan een uur of vijf. Hij sloot zijn ogen weer en de droom vloeide in hem terug, de hitsige beelden van Diana Brack, die hem achternazat tussen de ruïnes, pistool in de hand; lag te slapen, opgerold in de holte van zijn arm; zich gapend uitrekte, naakt aan het voeteneinde van zijn bed. Hij was opeens klaarwakker. Hij sloeg de lakens terug, kwam bonkend met zijn voeten op de hellende vloer en vervloekte Johnny Fermanagh opnieuw.

In de eetkamer werd hij opgevangen door een geagiteerde Mary Quigley. Een tiental tafels stond volgestapeld met stoelen en in het midden daarvan stond er eentje gedekt voor het ontbijt. Een kleine man met een blauwe blazer zat met zijn rug naar hem toe, met zijn rechterelleboog druk in de weer.

'U vindt het toch niet erg om het tafeltje te delen, hoop ik,' zei Mary. 'Ik loop namelijk flink achter vanochtend. U bent maar met zijn tweeën, en dan hoef ik geen twee tafeltjes te dekken, en van de een naar de ander te rennen als een kat die op zijn staart is getrapt. Dat staat me straks nog te wachten, als die geile eikels van Fleet Street zich gaan roeren. Kontenknijpers zijn het, allemaal.'

Na dit relaas kon Troy moeilijk meer nee zeggen. Natuurlijk wilde hij geen tafel delen. Het ontbijt was het meest persoonlijke maal van de dag. Meer privé kon haast niet. Zijn vader was altijd vroeg opgestaan om zich ervan te verzekeren dat hij alleen zou zijn. Zijn moeder had altijd ontbeten in haar slaapkamer. En de kinderen aten in de keuken, en hadden strikte opdracht niet tegen hun vader te praten tot na zijn derde kop koffie en zijn tweede krant. Hij kon zich niet herinneren wanneer hij voor het laatst met iemand had ontbeten.

De man met de blazer wachtte even met zijn havermout en stak een hand uit naar Troy.

'Cockerell,' zei hij. 'Arnold Cockerell.'

Troy schudde de hand, die daarna meteen verderging met havermout scheppen, en ging zitten.

'Troy,' zei hij. 'Frederick Troy.'

'Van de krant?' informeerde Cockerell via zijn laatste hap pap.

Troy had geen leugentje paraat. Hij hoorde, voelde, het gekletter van kop en schotel, voelde de plons van twee klonten en het klepperen van het lepeltje toen Cockerell zijn thee roerde in de stilte die Troy zelf bewaarde. Hij had geen moment beseft dat hij met het een of andere verhaal zou moeten komen. Wat deed hij in Portsmouth op een woensdagmorgen om zeven uur?

'Nee, nee,' mompelde hij. 'Gewoon een paar dagen vakantie.'

Belachelijk, vooral voor een man die uit hoofde van zijn beroep gewend was aan leugens, maar Cockerell leek tevreden met dit antwoord.

'Ieder zijn meug,' zei hij. Troy wist dat hij zich geen zorgen hoefde te maken en wist hoe het verderging. Met een beetje geluk hoefde hij nu alleen nog maar zo nu en dan te knikken bij de te verwachten clichés.

'Ik zit in de verkoop,' begon Cockerell. 'Dit is voor mij het gewone vroege begin van een gewone werkdag. Maar voor mij geldt nog altijd: vroeg begonnen, veel gewonnen.'

Mary verscheen aan het tafeltje. Ze droeg een groot houten blad met havermout en een pot koffie voor Troy en, haast niet te geloven, een bord met *kedgeree* voor Cockerell. De man lijkt Holle Bolle Gijs wel, dacht Troy. Wie kon er nu in hemelsnaam havermout én rijst met vis en eieren verstouwen? Wie weet was de man dan ook wel begonnen met een bord nieren in pepersaus en werkte hij zo het hele menu af.

'Pa zei dat ik u koffie moest geven, in plaats van thee. Omdat u de laatste keer toen u hier was uw thee niet had aangeraakt,' zei Mary. Ze zette de pot met een dreun voor Troy neer en verdween. Troy schonk in. Het aroma van lekkere verse koffie steeg op en Troy dankte Quigley in stilte voor het feit dat hij wist hoe hij met zulke dingen moest omgaan. Cockerell was intussen aan zijn kedgeree begonnen. Troy hoopte dat dat hem tot zwijgen zou brengen.

'Tijdens de oorlog,' vervolgde Cockerell onverstoord, en begon zo zijn zin met de woorden die Troy al een hele tijd geleden was gaan vrezen als inleiding van wat meestal een hoop onzin zou blijken te zijn. 'Tijdens de oorlog...'

Deze uitdrukking bleef nog even in Troys hoofd hangen. Ze was karakteristiek voor een bepaald type mensen, een specifiek, zij het niet uitzonderlijk soort Engelsman. 'Tijdens de oorlog' – een uitdrukking van constante verwachting, uitzien naar uren van onschuldige genoegens, een nooit eindigende stroom van opeenvolgende herinneringen aan de tijden van toen. 'Tijdens de oorlog' – Troy keek over de rand van zijn kopje naar de brenger van dit stukje traditionele Engelse flauwekul. Hij vroeg zich af of deze er eentje was van het soort die het had uitgevonden of, door een godswonder, misschien een variatie die hij nog niet was tegengekomen in de elf lange jaren van aanhoudende nostalgie sinds de desbetreffende oorlog was geëindigd.

Cockerell babbelde intussen rustig verder over de 'Yanks' en 'aan deze kant van de oceaan' en hoe die altijd koffie dronken en dat hij nooit had begrepen hoe iemand de dag kon beginnen zonder een goeie kop thee. Troy luisterde niet. Hij hoorde Cockerells woorden in de verte, maar zag de man intussen duidelijk voor wat die was. Vanaf het moment dat de oorlog voorbij was, waren de Engelsen die eindeloos gaan herkauwen. Velen die de bommen en kogels hadden overleefd, werden vervolgens overspoeld door blauwe blazers met onderscheidingen. Die je tot in de verste uithoeken van de natie tegenkwam. Waar ze de bars spekten in de clubs van de RAF en de British Legion. Oeverloze ouwehoeren en opscheppers, wier verdienste bestond in het drillen in Inversquaddie of doorsmeren van legervoertuigen bij RAF Cummerbund, en voor wie de rest van hun levens gedrenkt was in de alcoholische roes over dat gebeuren. Mannen die waren vastgelopen in een zinloos dromen over die goeie ouwe tijd, die, objectief beschouwd, eigenlijk een van de zwartste van de geschiedenis was. Troy vond die mensen stierlijk vervelend.

De onderscheiding van Cockerell bevatte geen inscriptie, maar uit de strengen touw rond iets wat op een anker leek, maakte Troy op dat hij de ondergang van de wereld had gekeerd vanuit de Royal Navy. Foerier wellicht? Messbediende? Hij bekeek het gluiperige gezicht tegenover hem. Een smalle schedel, een puntige kaak en een streepjessnor. Een veel voorkomend gezicht. Een gezicht dat je overal in de duizenden pubs van het Verenigde Koninkrijk tegenkwam. Van het soort waar je ver vandaan moest blijven. Troy schatte hem in als een onbeduidende koopvaardijofficier, die aan wal gestationeerd was geweest, whisky dronk, Senior Service rookte en vermoedelijk suède schoenen droeg. Hij overwoog net zijn servet te laten vallen om dat laatste bevestigd te krijgen, toen hij merkte dat Cockerell hem aankeek. Het was duidelijk dat Troy iets moest zeggen. Als hij een vraag had gesteld, had Troy die niet gehoord.

'Zeg eens,' vroeg Troy ontwijkend, 'wat verkoopt u eigenlijk?'

De man straalde. Dat was nou precies wat hij had willen horen. Hij stopte even met zijn kedgeree, veegde een sliertje eierdooier van zijn onderlip, leunde met een elleboog op tafel en glom van trots en zelfvertrouwen.

'Moderne meubels,' zei hij, zo zacht dat het bijna eerbiedig klonk. 'Het aanzien van morgen. De canapé van Mrs. 1960, vandaag in uw salon.'

Lieve hemel, dacht Troy. Onze-Lieve-Heer kent rare kostgangers.

'We wonen in een duf oud land,' zei Cockerell. 'We klampen ons zo graag vast aan vroeger. Wist u dat de meeste huishoudens in het Engeland van vandaag nog nooit een driedelige zitcombinatie hebben gekocht? Nooit! We wonen allemaal in de ouwe rommel van onze ouders. De meeste huizen waar je binnenloopt, hebben nog meubels die in 1925 voor een kwartje per week op de lat zijn gekocht. We leven in het verleden. Europa heeft ons ingehaald. Ik bedoel, hebben we daarvoor de oorlog gewonnen?'

Troy had geen idee waarvoor we de oorlog hadden gewonnen. Hij had het toentertijd als een buitengewoon gelukkig toeval beschouwd. Maar hij wist in ieder geval zeker dat hij niet was gewonnen om mensen nu tweederangstroep in de maag te kunnen splitsen omdat ze anders niet zouden meegaan met hun tijd. Hij wist wat Cockerell onder 'modern' verstond – salontafels op zwarte taps toelopende poten, met rare uitstekende hoeken, en afschuwelijke kleden met patronen die leken op mislukte Jackson Pollocks. Maar eerlijk was eerlijk, hij had nog nooit in zijn leven een meubelstuk gekocht. Zijn moeder had zijn huis ingericht met allerlei prullaria van haarzelf. Hij was, vermoedde hij, een van die mensen waar Cockerell op doelde. Wat hij antiek noemde, noemde Cockerell tweedehands. Er was voor beide opvattingen iets te zeggen. Tijdens de laatste campagne van zijn broer Rod, de landelijke verkiezingen van 1955, had een lastige oude vrouw in Hertfordshire Troy staande gehouden en hem gezegd dat haar stem dit keer naar de Liberal Party ging. Ze kon niet op Rod stemmen – zo'n aardige man, maar een socialist – en de Conservative kon ze niet langer steunen. Waarom niet? had Troy gevraagd. Die had ons uitgenodigd voor de thee, antwoordde de lastige oude vrouw, en wat bleek? Zijn meubels kwamen uit een winkel! Zij vond dat er maar één manier was om meubels te verwerven: via een erfenis, iets waar Cockerell het volgens Troy vast niet mee eens zou zijn.

'Weet u wat Engeland is?' zwetste Cockerell verder. 'Het land van de vergeten salon, het laatste bastion van de antimakassar.'

Troy wilde hem niet aanmoedigen, maar was het in stilte geheel en al met hem eens. Zijn omschrijving gaf een heel goed beeld van Engeland.

'Aan de horlogeketting van mijn oude vader zat de sleutel voor de serre. Hij ontsloot die eens per week voor mijn moeder, voor de schoonmaak, en de rest van de week zat hij op slot, zodat de kinderen er niet konden komen. Dit malle omslachtige gedoe herhaalde zich eenenvijftig weken lang. Op tweede kerstdag werd die verdomde ruimte dan gebruikt, en vervolgens weer gesloten, met zijn onberispelijke ameublement, ternauwernood beroerd door een menselijk achterwerk, zijn antimakassars en zijn zeeschelpen als asbakken, tot de volgende kerst. Tegen de tijd dat ik ze erfde, waren de meubelen hopeloos verouderd. Ongeveer net zo modieus als slobkousen, en ze zagen er nog net zo uit als op de dag in 1908, toen ze per paard en wagen waren afgeleverd. Ik had ze zo aan een museum geschonken, als dat ze had willen hebben. Maar in dit geval heb ik ze buitengezet en er een lucifer bij gehouden. Opgeruimd staat netjes, zeg ik maar. We moeten wel met onze tijd meegaan, vindt u ook niet?'

Troy vond van niet. Hij wist nooit zo goed wat hij van deze veelgebruikte uitdrukking moest denken. Cockerell schrokte nog wat kedgeree naar binnen – wat een verbazingwekkende eetlust voor een man zo dun als hij – en leek geen antwoord te verwachten.

'Ik heb drie winkels,' vervolgde hij. 'In het noorden en midden van Engeland. Eén in Derby, één in Alfreton en mijn hoofdkwartier in Belper.'

De omschrijving 'noorden en midden' kwam vreemd werktuiglijk op Troy over, van menselijkheid gespeend. Een plek waar eigenlijk niemand kon wonen. De gekunstelde taal van een deelnemer in de regionale finales van een wedstrijd in het ballroomdansen. Troy kende Derby. Hij had daar, op jacht naar een gifmoordenaar, in 1951 een groot deel van een week gezeten. De andere twee namen zeiden hem niet veel, hoewel Belper hem om de een of andere reden vaag bekend in de oren klonk.

'Ik importeer en exporteer. Het Eigentijdse Aanzien. Voornamelijk Scandinavië, weet u. Dat is waar het beste van het nieuwe vandaan komt, tegenwoordig. Maar ik koop overal en verkoop waar u maar wilt. In heel Europa.'

Cockerell at het restje van zijn kedgeree, waarbij hij de laatste rijstkorrels aan zijn vork prakte. Als bij toverslag verscheen Mary met de toast. Eén zilveren rekje voor Troy, en één zilveren rekje voor Cockerell. Het verschil was dat Troys toast aan beide kanten een goudbruine kleur had, en die van Cockerell wit was aan de ene kant, en zwart aan de andere. Troy zou voor geen prijs willen ruilen met dit schoolvoorbeeld van Britse truttigheid. Cockerell had daar geen erg in. Hij schraapte energiek met zijn mes over een keiharde plak gekoelde boter en babbelde verder. Had Troy weleens gedacht aan de voordelen van kamerbreed tapijt? Dat begrip zei Troy niets. Cockerell lichtte het toe en tekende voor hem zelfs de krullen en bochten van zijn eigen favoriete ontwerp op de achterkant van een enveloppe.

'Kijk,' zei hij trots. *'Schaatsers.* De grote rage. Van straks. Ik heb er dertig rollen van in mijn winkel in Belper liggen.'

'Vertel eens,' vroeg Troy, die zijn laatste hapjes toast nam en wist dat hij weg kon wanneer hij wilde. 'Wat brengt u naar Portsmouth? Kamerbrede officierenkajuiten? Scandinavisch vormgegeven eendenmosselen?'

Cockerell leek even helemaal uit het veld geslagen. Troy had zo weinig gezegd, dat vermoedelijk iedere vraag, sarcastisch of niet, hem het zwijgen zou hebben opgelegd. Maar het leek meer te zijn dan dat. Hij kleurde een beetje, keek neer op zijn toast met marmelade, haalde zijn schouders op en keek Troy weer aan met een vaag lachje rond zijn lippen en een verloren blik in zijn ogen.

'Ach, wat zal ik zeggen, van alles en nog wat...'

Dat was een leugen. Zo mank als die van Troy. Maar als een goed van de tongriem gesneden zeurkous uiteindelijk overging tot een leugen die verzandde in stilte, was Troy in ieder geval dankbaar voor de stilte. Wat maakte het uit als de man van huis was omdat hij, zoals het Engelse eufemisme zo wrang stelde, vreemdging?

In overeenstemming met Troys omschrijving van het type trok hij de glazen asbak naar zich toe, duwde zijn bord weg en haalde een pakje Senior Service uit zijn zak. De man straalde onmiskenbaar Rotary Club uit. Troy vroeg zich weer af hoe het met de suède schoenen zat.

7

Troy was laat. Hij had zijn tijd verbeuzeld. Hij keek op zijn horloge. Het was kwart voor tien. Een heldere, frisse ochtend. Het soort april, dacht Troy, dat een voorbode was van een goeie zomer. De bewaker bij Hare Majesteits Marinewerf Portsmouth – in de restanten van het Britse Rijk bekend onder de naam Pompejus – keek naar Troys identiteitsbewijs en nam een lijst met namen door.

'U bent niet de laatste,' zei hij. 'Niet helemaal. Ik heb nog geen spoor van inspecteur Cobb gezien.' Hij draaide zich om en stak zijn arm uit. 'Tweede barak links.'

Troy volgde zijn aanwijzingen. Hij opende de deur van een houten barak en stond tegenover een handjevol slaperige politiemannen. Vier van hen zaten aan een tafel, een vijfde lag voorover op zijn armen, en verkeerde zo te zien in diepe slaap. Een aantal van hen kwam Troy bekend voor. Een jonge man, van hoogstens vijfentwintig, stond op.

'Hoofdinspecteur. Ik ben Huw Beynon. Brigadier bij de recherche van de Branch,' zei hij.

Troy kende zijn gezicht. Hij had hem weleens in de gangen van de Yard gezien. Te jong voor brigadier, en veel te jong voor die smeerlappen van de Branch. Beynon stelde hem voor aan de brigadiers Beck en Molloy, ook van de Branch, en een van hen haalde brigadier Milligan, voor deze gelegenheid aangetrokken uit de J-sectie, terug naar het land der levenden en de aanwezigheid van de hoofdinspecteur. Hij keek op naar Troy en mompelde een groet. Zijn kin was bedekt met grauwe stoppels. Hij had zich niet geschoren. Cobb kennende stond de man een goeie schrobbering te wachten, dacht Troy. Het was zijn verantwoordelijkheid niet, en Troy vond dat eigenlijk wel prettig.

De vijfde man stond boven de kachel gebogen. Een kleine, dikke man met een treurig gezicht, een diender die zo op het oog zijn vak geen eer aan deed. Hij scheen zich niet bewust van zijn omgeving en was verzonken in de pagina's van een groot, gebonden boek. Troy liep naar hem toe, en duwde het boek naar boven om de titel te kunnen zien. Lolita – waar hij nooit van had gehoord – van een zekere Vladimir Nabokov – van wie hij ook nooit had gehoord. De man verschoof zijn bril en zijn focus en keek even naar Troy.

'Vice-korporaal Clark?' zei Troy.

'Het is nu agent Clark van de recherche, sir. En u bent vermoedelijk ook geen inspecteur meer, sir?'

'Hoofdinspecteur. Zit je bij de Branch?'

'Hemel, nee, sir. Bij het politiekorps van Warwickshire. Die me vanwege mijn talen hebben binnengehaald. Ik ken zowel Russisch als Duits. Maar ik had eerlijk gezegd in mijn tijd in Berlijn dan ook wel stokdoof moeten zijn om geen vloeiend Russisch te leren.'

De laatste keer dat Troy Clark had gezien, was op eerste kerstdag 1948, in een ondergesneeuwd Berlijn, dat toen onder een blokkade lag van wijlen Jozef Stalin. Clark, vice-korporaal bij de artillerie, was hem toen door het Britse leger toegewezen als tolk. Wat hem eraan deed denken dat de laatste keer dat hij Tosca had gezien, maar een paar minuten was na de laatste keer dat hij Clark had gezien. Troy schoof een stoel aan om bij Clark te gaan zitten. De politiemensen waren al sinds vier of vijf uur vanmorgen op. Ze waren allemaal suffig en verfomfaaid. Ze zouden zich niet storen aan een gesprek onder vier ogen.

'Hoe hebben ze je gevonden?' vroeg hij hem op de man af.

'Eigenlijk heel makkelijk, sir,' antwoordde Clark. 'In 1952 had ik er vijftien jaar op zitten. En intussen de rang bereikt van adjudant-onderofficier tweedeklas. Ik wist dat ik niet uit officiershout was gesneden, zoals u dat zou noemen. Volgens mij was ik zelfs niet uit het hout van adjudant-onderofficier eersteklas gesneden. Het werd tijd om mijn burgerkloffie maar weer eens aan te trekken. In die periode begon de politie met een grote wervingsactie. Ze hadden toen net al die corrupte dienders op straat gezet, u weet wel. Ze stuurden wat lui naar de basis waar ik zat om de loftrompet over het korps te steken. Ze zeiden dat ik precies de persoon was die ze zochten. Talen en zo. Het nieuwe type onderlegde smeris. Hersens in plaats van spierballen. Best, dacht ik. Ik meldde me aan. Vervolgens moest ik drie jaar lang de ronde lopen in dat verdomde Birmingham. De enige keren dat we een vreemde taal spraken, was bij het oppakken van schurken uit Wolverhampton. Ongeveer een jaar geleden kon ik eindelijk mijn uniform uittrekken. Sindsdien begon het er een beetje op te lijken. Dit kwam zomaar uit de lucht vallen. Een echte traktatie. Kon mijn geluk haast niet op.'

'Ik ook niet.'

Troy zou Clark dolgraag naar Larissa Tosca vragen, maar dat bracht wel een risico met zich mee. Had Clark enig idee wie ze was? Die laatste avond in Berlijn had hij gezien hoe ze in de kantine van het RAF-vliegveld Gatow de sneeuwvlokken van haar milva-uniform afsloeg en bijna tegen Clark opbotste, die op weg was naar buiten.

Was hij er ooit achter gekomen dat het uniform een en al bedrog was? Een overblijfsel uit de oorlog, dat zij evenmin mocht dragen als Troy zelf? Had hij ooit ontdekt aan welke kant zij stond?

'Wanneer ben je uit Berlijn weggegaan?' probeerde hij.

'O, ik ben tot het eind gebleven. Ik heb het allemaal zien gebeuren. Bedenk wel dat niets meer hetzelfde was, na 1949. Nadat de sovjets ons de vrije hand hadden gegeven, werd het er maar een saaie boel. Een leven zonder dat er iets te ritselen viel, was niet de moeite waard. Dat zeiden ze allemaal. Het leger, de zwarthandelaren, de spionnen. De lol was eraf.'

Hoewel Troy erg benieuwd was, sprak hem het 'wat niet weet, wat niet deert'-principe ook wel aan. Stel dat Clark alles wist? Stel dat ze ontmaskerd was, of gezuiverd in een van die talloze schijnprocessen die door Beria tijdens Stalins regime waren opgevoerd? Wilde hij dat dan wel weten? En als hij dat wilde weten, wilde hij dan ook het ergste weten?

Clark keek over Troys schouder. Hij draaide zich om. Beynon stond achter hem.

'Sorry, sir. We staan in twijfel. Het is over tienen en Mr. Cobb valt nergens te bekennen. Hij heeft ons hier meer dan een uur geleden afgezet. We vragen ons af of u misschien weet wat we moeten doen. U bent hier tenslotte de hoogste in rang.'

Troy wilde net gaan uitleggen dat hij ook van niets wist, toen de deur openklapte en Cobb binnendraafde, zwetend en met een rood gezicht. Hij knalde zijn tas op de schragentafel, waardoor Milligan opnieuw met een ruk tot leven kwam. Hij keek om zich heen, buiten adem, en nam het vertrek in één snelle blik in zich op. Zoals Troy al had verwacht, stopte de blik bij Milligan.

'Jij,' blafte hij. 'Zodra je dienst erop zit: scheren en naar de kapper!'

Hij wendde zich tot Troy.

'Fijn dat u er ook bent, Mr. Troy.'

'Heeft u mijn boodschap niet gekregen?' vroeg Troy zacht.

'Ja – ik heb uw boodschap gekregen. Maar in de toekomst zou ik, als u dat niet erg vindt, graag zien dat u zich hield aan het plan zoals het werd afgesproken.'

Troy draaide langzaam zijn linkerpols. Keek op zijn horloge en keek naar Cobb, en gaf in stilte aan wat hij bedoelde. Cobb schonk daar geen aandacht aan. De reden waarom hij zo laat was had een zware aanslag op zijn conditie gedaan. De man dreef van het zweet, alsof hij zojuist de eerste prijs in het zaklopen had gewonnen.

'Goed,' zei hij. 'Roosters!'

Cobb trok zijn blauwe regenjas uit en strooide het programma voor de komende tien dagen over de tafel uit. Troy liet er zijn blik over glijden. Het zat volkomen dichtgespijkerd. Er zat zelfs geen dag tussen waarin ook maar een theepauze was gepland. Boelganin en Chroesjtsjov zouden in alle denkbare middelen van transport worden meegesleept naar alle uithoeken van het Verenigd Koninkrijk, en worden gefêteerd door iedere hoogwaardigheidsbekleder die Londen had kunnen optrommelen, in een slopende ronde van gezelligheid die mensen van twintig jaar jonger nog onderuit zou halen. Op de avond van de drieëntwintigste zouden ze te gast zijn bij de Labour Party in het Lagerhuis. Plotseling voorzag Troy problemen, maar als de Branch en de Britse Overheid die niet zagen, lag het niet op zijn weg om hen daarop te wijzen, vond hij.

'Om te beginnen: voor allen die hun goeie geld bij Moss Bros hebben uitgegeven, er zal geen avondkleding worden gedragen. Onze gasten hebben die van hen thuis gelaten, dus moeten we allemaal, om pijnlijke situaties te voorkomen, in de avonduren effen donkere pakken aan.'

Cobb keek even, maar nadrukkelijk, naar Troy. Het vervolg op de gevatheid van gisteren.

'En dan nu wat regels en afspraken. Wat wel en wat niet mag. Wie iets verknalt, krijgt met mij te maken. We weten allemaal waarom we hier zijn, en we weten allemaal wat er van ons wordt verwacht. Ieder van jullie meldt zich aan het begin en het einde van zijn shift bij mij. Ik wil weten wanneer je de hoge pieten oppikt en wanneer je ze aflevert, en als je ze hebt afgeleverd wil ik een volledig mondeling verslag. Ik besluit wat op schrift moet komen te staan. Je hebt de tijd niet om dingen op te schrijven, en als je die toch zou hebben, wil ik niet dat iemand door de Russen wordt betrapt bij het maken van notities. Met het oog op een goeie communicatie: de codenaam voor Chroesjtsjov is Rood Zwijn, die voor Boelganin is Zwarte Beer. Niemand gebruikt hun echte namen via de telefoon. Begrepen?'

Hij keek iedereen om beurten aan. Om voor Troy onbekende redenen liet hij zijn blik rusten op Clark.

'Begrepen?' zei hij nog eens.

Troy hoorde Clark slikken en een zwak 'yessir' mompelen.

'Goed. Volgende punt op de agenda. De bewaking van Rood Zwijn en Zwarte Beer.'

Hij pauzeerde. Troy veronderstelde dat de pauze bedoeld was om indruk te maken.

'Niet jullie verantwoording. Ik herhaal: niet jullie verantwoording. Mijn jongens zijn overal en zeer opvallend.'

'Wat? Regenjassen en bolhoeden?' zei een stem achterin. Troy zag Cobbs ogen die kant op schieten. Hij draaide zich om, naar waar Milligan de ijskoude douche kreeg.

'Klep dicht, knul. Gewoon klep dicht.'

Cobb verbrak het oogcontact en keek naar het rooster voor zich.

'Toevallig,' zei hij, en hij bloosde een beetje, 'gaat het inderdaad om regenjassen en bolhoeden.'

Troy wist dat hij moest grinniken. Zonder een snel ingrijpen van bovenaf werd dat grinniken giechelen en het giechelen lachen en kreeg hij Cobb over zich heen als een boze schoolmeester, gewapend met een stuk krijt. De gedachte aan een Claridge Hotel vol smerissen in toneelkostuums van politiemannen was te leuk om te weerstaan.

Cobbs vinger schoot uit en wees in de richting van Troy.

'Jij! Ophouden met dat stomme gegrinnik!'

Troy keek achter zich en besefte dat Cobb naar Clark wees. Het gezicht van het dikke mannetje was helemaal vertrokken van het onderdrukte lachen.

'Zij doen het echte werk, en doen dat zichtbaar. Voor iedereen. Maar in het geval van echte trammelant, moeten er zekere procedures worden gevolgd. Ten eerste: Rood Zwijn en Zwarte Beer hoeven alleen niet begeleid als er andere bewaking is, zoals in de koninklijke paleizen en Downing Street. Voor de rest verliezen jullie ze geen moment uit het oog. Waar ze ook zijn. Zelfs als dat inhoudt dat je daarvoor zou moeten aanschuiven bij een gezellig praatje met de aartsbisschop van Canterbury. Ten tweede: jullie gaan altijd voor ze uit de deuren door. Ten derde: als de een of andere idioot het op ze heeft voorzien, werken jullie ze het vertrek uit, en laten jullie de aanvaller over aan mijn jongens. Jullie nemen niemand te grazen, tenzij het niet anders kan.'

Beynon stak zijn hand op, als een ijverige schooljongen.

'Pardon, sir, maar zijn ze ook daadwerkelijk bedreigd?'

'Bedreigd?' spotte Cobb. 'Bedreigd? Ieder stelletje klojo's in dit land, van de Empire Royalists tot de Last-of-the-Mosleyites, heeft ze bedreigd. Het zijn allemaal mafkezen en het heeft niets te betekenen. Als we iedere zonderling die Chroesjtsjov tot antichrist bestempelde serieus namen, was er op geen enkel kruispunt van hier tot aan de landsgrenzen nog een verkeersagent te bespeuren. Desalniettemin nemen we het zekere voor het onzekere. Begrepen? En vergeet niet dat de Russen hun mensen door de KGB wilden laten bewaken. Het was niet eenvoudig ze ervan te overtuigen dat we geen gewapende Russische zware jongens in Londen wilden hebben rondbanjeren. Dus – onthoud het goed. Als we de boel verkloten, houdt het gedonderjaag nooit meer op.'

Opnieuw keek hij rond met een geoefende vorsende blik. Geoefend, al van jongs af aan zonder twijfel, voor de spiegel in de badkamer. Cobb was, besloot Troy, een botte man, maar niet zo bot als hij eerst had gedacht. Zijn babbelpraat verschafte hem de tijd om de sfeer te proeven en om zich heen te kijken. Zijn blik joeg meer angst aan dan Cobb ooit had bedoeld. Hij wilde de boel gewoon in de hand houden, en slaagde daar heel behoorlijk in. Maar zijn ogen stonden niet in het gelid. Het was de scheve, scheelziende blik van een man met één oog. Maar Cobb had twee ogen. Toen ging Troy een licht op. Het waren de wenkbrauwen. De linkerwenkbrauw trok alle aandacht naar het linkeroog. Die was wit in het midden. Een twee centimeter lang strookje van vroegtijdig wit haar, dat net zo sterk de aandacht trok als het tweekleurige kapsel van Diaghilev of de rosse haardos van Quentin Crisp. Troy moest denken aan Cobbs reputatie bij de Yard van ladykiller. Hij begon nu te begrijpen waar die vandaan kwam. Hij had iets slordigs over zich, dat het gevoel voor ordelijkheid in vrouwen kon aanspreken – een man wiens sokken door de juiste vrouw voor de rest van zijn leven tot bollen zouden worden opgerold – maar ook een liederlijk soort rauwe knapheid. Voor Troy waren dat typisch eigenschappen waaraan je de norse hufters van de Special Branch herkende. Maar het was denkbaar dat hij voor sommige vrouwelijke agenten de Mr. Rochester van de Yard was. Bruine krullen vielen over zijn voorhoofd, zijn mond was breed, zijn kaak krachtig, ondanks zijn extra kin – en hij kleedde zich verrassend goed. De regenjas was een Burberry; het flatteuze, blauwe, nette dubbelrijs pak moest een fortuin hebben gekost. Troy gaf niet zo veel om kleren. Dat zijn pakken in Savile Row werden gemaakt, was een gewoonte die vanzelf was ontstaan. Hij kleedde zich goed omdat hij er het geld voor had, en het van huis uit als vanzelfsprekend gold. Smaak kwam er niet aan te pas. En zo'n gaaf pak als dat van Cobb bezat hij niet.

'En ten slotte...'

Ten slotte? Troy moest iets hebben gemist.

'Ten slotte. Dit.'

Cobb maakte zijn tas open en kieperde daar zes dienstwapens uit, automatische Brownings in schouderholsters. Een vreemd moment. Troy had al een tijdje geen wapens meer onder ogen gehad. Het was meer dan een jaar geleden dat hij er voor het laatst een had aangevraagd. Ze pasten niet zo bij zijn opvattingen over het 'diender'-schap.

'Hier tekenen. Jullie krijgen twee extra clips met negen millimeters. En iedere afgeschoten patroon moet worden verantwoord.'

Troy zag hoe Beynon, Beck en Molloy met een ervaren gebaar in het tuig van hun schouderholsters glipten. Hij worstelde met de zijne. Clark worstelde. Milligan worstelde ook. Het duurde even voordat het tot Troy doordrong dat de schouderholster niet linkshandig kon worden gebruikt. Die paste alleen onder de linkeroksel. Clark wurmde hem over zijn hoofd, zodat de kolf van het wapen voor zijn borstbeen kwam te hangen. Milligan maakte er een onmogelijke warboel van.

Cobb keek naar ze, en deed niets om zijn minachting te verbergen.

'Godallemachtig. Amateurs. Amateurs van de eerste orde. Beynon, voordoen!'

Hij stormde weg. Beynon wierp Troy een verontschuldigende blik toe.

'Het gaat zo, sir.'

Hij schoof zijn eigen holster af en bracht die ten behoeve van alledrie langzaam en met overdreven gebaren weer aan – de geduldige hopman die de sufkoppen een paar handige knopen leert leggen.

'Linkerarm eerst. Omlaag, achter de rug langs. Rechterarm door de buigzame kant, naar voren en aanhalen. Zie je wel?'

Ze zagen het. Milligan had het nu door. Troy en Clark stonden er wat verloren bij.

'Sorry dat ik het zeg, sir,' zei Milligan, 'maar als ik Mr. Cobb ooit tegenkom achter het fietsenhok...'

'Achter mij aansluiten,' zei Troy. 'Als ik wist hoe dit ding werkte, schoot ik hem zelf neer.'

Hij stak het wapen in de holster en trok zijn jasje weer aan. Het voelde raar en het voelde stom. Het zat in zijn oksel als een komkommer. Hij moest ermee leren leven. God helpe Nikita Chroesjtsjov, als hij er ooit gebruik van zou moeten maken.

Kanonnen bulderden op de marinewerf. Keer op keer. Troy hoefde niet te tellen. Er zouden dertien saluutschoten zijn, volgens traditie, gevolgd door een antwoord van de sovjets van eenentwintig. Dat betekende dat de Russische schepen afmeerden – of dat de Derde Wereldoorlog was uitgebroken. Troy trok zijn jas weer aan en voegde zich bij de anderen op de werf.

'Jullie boffen,' schreeuwde Cobb ze toe boven het lawaai van de kanonnen uit. 'Jullie worden persoonlijk voorgesteld. We staan in de rij en de man van Buitenlandse Zaken stelt jullie om beurten voor als persoonlijke lijfwachten.

Kijk in hemelsnaam alsof je ze niet begrijpt, wat ze ook tegen je zeggen, en antwoord niet voordat BuZa het voor jullie heeft vertaald. Wat de Russen betreft zijn jullie gewone dienders – het zweet breekt me uit als ik bedenk hoe gewoon. Goed, volg me maar.'

Cobb ging voor, onder de verweerde bakstenen boog door, naar de ankerplaats die was gereserveerd voor de Russische schepen. De zon scheen, maar eenmaal onder de boog vandaan, kwam er een zilte zeewind op ze af die Troy eraan herinnerde dat het pas half april was en dat het weer ieder moment kon omslaan. Het was druk op de kade: een horde persmensen, de heren van Fleet Street, in groepjes bijeen, die rookten en grapjes maakten; een horde hoge pieten en lage pieten van Buitenlandse Zaken, de heren van Pall Mall, niet in groepjes bijeen, die niet rookten en geen grapjes maakten. En, zoals Cobb had gezegd, de onmiskenbare tegenwoordigheid van de Special Branch, op hun paasbest, met regenjassen met ceintuurs, bolhoeden en grote voeten. Er zou in het hele Verenigd Koninkrijk vanochtend haast geen telefoon worden afgetapt of schedel gekraakt, omdat er niemand was die dat kon doen. Het leek wel of ze allemaal auditie deden voor de rol van Chinese politieman in een dorpstoneelproductie van *Aladdin*. Troy telde het aantal hoofden van zijn eigen groepje, kwam op zeven, en probeerde niet aan Sneeuwwitje te denken.

De Royal Navy had voor een erewacht gezorgd, en de mariniers voor een band die de vervelende volksliederen moest spelen. Onder de grote grijze schaduw van de slagkruiser Ordzhonikidze van de Sovjet Marine stelden de hoogwaardigheidsbekleders zich ter begroeting van de Russen in slagorde op. Troy kwam tussen Cobb en Benyon terecht. Hij keek langs Cobb, en zag de Russische ambassadeur Jakob Malik, en de twee gezichten van Groot-Brittannië: dat voor de burgers van Lord Reading, staatssecretaris van Buitenlandse Zaken, en dat voor de militairen van Lord Cilcennin, hoofd van de Admiraliteit. Wat precies het verschil was in rollen kon hij niet zeggen. Ze maakten beiden deel uit van de regering, maar hij kon niet met zekerheid zeggen of Cilcennin nu in de marine zat of niet, en evenmin of het eigenlijk wel nodig was dat hij in de marine zat. Maar ze waren niet erg van belang. Duvelstoejagers die hun plicht moesten doen op een winderige walkant. Het was allemaal niet zo erg van belang, tot ze op Victoria Station arriveerden, de achterdeur naar Westminster, en oog in oog kwamen te staan met premier Sir Anthony Eden, een veteraan uit de jaren dertig – dat smerige, onbetrouwbare decennium – de snuggere jonge minister van Buitenlandse Zaken die het lef had gehad af te treden vanwege München en Neville Chamberlains verzoeningspolitiek jegens Hitler, en die zo lang troonopvolger was geweest van de ouder wordende en wegkwijnende Winston Churchill. Hij was nu al bijna een jaar premier en had de hoop op zich gevestigd van een natie die weliswaar intens verknocht was aan de oude man, maar tegelijk een ontzettende behoefte had aan de nieuwe man. Het probleem was, volgens Troy, dat je de rol van troonopvolger te lang kon blijven spelen.

De gedachte Chroesjtsjov te ontmoeten riep bij Troy jeugdherinneringen op. Toen hij negentien of twintig was, had een neef van zijn vader als lid van een sovjethandelsmissie Engeland bezocht. Hij was de enige Troitsky die Troy ooit had ontmoet. Een van de weinigen die waren gebleven en probeerden het beste te maken van wat nu eenmaal onafwendbaar was. Troys vader had neef Leo groots ontvangen, gebrand op al het nieuws uit het vroegere vaderland, zoekgeraakt in de tijd, zoals de gezusters Prozorova, nog eens dromend over Moskou, nog eens dronken over Moskou. Moskou. Moskou was het leengoed van de partijbaas van de stad, een sluwe boer genaamd Nikita Sergejevitsj Chroesjtsjov. Het was voor het eerst dat iemand die naam hoorde. Als onverschrokken overlevende van de Revolutie was Chroesjtsjov nu bezig met de aanleg van Moskous praalstuk, de metro – de triomf van de publieke werken over de privébelangen. Van buitenaf gezien leek het erop dat de nieuwe Sovjet-Unie voor het eerst haar neus boven de balustrade uit begon te steken. Neef Leo had een overvloed aan verhalen over de excentrieke, overheersende, innemende, dronken apparatsjik die verantwoordelijk was voor de eerste kleurrijke uitbarstingen in de Sovjet-Unie in bijna twintig jaar. Troy had van tijd tot tijd de verrichtingen van dit intrigerende mannetje gevolgd. Eind jaren dertig kwam hij aan het hoofd te staan van de hele Oekraïne – waar hij zich ging kleden als een boer en het accent van de omgeving aannam. Boerser dan de boeren, vol oude zinspreuken en Oekraïense gebruiken. Die huichelarij deed hem geen goed. Vervolgens had Stalin, die zich altijd bewust was van de zwakheden van zijn ondergeschikten, Chroesjtsjov in de kuil laten vallen die hij zelf gegraven had. 'Dans!' had hij Chroesjtsjov opgedragen, en de tweeënvijftigjarige, dikke, kleine Chroesjtsjov danste voor zijn leven, zwetend en zwaaiend met zijn armen in zijn pastiche van de Oekraïense *gopak* ten faveure van de man die er geen been in zou zien om hem op de volgende trein naar Siberië te zetten of op te hangen in het openbaar. De oorlog had Chroesjtsjov aangetroffen in uniform, als een politieke volkscommissaris aan de frontlinie, een luitenant-generaal – een betere dan Boelganin, wiens titel van 'maarschalk' nauwelijks meer te betekenen had dan die van een zuidelijke kolonel in Mississippi of Tennessee. Rond 1949 was Chroesjtsjov weer opgedoken in Moskou, als een volwaardig lid van het Secretariaat van het Centraal Comité, compleet met overjas, slappe vilthoed en zijn vaste plaats bij Lenins graf op de 1ste Mei. Niet lang daarna ging de oude dictator dood. Het is mogelijk dat er bij degenen die de ontwikkelingen in de Sovjet-Unie niet zo nauwkeurig volgden wat verwarring ontstond over wie nu de macht had overgenomen – Beria? Malenkov? De nepmaarschalk Boelganin? Of de echte maarschalk, Vorosjilov? In naam was Vorosjilov het hoofd van staat, en ter gelegenheid van dit bezoek viel de macht toe aan maarschalk Boelganin. Maar Troy noch de Britse regering twijfelde er zo te zien aan waar de werkelijke macht lag. Volgens Troy was Chroesjtsjov een raket die het moment afwachtte dat iemand de lont aanstak en zich terugtrok. Het enige voorspelbare aan de man was dat hij onvoorspelbaar was. De manier waarop Chroesjtsjov zich in het openbaar gedroeg had Troy vaak doen denken aan de karakteristieke eigenschappen van een jong katje – een grenzeloze, roekeloze nieuwsgierigheid.

Neef Leo verdween te eniger tijd tussen de oorlog en de val van Beria. Troys broer Rod zat in de nadagen van de Labourregering in het kabinet en had zijn invloed aangewend. Het enige wat Rods onderzoek opleverde, was dat de man nooit zou hebben bestaan. Een non-persoon, zelfs in de dood. In een natie waar het overleven op zich al een prestatie was, was Chroesjtsjov een overlever bij uitstek.

Er circuleerden nu al wekenlang geruchten in de westerse pers dat hij Stalin openlijk had aangeklaagd, en beticht als tiran verantwoordelijk te zijn voor de slachting van ontelbare hoeveelheden mensen uit zijn eigen volk. Niemand wist het zeker, en niemand was in staat een woord te citeren van wat de man zou hebben verkondigd. Het Twintigste Congres van de Communistische Partij van de Sovjet-Unie was door Chroesjtsjov toegesproken tijdens een gesloten bijeenkomst. Maar de effecten waren merkbaar. Uit Polen en Hongarije kwamen berichten over veranderingen in het politieke klimaat die voedsel gaven aan het waarheidsgehalte van de geruchten – het waren, zoals zovele journalisten opmerkten, de eerste tekenen van dooi in de Koude Oorlog, het bedrieglijke ritselen van de politieke lente.

De band van de Royal Navy zette in. Troy keek omhoog, naar het schip. Een oneindige rij van sovjethoogwaardigheidsbekleders stond in de houding voor hun volkslied. Aan het hoofd twee gezette mannetjes in grote zwarte jassen. Boelganin was geen bekende figuur, Chroesjtsjov wel, maar bij hun gang naar beneden over de loopplank met rode loper vormden ze voor Troy beiden een variatie op een bekend thema. Het waren gezette mannen, het waren kleine mannen, maar hun gezetheid was in tegenspraak met hun jongensachtigheid. Hij wist niet hoe hij ze anders moest beschrijven. Met hun ronde, lacherige gezichten en scherpe, bewegelijke ogen leken het net twee kleine jongens, twee schooljongens die met een fietspomp waren opgepompt tot mannen.

Ze liepen naar het begin van de Britse rij en begonnen met het zwengelen van handen. Chroesjtsjov als tweede, met een lach van oor tot oor, Boelganin voorop, met een zo te zien wat natuurlijker glimlach, mooie, stralende, blauwe ogen en zijn haar gekapt als het glazuur op een taart. Bij het schudden van Troys hand kwam hij op hem over als een levende parodie op Sir Thomas Beecham, tot en met zijn sik aan toe. En Chroesjtsjov, Chroesjtsjov op slechts enkele decimeters afstand nu, bezig de reusachtige poot van Norman Cobb te schudden, en met het uiterlijk van de Russische boer die hij ook was, de zoveelste editie van het oer-Russische gezicht dat Troy zijn hele leven lang van talloze plaatjes en foto's naar zich had zien terugstaren.

Chroesjtsjov liet de hand van Cobb los, en Troy die van Boelganin. Een ogenblik later omvatte hij de kleine dikke hand van Nikita Sergejevitsj Chroesjtsjov, keek hij in de hazelnootbruine ogen van de leider van de Andere Wereld en telde hij de wratten op het gezicht van de fascinerendste man op aarde.

8

Chroesjtsjov was een zeur. Een dwingeland en een zeur. Het viel niet te ontkennen, de man was vreselijk. Hij had de inborst en geestdrift die Troy van hem had verwacht, maar hij misbruikte zijn macht en de invloed die hij daarmee op anderen kon uitoefenen door op geen enkele wijze rekening te houden met de gevoelens van die anderen.

Naar buiten toe eerbiedigde hij het nominale hoofd van staat, Boelganin, en schiep hij een kwajongensachtig genoegen in zijn rol van stuurman aan wal. Achter gesloten deuren foeterde hij hem uit, schreeuwde hij tegen hem, noemde hem een stomkop, en schreef hem tot in de kleinste details voor wat hij moest zeggen. Hij gedroeg zich nauwelijks beter tegenover zijn zoon Sergej, een tweeëntwintig jaar oude, slanke, stille versie van zijn vader, die zich verschool achter de glazen van wat een ziekenfondsbril bleek te zijn, iedereen vriendelijk toelachte, en zich als een padvinder uitsloofde het allen naar de zin te maken.

Maar waar Troy echt op afknapte, waren de grappen. Troy ging ervan uit dat hij gevoel voor humor had, maar hij vond de grappen van Chroesjtsjov smakeloos en puberachtig, alsof die te veel probeerde te provoceren.

De eerste avond brachten ze een verbijsterende reeks bliksembezoekjes aan de bezienswaardigheden van Londen, sneller dan een Amerikaanse senator op herverkiezingstournee in een of ander godvergeten gat, die armen zwengelde terwijl hij dubbel geparkeerd stond. De Royal Festival Hall, dat bezielende voorbeeld van de Britse sovjetschool voor Architectuur; de duistere, dreigende, stokoude Westminster Abbey; de verheven St Paul's Cathedral, een bewaard gebleven meesterwerk van Wren in een zee van oorlogsruïnes; en de met schijnwerpers verlichte witte muren van de Tower of London in het schemerdonker, met zijn rode en zwarte romantiek van hellebaardiers en raven. Alles in minder dan twee uur.

In de Royal Festival Hall leek Chroesjtsjov opmerkelijk weinig onder de indruk. Hij keek naar de bedragen op de prijslijst van de bar en zei dat hij wel terugkwam op betaaldag, als hij het zich kon veroorloven. Niet slecht, dacht Troy, daarmee toont hij in ieder geval enig besef van de inhoud van het gemiddelde loonzakje. Toen men hem in de Tower vertelde dat, volgens de legende, het Rijk zou ophouden te bestaan als de raven vertrokken, schimpte Chroesjtsjov dat hij helemaal geen raven zag. Nelson die de verrekijker voor zijn blinde oog hield. Er werden wat glimlachjes geforceerd, maar niemand lachte. Niet zo beledigend, maar Troy begon zich nu toch wel af te vragen of de man over enige tact beschikte.

In de St Paul's – een gebouw dat zelfs werd gekend door verdorde zielen van atheïsten als Troy – toonde de oude deken hem de grote koepel, in een griezelige stilte van gedempte stemmen en leren voetstappen, en vertelde met enige trots dat dit de plek was waar in 1940 een Duitse brandbom was gevallen, hoe de kathedraal was gered, en hoe Londen zeventien van zijn kostbare Wren-kerken verloor. Chroesjtsjov merkte blijmoedig op dat de deken zich geen zorgen zou hoeven maken over het herstel van de kerk als de Russen 'de bom' gooiden.

Hij hoefde die term niet nader te verklaren. 'De Bom' was 'DE BOM'. Geen helium of een brandstichter, niet vijfhonderd pond of een ton, maar megatonnen – een begrip dat de meeste mensen nog niet zo veel zei, en dat vaak werd verduidelijkt door meervouden van Hiroshima: twintig Hiroshima's, vijftig Hiroshima's. Dezelfde stad keer op keer geatomiseerd door een aanhoudende metaforische splitsing. Voor zijn geestesoog zag Troy kleine atollen in de Stille Zuidzee ontploffen en uit het zicht verdwijnen onder de icoon van de tijd, een kolossale paddenstoelwolk.

De deken keek beteuterd naar Chroesjtsjov. De aanwezigheid van een tolk, het proces van woorden via een tweede taal en een tweede stem leken op de een of andere manier een wat andere richting te geven aan de strekking van wat zojuist was gezegd, het directe gevoel van dreiging en provocatie weg te nemen. En boden gelegenheid voor de tact die Chroesjtsjov zelf niet opbracht. De deken liep verder, nam ze mee naar het gedenkteken van John Donne. Net achter zijn rechterschouder hoorde Troy een gemompeld 'godallemachtig' van Milligan.

Troy raakte al spoedig de tel kwijt van alle tripjes die ze maakten. Hij was voor zijn gevoel drie of vier keer per dag in en uit het Claridge en Number 10, en rapporteerde dat iedere avond plichtsgetrouw aan Cobb, met gewoonlijk de mededeling dat Chroesjtsjov binnen gehoorsafstand niets had gezegd wat van enig belang was. Of wilden MI5 en MI6 werkelijk weten dat hij een woedeaanval kreeg toen hij een diamanten manchetknoop miste, of dat hij voortdurend liep te klagen over de thee? En dat Troy hem een keer op handen en voeten in de slaapkamer van zijn suite aantrof, zonder te weten of dit was omdat hij weer op zoek was naar die manchetknoop, of omdat hij zich neerlegde bij de gevolgen van zijn favoriete drankje, de rodepeperwodka?

Op de avond van de tweede dag had Downing Street de gasten een officieel diner aangeboden. B & C ontmoetten daar C & A, de voormalige premiers Churchill en Attlee, en de leider van de oppositie, de premier in spe Hugh Gaitskell. De Avond van de Hoge Omes, in de benaming van Clark.

Het 'doen' van Downing Street was een klusje van niks. Men begeleidde de Russen ernaartoe, overhandigde ze aan de zeer in het oog lopende dienders in uniform en werd daarna geparkeerd in een zijvertrek, om daar in iets wat op een slechte versie van een wachtkamer van de tandarts leek, te wachten tot de avond voorbij was. Niets te lezen, niets te doen.

'Wat is dat?' vroeg Troy, toen een agent in uniform de deur sloot.

'Dat werd gisteren bezorgd, sir.'

Het leek wel een houten lepel van drie meter lang.

'Het is een houten lepel van drie meter lang, sir. Was bij de voordeur gezet. Moest meteen naar binnen van de premier. Voordat de pers er lucht van kreeg. Het ding moet weg, zodra de Russen veilig het land uit zijn.'

Troy keek naar het adreskaartje dat aan de monstruositeit bevestigd zat.

'Van de League of Empire Loyalists. We vrezen dat hij niet lang genoeg is voor het diner van morgen.'

'Wat is hier de bedoeling van, denkt u?' vroeg de agent.

'Dat lijkt me nogal logisch,' zei Troy. 'Wie met de duivel uit één schotel wil eten, moet een lange lepel hebben. Het spreekwoord.'

Vanaf het moment dat de trein Victoria Station binnenreed, was het een vreemde ontvangst geweest voor deze twee afgezanten van de duivel, en een vreemde vorm van protest. De overeenkomst tussen die twee was de lauwheid die ze uitstraalden. Welkom noch tweedracht bevatte gevoel of inhoud. Beiden was het niet gelukt genoeg mensen bij elkaar te krijgen om het verkeerslawaai te overstemmen. Het ontbrak dit protest aan esprit. Hoewel de agent van dienst misschien wel de domste van het hele korps was, en wellicht de enige persoon in het Verenigd Koninkrijk die dit cliché nog niet kende, was deze vertoning zo fantasieloos dat die haar doel voorbijschoot. Het cliché van de clichés. De League of Empire Loyalists was niet typerend voor de Britten, een volk dat nergens lid van werd; maar tegelijkertijd ook wel – het volk dat nergens lid van werd, was ook het volk van de eindeloze commissies en opgedrongen meningen. Deze was gewoon een van de domste, een vereniging van oude mannen die zich na 1945 niet meer hadden kunnen terugvinden in de manier waarop de wereld zich ontwikkelde. Het zoveelste Verbond van Spitsburgers, zoals Rod het merendeel van instellingen van de Carlton Club tot de magistratuur omschreef.

Molloy, als ervaren beroepsdiender, beheerste de kunst van het rechtop slapen als de beste. Clark had, zoals altijd, een boek. Troy was degene die zich verveelde. Hij vroeg zich af of het hem zou lukken even de benen te strekken. Hij deed zachtjes de deur open. Er klonk geroezemoes van stemmen, en in de gang stond een jonge agent. Troy verwachtte een opmerking, maar de man knikte alleen en zei op gedempte toon 'goeienavond, sir,' alsof Troy het volste recht had daar rond te lopen. Hierdoor gesterkt wandelde hij zo achteloos mogelijk de trap op, langs een eindeloze reeks portretten van vorige bewoners, van Walpole via Palmerston en Disraeli helemaal tot Churchill, naar de eerste verdieping en de ontvangstruimten. Het geroezemoes van stemmen werd luider. Engels en Russisch. Iemand stond bijna te schreeuwen en hij concludeerde dat dit een vertaling voor een dove was. Hij stond door een raam aan de voorkant te kijken, toen er een deur achter hem openging, het geluid aanzwol, en hij iemand op zich toe zag lopen die hij voor een oudere kelner hield. Het was geen oudere kelner; het was een oudere premier, een portret dat tot leven kwam.

'Harumgrrum werrumbrum,' zei Churchill.

Troy verstond er geen woord van. Wat kon de vroegere leider van de westerse wereld, de onbetwiste Kampioen Zwaargewicht van de Tweede Wereldoorlog hem nu te zeggen hebben?

9

De volgende avond, kort voor zonsondergang, maakten ze een rondvaart over de Theems, van Westminster Pier naar Greenwich, wat een van de aardigste tochtjes was die Londen te bieden had. Het werkte. Een man die je de oren van het hoofd klepte, hield eindelijk zijn mond tegen de tijd dat ze onder de Tower Bridge doorgleden. Chroesjtsjov deed wat ieder mens met een beetje poëzie in zijn ziel zou doen. Hij keek. Londen veranderde, van St Paul's, met zijn nietig makende grootsheid die de horizon opeiste zonder dat er een gebouw in de omgeving het in hoogte of breedte evenaarde, tot de duistere diepten van de East End, een einder die werd afgetekend door silhouetten van kranen en bokken, en een kustlijn, aangevreten door wel honderd werven en havens, bezaaid met de gekreukte zwart met rode zeilen van talloze boten op de Theems, roerloos in de Pool of London. Na het ronden van het Isle of Dogs kwam de heuvel van Greenwich in zicht, de complexe oogverblindende schoonheid van het Royal Navy College, met op de verre heuveltop de omtrekken van het Observatory, die langs een volstrekt willekeurige lijn het

Oosten van het Westen scheidde. Was dat niet het meest uitgelezen symbool voor dit hele bezoek?

Chroesjtsjov verkondigde tegenover de Royal Navy het nieuwe evangelie van de vreedzame co-existentie, sprak over de snelheid van de bewapeningswedloop, beschreef de Ordzhonikidze, het schip dat hem naar het Verenigd Koninkrijk had gebracht, als ultramoderne technologie die over een paar maanden verouderd was. Dat klonk Troy heel plausibel in de oren. Afhankelijk van de manier waarop je het interpreteerde, was het een waarschuwing aan ons allemaal, of een bedreiging van het Westen. Chroesjtsjov gaf de doorslag, en voegde hieraan toe dat de Russen niet het plan hadden 'jullie van de planeet te duwen'. Maar het suggereerde wel dat ze ertoe in staat waren.

Chroesjtsjov zat nog niet, of Troy hoorde hem de Ordzhonikidze te koop aanbieden aan een hooggeplaatste ambtenaar van het Ministerie van Defensie.

'Neem er twee, dan doe ik er een gratis onderzeeër bij,' zei hij als volleerd verkoper.

De Engelsman keek hier nogal van op. Hij wist niet of hij dit als grap moest beschouwen, of dat hij een bod moest doen. Troy kon weinig sympathie opbrengen voor dit soort houding. Ook al zou het bij iedere andere gelegenheid een goeie mop zijn geweest, een mooie gelegenheid om die dikdoenerige poehamakers eens door elkaar te schudden. Maar Troy had nogal wat moeite met de kwaadaardigheid die zich achter dit soort onbehouwen schooljongensgedrag verschool. Na drie dagen grappen kreeg hij het gevoel dat er geen grap bestond waar niet iets achter stak, zoals het onzichtbare deel van een ijsberg onder water. Was de grap misschien een verdedigingstactiek van de underdog? De manier waarop deze nu werd toegepast door de 'topdog' maakte die grof, intimiderend en lomp.

Even later vestigde Chroesjtsjov zijn blik op de Chief of the Imperial General Staff. 'Over niet al te lang,' zei hij, 'zullen we atoomkernkoppen kunnen aanbrengen op geleide projectielen. Dat zal de oorlogvoering een heel ander aanzien geven, neemt u dat maar van me aan.'

Toen de tolk dit in het Engels vertaalde, zag Troy aan de uitdrukking op het gezicht van de man welke kant het op ging. Hij was verstard van schrik en zijn ogen knipperden.

'Dat vind ik,' rapporteerde de tolk terug aan Chroesjtsjov, 'een schokkende mededeling.'

Chroesjtsjov schokschouderde even. 'Dat zal best.' zei hij. 'Maar het is toch de toekomst.'

De naakte waarheid of een onverholen bedreiging? En opnieuw wisselde Troy van partij. De groep waarvan Chroesjtsjov deel uitmaakte, was meer dan veertig man sterk. Ze namen een hele verdieping van het Claridge in beslag, ze moesten in wisselende combinaties naar alle openbare ceremonies worden gebracht, in een logistieke nachtmerrie die een stoet van limousines vergde, en voldoende politiemensen om Letland of Litouwen te kunnen veroveren. Chroesjtsjov pronkte in veertigvoud voor Rusland. Prominent daarbij waren de heren Toepolev en Koertsjatov, respectievelijk bekend door hun werk aan het supersonische vliegen en atoomfysica. Waarom zou Chroesjtsjov die twee anders hebben meegenomen dan om iedereen de link tussen hen in te wrijven? Geschokt zijn was dus wel buitengewoon naïef. De man was Chief of the Imperial General Staff. Geschokt zijn was dus flagrante stompzinnigheid. Als we niet het plan hadden om onze nucleaire wapens aan raketten te bevestigen en die te richten op de steden van onze vijanden, waarom hadden we dan zoveel moeite gedaan om de Duitse raketontwerpers te ontvoeren? Wat zat een man als Werner von Braun, uitvinder van de V2, verstopt in een Amerikaans laboratorium, ook nu nog anders te doen dan een raket uit te vinden die een kernkop kon vervoeren? Of dacht de man nu echt dat we de volgende oorlog konden voeren als de meeste vorige, door het sturen van een kanonneerboot naar de een of andere opstandige kolonie, of een expeditieleger naar een benarde bondgenoot? Had het woord 'Imperial' in zijn titel zo'n vertroebelende uitwerking op zijn hersenen, dat hij niet had gezien hoe de wereld na Hiroshima en Nagasaki uit zijn vlammen was herrezen?

Beide zijden verveelden hem stierlijk. Hij zorgde ervoor dat hij altijd een boek of krant bij zich had. Naar aanleiding van de trip naar Greenwich dook hij een oud exemplaar op van *The Secret Agent* van Joseph Conrad, waarin een kind wordt opgeblazen als dat onbewust een bom vervoert naar het Observatory. Iedere keer als hij werd weggemoffeld in een zijvertrek in Number 10 of vastzat in Chroesjtsjovs suite in het Claridge las hij een stukje Conrad of nam hij de kranten door. Bij gelegenheid raakten die twee werelden elkaar weleens. De wereld voor hem vond hij terug in die andere wereld daar, de wereld in druk: dertigduizend dissidenten vrijgelaten in Polen; sovjetopperadmiraal Koetznetsov de laan uitgestuurd; stalinist en lid van het Politbureau Andrej Visjinsky gekapitteld voor zijn rol in de schijnprocessen van de jaren dertig; het hoofd van MI6 vervangen. Wat een vreemde timing. Waarom net nu? En natuurlijk in geen één krant de naam van de nieuwe man. Troy noteerde in zijn geheugen dat hij daar Rod naar moest vragen, de eerstvolgende keer dat ze elkaar spraken. Rod waagde zich nog weleens aan een weddenschap, en Troy herinnerde zich nog vaag dat hij tien shilling had gezet op iemand die White heette, of was het Black?

Die zaterdag, bij Harwell, het Atomic Research Establishment, bereikte Troys achting voor Chroesjtsjov een dieptepunt. Establishment was een raar woord, dat meer over de ware aard van de instelling verhulde dan onthulde. Maar een deel ervan was fabriek, en bevatte dus ook fabrieksarbeiders. De bezoekers liepen rond in witte jassen en hielden van tijd tot tijd koninklijk stil voor een nietszeggend babbelpraatje met de werkman.

Het was hier de werkman die buiten zijn boekje trad. Een grote man, met een noordelijk accent, een vriendelijk gezicht en grote handen, die hij, trouw aan zijn rol tot in de finesses, aan een lap afveegde toen de groep naderbij kwam. Troy had geen idee wat zijn taak was in dit geheime complex – voor zijn gevoel waren ze daar alleen maar om Chroesjtsjov het concept 'atoom' door zijn strot te duwen. Troy had hem de hele weg horen vragen 'Is dit nu een fabriek? Ik heb om meer fabrieken gevraagd.'

Chroesjtsjov schudde de hand van de werkman.

'Aangenaam,' zei de werkman.

Toen keek hij naar zijn hand, palm naar boven, hoe vet en smerig die was.

'Sorry, vanwege die viezigheid,' zei hij. 'Krijg je met hard werken, en zo.'

Hij glimlachte. Chroesjtsjov glimlachte toen het werd vertaald. Even leken ze op dezelfde golflengte.

'Ben een vakbondsman,' vervolgde de werkman. 'Al lang. Vanaf mijn zestiende.'

Chroesjtsjov vond dit duidelijk minder interessant, maar bleef glimlachen.

'Ik wou u iets vragen.'

Zijn ogen gleden weg naar de begeleidende gezichten, op zoek naar iemand die het voor het zeggen had. Hij keek naar Troy, Troy wees discreet naar de jonge nietsnut van Buitenlandse Zaken die al dagenlang wat verloren achter ze aan slenterde.

'Ik bedoel, ik mag hem toch iets vragen, niet? Hij wil toch wel vragen beantwoorden?'

De nietsnut van BuZa leek in verlegenheid gebracht. De tolk van Chroesjtsjov fluisterde het snel in zijn oor. Chroesjtsjov zei: '*Da, da*,' woorden zo simpel dat ze door iedereen werden begrepen, en gebaarde met zijn hand. Een wegjagend, opwaarts gebaar dat volgens Troy aangaf dat hij zijn geduld begon te verliezen.

'Wanneer komen er nou eens vrije vakbonden in het Oosten?' vroeg de werkman uiteindelijk, zonder een spoor van de onzekerheid die hem tot nog toe parten had gespeeld.

De BuZa-man snakte hoorbaar naar adem. Die had kennelijk iets verwacht over de groenteprijzen, of Chroesjtsjovs recept voor een bloody mary. De tolk, een man die geen enkele censuur leek toe te passen op wat hem werd gepresenteerd, vertaalde dit nauwgezet voor Chroesjtsjov. Het was, vond Troy, eigenlijk voor het eerst dat iemand eens een zinnige vraag stelde. Chroesjtsjov liep niet woedend weg. Hij probeerde ook niet een antwoord te geven. Hij gedroeg zich als een politicus; deed wat iedere politicus in ieder land zou hebben gedaan. Hij ontweek de hele kwestie.

'Het leidt nergens toe als we elkaar gaan bekritiseren. Als u ons standpunt respecteert, respecteren wij het uwe.'

Wat dus helemaal niets betekende.

'Het is gewoon net zo'n lul van een politicus als ieder ander,' zei Troy tegen Charlie, toen die hem belde om te vragen 'hoe de zaken liepen'.

'Wat had je dan verwacht? De nieuwe Messias?'

'Nee. Ik had alleen gedacht dat hij misschien... eh... anders was.'

'O, anders is hij zeker,' zei Charlie.

En Troy vroeg zich af of hij het geduld zou kunnen opbrengen om af te wachten hoe anders.

10

De maandag daarop, toen ze zich weer in zwarte Daimlers persten voor een diner met de zwaargewichten van Labour in het Lagerhuis, kwam er een uitdrukking in hem op die veel in Hollywood was gebruikt: 'Met wie moet ik naar bed om niet langer met deze film te hoeven meedoen?'

Maar toen ze de Harcourt Room binnenliepen en welkom geheten werden door Hugh Gaitskell, werd Troy zich er opeens van bewust hoe de avond zich zou gaan ontwikkelen. De hoofdfilm begon zo. Ze hadden tot nu toe alleen Pearl, Dean en Younger gehad, en een voorfilmpje van de Three Stooges. Maar de voorstelling van vanavond was in cinemascope.

Gaitskell stak zijn hand uit. De tolk raffelde zijn welkomstwoorden af. Toen zei Gaitskell: 'Mag ik u dan nu voorstellen aan mijn woordvoerder voor Buitenlandse Zaken, Rodyon Troy?' En voordat de tolk nog iets te berde kon brengen, stond Rod handen te schudden met Chroesjtsjov, en met hem te praten in zijn vloeiende, ouderwetse, pre-revolutionaire, aristocratische Russisch, met een Moskous accent.

Chroesjtsjovs ogen schoten heen en weer tussen Rod en Troy. De geraffineerde, perfecte tweede blik van een komiek. Zoals Jack Benny een smoel trekt naar Rochester. Rod was langer, zwaarder en ouder dan Troy, maar het was overduidelijk dat ze familie waren: de stevige zwarte haardos, de pikzwarte ogen, de volle mond.

Rod ging Chroesjtsjov voor naar binnen. Die schudde handen met allerlei mensen van het schaduwkabinet, zonder daarbij al te veel aandacht te schenken aan Rods routineuze geratel in het Russisch over de samenstelling van Labour. Toen hij de hand greep van schaduwkanselier Harold Wilson, wierpen Chroesjtsjovs varkensoogjes Troy een verwijtende blik toe, en hij wist dat, wat er ook gebeurde, de terugkeer naar het Claridge geen onverdeeld genoegen zou worden. Misschien bestond er dan toch een God? Misschien was zijn wens in vervulling gegaan, was hij door de mand gevallen – en gaf Cobb hem de volgende morgen zijn congé?

Plotseling dook er een kelner van het Lagerhuis naast hem op.

'Mr. Troy, sir. We hebben u aan de hoofdtafel geplaatst. Naast Mr. Brown. Uw brigadiers aan de tegenoverliggende uiteinden van de laatste tafel. Mr. Cobb heeft gezegd dat u moet worden verspreid over wat hij het gezichtsveld noemt.'

God, wat was die Cobb toch een idioot. Vol koeterwaals en bazelpraat. Gewichtigdoenerij.

'Best,' zei Troy. 'Dan weet ik tenminste dat ik Manny Shinwell, als die zijn geweer met afgezaagde loop tevoorschijn haalt, tijdens een kruisvuur kan omleggen.'

Deze grap ging aan de kelner voorbij.

'Mr. Shinwell is niet uitgenodigd, sir,' zei hij met een ernstig gezicht.

Raakte Troy langzamerhand besmet met de smakeloosheid van Chroesjtsjov? Hij vond een stoel met zijn naamkaartje erbij. Aangezien hij verder niets te doen had, ging hij maar zitten, waarbij zijn Browning in die belachelijke holster hem in de ribben porde. Een paar minuten later werden de plaatsen om hem heen bezet. Twee stoelen verderop zat Sergej, naast hem een van de tolken, daarnaast Wilson, naast hem Rod, daar weer naast een andere tolk, naast hem Boelganin, dan de laatste tolk, dan Chroesjtsjov en dan Gaitskell. Hij keek naar het naambordje bij de lege stoel tussen hemzelf en Sergej. Met vermelding 'Mr. Brown'. Maar welke Mr. Brown?

Helemaal aan de andere kant zag hij Clem Attlee zijn plaats innemen; op afstand maakten Clark en Beynon een uitgesproken ongemakkelijke indruk. Ze leken eerder verstoord dan content over het vleugje democratie dat ertoe had geleid dat ze aan tafel waren geplaatst in plaats van tegen de muren, om dan verder gedurende het hele vijfgangendiner te worden genegeerd. Hij benijdde ze niet – gewone politiemannen die over koetjes en kalfjes moesten praten met vertegenwoordigers van het volk, wier kennis van het volk was gebaseerd op de informatie van hun onderzoekers en drogredeneringen in de pers. Hij had geen idee wat hij zelf zou zeggen, als een van deze onwerkelijke schepsels zich zou verwaardigen om een gesprek met hem aan te knopen. In dezelfde hoek als Clark en Beynon zag hij een glimp van Tom Driberg. Een vriend uit de oorlogsjaren. Te ver weg voor een praatje. Toen hoorde hij het geluid van een stoel die naar achteren werd geschoven, en zag hij een korte, gezette, uilachtige man naast zich. Brown. Natuurlijk. George Brown. Kamerlid voor Iets-Noordelijks. Schaduwminister van Het-Een-Of-Ander. Ze hadden elkaar weleens eerder ontmoet. Hij was geen vriend of vijand van Rod. Bevond zich een beetje aan de rechterkant van de partij, en stond bekend om zijn openhartige uitspraken.

Brown wisselde een paar beleefdheden uit met Troy. Geen onaardige kerel, dacht Troy. De man aan zijn linkerkant was diep in gesprek met diens buurman, en toen Brown een eigenaardige, indirecte conversatie met Sergej begon, besefte Troy dat hij de dans aardig was ontsprongen en zich ongestoord kon gaan wijden aan het vreselijke Lagerhuis-voedsel en... nou ja... verdorie... dagdromen. En als een van deze ouwe zeurpieten inderdaad een wapen bij zich had, moest Beynon die maar neerknallen.

Hij zonk weg in dromen over de verrukkingen van een weekend op het land, iets waarnaar hij zeer uitzag na een paar weken rondhangen in Londen. Over gespikkelde varkens en uitlopende aprilgroenten. En toen hij over deze landelijke idylle was uitgedroomd, verrees voor zijn geestesoog de partituur van een arrangement van Thelonius Monk, die hij al een eeuwigheid probeerde onder de knie te krijgen, *April in Paris*. Die partituur was een illusie. Die hij nooit op papier had gezien – Monk evenmin, dacht hij zo – maar een zichtbaar patroon was van vingerbewegingen over een klavier. Een hoorbaar antipatroon van overleggende gedachtesprongen, van muzikale configuratie. Hij was een droom te ver. Hij rook pijptabak, die hem terughaalde naar de echte wereld. Het eten was voorbij. De tijd voor toespraken was aangebroken. Hij had niet eens gemerkt dat hij ook pudding had gehad. Chroesjtsjov was overeind gekomen, de tolk deed zijn best om hem bij te houden. En de stoel naast hem was leeg. Brown moest hem op een gegeven moment zijn gesmeerd. Troy keek om zich heen. Brown was omgelopen om aan de andere kant van de tafel Chroesjtsjov te kunnen benaderen. De pijprook kwam van hem. Opeens ging Driberg in de lege stoel zitten.

'Ik vermoedde al dat ik je hier zou zien,' zei hij, en Troy wist dat hij iets in zijn schild voerde. Chroesjtsjov dramde onverdroten verder over het nieuwe tijdperk van de vrede. 'Je zult wel geen interview met Chroesjtsjov voor me kunnen regelen, neem ik aan?' fluisterde Driberg in zijn oor.

'Dat heb je goed aangenomen.'

Driberg kwam nog iets dichterbij. Onverstoorbaar als altijd. 'Zou heel goed voor me zijn. Ik bedoel... geen van de kranten heeft een ingang. Geen persconferentie, niks. De *Reynolds News* of zelfs de *Herald* kunnen me niet weigeren, als ik een exclusief verhaal voor ze had.'

'Tom, duvel op.'

'Ach, toe nou. Dat kan je best.'

'Met Boelganin en al die ambassademensen en tolken om hem heen?'

'Jij krijgt hem wel even op een stil plekje. Jij spreekt de taal.'

Troy verplaatste zijn blik van Chroesjtsjov naar Driberg. 'Tom,' zei hij zacht, 'is het ooit bij je opgekomen dat Chroesjtsjov dat niet weet, en ook niet mag weten?'

'Verdorie,' zei Driberg, en verviel in een stilte waarvan Troy uit ervaring wist dat die maar tijdelijk was.

Zodoende werd hij zich er plotseling van bewust dat Chroesjtsjovs toon was veranderd. Hij zat op een andere koers, er klonk een hartstocht in zijn stem die een tolk nooit zou kunnen overbrengen.

'De vrede is te lang onderweg. We hebben de olijftak keer op keer aangereikt, maar moesten dan toezien hoe die in onze handen gebroken werd. We waren een jong land, in 1919, in herstel tijdens de nasleep van de oorlog die ons bijna te gronde had gericht, voor de eerste keer in de geschiedenis bevrijd van het juk van de tirannie. Wij vroegen om hulp. En wat stuurde u? Soldaten naar Archangelsk en Moermansk. Een poging om ons op te leggen hoe we dingen moesten regelen. In de jaren dertig, lang voordat jullie in Groot-Brittannië wisten wie Hitler was, vochten wij al tegen Duitsland.'

Er ging een licht afkeurend gemompel door de zaal. Brown gromde zo hoorbaar dat hij een moment Chroesjtsjovs aandacht trok. Die was even van zijn stuk gebracht, maar pakte daarna de opgaande lijn van zijn improvisatie op een thema weer op. Hij speelde jazz. Daarin excelleerde hij. In gedachten zag Troy Monks vingers in hoog tempo over de toetsen schieten.

'Moet ik u eraan herinneren dat het nazisme in eerste instantie bedoeld was ter bestrijding van een minderwaardig ras, de Slaven; ter bestrijding van een demonische ideologie, het bolsjewisme? Wij waren al klaar voor Hitler toen u nog aan het marchanderen was, wij waren al klaar voor Hitler toen die Tsjecho-Slowakije binnenviel...'

'Waarom heeft Joe Stalin dan een verdrag met Hitler getekend?'

zei een stem achter in het vertrek. Het vuur van het betoog werd kortstondig onderbroken toen de tolk, met zijn handen gespreid, driftig fluisterend met Chroesjtsjov, met hun hoofden dicht bij elkaar, in conclaaf ging.

Chroesjtsjov had niet gezien wie er gesproken had. Dat maakte ook niet uit. Troy kreeg de indruk dat dit van iedereen in de zaal had kunnen komen.

'Uit noodzaak,' ging Chroesjtsjov verder. 'Iets wat u in het Westen blijkbaar maar moeilijk kunt begrijpen. Als we niet alleen wilden staan in onze strijd tegen Hitler, moesten we een andere manier vinden. Dat was noodzaak! We hadden troepen aan de grens geconcentreerd om onze broeders in Tsjecho-Slowakije te hulp te komen. De Polen wilden ons niet doorlaten, omdat die de lijn volgden die was bepaald door de Fransen, door de Britten, door Chamberlain. Onze troepen stonden klaar. Een verdrag dat onze hulp garandeerde. En wat deden de Britten? Die zonden ons een afvaardiging die niets kon zeggen, die niets kon horen, die alleen kon zitten en theedrinken! En intussen ging uw regering onverdroten door Hitler op te jutten, en hem naar het oosten te drijven, zo ver mogelijk bij uw landsgrenzen vandaan. Als u en de Fransen ons beter hadden begrepen, ons hadden willen zien als een nieuwe natie in wording, welwillender waren geweest, in plaats van ons te beschouwen als een stelletje simpele koningsmoordenaars, als u met ons had samengewerkt, met ons had gepraat, had, dat geef ik u op een briefje, de afgelopen oorlog vermeden kunnen worden.'

Daar stond de Labour Party van te kijken. Dit was haast ondenkbaar. Maar Troy had lang geleden, al vanaf het moment dat Winston bijna tien jaar terug in Missouri het woord had genomen en het IJzeren Gordijn had laten zakken, aangevoeld dat dit een tijd was waarin veel ondenkbaars werd gedacht.

Uit de betrekkelijke stilte, het achterliggende gemurmel, klonk één duidelijke stem. Die van Brown.

'Moge God u vergeven!'

De tolk toonde een greintje tact. Troy hoorde hem fluisteren en uit de stand van zijn armen en schouders sprak ontkenning – hij probeerde Chroesjtsjov duidelijk te maken dat hij niet had gehoord wat Brown zei. Chroesjtsjov vroeg Brown te herhalen wat hij had gezegd. Er steeg geroezemoes op, een hevige ongerustheid. Brown moest het niet nog een keer zeggen. Brown stak omstandig een verse pijp op.

Chroesjtsjov zei: 'Wat is er aan de hand? Bent u bang voor uw mening uit te komen?'

De tolk, die in één keer door al zijn tact en ontkenning heen was, vertaalde dit zonder omwegen in het Engels.

Brown wuifde zijn lucifer uit, trok een keer aan zijn pijp en nam die toen uit zijn mond.

'Nee,' zei hij, helder en duidelijk. 'Ik zei: "Moge God u vergeven."'

Chroesjtsjov hield zijn ogen op Brown gevestigd. Hij ademde diep in en ontplofte. Troy had het gevoel dat hem niet als enige was opgevallen dat Chroesjtsjov de vertaling niet had afgewacht. De tolk had niets gezegd.

'Nee, mannetje. Moge uw God u vergeven! Denkt u nu echt dat er iets is veranderd na Archangelsk? Denkt u nu echt dat u boven ons verheven bent met uw miezerige socialisme? U bent waarachtig nog meer tegen ons gekant dan de Conservatieven! Uw steun aan ons is ver te zoeken. Het enige wat u doet is ons kapittelen over Oost-Europa!'

Nu schoot Nye Bevan in de benen. Hij zwaaide met zijn vinger naar Chroesjtsjov en zei: 'Probeer ons niet te koeioneren!'

'En zit niet met die verdraaide vinger te zwaaien,' zei Chroesjtsjov, die daarna in een tirade losbarstte waarbij de tolk het spoor bijster raakte. Tussen alle beledigingen door hoorde Troy het woord 'Наглость' – Arrogante vlegel!'

Rod kwam langzaam overeind. Wachtte tot de man stoom af had geblazen. Juist het feit dat hij daar zo stond en niets zei, maande Chroesjtsjov tot kalmte, als een oude locomotief die geleidelijk aan tot stilstand kwam op dood spoor.

Rods rustige, uitgesproken toon, daarna, deed Troy zo denken aan zijn vaders bedrevenheid in het spreken in het openbaar, dat hij het er koud van kreeg. Hij pakte zijn gehoor met zijn timbre – een ander woord kon Troy er niet voor bedenken – en niet met volume of tempo; liet de tessituur van zijn stem het werk doen. Chroesjtsjov hield verder zijn mond. De Labour Party hield verder zijn mond – en ze hadden geen idee wat hij te zeggen had.

'Dit, Kameraad Chroesjtsjov' – niemand had hem die avond nog kameraad genoemd – 'lijkt mij een geschikt moment om u dit te overhandigen. Het zijn de namen van politieke dissidenten in Hongarije, in Polen, in Oost-Duitsland, in Tsjecho-Slowakije, die zijn vermist. Ik zou u buitengewoon dankbaar zijn als u me kon helpen deze mensen op te sporen en hun families in te lichten over hun verblijfplaats.'

Meer zei Rod niet. Hij stak alleen een vel papier uit, dat was dichtgevouwen. Chroesjtsjov nam het niet aan. Er volgde een impasse die bijna een volle minuut duurde, voordat de tolk zijn leven en baan riskeerde en de lijst voorzichtig uit Rods hand trok. De betovering werd verbroken. De spiegel barstte in duizend stukjes. Chroesjtsjov zette koers naar de deur. Door het hele vertrek werden stoelen naar achteren geschoven. Troy moest hollen om bij de deur te komen voordat Chroesjtsjov die bereikte. Ze arriveerden daar ongeveer schouder aan schouder, botsten haast tegen elkaar op. Troy kon zweren dat hij Chroesjtsjov hoorde zeggen: 'Ze kunnen allemaal de klere krijgen' – en toen stonden ze buiten.

11

Buiten, op de binnenplaats van het Lagerhuis, in de druilerige aprilregen, stond Chroesjtsjov te schelden.

'Они насрали на Россию! Они насрали на Россию!' Rusland kon ze geen reet schelen! Rusland kon ze geen reet schelen!'

Hij raasde tegen het ambassadepersoneel, raasde tegen Boelganin, en toen zijn tolk in de Daimler wilde stappen, griste hij Rods lijst uit diens hand en verwees hem vastberaden naar de andere auto. Troy volgde, omdat die ervan uitging dat hij liever in zijn eentje wilde mokken, maar Chroesjtsjov hield hem tegen met een hand op zijn arm.

'Nee,' zei hij, bijna kalm nu. 'Jij niet. Jij gaat achterin.'

De auto vertrok, richting Victoria en Hyde Park Corner – Clark voorin bij de chauffeur, het tussenscherm helemaal dichtgeschoven, en Troy achterin, met naar zich liet aanzien de machtigste man ter aarde, ontzettend benieuwd naar wat er ging komen. Chroesjtsjov keek uit het raam van de rijdende auto, en zei niets tegen Troy. Bij het passeren van Westminster Cathedral draaide hij zijn hoofd en bukte om een blik op de opdoemende rode bakstenen toren te kunnen werpen, maar hij zei nog altijd geen woord. Geen toeristische vraag. Geen smakeloze, bittere grap. Bij Hyde Park Corner haalde hij Rods lijst uit zijn binnenzak en bestudeerde die even. Toen zijn hand het opgevouwen papier in zijn zak terugstopte, vroeg hij, zijn ogen nog altijd op de straat gericht: 'Wie was dat? De man met de namen?'

'Mijn broer,' antwoordde Troy.

'En waar hebben jullie je Russisch geleerd?'

'Thuis. In de kinderkamer. Van onze ouders.'

'Van jullie ouders,' herhaalde Chroesjtsjov toonloos. Het kwam op Troy eerder over als een bewust worden, een overpeinzen, dan als een vraag.

'Onze familienaam is Troitsky.'

'Aha... Witten!'

Eindelijk keek Chroesjtsjov naar Troy. Met een triomfantelijke glimp in zijn gestoorde oogjes.

'Nee,' antwoordde Troy. 'Negentien-vijf'ers.'

'Mensjewieken?'

'Eerder anarchisten, denk ik. Maar dit is lang geleden.'

'Inderdaad. En nu?'

'Mijn broer heeft, zoals u heeft kunnen constateren, zijn verleden geaccepteerd en zich aangesloten bij de Labour Party. Dat zijn, wat u er ook over moge denken, sociaaldemocraten. Niets meer, maar ook niets minder.'

'En jij?'

'Ik ben een politieman. Ik doe niet aan politiek.'

'Als een sovjetpolitieman zoiets tegen me zei, liet ik hem ontslaan omdat hij me niet serieus nam. Je denkt toch niet dat er één weldenkend mens op aarde rondloopt die niet aan politiek doet, wel?'

Chroesjtsjov had natuurlijk gelijk. Dat wist Troy. Jaren geleden, in Berlijn, niet lang na de oorlog, had een Russische spion hem verteld dat zijn vader agent van de Communistische Partij van de Sovjet-Unie was geweest vanaf het moment dat hij Rusland had verlaten na de chaos van 1905. Daar had Troy vaak aan moeten denken. Het was eerst iets wat hij niet wilde geloven, en werd uiteindelijk iets waarvan hij besloot het niet te willen geloven. En het was zeker niet iets wat hij wilde bespreken met de Eerste Secretaris van die partij.

'Waar komen jullie oorspronkelijk vandaan?' vroeg Chroesjtsjov.
'Voornamelijk Moskou. Daarvoor uit Jasnaja Poljana. Dat ligt bij Tula.'
'Ik weet het. Ik ben er diverse keren geweest. Het hele plaatsje ademt Tolstoj, tegenwoordig.'
'Ik benijd u, Kameraad Chroesjtsjov. Ik heb het nooit gezien. En zal er ook wel nooit komen.'
'Kom dan naar Rusland.'
Troy keek naar Chroesjtsjov. Die glimlachte. Misschien meende hij het zelfs wel.
'Dat zal niet gaan, denk ik. Mijn familiegeschiedenis is iets gecompliceerder dan ik u zo kan zeggen.'
'Kom dan naar Rusland,' zei hij opnieuw. 'Dan zorg ik voor een warm onthaal. Beter dan deze slaapverwekkende sleeptocht langs de Britse monumenten.'
'U heeft Eden ontmoet. U heeft de koningin ontmoet en de hertog. Het ging niet alleen maar om dingen als St Paul's en de Tower.'
'Eden is een monument. De leden van de koninklijke familie zijn monumenten.'
Troy was het volledig met hem eens, maar het was niet aan hem dat te zeggen, bij deze of iedere andere gelegenheid.
'Waar zijn de mensen? Waar zijn de arbeiders?' De mollige handjes met hun stompe korte vingertjes spreidden zich uit, nadrukkelijk open en leeg. 'Waar zijn de boeren?'
Daarin had Chroesjtsjov geen ongelijk. De publieke belangstelling was vanaf dag één aan de magere kant geweest. De mensen hadden zich maar zelden rond Boelganin en Chroesjtsjov verdrongen. Troy was er in eerste instantie van uitgegaan dat het bezoek maar weinig zou afwijken van een koninklijk bezoek of een persoonlijk optreden van een Frank Sinatra of Johnnie Ray; maar in de praktijk was hij zich haast gaan afvragen of de Engelsen de opdracht gekregen hadden om thuis te blijven, of dat 'Gejaagd door de Wind' misschien iedere avond op ITV werd uitgezonden.
'Ik weet niet of de Engelsen wel boeren hebben. En zaterdag heeft u een arbeider gesproken. Maar die heeft u met een kluitje het riet ingestuurd.'
'Bedoel je bij Hartwell?' Chroesjtsjov zette al haast weer een stem op. 'Die man was een apparatsjik van Eden! Een marionet!'

Troy woog even een en ander tegen elkaar af, maar besloot het risico te nemen. Hij was tenslotte al door de mand gevallen, evenals vermoedelijk de hele ploeg, en werd met ingang van morgen, met een standje van de Branch, op vakantie gestuurd.

'Met alle respect, Kameraad Chroesjtsjov, maar dat is niet waar. Hij zei wat hem op het hart lag. En was daarmee vermoedelijk de enige van alle mensen die u op deze trip heeft ontmoet. En daarmee bedoel ik niet dat ik de integriteit van George Brown of mijn broer in twijfel trek, maar die zijn, net als u, politici.'

Troy wachtte even. Wie nu A zegt, moet het hele Russische alfabet zeggen, dacht hij. Als Chroesjtsjov dan weer ontploft, moet dat maar. Hij was het die de lont aanstak, en met enig geluk was hij het die daar zonder kleerscheuren mee wegkwam. Deze kans mocht niet onbenut blijven.

'Als u het mij vraagt, zou ik u zeggen dat de trip voor u en voor de Maarschalk een diplomatieke machinatie van beide kanten is. Uw eigen kant wil niet dat u met het volk spreekt. Dat zien zij als tijdverspilling. Zij hebben veel liever dat u een babbeltje maakt met een onbenul als Eden of algemeenheden en onschuldige beleefdheden uitwisselt met Hare Majesteit. En de Britten willen niet dat u met het volk spreekt. Die hebben veel liever dat men u ziet als iemand die beroofd werd van alle menselijke gevoelens door het goddeloze marxisme. Het laatste dat Eden zou willen, is dat u verbroedert met het proletariaat.'

Weer wachtte Troy even. Cobb stuurde hem, zodra hij erachter kwam dat Chroesjtsjov hun zielige spelletje doorhad, zonder twijfel de laan uit. Hij had niets te verliezen, helemaal geen barst.

'Maar als u dat toch wilt... het is nog geen half tien, en er valt vast nog wel iets te regelen.'

Chroesjtsjov knipperde met zijn ogen, kattenkwaad golfde over zijn mollige wangen en lichtte zijn schelmse oogjes op.

'Een Engelse pub?'

'Als u wilt.'

'Pilsje pakken?'

'Daar zijn ze voor.'

'De metro?'

'Wij noemen die de "tube", maar als u dat wilt, laat ik u die met genoegen zien.'

Troy beantwoordde Chroesjtsjovs blik, en onderdrukte de grijns die zijn weg naar buiten vocht. Dat kon nog wat worden, straks.

'Dump de ambassademensen,' zei hij. 'En dan gaan wij ertegenaan.'

Troy genoot reusachtig van deze zin. Het was voor zijn gevoel de eerste keer dat hij die uitsprak, en wist niet of zijn Russisch wel helemaal goed was.

Maar het was een mannenkreet, Charlies kreet, het soort kreet waarvan mannen als Charlie zich bedienden als ze vrouwen wilden versieren of oude makkers wilden overhalen om na sluitingstijd het drinken nog een tijdje door te zetten. En voor zijn gevoel bij uitstek geschikt voor de gewaagde onderneming waartoe hij Kameraad Chroesjtsjov had uitgedaagd.

12

Terug in het Claridge stormde Chroesjtsjov met de Special Branch en KGB-niks aan zijn slippen naar de tussenverdieping. In de voorkamer van zijn suite verkondigde hij hoe moe hij was en dat hij vroeg naar bed ging. Dat scheen niemand te verbazen, maar het veroorzaakte wel wat verwarring. Troy kon het zo gauw niet tellen, maar als je de Russen en de Engelsen, de politiemensen en die van de geheime dienst, de wetenschappers, de plichtsgetrouwe zoon en de functionarissen van de ambassade bij elkaar optelde, stonden er wel vijftien of meer man die zich afvroegen wat ze nu moesten doen. Chroesjtsjov liet daar geen twijfel over bestaan.

'Eruit!' schreeuwde hij.

Een paar seconden later waren ze nog met zijn vieren. Troy, Clark, een lange, rustige, jonge KGB-functionaris en Chroesjtsjov.

Chroesjtsjov liep voorop de zitkamer in. De KGB-man volgde. Clarks gezicht sprak boekdelen. 'Wat nu?' zeiden de blik in zijn ogen, de stand van zijn mond. Troy wuifde hem in een stoel, en volgde Chroesjtsjov.

De KGB-man opende zijn tas en zette een grote versierde doos op de koffietafel – van het soort dat je meenam uit een ver land om je sigaretten in te bewaren, die je dan voor eeuwig vergat. Hij klapte het deksel open. Troy zag een flits van wijzerplaten en lichtjes, daarna knikte de man naar Chroesjtsjov en vertrok. Toen de deur dichtging, liet Chroesjtsjov zich op de bank zakken.

'Alles goed. Je kan nu vrijuit spreken. Niemand die ons hoort.'

Echt? Troy kon dat haast niet geloven.

'Er zijn geen verstopte microfoontjes. Voor we afgelopen maandag arriveerden, hebben mijn mannen de hele suite uitgekamd. De telefoon wordt ook niet afgetapt, wat onze vermoedens bevestigt. Jullie mensen hebben een methode bedacht om de telefoon als radiozender te gebruiken. En wij hebben op onze beurt een methode bedacht om dat te verhinderen. Doe me een lol en schenk eens een wodka voor ons in.'

Hij reikte naar de telefoon.

'Ik hoop dat je niet rookt. Toen de stoorzender eenmaal was geïnstalleerd, was er voor sigaretten geen plaats meer.'

Troy maakte een verse fles rodepeperwodka open en ontspande zich. Het was een simpel gesprek.

'Действуй,' zei Chroesjtsjov. 'Doen!'

Het was even stil.

'Действуй,' zei hij weer, en hing op.

Als hij zich vergiste, en MI5 de lijn aftapte, wisten ze nu nog niks, dacht Troy.

Chroesjtsjov sloeg zijn wodka naar binnen. Troy nam een slokje van de zijne, vond het iets dat je moest leren drinken, en liet het staan. Chroesjtsjov verdween de badkamer in. Twee minuten later keerde hij terug, met rooie wangen en schoongewassen als een schooljongen. Even later stonden ze in de voorkamer tegenover een ongelovige Clark.

Troy kreeg het gevoel dat ze op het matje stonden bij de bovenmeester. Clark zag dat ze hun jas aanhadden en op het punt stonden de straat op te gaan. Hij legde zijn boek neer en stond op, alsof hij zo wat meer indruk kon maken met zijn korte gestalte. Zijn gezicht drukte zowel droefenis uit als ongeloof.

'Jezusmina. O, jezusmina. Nee, hè? U gaat toch niet met hem uit, hè?'

'Kijk jij even of er niemand op de gang of de achtertrap is, Eddie?'

'Als Mr. Cobb u ziet, zijn de poppen aan het dansen. Dat weet u toch, sir?'

'Ken jij iemand die Mr. Cobb ooit nog na negen uur 's avonds heeft gezien? Ga nou maar kijken.'

Troy en Chroesjtsjov wachtten in stilte tot Clark weer terug was. Chroesjtsjov neuriede een deuntje en rinkelde met de munten in zijn zak. Troy dacht het deuntje te herkennen als 'Love and Marriage' – een recente hit van Frank Sinatra – 'they go together like a horse and carriage.' Het leek niet zo waarschijnlijk, maar wie kon zeggen welke gifdruppeltjes van de westerse cultuur door de kogelvrije ruiten van de Daimler waren gelekt en zich in het onderbewustzijn van de man hadden gehecht?

'U boft,' zei Clark, toen hij terugkwam. 'Beynon zit bij de deur van de Maarschalk, op de trap van de tussenverdieping zit een van Cobbs mannen te slapen, en drie andere zijn in de linnenkamer aan het eenentwintigen. De man voor de garage heeft zich teruggetrokken in het glazen hokje van de dienstklopper bij de garagedeur. Hij is de enige die iets zou kunnen zien.'

'Mooi,' zei Troy. 'Duim voor ons, we smeren hem.'

'U kunt me wat. Door u kom ik voor het vuurpeloton.'

Troy opende de deur, en keek naar links en rechts. Toen schoten ze naar de deur van de diensttrap die naar de ondergrondse parkeergarage leidde. Het was donker en stil; het glazen hokje bij de ingang straalde als een lichtbaken. Troy zag hoe de agent van Cobb, pet af, voeten omhoog, met de man van het Claridge zat thee te drinken en te babbelen. Het felle licht waarin ze zaten bemoeilijkte het waarschijnlijk om naar buiten te kijken.

Hij opende de koffer van de Bentley.

'Je had me de metro beloofd,' zei Chroesjtsjov.

'We kunnen niet zonder auto naar buiten. En u kunt niet met de Underground als Nikita Chroesjtsjov. U kunt niet de pub in als de Russische beer.'

Troy haalde een oude regenjas tevoorschijn en een werkmanspet die hij soms gebruikte als hij onopvallend mensen moest volgen en zei Chroesjtsjov zich om te kleden. De jas zat Chroesjtsjov nogal krap en was een stuk morsiger dan die van hemzelf, maar de pet paste, en onder al deze sjofelheid zag hij er verrassend Engels uit. Troy pakte de sjaal die Chroesjtsjov zo elegant onder zijn jasje droeg en wikkelde die om zijn hals, met een grote knoop onder zijn kin. Hij bekeek de man even op afstand, maar het geheel miste nog iets.

'Zet uw bril op,' zei Troy.

Chroesjtsjov viste een soort ziekenfondsbrilletje uit zijn zak, waarmee hij, was Troy opgevallen, altijd de fotografen vermeed. Hij tuurde met knipperende oogjes naar Troy. Die bekeek hem nog eens. Niet alleen zag hij er heel Engels uit, maar hij deed Troy ook denken aan die stevig gebouwde Londenaren die, een en al spierbundels na een heel leven in de havens, geleidelijk aan aftakelden op een dieet van frieten en bier. Dat loste een probleem op. Ondanks zijn belofte had Troy geen idee waar ze naartoe konden. In de Salisbury bestond het gevaar dat hij Charlie tegen het lijf liep, en in alle pubs in Soho, van de Salisbury helemaal tot aan de Fitzroy, via de Coach and Horses en de Colony Club, liep hij het risico op een ontmoeting met Johnny Fermanagh. Alle kranten hadden de afgelopen week vol gestaan met het gezicht van zijn metgezel. Alleen de bruiloft van prins Rainier van Monaco met de ongelooflijk mooie Amerikaanse filmster Grace Kelly had hem in luister overtroffen – de beste grap van de hele trip was toen een groep studenten de Russische leiders begroette met een spandoek met de tekst 'Welkom Grace en Rainier' wat nog eens benadrukte dat Chroesjtsjov zo beroemd was als een filmster. Waar in Londen was er nog een pub te vinden waar de stamgasten meer belangstelling zouden hebben voor Grace Kelly dan voor Nikita Chroesjtsjov? Er zat niet veel anders op, maar Nikita Sergejevitsj stond op het punt een trip te maken naar het hart van Londens East End, waar de kranten van gisteren, als men die al las, als verpakking dienden voor de frieten van vandaag. Hij vond het wel een leuk idee. Hij was al lang niet meer in de Brickie's Arms geweest. Dat was een tent waar je Jiddisch en Pools kon horen spreken, en waar Russisch niet iets bijzonders was, of zou opvallen. Het was al te lang geleden dat hij George Bonham had gezien, de milde reus, de gepensioneerde politiebrigadier van zijn oude bureau in Stepney, en vaste klant van de Brickie. Het lag niet in Georges aard om Troy vragen te stellen als die Chroesjtsjov liet doorgaan voor een verre neef, en zijn greep op de actualiteit was vrijwel nihil. Troy had een groot deel van de oorlog besteed om hem de oorlog uit te leggen. Na de oorlog had het uitleggen van de nieuwe welvaartsstaat hem ongeveer evenveel tijd gekost.

Tot nu toe gaat alles goed, dacht Troy, toen ze met de roltrap van Oxford Circus naar de Central Line afdaalden. Toen ze langs het glazen hok met de man van de Special Branch reden, had hij Chroesjtsjov gezegd naar beneden te duiken. Hij had de auto twee straten verderop geparkeerd en de laatste vijfhonderd meter met hem door Mayfair gelopen. Chroesjtsjov keek met grote ogen om zich heen, met een gezicht dat beurtelings fascinatie en afkeer van de overmaat aan advertentieposters in de liftschacht uitstraalde. Zo kon hij kennisnemen van de Engelse obsessie met gezondheid en kwakzalverij – van de versterkende krachten van Horlicks en 'Yeast-Vite'; en hun luchthartige onverschilligheid jegens gezondheid en gezond verstand – van de zwaarte, mildheid, koelheid, het aroma, en ga zo maar door, van Kensitas, Churchman's No. 1 en een tiental andere sigarettenmerken. En de borsten, een diagonale galerij van borsten, een bewegende rolband van prikkeling en kitteling, met alle denkbare vormen van 'foundation', ofwel de verscheidenheid aan manieren om vrouwen in hun eigen kleren te wikkelen en te verpakken. Het was langzamerhand een nationale obsessie aan het worden, en het zou niet lang meer duren voordat de tiet inzetbaar werd voor alles wat moest worden verkocht. Verdeel en heers. Bollen, puilen en pronken.

Op het perron nam Chroesjtsjov alles nauwkeurig in zich op. Hij bestudeerde de veelkleurige plattegrond van het netwerk van de ondergrondse, en troggelde Troy zelfs een sixpence af om de snoepjesautomaat uit te proberen.

Ze namen een trein oostwaarts, richting Hainault. Het spitsuur was allang voorbij en er zat maar een handjevol reizigers in de trein, van wie niemand ook maar enige aandacht besteedde aan Chroesjtsjov. Chroesjtsjov keek onbekommerd in het rond. Troy probeerde de Engelsen door zijn ogen te zien. Het moest hem allemaal erg bekend voorkomen, dacht hij, als je alle clichéverhalen van de kranten over de USSR geloven mocht. Engelsen waren maar een saai volkje. Een kleurloos volkje. Grijze mensen in grijze kleren. Met slechte kapsels, afgebeten nagels, verkleurde nicotinevingers, klapperende valse gebitten, lekkende schoenen, gevlekte broeken die zelden de binnenkant van een stomerij zagen, en, op een avond als deze, een deinende zee van natte gabardine – een aanval op de zintuigen van vocht en vuil. Armzalige, verdrukte mensen in een armzalige, verdrukte natie. Een natie, dacht hij soms weleens, die aan de een of andere revolutie toe was. Geen marcheren in de straten, geen bestorming van het Winterpaleis – dit was tenslotte Sandringham, te ver weg, en te onpaleiselijk – maar een culturele revolutie, iets waardoor het land werd wakker geschud. Als Troy enige binding had gevoeld met zijn natie, zou hij er, evenals 's lands regering, wel twee keer over nadenken om die aan een buitenlander te tonen.

Chroesjtsjov stapte bij ieder station uit, stond in het gedrang van passagiers die zich een weg naar huis baanden, en keek om zich heen als een vermoeide treinspotter, de amateur-deskundige – alles gezien, alles gedaan – voor wie alles een soort routine was. Troy sloeg Holborn over, en bleef in de trein. Holborn had hem al te veel gekost. Tegen de tijd dat ze Bank naderden, had Chroesjtsjov zijn oordeel klaar.

'Het mist grandeur,' zei hij eenvoudigweg.

Troy dacht daarover na. Grandeur was de opzet niet. De Londense ondergrondse was stukje bij beetje opgebouwd uit lijnen die gedurende een periode van bijna honderd jaar separaat van elkaar waren aangelegd door verschillende private en overheidsondernemingen. Ieder daarvan had zijn eigen opvattingen over de manier waarop een gat in de grond moest worden aangekleed, maar Troy betwijfelde of grandeur daarbij ooit een rol van betekenis had gespeeld.

'Mijn metro, in Moskou. Mijn metro kan het opnemen tegen de mooiste paleizen op aarde, en is een kathedraal onder de grond.'

Veel mensen vonden dat het treinstation van St Pancras de vergelijking kon doorstaan met menige kathedraal. Troy overwoog een omweg te maken om hem dat te laten zien – een snel overstapje op de Northern Line zou ze daar in tien minuten brengen – maar besloot toch maar voor het bekende verhaal over die Amerikaanse toerist die het station voor de kerk van St Pancras hield en bij het betreden ervan eerbiedig zijn hoed afnam. Chroesjtsjov haalde zijn schouders op. Hij wist niets van de absolute pracht van Sir George Gilbert Scotts bovenaardse meesterwerk van torentjes en gevelspitsen en talloze kleine dakvenstertjes, en legde het waarschijnlijk uit als het zoveelste voorbeeld van Amerikaanse onnozelheid. De anekdote amuseerde hem niet en interesseerde hem ook niet. Hij werd gefascineerd door de op band opgenomen mededelingen die via het luidsprekersysteem in de verwrongen klanken van een vooroorlogs algemeen beschaafd Engels tot een 'Pas op bij het uitstappen!' maanden. Op een dag, dacht Troy, als de op handen zijnde klassenloosheid heel

Engeland in zijn greep had, verdorie nog aan toe, zou het algemeen beschaafde Engels nog standhouden in de duistere hoekjes van het Londense openbare vervoer, en de mensen in de overdadige tweeklanken van een vervlogen tijd waarschuwen om 'niet te dicht bij de deuren te staan' en 'op te passen bij het uitstappen'.

Een veel betere plaats om over te stappen, besloot Troy, was Liverpool Street, Londens eindstation voor de oude Great Eastern Railway, waar een Piranesi-achtige nachtmerrie van loopbruggen in de lucht, gewoonlijk omhuld door een miasma van roet en stoom, werd gespiegeld door een even labyrintisch netwerk van halfdonkere tunnels onder de grond. Bovendien was het de enige plek in het hele systeem van de underground waar je aan een bar kon staan, pils in de hand, zonder zelfs het perron af te hoeven.

Troy haalde kleintjes bier. Hij wilde hier niet de hele avond blijven.

Chroesjtsjov dronk van zijn bier en keurde het goed. Het was niet goed, maar de opzet van deze expeditie was een zoektocht naar de gewone man – en dan was het niet aan hem om de smaak van die gewone man te verwerpen. Tom Driberg had Troy vaak genoeg proberen duidelijk te maken dat het drinken van bier de beste manier was om te verbroederen met de lagere klassen, maar Troy vond het smerig spul en deelde ook Dribergs seksuele fascinatie met de werkman niet. Chroesjtsjov stond op het perron richting stad, met een elleboog op de toog, schouder aan schouder met een werkman, die was verzonken in de laatste editie van de *Evening Standard* en zich niet van hem bewust was.

De perrons waren verlaten, verstoken van Londenaren, maar bezaaid met hun afval, een door de wind verwaaide troep van toffeewikkels – de Britten waren aan de zoetigheid gegaan vanaf het moment dat het van de bon kwam – sigarettenpeuken en oude kranten. Troy zag Chroesjtsjov kijken naar een oude *Standard* met Grace Kelly's gezicht op de voorpagina, die over het perron en op de rails waaide. Toen die over de rand ging, klapte hij helemaal open, en werd het gezicht van prinses Grace ingeruild voor dat van Chroesjtsjov. Toen de foto onder de wielen van een aanstormende trein verdween, vroeg Troy zich af of Chroesjtsjov nu het gevoel kreeg dat er iemand over zijn graf liep. Maar die pakte zijn glas, liep naar het midden van het perron, en keek, opnieuw als ervaren treinspotter, langs de lijn. Achter de plaats waar de perrons ophielden verrezen de zwartgeblakerde muren van gebouwen als een ravijn, waarna de sporen werden opgeslokt door de tunnel naar Moorgate. Op het bier en de bar na, was het een deprimerende valkuil. Het vereiste een merkwaardige instelling, om hierom te kunnen geven, een kronkel in de geest die plezier kon beleven aan deze kille, onderaardse wereld. Soms had Troy die, soms ook niet. Soms bracht hij hier hele avonden door. Soms walgde hij ervan. Een paar jaar na de oorlog had Johnny Fermanagh hem meegenomen op een ouderwetse kroegentocht langs de pubs van de Circle Line. Ze begonnen in een bar aan de zuidkant van Sloane Square, met een horde van Johnny's drinkebroers en hun zakken vol miniflesjes, en vonden al zuipend en lullend hun weg naar de Hole-in-the-Wall in King's Cross, en naar Liverpool Street, om uiteindelijk weer uit te komen op Sloane Square, een spoor van drinkebroers achterlatend, tot alleen hij en Johnny overbleven. Ze probeerden de ronde nog een keer over te doen, maar haalden die uiteindelijk niet, en strandden zat en blut in de valkuil van roet en ijzer van Liverpool Street. Jaren, decennia na het einde van de stoomtreinen, rook de ondergrondse nog altijd naar roet. Aldgate, één station verder langs de lijn naar Victoria, was letterlijk een kuil, overgebleven na de pest van 1666. De bouwers van de Circle Line hadden voor de aanleg van het station door archeologische bodemlagen van menselijke resten moeten graven. Liverpool Street was, herinnerde hij zich nog, de voormalige locatie van Bedlam, dat generaties van krankzinnigen had gehuisvest.

Chroesjtsjov snoof de lucht op.

Roet, of waanzin, of dood? vroeg Troy zich af. Spoorwegen deden Troy altijd denken aan Anna Karenina's dood, onder de wielen van een trein. Grace Kelly had voor zover hij wist nooit Anna gespeeld – de versie die hij kende was van Garbo. Die bedroefde, treurige schoonheid. De vochtige lucht van de ondergrondse, dat stokoude mengsel van roet en mensdom, was voor hem zo sterk als de geur van cordiet, onlosmakelijk verbonden met de doodsgedachte, de gedachte aan de vrouw in het zwart, die met haar hoofd op de rails was gaan liggen.

Chroesjtsjovs blik ging nog eens van het lage, donkere, smerige dak langs de warboel van borden en aanplakbiljetten naar het lichtschijnsel van de bar. Hij liep terug naar Troy, met stramme, korte beentjes, als van een tinnen soldaat, en zette zijn lege glas op de toog.

'Het mist samenhang,' zei hij.

Samenhang was een onmogelijkheid. Alleen in de jaren dertig had het daar even naar uit gezien, en dan alleen nog in stijl. Verder wilde Troy niet gaan – Becks plattegrond, de bijzondere verlichting in Arnos Grove, de modernistische lijnen van de nieuwere stations aan de verre uiteinden van de Piccadilly Line. Nu, midden jaren vijftig, waren die korte stijlopwellingen opgegaan in het geheel en toonde het systeem zijn ware gezicht weer. Er was maar één woord voor.

'Het is krakkemikkig,' zei hij tegen Chroesjtsjov. 'Maar het werkt.'

'Het werkt, maar is het iets om trots op te zijn?'

'Ik denk niet dat trots het woord is dat bij Londenaren opkomt, als ze hieraan denken. Als ze er al ooit aan denken.'

'Waarom niet?' zei hij. 'Er is niets mis met een beetje ontzag voor het werk van mensenhanden. Jullie hebben kathedralen en paleizen in overvloed. Waar is het paleis van het volk? Wát is het paleis van het volk, anders dan een treinstation?'

Troy had daar niet meteen een antwoord op, en speelde de vraag van Chroesjtsjov terug met een vraag van hemzelf die hem al een kwartier lang bezighield.

'Wat ruikt u toch? U heeft overal waar we stopten lopen snuiven.'

Chroesjtsjov ademde diep in.

'Roet,' zei hij. 'Roet... en... wanhoop.'

Troy blikte naar de tunnel en de druilerige ellende van de grauwe Londense nacht. Londen, dat hem al jarenlang de indruk gaf van een geïmproviseerd en armoedig barakkenkamp, van alle trots verstoken, gestript, en zonder enige waardigheid. Maar wanhoop? Hoe kon Chroesjtsjov dat weten? Waar had hij die gezien – of beter nog, aangezien hij blijkbaar zo werkte, waar had hij die geroken? Was dat wat de nationale geur van natte regenjassen de fijngevoelige neus vertelde?

'Roet,' zei Chroesjtsjov opnieuw. 'En wanhoop... en iemand die spek aan het bakken is.'

Hij wilde Chroesjtsjov Stepney Green laten zien. Na zijn uitval tegen de Labour Party over het onderwerp wie welke rol had gespeeld in de oorlog, was het goed als hij iets te zien kreeg van wat Londen had moeten doormaken. Ze verlieten de ondergrondse bij Whitechapel. Bij de Blind Beggar, een pub die een slechte reputatie had en in de ogen van Troy absoluut niet geschikt was voor het experiment dat ze ondernamen, staken ze Mile End Road over. Bij de splitsing van Hannibal Road en Stepney Green hielden ze rechts aan, langs de Green, langs het London Jewish Hospital en rijen leegstaande huizen – zonder ramen, sommige zonder vloeren, met tegen de muren de zigzag schaduwen van weggeschroeide trappen, en vlak boven de grond zwartgeblakerde haardsteden zonder de bijbehorende kamers eromheen – en ze liepen door naar de platgegooide resten van Cardigan Street.

Het was Troy nooit eerder opgevallen dat vrijwel iedere straat in deze uithoek was vernoemd naar het een of andere facet van de laatste oorlog tussen de Britten en de Russen – tenzij je Moermansk meetelde, wat Troy niet deed en Chroesjtsjov zeker wel. Wat Troy belangrijk vond aan Stepney Green, was dat het nog altijd zo plat lag als toen Hitler het in 1940 met de grond gelijk had gemaakt. Honderden huizen, verworden tot stof. Duizenden levens verloren, vele, vele meer verscheurd en ontworteld. Deze hoek van de East End was de blitzkrieg nooit te boven gekomen, had zijn mensen nooit kunnen losmaken van de ontreddering van de oorlog, of zijn identiteit teruggevonden in vredestijd. Er groeide nu overal gras, maar voor Troy waren alle puinhopen nog zichtbaar onder al dat groen. Chroesjtsjov knikte alleen maar, toen Troy hem dit vertelde, en zei niets. Keek alleen, en zuchtte. Uiteindelijk zei hij: 'Ik zag Stalingrad. Ik zag Moskou. Ik was erbij toe we Lvov terugveroverden.'

Het was geen tegen elkaar opwegen van wie het meeste geleden had. Troy hoorde aan de droefheid van zijn toon hoe hij zich met zijn omgeving vereenzelvigde. Hij wist wat het was om je veilige omgeving te verliezen, de duurzaamheid van het leven verloren te zien gaan in het stof van de oorlog.

'Jullie moeten herbouwen,' zei hij. 'Het viel me van de week al op vanuit de trein. En rond St Paul's. Grote delen van Londen zijn zo. Ik begrijp niet waarom. Als de Duitsers bij ons steden platgooien, herbouwen we ze. Wij geven onze mensen een dak boven hun hoofd.'

Troy voelde bijna behoefte aan broer Rod, nu Chroesjtsjov het naadje van de kous wilde weten. Rod kon hem alles vertellen over het falen van het naoorlogse Britse beleid op het gebied van herbouw en herhuisvesting. Ze liepen via Balaclava Street naar het einde van Jamaica Street. Daar lag een reusachtige schoorsteenpijp uitgestrekt als een gevelde titaan. Nog bijna helemaal intact, teruggeklapt als bij een schip dat aan de grond was gelopen, zonder aan diggelen te gaan. Troy had geen idee wanneer dat was gebeurd. De laatste keer dat hij hier was, stond hij er nog, maar dat was jaren geleden. Hij vermeed deze route gewoonlijk, haast onbewust. Het moest vijf, zes jaar geleden zijn dat hij hier was. Twintig jaar terug, als wijkagent, liep hij deze weg iedere dag. Hij gaf het niet graag toe, maar er hingen te veel herinneringen hier.

'Beschouwen de Engelsen hun platgebombardeerde plekken misschien als monumenten?' vroeg Chroesjtsjov. Zo had Troy dit nooit bekeken, maar hij gaf in stilte toe dat dat precies was wat ze deden. Het hoogtepunt van hun leven uitgespreid in brokken puin en gebroken glas. En als die niet meer als monumenten voldeden, werden ze omgezet in parkeerterreinen.

Het was inmiddels stevig afgekoeld. Toen Troy de deur van de Bricklayer's Arms openduwde, werden ze door de warmte verwelkomd. 'Volkspaleis' leek Troy eigenlijk wel een mooie omschrijving voor een in onbruik geraakt variététheater. De gedachte dat je dit woord zou gebruiken voor een willekeurig treinstation, vond hij een absurd staaltje van sovjet pseudo-realisme. Als er dan iets een volkspaleis moest heten, dan was dat wel de pub. Pubs waren, met hun eeuwig onveranderlijke kleuren – smerig rood, smerig bruin – een soort toevluchtsoord, vond hij, weg van de weemakende Engelse privacy, de wereld achter de ruisende kanten gordijnen, en boden de mogelijkheid te ontsnappen aan de nieuwe indringer, de eenogige god van de huiskamer. De public bar was op zijn best halfvol. Maandag was niet de beste dag van de week voor een avond in de pub, evenmin als dinsdag, omdat de meeste mensen dan nog platzak waren van het vorige weekend en het niet aandurfden op de pof te gaan drinken tot betaaldag – vrijdag – wat meer binnen bereik kwam – maar het moest maar.

'Voor we naar binnen gaan,' zei Troy tegen zijn metgezel, 'moet ik u waarschuwen. Het is maandag. Verwacht geen opgewekte cockneys die de Lambeth Walk lopen te doen en de Hokey-Cokey.'

'Hokey-Cokey,' zei Chroesjtsjov. 'Wat is Hokey-Cokey?'

'Laat maar zitten,' zei Troy. 'Te moeilijk om uit te leggen.'

Dat was niet helemaal waar, want eigenlijk wist hij zelf ook niet precies wat het was.

Er was sinds het einde van de oorlog nauwelijks iets veranderd in de pub. Alleen was die tien jaar morsiger, tien jaar meer nicotinebruin. Wat wel opviel, was dat de plek achter de bar waar zo lang een portret van Churchill had gehangen, nu werd ingenomen door een foto van voetballer Tom Finney, de ster van Preston North End, een redelijk neutraal team in een gebied dat Millwall en West Ham toebehoorde, waar de waard Eric toevallig vandaan kwam, een man die, zoals menigeen in schade en schande had ondervonden, een hoge prioriteit toekende aan de bevordering van buurtbelangen.

Troy trof Bonham aan een hoektafeltje, waar hij zat te kaarten met twee andere mannen. Hij stelde Chroesjtsjov voor als oom Nikki. Bonham, met zijn bijna twee meter lengte, bekeek Chroesjtsjov van top tot teen.

'Nee, dat klopt niet,' zei hij. 'Ik ken jouw oom Nikki. Dat is een klein dik mannetje met een baard.'

'Nou, dit is een klein dik mannetje zonder baard,' zei Troy. 'Dit is mijn oom Nikki van mijn moeders kant. En hij spreekt geen Engels.'

'Koetenabend,' zei Chroesjtsjov. 'Koetenabend aallemaal.'

'Maar dat is dan ook alles,' zei Troy.

'Het is mij een genoegen,' vervolgde Chroesjtsjov.

'Wederzijds,' antwoordde Bonham, en schoof meer naar het midden van het bankje om ruimte voor hem te maken.

'Weet je het wel zeker?' zei hij.

Troy ging tegenover Chroesjtsjov zitten. 'Het zijn gewoon kreten, meer niet. Die hij in het voorbijgaan oppikt.'

'Pas op bij het uitstappen!' zei Chroesjtsjov, lachend om zijn eigen papegaaienpraat.

Bonham wierp een peinzende blik op Troy. 'Zitten jullie me een beetje voor de gek te houden?'

'Eerlijk,' zei Troy. 'Gewoon kreten.'

'Nou, het komt op mij anders heel jofel over,' zei Bonham. 'Ik zou maar eens wat te drinken halen, Freddie.'

Bij een groot glas bier – Troy had geen idee waar Chroesjtsjov de Engelse uitdrukking 'wallop' voor biertje vandaan had – brachten ze hem de grondbeginselen van hun kaartspelletje bij. Chroesjtsjov lette wel op, maar hij was duidelijk meer geïnteresseerd in de spelers dan in het spel. Naast Troy zaten Alf en Stanley, respectievelijk dokwerker en klussende timmerman. Van Alf hoorde Chroesjtsjov over de macht van de vakbonden en de manier waarop die voor de oorlog onder de leiding van Ernest Bevin de werkgevers een redelijke levensstandaard hadden afgedwongen. Bij het noemen van die naam gingen Chroesjtsjovs wenkbrauwen een stukje omhoog. Van Stanley hoorde hij over de onzekerheden van het tijdelijke werk op de bouwterreinen ten oosten van Lea Valley, over het belasting ontduiken door betalingen in contant geld, zonder verplichtingen, maar ook zonder verzekeringen, en over het langdurig op non-actief staan als er niet werd gebouwd en er geen timmerlieden nodig waren. Het geruststellende bewijs, de aan het kapitalisme inherente cyclus van het hollen en stilstaan van vraag en aanbod.

Chroesjtsjovs jongehonderige nieuwsgierigheid maakte hem menselijk. Zijn hazelnootbruine oogjes fonkelden; zijn dikke, vlezige lippen weken uiteen en toonden een onthullende glimlach met wijkende tanden die maar op een sigarettenpijpje hoefden te kauwen om een sprekende gelijkenis te vertonen met Roosevelts beroemde brievenbusgrijns. Chroesjtsjov dook overal in, vroeg naar hun gezinnen, hun vrouwen, de opleidingen van hun kinderen en vroeg natuurlijk op wie ze stemden, en wat ze dachten van hun leiders. Beiden waren overtuigd Labour, maar Gaitskell was een raadsel voor ze, nog te nieuw als leider om een blijvende indruk te kunnen hebben gemaakt. Eden, vertelde Stanley hem, was een aanfluiting, een levend anachronisme. Nou en, zei Alf vinnig, het hele land was immers één godvergeten anachronisme – was het nu eigenlijk 1926 of 1956? Bonham zei dat het leven volgens hem beter was geworden. Er was vooruitgang geboekt, verklaarde hij. Veel vooruitgang.

'En wat bedoel je daarmee?' vroeg Alf. 'Wasmachines? Koelkasten?' En vol minachting: 'De televisie?'

'De National Health Service,' zei Stanley. 'Is dat geen vooruitgang? Ken je die over het Algemeen Ziekenfonds al?'

Alf kreunde. Wie kende die mop over het Ziekenfonds nou niet? Alleen de pas ontdekte oom van Troy. Troy vertaalde hem plichtsgetrouw voor Chroesjtsjov, en gaf Stanleys slechte versie van Max Miller zo goed mogelijk weer.

'Dan heb je zo'n gozer op de bouwwerf. Komt elke morgen binnen, tilt een volle zak cement van de grond, kreunt onder het gewicht, en gooit hem dan weer neer. De volgende dag doet hij hetzelfde, en de dag daarop, en de dag daarop. Op een gegeven moment gaat een van zijn maten naar hem toe en zegt: "Bert, waarom loop je elke morgen bij het binnenkomen met een zak cement te zeulen?" "Nou," zegt Bert, "ik betaal iedere week mijn premie aan de regering, en heb nu een gratis bril en heb nu een gratis vals gebit – en nou zal ik niet rusten voor ik ook een gratis breukband krijg."'

Chroesjtsjov barstte in lachen uit. Het leek wel of het de leukste grap was die hij ooit had gehoord. Hij gooide zijn hoofd achterover en bulderde, klapte met zijn vlakke hand op de tafel en schaterde van het lachen.

Het was bijna half elf. Troy was bekaf. Hij wilde nu eigenlijk wel erg graag op huis aan. Hij had nooit gedacht dat het tolken voor de nieuwsgierigste man ter wereld zo veeleisend kon zijn. Evenmin had hij voorzien dat de dialoog die Chroesjtsjov zo vurig had gezocht hemzelf zo weinig zou aanspreken. Hij had vrijwel niets toe te voegen aan de litanie van klachten – het grote Britse kankeren – die de mismoedige, middelbare Alf en de gefrustreerde, jeugdige Stan ten behoeve van Chroesjtsjov hadden uitgesproken. Bonham deed een poging om een en ander wat te relativeren, en verzekerde zonder veel succes dat veel dingen na de wereldoorlog 'beter waren dan ervoor', en dat een herhaling van de beproevingen van de jaren dertig ons 'voor altijd' bespaard zou blijven. Troy kon zich hierin niet zo goed vinden, en toen Stan te kennen gaf dat hij volgens hem 'beter af was in Amerika', dat 'jaren op ons voor lag, jaren' en dat hij 'als een speer verdwenen zou zijn' als hij het geld voor de reis had, vertaalde hij dat nauwgezet en zonder verder commentaar en zag hij de schittering in Chroesjtsjovs ogen.

'Is dit uw Groot-Brittannië?' vroeg hij Troy. 'De Negenenveertigste staat, een natie van tweederangs, quasi-Amerikanen? Willen jullie allemaal Amerikanen zijn?'

De Bricklayer's Arms sloot, zoals zovele pubs, als de laatste politieman aan de bar besloot om naar huis te gaan. Op de kop af om half elf, ver van de laatste ronde, kwam uitbater Eric langs om lege glazen en nieuwe bestellingen op te halen.

'Waar blijft het manneke vanavond?' vroeg Eric.

'Wat voor manneke?'

'Dat manneke,' zei Bonham, en wees over Troys schouder. Troy draaide zich moeizaam om. Aan de bar zat een kleine, lelijke man in een dikke zwarte jas, die glinsterde van de regendruppels. Hij had zijn hoed achter op zijn hoofd geduwd en er stak een *News Chronicle* uit zijn zak. Als er nu één man in Londen was aan wie Troy vanavond geen behoefte had, was dat wel Ladislaw Konradovitsj Kolankiewicz. Een Poolse balling, hoofdpatholoog voor Binnenlandse Zaken, een van de meest briljante geesten waarover de Yard kon beschikken, en tevens de meest vuilgebekte, obstinate, ruziezoekende rauwdouwer op deze aardbodem.

'O god,' zei Troy tegen Bonham. 'Wat doet die hier nou?'

'Op de maandagen en de donderdagen. Onze vaste kaartavondjes. Hij komt hier nu al zo'n jaar of vijf.'

'Waarom heb je me niet gewaarschuwd?'

Te laat. Kolankiewicz had zijn bier gepakt en liep, met een vragende blik op Chroesjtsjov, op hen toe. Hij ging naast Troy zitten.

'Schuif-es op, wijspeuk.'

Hij zweeg even om het schuim van zijn bier te slurpen, terwijl hij intussen Chroesjtsjov nauwlettend boven de rand van zijn glas uit in de gaten hield. Hij zette het neer.

'En wie mag dit dan wel wezen?'

'Freds oom Nikki,' antwoordde Bonham spontaan.

'Ik ken jouw oom Nikki, dat is een klein dik mannetje met een baard.'

'Een andere oom Nikki. Van mijn moeders kant,' zei Troy. Hij zette een fluistertoon op en boog zich naar Kolankiewicz over.

'Nou moet je eens goed naar me luisteren, Pools zwijn. Als je dit verstiert, kan het me niets schelen hoeveel jaar je nog van je pensioen af bent, maar dan heb je je laatste goeie lijk van de Yard onder ogen gehad. Dan zorg ik ervoor dat je tot het einde van je dagen modder moet schrapen van verdachte schoenzolen. Het enige lijk waarmee je nog te maken krijgt, wordt dat van jezelf, bij je begrafenis. Heb je dat allemaal goed begrepen?'

Kolankiewicz had aan niets laten merken dat hij gehoord had wat Troy zei. Hij dronk een paar centimeter van zijn bier en sprak Chroesjtsjov toen in vloeiend Russisch toe.

'Prettig u te ontmoeten, oom Nikki. Dat gebeurt me niet vaak dat ik met een familielid van Troy kom te praten.'

Bij die laatste woorden draaide hij zich om naar Troy en grijnsde al zijn tanden bloot.

Bonham schraapte de kaarten naar zich toe en deelde dominostenen uit. De regels waren eenvoudig genoeg. Alleen de beginselen van het aftikken vereisten enige uitleg van Troys kant. Bonham won het eerste spelletje; Chroesjtsjov het tweede. Hij glimlachte vriendelijk, maar stelde waar Kolankiewicz bij zat geen vragen meer. Na één ronde in het derde spel hief Kolankiewicz zijn vuist alsof hij Chroesjtsjov een klap wilde geven, toen opende hij zijn hand en schoof hij zijn overgebleven stenen een voor een aan het eind aan.

'Oost-Duitsland,' zei hij, en ging bij het opzetten van de eerste steen weer over op het Russisch. 'Tsjecho-Slowakije.' Omhoog ging de tweede. 'Hongarije, Polen, Litouwen.'

Zijn dominostenen raakten op. Voor het eerst sinds het zijn beurt was, keek hij naar Chroesjtsjov. Hij balde zijn vuist opnieuw en zei, terwijl hij daar zachtjes met de wijsvinger van zijn linkerhand op tikte, schor fluisterend: 'Sovjet-Unie!' De vuist kwam met een klap op de tafel en de dominostenen vielen een voor een. Litouwen gooide Polen om, Polen Hongarije, Hongarije gooide Tsjecho-Slowakije omver en Tsjecho-Slowakije haalde Oost-Duitsland onderuit. Hij keek Chroesjtsjov in de ogen en zei zacht, en naar het Troy voorkwam, op tamelijk milde toon: 'De ene man zijn bufferzone is de andere man zijn thuis.'

In zijn hart had Troy altijd geweten dat hij en helden niet uit hetzelfde hout gesneden waren. Prettig, en strelend voor de ijdelheid, maar het zou dus altijd iemand anders zijn die Chroesjtsjov op stang joeg. Dat die iemand anders Kolankiewicz was, het Poolse beest, de meest onbehouwene aller helden, lag geheel en al voor de hand. Hij had kunnen weten dat die zich door geen enkel dreigement, van wie dan ook, van de wijs zou laten brengen. Hij wachtte op de explosie, op een staaltje razende Russische verwensingen van Chroesjtsjov. Bonham en zijn maten keken verbaasd toe. Die hadden niets begrepen van Kolankiewicz' inleidende woorden die aan dit gebaar voorafgingen.

Chroesjtsjov glimlachte terug naar Kolankiewicz, legde een zes en een drie tegen de zes en de een van Troy, en de beurt ging naar Bonham. Die bestudeerde zijn stenen een eeuwigheid lang en tikte uiteindelijk af Het spelletje ging helemaal rond naar het begin en er klonken alleen de gebruikelijke kreten en uitroepen. Troy won en merkte, toen Bonham de stenen met zijn reusachtige kolenschoppen van handen bijeen begon te vegen, dat Chroesjtsjov hem strak aankeek.

'Zeg eens,' zei hij. 'Zouden ze hier wodka verkopen?'

'Vast wel,' antwoordde Troy. 'Er zitten hier veel immigranten. Ik denk dat ze ook wel jenever en schnapps hebben, als u die liever heeft.'

'Wodka is prima. Polen en ik hebben duidelijk dingen te bespreken die we alleen uit de bek kunnen krijgen bij een glas wodka. Zou je ons twee glazen – grote – willen laten brengen?'

Vervolgens gaf hij Kolankiewicz een teken en verhuisde hij naar een leeg tafeltje bij de afdeling slijterij. Kolankiewicz keek naar Troy. Verlegen, vond Troy. Troy had Kolankiewicz nog nooit onzeker gezien, en verlegen was hij niet. Waar een ander geen voet zou durven te zetten, sloeg hij gewoonlijk zijn tent op, met een kampeerbed, een zitstok en een volle thermosfles.

'Toe dan,' zei Troy. 'Dat wou je toch? Je hebt er in ieder geval om gevraagd.'

Een uurtje later, in een taxi op weg naar de West End, vroeg Troy: 'Waar hebben Kolankiewicz en u het over gehad?'

Chroesjtsjov staarde weer uit het raampje de nacht en de druilregen in. Hij draaide zich niet om.

'O, over van alles,' zei hij met een onderdrukte gaap in zijn stem. 'We hebben een nieuwe kaart van Europa gemaakt. Wat verwacht je anders als je een Rus en een Pool bij elkaar zet?'

'Ik dacht dat het gezegde luidde "als je een Rus en een Duitser bij elkaar zet".'

'Duitsers,' zei Chroesjtsjov, 'zijn net politieagenten. Die zijn er nooit als je ze nodig hebt.'

13

Het was één uur in de morgen voordat Troy in Goodwin's Court in bed stapte. Hij hing de leren holster en de Browning aan het ledikant en gooide zijn overhemd in de wasmand. Het wapen had in de hartstreek van het overhemd een olievlek gemaakt, in de vorm van een hartje. Hij besloot de symboliek daarvan te negeren en zijn bed op te zoeken. Maar voor hij zelfs maar het licht uit kon doen, ging de telefoon. Dat moest Cobb zijn.

'U heeft zich niet afgemeld, Mr. Troy,' zei hij. 'Waar heeft u gezeten?'

'In pubs,' zei Troy simpel en naar waarheid.

'De procedure is, zoals ik u niet hoef te zeggen, dat iedereen zich bij me afmeldt. Niet vier uur later, maar wanneer men Rood Zwijn overdraagt.'

Troy vond die afwijking van de man voor codewoorden belachelijk. Waarom zei hij niet gewoon 'Chroesjtsjov'? Die schijngeheimzinnigheid was absurd.

'Sorry,' zei hij slapjes. 'Vergeten.'

'Nou...' Cobb wachtte even. 'Iets te melden?'

Troy dacht aan Chroesjtsjovs 'Doen!'. Dat had hem zeer beziggehouden en het was ongetwijfeld iets wat hij zou moeten rapporteren. Maar, en er waren twee maren, Chroesjtsjov had die cryptische woorden uitgesproken terwijl hij heel goed wist dat Troy ze kon verstaan en, en dat was de tweede maar, als hij Cobb nu iets vertelde, betekende dat natuurlijk meer vragen over het verdere verloop van de avond, waarover maar beter niets kon worden gevraagd of gezegd. Troy was ervan overtuigd dat hun uitstapje, met uitzondering van Kolankiewicz, onopgemerkt was gebleven. Hij had, zoals Clark het uitdrukte, enorm gezwijnd. Het laatste wat hij nu wilde, was de bemoeienis van Cobb.

'Nee,' loog hij. 'Helemaal niks.'

'O? Ik had gehoord dat er nogal een opschudding was in het Lagerhuis.'

'Die was er ook, maar omdat dat allemaal plaatsgreep in het openbaar, in de aanwezigheid van een flink aantal van onze heren en meesters, zag ik dat niet als een kwestie van geheimhouding of belang. Of moet ik naast Chroesjtsjov en Boelganin nu ook George Brown en Nye Bevan bespioneren?'

De irritatie in Troys stem had het gewenste resultaat.

'Houdt u zich nu maar aan de voorschriften, Mr. Troy!' snauwde Cobb, en hing op.

Troy deed het licht uit, en vroeg zich nog steeds af wat Chroesjtsjov en Kolankiewicz tegen elkaar hadden gezegd.

14

De volgende dag begeleidde hij Chroesjtsjov naar de publieke tribune in het Lagerhuis. Een kamerlid van de Conservatieven, een man die de Russische taal als hobby had, viel in als vertaler, en Chroesjtsjov leek bij wijze van uitzondering nu eens werkelijk geïnteresseerd in de farce die democratie heet. Met een beetje geluk kon het er tijdens het vragenuurtje voor de eerste minister heet aan toe gaan, waarbij de schijnbare Engelse hoffelijkheid soms ver te zoeken was – iets waarbij de gemiddelde Rus zich toch thuis moest voelen. Chroesjtsjov kreeg de smaak te pakken, leidde de aandacht van de clowns op de hanenmat af door, iedere keer als er iemand naar boven keek die hem herkende, een buiging te maken, alsof de roep om de schrijver van dit stuk uit de stalles had opgeklonken. Het was een kleurloze zitting, tot Troy Rod zag opstaan van de voorste rij in de Labour-sectie.

'Zou de eerste minister de Kamer willen informeren over de wapens die de regering aan Egypte en Israël heeft geleverd?'

Eden stond op om hem te antwoorden. Chroesjtsjov keek opzij naar Troy, die aan de andere kant van Boelganin zat.

Eden beriep zich op de openbare veiligheid en zei dat hij de vraag niet kon beantwoorden. Rod kwam met zijn aanvullende vragen.

Chroesjtsjov hield op met zijn aanstellerij en verdiepte zich in de vraagstelling – wat voor de hand lag. Het betrof een drama waarin hij zelf een belangrijke rol speelde. Kolonel Nasser ontwikkelde zich onder de Arabieren in rap tempo tot een cultfiguur. Hij verkondigde de simpele waarheid dat de oude imperialistische machten niets te zoeken hadden in Egypte of enig ander deel van de Arabische wereld en sprak over zijn visie van een Pan-Arabië dat zich uitstrekte van de Atlantische tot de Indische Oceaan, van Marokko tot Aden. Hij stelde zich vooral extreem vijandig op jegens Groot-Brittannië, een natie die zichzelf liefdevol streelde met de opvatting dat men heel wat had gedaan voor 'Johnny de Arabier' – er gingen zelfs stemmen op die vonden dat we eigenlijk te veel hadden gedaan, door Nasser de financiële hulp voor zijn hydro-elektrische dam in de Nijl te geven waarom hij had gevraagd. Troy wist – Rod rustte niet als hij vond dat je iets moest weten – dat dit een vuige list was om Nasser uit het sovjetkamp te houden, en dat, als er niet het vooruitzicht was geweest op een stevige geldinjectie van de Russen, de duiten mooi in de Britse knip waren gebleven. Maar dat typeerde het falen van dit land – het falen van de wereld der blanken.

De Britten accepteerden maar niet dat ze geen rol speelden in Egypte, alsof het opgeven van de heerschappij in India voorlopig wel weer even voldoende was geweest. Of op Cyprus, waar de Griekse bevolking op straat met de Britten vocht voor hereniging met Griekenland – er ging haast geen dag voorbij zonder nieuws over de een of andere Britse soldaat die om zeep was geholpen in Nicosia of Larnaca. Of in Afrika, waar de Britse gevangenissen tot de nok toe vol zaten met mannen die naar verwachting op zeker moment hun landen zouden leiden, en dan hun voormalige bezetters aan de andere zijde van de tafel met weinig lankmoedigheid tegemoet zouden treden. De Fransen hadden van hun kant smadelijk de wijk moeten nemen uit Vietnam en probeerden nu hun nationale trots terug te winnen door de Algerijnen te grazen te nemen. Slechte winnaars, die Fransen. Langs de grenzen van Israël – een land van nog geen tien jaar oud – en van vrijwel alle andere Arabische staten waren veelvuldig schermutselingen, voorboden, voor wie het wilde zien, van een ophanden zijnde oorlog. Vorige maand nog had de jonge Hoessein, de aan Sandhurst en Harrow opgeleide koning van Jordanië, Glubb Pasja, de Britse generaal van de Arabische Liga, de laan uit gestuurd, met de vermelding dat zowel zijn opvattingen als zijn beleid hopeloos verouderd waren. Nasser had natuurlijk geen ongelijk. Rod, wist Troy, koesterde dan ook een zeker respect voor hem. Maar met zijn soort leven moest je dan ook uitgesproken dubbelhartig zijn, of anders toch wel de advocaat van de duivel uithangen. Troy keek of Chroesjtsjov begon te stomen toen Rod Eden met een boosaardig glimlachje vroeg of die overwoog de machtsverhoudingen te herstellen door Israël van evenveel wapens te voorzien als de Sovjet-Unie met Egypte had gedaan.

En weer liet Eden zich niet uit de tent lokken. Troy vroeg zich af hoeveel het zou hebben uitgemaakt als de man het de Russen had verteld.

Die avond beantwoordde de Russische ambassade de norse Britse ontvangst met een formele receptie. Troy wist wat dat inhield. De ambassade zou nooit gewapende politiemensen toelaten, net zomin als MI5 toeliet dat gewapende KGB-agenten B & C, zoals de pers Boelganin en Chroesjtsjov hadden gedoopt, begeleidden op hun toer door Londen. Ze zouden duimendraaiend een saaie avond moeten doorbrengen in de wachtkamer, in het gezelschap van een zwijgende KGB-wacht. De bolling in Clarks zak was zonder twijfel een boek om de tijd mee door te brengen. Troy had *The Secret Agent* uit en was vergeten een krant te halen. Clark zou zich nooit door de verveling laten vangen.

Ze leverden B & C af aan het ambassadepersoneel en wachtten op instructies. Troy keek hoe de mensen die hem waren toevertrouwd, opgingen tussen de Russen die hun hoge gasten stonden op te wachten en zag een lange, slanke jongeman op zich af komen.

'Heren,' begon die. 'Teresjkov. Anton Teresjkov. Kameraad Chroesjtsjov heeft me laten weten dat u allen onze gasten bent. Als u zo goed wilt zijn mij uw wapens te overhandigen, kunt u de receptie bijwonen.'

Clark en Milligan keken naar Troy, in afwachting van wat die te zeggen had.

'Toe maar,' zei hij 'Ik denk niet dat er iets aan een Browning is wat ze niet al jaren weten.'

Ze leverden hun wapens in als schooljongens hun verboden katapulten. Troy viste zijn eigen wapen uit het absurde tuig onder zijn oksel en gaf dat aan Teresjkov.

'Zou ik u even kunnen spreken, hoofdinspecteur?'

Troy wuifde Clark en Milligan weg. Die begaven zich, zo nu en dan achterom blikkend naar Troy, langzaam en argwanend in de menigte, als twee agenten die met tegenzin een verdachte de damestoiletten in volgden.

Teresjkov nam Troy bij de arm en manoeuvreerde hem zachtjes in de positie die privacy tussen twee suggereert.

'Hoofdinspecteur. Kameraad Chroesjtsjov nodigt u uit voor een bezoek aan de Sovjet-Unie.'

Goeie genade, dacht Troy. Die ouwe dwaas houdt toch woord.

'Er zijn complicaties,' zei Troy, die probeerde tactvol te zijn. 'Ik ben hem zeer erkentelijk, maar denk echt dat het niet kan.'

'Bezwaren van Britse kant? De Special Branch-functionaris die zijn loopbaan daarna wel vergeten kan?'

'Nee, de Britten zullen geen bezwaar maken. En ik zit niet in de Branch, ik ben het hoofd van de afdeling Moordzaken op Scotland Yard. Het is meer van persoonlijke aard. Begrijpt u?'

'Ik begrijp, hoofdinspecteur Troy, alleen wat u me wilt laten begrijpen. Maar de uitnodiging blijft van kracht. Kameraad Chroesjtsjov lijkt verontrust door de gedachte dat u uw vaderland nooit heeft gezien en doet u zijn uitnodiging, zijn *persoonlijke* uitnodiging toekomen. Het enige wat u hoeft te doen is hem via de ambassade laten weten dat u wilt komen, en dan zullen de benodigde papieren door het kantoor van de Eerste Secretaris in Moskou in orde worden gemaakt.'

'Denkt u nou echt dat de KGB een brief van een Engelse politieman doorstuurt aan de leider van de Sovjet-Unie?' vroeg Troy vol ongeloof.

Teresjkov haalde een notitieboekje uit zijn zak en schreef een woord in het Russisch op – Пирожки. Pirozhki. Wat iets als 'gevuld pasteitje' betekent. Hij scheurde het blaadje uit het boekje en gaf het aan Troy. Troy ontkwam niet aan de gedachte dat de man die dit soort dingen uitdacht, stiekem iedereen voor de gek liep te houden.

'Ik ben Kameraad Chroesjtsjovs man hier. Elke brief in de brievenbus van de ambassade met dit codewoord erop gaat direct door naar mij, en van mij direct naar de Eerste Secretaris. Niemand komt ooit te weten wat erin staat. Het duistere geheim dat u en uw mensen verborgen houden – voor ons of voor de Britten – blijft geheim.'

Maar Troy wist natuurlijk helemaal niet wat hij verborgen hield. Dat was al lang geleden door zijn vader gedaan. Als hij Chroesjtsjovs uitnodiging anders behandelde dan als een bevlieging van een levendige oude man, liep hij kans dat hij misschien wel niet al te aangename ouwe koeien uit de sloot zou halen. Er was sinds de dood van zijn vader in 1943 geen week voorbijgegaan dat Troy hem niet graag vijf minuten in leven had willen zien om wat vragen te beantwoorden, en de lijst daarvan werd ieder jaar langer.

Behalve tijdens die avond in het Lagerhuis leek Troys dekmantel, en dus die van het hele team, intact. Chroesjtsjov liet verder niet merken dat hij wist dat ze allemaal spionnen waren. Dit bevestigde Troys overtuiging dat de missie van het begin af aan zinloos was geweest. Hij was er altijd al van uitgegaan dat Chroesjtsjov in het bijzijn van de Engelsen zijn mond niet voorbij zou praten. Hij tierde en grapte en raasde nu in het Russisch, in de wetenschap dat iedereen hem verstond, en zweeg plichtmatig voor zijn tolk, om de schertsvertoning echt te laten lijken. De smakeloze grappen bleven, de tomeloze nieuwsgierigheid leek bevredigd door verdere ontmoetingen met levende monumenten, officiële verklaringen en steeds weer die verdraaide statistische gegevens.

Hij sprak niet meer direct met Troy. Ze werkten een krankzinnig programma af, dat ontworpen leek om Chroesjtsjov voortijdig aan zijn eind te helpen. Die begon, merkte Troy, vermoeid, verveeld en geïrriteerd te raken. Wat in nukkige buien en kinderachtig gedrag resulteerde, waarbij werd gestampvoet en gedrensd. Een avond met Margot Fonteyn in Covent Garden vermocht hem niet op te beuren, en de volgende dag gebeurde wat Troy al enige tijd had zien aankomen.

Chroesjtsjov sloeg met zijn vuist op tafel en zei tegen BuZa dat ze hun trip naar Calder Hall 'in hun collectieve reet konden stoppen'. De tolk legde nu dan toch eindelijk enige tact aan de dag, en zei tegen de nietsnut van BuZa dat een bezoek aan het Atomic Research Establishment wellicht niet tot de mogelijkheden behoorde. BuZa betuigde hierover zijn leedwezen en verwerkte deze tegenslag manmoedig. Werd het niet eens tijd, dacht Troy, om die vreselijke types van BuZa en MI5, die wellicht het paranoïde waanidee koesterden dat Chroesjtsjov het snode plan had om de laatste geheimen van het roemruchte Britse nucleaire programma te vergaren en iedere seconde van zijn trip in de gaten gehouden moest worden, eens met hun neus op de feiten te drukken? De man had het wel gehad met Groot-Brittannië en de Britten. Misschien dat het langzamerhand begon te dagen? We hadden geen geheimen waar de Russen niets van wisten. Of hadden de geheime dienst en de overheid geen oog voor de verachting die uit Chroesjtsjovs weigering sprak?

15

In het havenkwartier stond Troy met een verzameling hoge pieten in de kille aprilwind. De lucht was onheilspellend grijs, evenals het schip, en de kranten jeremieerden nog steeds over een droogte deze zomer. De Ordzhonikidze gleed traag bij ze vandaan, torende boven ze uit als een flatgebouw op zwenkwieltjes, de Russische band op het dek blies zijn onwelluidende militaire praalmuziek en de wind slokte de klanken op uit de lucht. Boelganin en Chroesjtsjov stonden en wuifden als de sovjetversie van *The Last of England*. Vreugdeloos en stijfjes als bij de meiparade aan het graf van Lenin. Vandaag was het de dag voor de geelbruine regenjassen, de donkere vilthoeden en de veronachtzaming van de bijbehorende accessoires. Troy kon zich goed voorstellen hoe blij ze waren deze eilanden te kunnen verlaten.

Plotseling liep Chroesjtsjov naar de reling, rukte zijn hoed van zijn hoofd, leunde naar voren, keek recht naar Troy en begon uit alle macht te schreeuwen. 'Engeland kan de klere krijgen!' riep hij. 'Kom naar Rusland. De afstand is van geen belang. Bij ons is nog wat te beleven!' En hij besloot met een idiomatisch – Держи хвост пистолетом!' – iets wat je zegt om een verdrietig kind, dat met afzakkende schouders naar huis loopt na een oplawaai van een pestkop op school, op te beuren: 'Hou je staart vast als een pistool!' Wat kan worden vertaald als 'Kop op!' of: 'Moed houden!'

Troy keek om zich heen. Tijdens de lange wachttijd voordat het schip afvoer, hadden de hoge pieten zich al pratend overal verspreid. Hij bevond zich, besefte hij, dichter bij de Ordzhonikidze dan ieder ander, met uitzondering van de minister van Buitenlandse Zaken, Selwyn Lloyd, die pal naast hem stond. De Russische ambassadeur, die ceremonieel gezien Lloyds begeleider was en vice versa, was op de een of andere manier een kleine tien meter achter hem terechtgekomen.

'Что, Что?' hoorde hij hem zeggen. 'Wat, wat?' Hij had er geen woord van verstaan.'

Lloyd was van zijn stuk gebracht.

'Het is voor u, excellentie,' loog hij. 'Kameraad Chroesjtsjov zegt dat u hem in Rusland moet komen opzoeken.' Zijn hersenen draaiden volop bij zijn pogingen Chroesjtsjovs uitlatingen om te vormen tot een acceptabel geheel. 'Fysieke afstand is van geen belang, geestelijke afstanden zijn aan de orde. Hij adviseert u om...' Troy zocht naar iets beters dan 'moed te houden', iets zonder al te veel dubbelzinnigheid of bedekte toespelingen, 'uw hart gezond te houden.'

'Gezond?'

'Puur. Hij bedoelt puur. Een oud Russisch gezegde.'

Hij keek weer even naar de ambassadeur. Die hield zijn hand achter zijn oor en mompelde nog steeds: 'Что?' 'Wat?'

'Ach, ja,' zei Lloyd. 'Die gezegdes. Jammer, dat wij er maar zo weinig hebben. Eh... eh... Zeg maar tegen Mr. Chroesjtsjov dat hij zijn hoed niet moet afzetten. Het is nogal koud. Ik zou niet graag zien dat hij kouvatte.'

Waardeloos, dacht Troy. Lloyd glimlachte. Blij met zijn grote verbeeldingskracht. Troy schreeuwde de vertaling terug naar Chroesjtsjov. Chroesjtsjov bulderde van het lachen. Troy ving nog net een 'Engeland kan de klere krijgen' op, voordat het schip de steven wendde en uit het zicht verdween.

16

Niet lang daarna zat Troy weer op de Yard. Het weer was die dag helemaal opgeklaard, het was een mooie lentemiddag. Rond half vijf kreeg hij genoeg van alle administratieve rompslomp en zat hij een beetje voor zich uit te staren naar het glinsterende zonlicht op de Theems onder zijn raam. Zijn broer Rod, dacht hij, had vrijwel hetzelfde uitzicht vanuit zijn kantoor in het Palace of Westminster, een paar honderd meter stroomopwaarts. Rod, minister-af sinds 1951, was nu een plichtsgetrouw kamerlid. Op de vrijdagavonden belde hij Troy vaak in de hoop van hem een lift te krijgen naar het landgoed in Hertfordshire dat zijn vader na aankomst in Engeland in 1910 had gekocht. Troy wandelde naar het Lagerhuis, via de tunnel die de ondergrondse verbond met Westminster, langs een vermoeide, vrijdagachtige agent, die geheel werktuiglijk voor hem salueerde, de trap op naar het kantoor aan de zuidkant, waar Rod, als schaduwminister van Buitenlandse Zaken, zat.

De deur stond open. Rod was in hemdsmouwen, de obligate rode das op half zeven. Hij zag er ook erg vrijdagachtig uit, en rommelde rond in de geweldige hoeveelheden papier die over zijn bureau zwierven. Troy leunde tegen de deurstijl en keek naar de wanorde waarin Rod blijkbaar graag werkte. Het donkere houtwerk en het reusachtige spitsboogvenster met uitzicht op de Theems hadden een eind negentiende-eeuwse quasiklassieke sfeer die een vriendelijker, menselijker, en haast moderner aanzien kreeg door de attributen die Rod om zich heen had verzameld. Het kussen dat zijn schoonmoeder voor hem had gemaakt, de gebreide theemuts in het bakje voor inkomende poststukken en de emotionele souvenirs uit zijn kindertijd – schoolfoto's, afgedankte wanten, te klein geworden petjes, een teddybeer met één arm – vochten allemaal met de groen-met-witte staatspapieren om een plaatsje in de boekenkast. Een mengeling van het persoonlijke en het politieke, met als kroon op het geheel een volledige outfit voor een driejarig kind, overjas, muts, laarsjes en rode Labour-rozet, hangend van een schilderijlijst als de huid van een exotisch insect dat allang was veranderd in een nog exotischer vlinder. Die vlinder was Alexander, Rods oudste, nu al helemaal negentien, die bepaald niets van een vlinder had. Een grote, robuuste man, zoals zijn vader. Leek qua uiterlijk wel wat op Troy op een grotere schaal. Rod liep tegen de 1 meter 80, begon grijs te worden, vertoonde de eerste aftakelingsverschijnselen van een achtenveertigjarige en kreeg, zoals Troy onlangs al had opgemerkt, een onmiskenbaar stevig figuur.

Rod voelde dat er iemand was en keek op.

'Je bent hier waarschijnlijk,' zei hij, terwijl hij verderging met de papieren op zijn bureau, 'om me te zeggen dat ik je week aardig heb verknald.'

'Twee keer nee. Het is eigenlijk allemaal wonderwel verlopen. En ik ben hier trouwens om je een lift naar huis aan te bieden.'

'Wie rijdt?'

'Ik.'

Rod vond wat hij zocht en gooide Troy de kurkentrekker toe.

'Mooi. Trek maar een fles open. Jouw week was dan misschien wel goed, maar de mijne was waardeloos.'

Troy maakte het kastje naast de open haard open en haalde een fles uit wat Rod zijn 'voorraadje' noemde – de nalatenschap van wijlen Alexej Troy – genoeg chateau-gebottelde wijn om twee mensen een leven lang te voorzien. Troy pakte de voorste. Een Gevrey-Chambertin 1938.

'Het is, terwijl jij de spion uithing, wellicht aan je voorbijgegaan, maar het was begrotingsweek. Ik heb me net een week lang in de oppositie rustig zitten houden, en moeten aanzien hoe Harold MacMillan de vloer met ons aanveegde.'

Troy schonk in en gaf het eerste glas aan zijn broer. Rod ging in de vensternis zitten, keek naar de ondergaande zon en hervatte zijn litanie.

'Het is zo'n gelegenheidsartiest. Het enige wat hij niet deed, was jongleren met het spreekgestoelte en de scepter.'

Troy nam een slokje. Hij had geen idee, evenmin als Rod, hoe lang zulke wijn goed bleef. Hij smaakte prima. Hij kwam bij Rod in de vensternis zitten en vroeg zich af waarom die zo geprikkeld was. Rod was meestal zo gelijkmoedig. Hij was, erkende Troy, meestentijds een opmerkelijk evenwichtig mens.

'Het is zo verdomde frustrerend. Hem zo bezig te zien en niet op te kunnen staan om iets te doen.'

'Je zit toch niet te azen op Financiën, of wel?'

'Azen? Natuurlijk zit ik daar niet op te azen. Niemand met ook maar een greintje verstand in zijn hoofd geeft nu toch het pakket Buitenlandse Zaken op? Net nou je nieuwe vriend het waarschijnlijk de interessantste baan voor de oppositie heeft gemaakt?'

'Bedoel je Chroesjtsjov?'

'Natuurlijk bedoel ik Chroesjtsjov! Als hij zo doorgaat met op deze manier zijn kont tegen de krib te gooien, zal het ons moeite kosten hem bij te houden. Stalin kwam alleen buiten Rusland om met Churchill te beraadslagen. Chroesjtsjov maakt tournees alsof hij Liberace is. Dat is het leuke van BuZa – je afvragen wat de volgende stap van die knakker is.'

Rod keek naar Troy, alsof hij verwachtte dat die een antwoord had op die indirecte vraag.

'Nou,' zei Troy, die zich in stilte afvroeg wat Chroesjtsjov met Kolankiewicz had besproken, 'daarover heeft hij tegen mij niets gezegd.'

Rod dronk zijn glas leeg en hield het op om te worden bijgevuld.

'Maar je hebt wel met hem gepraat, hè?'

De glinstering kwam terug in zijn ogen, de irritatie van de dag maakte plaats voor een wijnrode golf van nieuwsgierigheid.

'Misschien,' zei Troy quasi-verlegen.

'Misschien, kletskoek, Voor de dag ermee!'

'Nou... ik heb inderdaad wat met hem kunnen praten, ja.'

'Ik neem aan dat je hem je gebruikelijke gekleurde visie op het land hebt gegeven? Had hij door dat je hem bespioneerde?'

'Natuurlijk. Hij is niet gek.'

Troy dacht even na en vroeg zich af hoeveel hij Rod zou durven vertellen. De trip naar de East End en de gekleurde meningen van de Britse werkmensen konden maar beter geheim blijven. Maar er school geen kwaad in om de meningen van de oude rakker weer te geven. Die had hij tenslotte tijdens de taxirit terug naar het Claridge zonder enige terughoudendheid ten beste gegeven.

'Hij zei zo ongeveer dat hij vond dat Eden gek was.'

'Ongeveer?'

Troy bracht zijn hand naar zijn slaap.

'Hij tikte tegen de zijkant van zijn hoofd. Precies dat gebaar dat onze grootvader gebruikte, als die wilde aangeven dat iemand een tikje gestoord was. Toen zei hij dat Eden een paar korrels tekortkwam in zijn korenmaat – wat ik heb opgevat als een soort boerenaforisme of iets wat hij had bedacht om het te laten klinken als een boerenaforisme.'

Rod dronk met grote slokken van zijn wijn en staarde even naar de rivier.

'Goeie genade,' zei hij zacht. 'Ik had nooit gedacht dat zo'n schreeuwlelijk als hij dingen zo scherp zou kunnen zien. Hij heeft volkomen gelijk, natuurlijk, Eden is volslagen getikt. Dat vind ik al een hele tijd. Volkomen, hartstikke gek. Er wordt gezegd dat hij deze ronde niet uitzit. Ik heb met Nye Bevan tien pond gewed dat de Tories de volgende verkiezingen ingaan met MacMillan. Hij houdt het op Rab Butler.'

'En,' vervolgde Troy, 'ik weet dat Eden de Russen heeft aangeklampt over Egypte. Hij heeft wat pressie uitgeoefend om zich niet te bemoeien met wat daar eventueel gaande is. Ik hoorde Boelganin en Chroesjtsjov erover praten.'

Rod leunde met zijn achterhoofd tegen de lambrisering en zuchtte zacht.

'Dan is hij dus echt gek. Dat is nou ongeveer het laatste onderwerp dat ik met ze zou opnemen. Waarom de indruk gewekt dat we een inval gaan doen? De dagen van "stuur de kanonneerboten maar" zijn voorbij. Als hij dat nog niet wist, is onze eerste minister de laatste persoon in Engeland die dat nog niet had gehoord.'

Troy kon en wilde daar niets mee.

'En,' ging hij door, 'Chroesjtsjov heeft me uitgenodigd om naar Rusland te komen.'

'Allemachtig! Dat moet je doen. Hij heeft Gaitskell ook uitgenodigd. Als hij mij vroeg, ging ik meteen.'

'Klets niet, Rod. Ik kan niet naar Rusland. En jij ook niet.'

'Waarom niet, in godsnaam? Ik zou nergens liever naartoe willen. En met een persoonlijke uitnodiging van Mr. C. hoef je je ook niets aan te trekken van al dat gezeur van Intoerist.'

'We kunnen daar niet naartoe – geen van beiden, zei Troy beslist. 'Het zit er gewoon niet in.'

'Freddie, ik heb mijn hele jeugd verhalen aangehoord over het vaderland. Denk je dat ik dan de kans om het eindelijk te zien aan me voorbij zou laten gaan? Ik moest Chroesjtsjov die lijst van politieke gevangenen geven. Dat was een plicht. Maar ik wist heel goed dat ik daarmee de kans voor mezelf als bezoeker verspeelde. Als hij jou heeft gevraagd, moet je gaan.'

'Het is juist omdat ik mijn hele jeugd van mijn oude vader oudevaderverhalen heb aangehoord over het oude vaderland, dat ik niet kan gaan. Het is geen echt land meer. Het is nu een mythe. En zo wil ik het liever ook houden. Het is nu een heel ander verhaal. Er zijn daar dingen die ik helemaal niet wil weten.'

'Zoals?' zei Rod strijdlustig en Troy besefte opeens dat hij in een gesprek was beland waarbij Rod hem in het nauw kon drijven. Hij had dit moeten zien aankomen.

Hij haalde diep adem en vertelde Rod wat hij hem bij talloze andere gelegenheden had onthouden.

'Weet je nog dat ik in '48 in Berlijn zat?'

'Zou ik dat ooit kunnen vergeten?'

Troy ging hier niet op in.

'Ik heb daar een KGB-agent ontmoet. Een Pool naar wie ik in Londen een onderzoek had ingesteld. Hij wist meer over mij dan ik over hem. Hij vertelde me dat onze ouwe heer altijd al een sovjetagent was geweest.'

Rod kwam traag overeind en liep naar zijn bureau en de telefoon. Hij draaide een nummer en wachtte tot zijn vrouw opnam.

'Cid, het wordt een latertje,' zei hij. 'Ik kan er echt niets aan doen. Ik kom met Freddie mee zodra ik klaar ben. Hij rijdt ons naar huis.'

Hij luisterde even naar wat zijn vrouw zei. Troy kon niet horen wat dat was. Toen hing hij op en ging weer in de vensterbank zitten.

'Goed, stuk verdriet. Kom maar op met je verhaal.'

'Dat heb je net gehoord.'

'Is dat het? Het hele verhaal?'

'Ik vond het zelf eigenlijk wel voldoende.'

'Een of andere KGB-agent grijpt je in Berlijn in je kraag en zegt dat je vader een spion was. En dat geloof je dan ook?'

'Dat zeg ik niet. Ik heb erover nagedacht. Ik denk er in feite nog steeds over na. Meestentijds weet ik niet wat ik ermee aan moet. Soms vind ik het makkelijker om te geloven dat het niet waar is. Maar ik ben nog niet zo ver dat ik het onvoorwaardelijk heb geaccepteerd.'

Rod leunde over naar Troy, trok diens aandacht, speelde de grote broer en deed precies al die dingen die Troy indertijd hadden doen besluiten hem over dit alles in het ongewisse te laten.

'Freddie, dit is belachelijk. Het slaat nergens op. Maar dan ook nergens. De man was gedurende de hele jaren dertig al tegen het stalinisme gekant – hij schuwde de communistische partij, zelfs toen het in zwang was om daarmee te sympathiseren. Ik heb vaak met hem gewerkt aan de redactionele commentaren voor de *Herald* en een paar voor de *Sunday Post*. Als hij niet meende wat hij schreef, moet hij wel een buitengewoon grote oplichter zijn geweest.'

'Rod, heel wat mensen vinden de ouwe heer ook een oplichter, en het valt moeilijk te ontkennen dat hij buitengewoon was.'

De bodem van de fles kwam in zicht. Rod haalde, zonder zelfs maar naar het etiket te kijken, een andere uit de kast om de stembanden nog eens te smeren.

'Ik sta soms echt wel eens van je te kijken, broertje. Hoe kun je zoiets als dit nu weten en daar niets mee doen, het laten rusten? Als die knakker mij zo'n verhaal had verteld, was ik met de rook van onder mijn schoenen vandaan naar je toe gehold!'

'Dat weet ik,' zei Troy slechts.

'Waarom heb je dan niets gezegd?'

'Omdat ik wist hoe je zou reageren.'

'Freddie – dit is te belangrijk...'

'Nee, dat is het niet. Je gelooft er geen woord van, dus kan het nooit zo belangrijk zijn.'

'Jawel, dat is het wel... Het is... het is ondermijnend.'
'Wat?'
'Het is ondermijnend! Ik wil niet het gevoel hebben te moeten denken dat het leven van mijn vader een schijnvertoning kan zijn geweest. Het schokt het vertrouwen in de ouwe heer niet. Maar knaagt daaraan op een minderwaardige, miezerige, uithollende manier. Hij heeft hier een leven voor zichzelf opgebouwd. En een voor jou, en mij, en de meiden. Ik wil niet worden gedwongen daar vraagtekens bij te zetten, want als ik aan hem twijfel, twijfel ik aan dat leven. Het is belangrijk te denken dat hij zich daarvoor heeft ingezet.'
'Voor Engeland?'
'Ja.'
'Je weet hoe ik daarover denk.'
Rod stond razend op. Glas in de ene hand, fles in de andere. Hij banjerde driftig op zijn kousenvoeten door het vertrek, waarbij Troy zich afvroeg waarom Cid hem nooit zover had gekregen dat hij twee dezelfde sokken droeg, en ging toen weer zitten, witheet van woede en zonder een druppel van de wijn te hebben gemorst.
'Wat ben je soms toch een ongelooflijke lamstraal. Laten we daarover nou eens ophouden. Wij zijn Engels. Dankzij hem. Blijven afgeven op de Engelsen omdat je de pest hebt aan hun bizarre schoolsysteem en je geen barst snapt van hun malle nationale sport, is gewoon kinderachtig. Jezus nog aan toe, Freddie, word toch eens volwassen!'
Rod had natuurlijk gelijk. Troy had inderdaad geen besef over wat er aan de hand was op het cricketveld. Dat was ook geen halszaak, maar kwam soms mooi van pas als hij blijk wilde geven van het feit dat hij niet voetstoots Engels was – geen deel uitmaakte van 'hen' zoals hij ze graag noemde. Maar op een ander niveau wist hij ook waarom Rod hierover zo tekeerging. Engeland– of eigenlijk het deel van de Engelsen dat zich hierover opwond – was nog steeds geschokt door het overlopen van Burgess en MacLean, zo'n kleine vijf jaar geleden. Het schandaal had een effect op de Engelse samenleving die zijn weerga niet kende en niet in verhouding stond met de omvang van het incident. Vorig jaar nog was iemand genaamd Philby – Kim Philby, wist Troy, zoon van de oude Arabische ontdekkingsreiziger St John Philby – het onderwerp geweest van een ver-

weer van het parlement bij monde van MacMillan ten aanzien van het feit dat hij niet de derde man was geweest in de zaak van Burgess en MacLean. Philby had vervolgens de hoogst ongebruikelijke stap genomen om een persconferentie te geven, om zijn onschuld nog eens extra te benadrukken in een sfeer waarin het concept van een derde man de voedingsbodem was gaan vormen voor de paranoia van de gevestigde orde. De gevestigde orde, het begrip dat ten grondslag lag aan het mysterie, zat zo diep verweven in de ongeschreven Engelse gedragsregels, dat het onmogelijk te definiëren viel en meestentijds zelfs niet aantoonbaar was. Maar de hele aangelegenheid betrof ongeschreven gedragsregels – onuitgesproken maar algemeen geaccepteerde begrippen – die door hun essentie en geest, in Troys ogen, het verschil aantoonden tussen de Troys en de echte Engelsen. Wie niet geschokt was door Burgess en MacLean, had niets van het naoorlogse leven in Engeland begrepen. Net zoiets als het niet kennen van de regels voor cricket, zoals Rod het zo bondig had verwoord. De twee ontspoorde diplomaten hadden zich niet aan de afspraak gehouden. De afspraak waarin gold, volgens de ongeschreven gedragsregels van de Engelsen, dat spionnen moesten worden gezocht in de sfeer van Jan met de Pet en het proletariaat – die tenslotte alleen maar baat hadden bij de overwinning van het communisme – en niet in die 'van ons'. Dat Burgess en MacLean beiden 'van ons' waren – hoewel Burgess het voor elkaar had gekregen nadrukkelijk een van hén te zijn, terwijl hij intussen bij 'ons' behoorde – was hard aangekomen. Minachting. Dat was wat Rod nu tegen het hoofd stootte, de gedachte dat hun vader hem 'een van ons' had gemaakt (wat bij Troy niet was gelukt), puur en alleen vanuit zijn onuitgesproken minachting voor dat hele concept. Dat deed pijn. Dat Alexej Troy diezelfde stille minachting kon hebben gekoesterd, en ze allemaal voor gek had gezet.

Troy had Guy Burgess wel gekend. Ze hadden een gezamenlijke vriend aan Charlie, een gezamenlijke vriend aan Tom Driberg. Troy had bij diverse gelegenheden met Guy glaasjes gedronken in Soho. Een innemende man, die soms veel te veel dronk, en eindeloos over politiek en communisme kon ouwehoeren, maar bij wie geen spoortje idealisme te beluisteren viel. Wat alleen nog maar weer eens bevestigde dat hij 'een van ons' was. Zoals de een of andere grappenmaker het eens omschreef: 'De Engelsman gelooft niet in God, maar wil Hem zo nu en dan wel graag in gebed toespreken.' Troy wist dat hij, hoofdinspecteur Troy, niet 'een van ons' was. Hij wist dat Rod graag geloofde dat hij, Rodyon Troy, baronet, kamerlid, dat wel was, maar in zijn diepste binnenste wel degelijk aanvoelde dat ook hij een buitenstaander was.

Troy streek hem, onnodig, nog eens tegen de haren in.

'Waarom ben je toch zo gepikeerd?'

'Gepikeerd? Barst jij. Het doet me pijn. Erg veel pijn! De gedachte dat onze ouweheer voor een spion zou kunnen doorgaan doet me pijn. Dat is beledigend. Daar heb ik geen woorden voor!'

'Zo?' zei Troy. 'Het is je misschien niet opgevallen, maar sinds ik minder dan een uur geleden hier de deur ben binnengewandeld, heb je mij al minstens twee keer een spion genoemd.'

'Echt?'

'Ja.'

Rod verzonk in een nadenkend stilzwijgen. En was meteen gekalmeerd. Beiden wisten ze wat de logische gevolgtrekking was.

'Op een bepaalde manier was dat natuurlijk ook zo, toch?'

'Ja. Ik denk van wel. Maar daarom was ik daar niet. Ik weet niet wat ze nou eigenlijk verwacht hadden, maar ik zat daar voor nop. Ik wist dat ik niets zou horen wat we niet al lang wisten. Als Eden MI5 en MI6 niet had gezegd zich gedeisd te houden, hadden die zich nooit aan zo'n strohalm vastgeklampt. Zo werd ik dus een spion die niets bespioneerde. Ik was mijn handen in onschuld.'

'Maar dat deden ze niet.'

'Wat deden ze niet?'

'Ze hielden zich niet gedeisd. Ze gingen gewoon hun gang en hebben de Russen bespioneerd. Ze hebben een kikvorsman afgestuurd op dat oorlogsschip waarmee Chroesjtsjov kwam. De Russische kapitein heeft voordat hij vertrok een officiële klacht bij BuZa ingediend. Het was veel groter en smeriger dan ze jou hebben verteld.'

Opeens was Troy kwaad. Op zijn beurt.

'Eden ontkent alles. Natuurlijk. Maar je voelt instinctief dat het waar is.'

Troy werd nog bozer.

'Het zou me niets verbazen als jij en al die sukkelaars van Special Branch alleen maar als lokvogel hebben gediend.'

Almaar bozer. Hij zette de tanden op elkaar en gaf niet toe aan de woede die hij voelde.

'Wanneer was dat?' vroeg hij. 'Wanneer is dat gebeurd?'

'Volgens zeggen werd de klacht dinsdagmorgen ingediend. De ontkenning volgde onmiddellijk, maar Eden is volgens mijn bronnen sindsdien behoorlijk uit zijn hum, omdat de geheime dienst het heeft toegegeven.'

Dat Rod 'bronnen' had, mocht geen verbazing wekken. Het lag geheel in de lijn der verwachting dat de rijksambtenarij ervoor zorgde dat de toegewijde rijksoppositie te horen kreeg wat de rijksambtenaren vonden dat die moest weten. Het was een manier om zich te verzekeren van hun toewijding en kostte weinig moeite. Het Lagerhuis was een grote club, een electoraal toneel, het theater voor de kiesgerechtigde. En de mandarijnen waren gewone clubleden, die knikten en wenkten naar hun blinde paarden. Over een jaar of twee kon de oppositie immers weleens de nieuwe regering zijn.

Weer hoorde Troy Chroesjtsjov op die maandagavond 'Doen!' zeggen. Deze opmerking zei hem nog altijd niet veel meer dan destijds. Maar hij had een situatie gecreëerd waarin het nu onmogelijk was geworden Rod te vertellen dat hij toch iets bruikbaars had gehoord tijdens het bespioneren van de Russische leider – onmogelijk, zonder zichzelf in de ogen van Rod als leugenaar en spion te brandmerken. En weer besefte hij waarom hij zo de pest had aan de geheime dienst en zijn agenten: ze bleven aan je vingers plakken, lieten een vieze smaak achter in je mond, en een nare geur in de lucht. Maar al met al kon hij alleen zichzelf iets verwijten. Hij had beter kunnen weten.

Bij aankomst in Hampstead rolden ze nog net niet uit Troys Bentley. Na een blik op haar echtgenoot en haar zwager vorderde Lucinda de sleuteltjes van de auto. Op een dag, zei ze, toen ze achter het stuur schoof, kwamen er wetten om te voorkomen dat mannen van middelbare leeftijd straalbezopen de weg op gingen.

17

Rod was een peuter van drie, de meisjes onnozele schapen van een paar weken oud, en Troy zelf nog niet in de planning, toen hun vader voor een schijntje eigenaar werd van het grote achttiende-eeuwse gebouwencomplex dat Mimram House heette. Hij zorgde ervoor dat de slaapkamers niet door het plafond van de benedenverdieping zakten, en het huis ten onder ging in de naamgevende rivier de Mimram. Hij had het omgevormd tot een kruising tussen een Russische datsja en een Engels buitenhuis. Na zijn dood was dat zo gebleven. Een woonstee voor zijn moeder, een tweede thuis voor zijn zusters en de kern van Rods kiesdistrict, tot de dood van hun moeder in 1952. Troy was er, voor zijn eigen gevoel, nooit meer dan een bezoeker geweest. Tot ieders verbazing, en zeker die van Troy, liet Maria Mikhailovna het huis na aan Troy, waarbij ze in haar testament eenvoudigweg stelde dat zulks voor de hand lag, aangezien hij haar laatste ongetrouwde kind was, en niet over een gezinswoning beschikte. Waarmee ze opnieuw bevestigde hoe ze over Troys tussenhuis in Goodwin's Court dacht, dat ze altijd geringschattend had omschreven als zijn 'vrijgezellenverblijf', een onderkomen dat slechts voldeed tot ook hij in het huwelijk trad. Daar was echter weinig zicht op, en zelfs zijn zusters, die onvermoeibare romantica's, hadden hun pogingen een geschikte echtgenote voor hem te vinden, gestaakt. Hij had het huis niet meteen geaccepteerd en overwogen het door te geven aan Rod. Hij woonde tenslotte al sinds de jaren dertig in Londen en vond dat hij een stadsmens was geworden. Hij had er de ontberingen van de oorlog doorstaan, en de nog grotere ontberingen van de vrede. Maar uiteindelijk moest hij toegeven dat het wel iets had om neer te strijken op het ouderlijk nest. Het zou nooit helemaal aan hem toebehoren – Rod had het vrijwel ieder weekend nodig, en tegen zijn zusters was toch al geen kruid gewassen – waardoor het niet zo'n blok aan het been hoefde te zijn als hij in eerste instantie had gevreesd. En hij kon zich zo uitleven in een droom. Hij had al zo lang een varken willen hebben en een moestuin. En hij was tot zijn eigen verbazing dingen gaan doen waar hij zichzelf vroeger nooit toe in staat had geacht. Hij nam weekends vrij, en feestdagen, en nam vakantiedagen op. Na zaken die zich buiten Londen hadden afgespeeld, liet hij zich door Onions belonen met vrije dagen. 's Zomers bracht hij de nachten door op het land, waarbij hij aan het begin van de avond de stad uit reed en met het ochtendkrieken naar de Yard terugkeerde. Mimram House was een aangenaam toevluchtsoord voor hem geworden, hoewel hij eigenlijk niet wist waarvoor hij een toevlucht zocht.

18

Hij ontwaakte die zaterdagmorgen en verheugde zich op ontbijt op bed, gevolgd door een wandelingetje naar de varkenshokken. Hij zat in zijn bed met een kop koffie en het ochtendblad, toen Rod zijn slaapkamerdeur opendeed. Troy zag een schuldbewust trekje in zijn gezicht, die knagende twijfel of hij misschien te ver was gegaan, en zich belachelijk had gemaakt. Anders dan Troy kon Rod nooit lang boos blijven op iemand. Er was niets om zich schuldig over te voelen, maar hij was tot alle schuld bereid. Hij zag er onberispelijk uit, fris geschoren en gewassen, in een driedelig pak en met glimmende schoenen, klaar voor zijn kiezers en hun klachten.

'Je hebt wat je mij gisteren vertelde toch niet tegen de meisjes gezegd, hè?' vroeg hij.

'Nee,' zei Troy. 'Waarom zou ik? Het gaat niet over mode of over filmsterren, dus wat moeten ze ermee?'

'Wel een erg cynisch uitgangspunt, vind je ook niet?'

Rod vertrok. Niets ter aarde zou Troy ertoe hebben bewogen zijn zusters in te lichten. Hun laatdunkende onverschilligheid zou veel moeilijker te verdragen zijn geweest dan Rods absurde schuldgevoelens. Hij dook weer in zijn krant, terug naar het nieuws over het vertrek van B & C en een vrijwel letterlijke weergave van Chroesjtsjovs laatste woorden tegen de minister van BuZa. Er was blijkbaar toch nog een vertegenwoordiger van het krantenvolkje tot in hun nabijheid doorgedrongen. Het waren alleen Chroesjtsjovs laatste woorden niet, maar die van Troy, de leugentjes om bestwil die hij had gebakken van Chroesjtsjovs vijandigheid en vulgariteit. Hij had, besefte hij, geschiedenis geschreven. Zijn leugentjes waren nu een officieel gegeven. O, wat was dat liegen toch een slechte gewoonte. Troy sloeg de lakens terug en liep gapend naar de badkamer.

Onder de eiken aan het einde van de moestuin trof hij op de geïmproviseerde bank van planken en olievaten een grote, dikke man aan die thee zat te drinken uit een thermosfles. De eerste keer dat

Troy hem zag, leek hij alleen maar groot. Hij was ook kaal, maar die kaalheid was onveranderlijk – die kon verder geen kant op – maar door zijn toenemende omvang had Troy hem moeten omdopen van groot tot dik. Hij droeg, zoals zovele Britten, nog altijd de schamele overblijfselen van zijn oorlogsuniform. Zaterdags- en zondagsmorgens zag je in het hele Verenigde Koninkrijk de diverse tinten blauw en kaki op de ruggen van de mannen die op hun landjes aan het graven waren, of onder de motorkappen uitstaken van ouwe rammelkarren in achtertuinen. Het was vanwege de duurzaamheid de uitrusting van de werkende klasse geworden. Geen vuilnisman in Engeland zonder een kakihemd, leek het wel. De Dikzak had leren manchetten en ellebogen aangebracht op het donkerblauwe kamgaren van zijn oude gevechtshemd, waarvan Troy betwijfelde of hij dat nog dicht kon knopen. Maar los van deze kleinigheden zag hij er nauwelijks anders uit dan de avond waarop Troy hem had leren kennen, met zijn grote witte zeug in de schaduwen van het verduisterde hart van Chelsea. In die dagen was er in heel Chelsea, van King's Road tot Royal Court en World's End, geen varken te bekennen.

'Mogge, makker,' had hij gezegd, toen Troy voorbijliep.

Troy had hem nooit namen horen noemen, van zichzelf of van anderen, waardoor het soms lastig was hem te vinden. Hij zei altijd tegen Troy, met een tikje van zijn vinger tegen de zijkant van zijn neus, dat hij voor een privédetective had gewerkt, 'een nette man, hoor'. Troy nam dat met een korreltje zout. Van tijd tot tijd verdween de Dikzak en soms vroeg Troy zich weleens af waar hij dan uithing, maar hij dook altijd weer op wanneer de varkens hem nodig konden hebben, en Troy had het al lang opgegeven hem vragen te stellen. Hij zou dan toch zijn toevlucht hebben genomen tot een 'wie geen vragen stelt, wordt ook niet om de tuin geleid', of iets dergelijks, waaraan Troy zich buitengemeen ergerde, omdat hij dat soort dingen in zijn jeugd al genoeg had gehoord.

Troy leunde over de rand van het varkenshok. De grote Gloucester-zeug Old Spot ging bijna helemaal op in de schaduw van de boom, goed gecamoufleerd door het natuurlijke zwart en wit van haar tekening en wat modder hier en daar. Ze knorde een begroeting. Troy kon haar net zien zitten, op haar hurken, rollend met haar kop naar de lucht, verlangend naar het naderende zonlicht.

'Ze moest volgende maand maar eens worden gedekt,' zei de Dikzak. 'We maken dit jaar kans op een goeie worp. Ze is in blakende vorm.'

Troy ging naast hem op de planken zitten en sloeg het aanbod van walgelijk zoete thee met melk af.

Troy was naar hem op zoek gegaan om zijn advies in te winnen over de bouw van hokken en het fokken van varkens. Op een warme zomerdag in 1953 was hij, nog altijd in zijn blauwe jack, op zijn motorfiets met zijspan de oprijlaan komen oprijden, met een stofbril en een leren helm. In het zijspan zat een kalm, beheerst varken, een groot uitgevallen exemplaar van de Middle White. Ook met een leren vlieghelm op.

Troy en Sasja keken vanuit het portaal toe hoe de motorfiets naderde. Die kwam tot stilstand in een wolk van opspattend grind. De Dikzak duwde zijn bril omhoog en keek Troy stralend aan.

'Hallo, makker,' zei hij, alsof ze elkaar gisteren nog hadden gezien.

Sasja wandelde naar de motor, liep er langzaam omheen, voorzichtig, met blote voeten op het grind, in schijnbare bewondering. Uiteindelijk zei ze: 'Hoe heet je vriend?'

'Randolph,' zei de Dikzak.

'Randolph?'

'Randolph. Omdat zijn vader Winston heette.'

Sasja hield het niet meer. Ze barstte uit in een ongecontroleerde meiderige giechelbui. De Dikzak niet. Die zag de humor van het namen geven aan varkens niet in. Hij keek ijzig toe hoe ze het steeds meer te kwaad kreeg. Het varken, van zijn kant, ging rustig door met het sabbelen op een steen, zijn ogen dichtgeknepen tot spleetjes en zijn blik op oneindig, zich niet bewust van Sasja's lachstuipen, en luisterde naar de geluiden van de steen tegen zijn tanden. Wat op hem als een monotone klankenreeks overkwam, was voor het varken misschien wel muziek in de oren, dacht Troy.

'Hé,' zei de Dikzak tegen Troy, 'houdt ze de boel voor de gek?'

'Bijna de hele dag,' zei Troy.

'Juist. Randolph, het wordt tijd dat je je kunsten vertoont.'

Hij plukte de leren vlieghelm van de kop van het varken en het beest sprong uit het zijspan en duwde zijn neus tegen de grond. Hij snoof een paar seconden en zette het toen op een lopen.

'Wat gebeurt er?' riep Sasja.

Het varken zette vaart als een sportwagen. Hij draafde in galop op de hoek van het huis af, met de Dikzak in zijn kielzog.

'Kom op nou,' gilde hij achterom tegen Troy. 'In de spatlappen! Of het kreng smeert hem!'

Troy keek van de Dikzak naar Sasja. Die hield de zoom van haar rok vast en stond als een gek te trappelen.

'Ik heb niets aan mijn voeten!' kermde ze, doodsbenauwd dat ze iets zou missen.

'Mijn laarzen staan achter de deur,' zei Troy.

Hij zette de achtervolging in van het varken en de Dikzak, die intussen al om de hoek verdwenen waren. Het varken had een voorsprong, maar Troy haalde de Dikzak algauw in.

'Wat gebeurt er nou eigenlijk?' vroeg hij, naar adem snakkend.

De Dikzak pufte en hijgde en zei hortend: 'We zijn op zoek naar de varkensplek.'

'Wat is een varkensplek?'

'De beste plek om een varkenshok neer te zetten, maat.'

'En hoe weten we dan waar die is?'

'Simpel. Het varken stopt. Wij stoppen. Als het varken de plek vindt, stopt hij. Hij vindt iets wat de moeite waard is om op te eten, of hij kan niet meer. In beide gevallen stopt hij. En daar zetten we dan zijn droompaleisje neer.'

Randolph was uit het zicht verdwenen en stormde rond tussen de kassen en de koude bakken. Daarachter vandaan klonken schrille jachtkreten. Troy keek om en zag zijn zuster in galop voorbijdraven, in overmaatse laarzen, de zomen van haar rok weggestopt in haar onderbroek ter bescherming tegen de modder.

'Vergis je niet,' zei de Dikzak, 'een beetje varken in topconditie is nauwelijks bij te houden. Als zijn pet ernaar staat, jaagt Randolph je rond tot je erbij neervalt. Ik hoop dat dat maffe mens dat hier blijkbaar woont het volhoudt. Ik loop nog even mee, maar als hij om het huis gaat rennen, wacht ik verder wel af en zie wel hoe het loopt.'

Sasja's kreten kwamen dichterbij. Ramen in het huis gingen open. Hij zag Rod naar buiten leunen, en hoorde hem roepen: 'Wat is er in godsnaam aan de hand?'

'Een varken, een varken!' riep Sasja, alsof de vraag daarmee naar tevredenheid was beantwoord.

Het varken maakte rechtsomkeert, richting Troy, trof hem in de nauwe doorgang tussen twee kassen, beukte hem opzij en zette weer koers naar het huis. Na één rondje om het huis hield de Dikzak, zijn woord getrouw, het verder voor gezien. Hij haalde een grote witte zakdoek tevoorschijn en ging op de rand van de veranda zijn voorhoofd zitten deppen. Na het tweede rondje besloot Troy hem gezelschap te houden en de achtervolging over te laten aan Sasja. Ze rende achter het varken rondjes om het huis, zij gillend en joelend, en het varken voortdurend zo ver vooruit, dat hij achter haar aan dreigde te komen in plaats van zij achter hem.

'Gaat het al lang niet zo goed met haar?' vroeg de Dikzak.

'Dat wil je niet weten,' antwoordde Troy. 'En ik heb trouwens slecht nieuws voor je. Er is er nog een.'

'Hè?'

'Tweelingen.'

Troy gaf de Dikzak een duw toen Randolph de veranda opstoof en tussen ze doorschoot.

'Juist,' zei de Dikzak, die weer overeind kwam. 'Dit kon het weleens zijn.'

Het varken verdween in zuidelijke richting.

Troy vond Randolph bij de eiken, een paar honderd meter bij het huis vandaan. Hij wroette onder de lagen dode eikenbladeren en krabde hevig met zijn voorpoten. Was dit de varkensplek?

Sasja kwam aangehold, met een grote voorsprong op de Dikzak, buiten adem van het lachen, en kon alleen nog maar 'Een varken! Een varken!' joelen. Ze haalde diep adem en kon pas bij de derde poging een korte zin formuleren.

'Blijft het varken hier?'

'Nee. Het is een fokvarken. Ik heb eerlijk gezegd geen idee waarom hij hier is.'

Een hijgende Dikzak kwam langzaam de helling afgedaald. 'Ik had het kunnen weten,' zei hij. 'Eikels.'

'Verkeerde tijd van het jaar,' zei Troy.

'Neuh, hij graaft onder al die bladaarde naar die van vorig jaar.'

Hij keek omhoog naar de breed uithangende takken van de grote eikenboom.

'Nou, dat is het dan, hè? Hier moet jullie varkenshok dus komen.'

Het varken snoof en groef en negeerde hem.

'Is een eikenboom de beste plek?' vroeg Troy.

'Redelijk goed. In de schaduw, hoeft niet ver te lopen, het voedsel valt zo van de boom voor zijn neus. Maar als je geen varken onder je eikenboom wilt, zoek je gewoon ergens een stukje grond, zoals die doornstruiken daar. Gooi er een handjevol eikels in, en dan spit het gemiddelde varken de boel beter voor je om dan een ploeg met twee paarden.'

Hij voegde de daad bij het woord, haalde wat eikels uit de zak van zijn jack en gooide die tussen de brandnetels en braambosjes. Het varken stopte met graven en boorde zich met grote onverschrokkenheid in het struikgewas.

'En tegen de tijd dat hij klaar is, hoef je alleen nog maar je hok neer te zetten en is hij voor zijn roodkoperen.'

'Is dat alles?' vroeg Troy. 'Zoek je zo een varkensplek? Lijkt me nogal willekeurig. Je gooit gewoon wat eikels in de struiken, en dan hoef je niet meer als een gek achter dat stomme varken aan de tuin door te hollen.'

De Dikzak leek gekwetst, en was opeens heel serieus. Hij siste zacht en schudde met zijn hoofd, alsof Troy het hoofd bood aan een oud varkensgebruik dat voor hem bijna heilig was. Hij staarde een tijdje naar de grond en keek toen naar Troy.

'Maar dan is er toch geen lol meer aan?' zei hij.

Dat was drie jaar geleden. De Dikzak bekeek Sasja nog altijd met de grootste argwaan, en sprak alleen over haar als 'dat maffe mens'. Tegen Masja was hij – als hij zeker wist dat zij het was – angstvallig beleefd. Maar die vertoonde zich toch al haast nooit in de buurt van de varkensstallen. Hij had sowieso al bedenkingen over het verschijnsel tweelingen, wat deels te wijten was aan Troys te vaak herhaalde bewering dat ze eigenlijk één vreselijke vrouw waren, met twee lichamen. Vandaag zaten Troy en hij samen op de planken bank met hun gezicht naar de zon, daartoe geïnspireerd door het varken.

'Was je nog van plan iets te zeggen, of drink ik nu mijn thee op en ga naar huis?'

'Sorry,' zei Troy. 'Ik heb nogal veel aan mijn hoofd.'

'Weet je wat daar goed tegen helpt? De stallen uitmesten. Een ochtend varkensstront ruimen verjaagt alle muizenissen.'

Hij had gelijk. En in de middag, na een lunch in de buitenlucht, liepen ze naar het dorp, met een omtrekkende beweging van bijna tien kilometer door de groen ontluikende bossen, en kwamen vanuit het noorden terug naar het huis via een deinende zee van grasklokjes en een onwaarschijnlijke wirwar van ontkrulde streepvarens. Ze babbelden over van alles en nog wat. De Dikzak was een echt stadsmens en Troy betwijfelde of hij het verschil wist tussen een juffertje-in-'t-groen en een pot pindakaas, maar de ouwe rakker had een hoop varkensverhalen, die volgens Troy voor een groot deel uit zijn duim waren gezogen, wat hem niets kon schelen. Verder vertelde hij Troy wat hij dit seizoen van Arsenal vond, een onderwerp waar Troy al even weinig vanaf wist als van cricket. En na thuiskomst voelde Troy zich weer een heerlijk normaal mens, aangenaam door elkaar geschud door de betekenisloosheid van een gewoon gesprek. Een kunst die in zijn huiselijke omgeving nauwelijks werd beoefend, omdat de Troys zo ingewikkeld in elkaar staken. Dat hadden ze te danken aan hun vader, wiens karakter zo ongelijk over hen was verdeeld, dat ze geen van allen makkelijke, normale mensen waren geworden. Rod had zijn vaders politieke inslag geërfd, diens journalistieke neus. De Zusters erfden de gevatte, grillige, genotzuchtige kant van zijn natuur – van een man die grappen tapte in vijf talen, en die om het minste geringste volledig uit zijn dak kon gaan – maar die zich op een vreemde manier had vermengd met de humorloze onbuigzaamheid van hun moeder, en zich manifesteerde op de dagen dat ze van niets de grap konden inzien. En Troy – wat had die geërfd? Dat wist Troy heel goed. De neiging tot geheimhouding. De gewoonte zijn speelkaarten dicht bij zijn borst te houden. Dat, gecombineerd met de nieuwsgierigheid van de journalist, maakte hem tot politieman, maar lag ook ten grondslag aan het probleem waarvan het varken en de varkensman hem zo plezierig hadden afgeleid.

Rod leek ook weer helemaal de oude. Hij vermaakte ze tijdens het eten met een verslag over wat er zoal omging in Westminster – een boosaardige karikatuur van MacMillan en zijn aankondiging van de zogeheten premieobligatie, weer een kansspel onder een andere naam. De tweeling hield het niet meer bij de manier waarop Rod MacMillan imiteerde, en toen hij zijn gezicht verwrong en de droeve blik van een oude bloedhond in zijn ogen kreeg begonnen ze te kakelen als een stel gestoorde toverkollen.

Troy keek naar het enige aangetrouwde familielid – Lucinda, Lady Troy, die ingetogen lachte, met een heerlijke, verlegen lach, en helder blauwe ogen in een bleek gezicht. Hugh noch Lawrence, Masja's man, waren dit weekend overgekomen. Lucinda was, zoals zo vaak dezer dagen, de enig aanwezige van buitenaf, waardoor er in ieder geval Engels werd gesproken. Troy vond Russische avonden vaak vervelend, vanwege hun exclusiviteit, het terugtrekken in een eigen taal. Rod was in 1936 met Lucinda getrouwd, het jaar van de drie koningen. Ze was ongeveer net zo oud als de meiden. Troy kon het voor zijn gevoel goed met haar vinden – ze zat hem niet voortdurend op zijn huid, zoals zijn zusters, en miste het vooroordeel dat hij nu eenmaal jonger was en dus de rest van zijn leven niet in staat zou zijn een eigen mening te vormen. Hij had Rod vaak benijd om zijn keuze, de stap die hij had gemaakt naar het normaal-zijn. De keuze van een onmiskenbaar Engelse vrouw.

Tijdens de laatste gang schoot Sasja opeens overeind met de mededeling dat ze er als de bliksem vandoor moest, om op tijd thuis te zijn voordat de klok sloeg en ze weer in Assepoester veranderde. Waardoor het etentje, en daarmee de avond, voorbij waren. Rod moest voor het slapengaan nog papieren doornemen, Masja's favoriete programma was op de kijkbuis in de gele kamer. Er stond nog een halve fles Pouilly-Fumé van 1952 in de ijsemmer.

'Zullen we die opmaken?' vroeg hij Lucinda.

'Lijkt me heerlijk, Freddie,' zei de onmiskenbaar Engelse vrouw, 'maar ik ben doodmoe. Ik wist niet dat Sasja opeens de benen zou nemen, maar nu dat zo is, wilde ik eigenlijk wel vroeg naar bed.' Ze geeuwde. 'Ik heb de laatste tijd zo vaak opgezeten om naar Rods toespraken te luisteren, of gewacht tot hij thuiskwam na een bezoek aan zijn kiesdistrict. Sorry.'

Troy haalde de fles uit de koeler, pakte zijn jas van de kapstok in de gang en liep door de vroegere werkkamer van zijn vader naar de zuidelijke veranda. Het was nog altijd geen mei. De dag had zijn warmte verloren. Hij trok zijn jas aan, ging op een knersende rieten stoel zitten en dronk de fles leeg, omringd door de stilte van de natuur – het mechanische klepperen van een fazant, het verre keffen van een vos, de wind, zachtjes in de wilgen. De wilgen scheidden de tuin van de rivier en hingen sterk over. Hij had ze het vorige jaar niet geknot, en terwijl hij toekeek hoe ze langzaam verdwenen in de opkomende nacht, wist hij dat hij dat dit jaar niet opnieuw kon uitstellen. Hij hield van de golvende vormen van de wilde wilg – een geknotte wilg was altijd zo'n log ding, met de takken te netjes gerangschikt, maar als je niets deed, spleten ze helemaal open en gingen ze dood.

In het toenemende duister begonnen vleermuizen op een meter of vijf hoogte kriskras boven het gazon te vliegen. Ze sneden de nacht in onzichtbare parten, op zoek naar een prooi die Troy niet kon zien. Als de ene aanvloog uit het noorden, vloog de andere aan van de westkant, waarbij ze elkaar met feilloze precisie misten, met de minieme beweging van een ragfijne vleugel, waarmee ze de schering en inslag van hun nachtelijke patroon weefden.

Hij bleef zitten tot het helemaal donker was en zijn handen gevoelloos werden van de kou. Toen hij er later op terugzag, kwam het hem voor dat dit zijn laatste vredige momenten waren geweest. De volgende morgen zouden de schering en inslag van het ene leven zich van elkaar losmaken en zich verweven met de geklitte samenzwering van een ander leven.

19

Hij dronk in zijn eentje koffie in de werkkamer van zijn vader en zocht in de zondagskranten naar regeringsverklaringen die zouden bevestigen wat Rod hem had verteld. Hij zat in de stoel van zijn vader tegenover het raam. Na het overlijden van zijn ouwe heer had hij nog een tijd lang aan de andere kant van het schrijfbureau gezeten, uitkijkend op de kamer – met zijn vaders pen en vloeiblok precies op de plaats waar hij die had laten liggen – waarmee hij toegaf aan het bange gevoel dat het een soort heiligschennis was om diens plaats in te nemen. Maar op een dag dacht hij: barst maar, het uitzicht is beter, en was hij aan de andere kant gaan zitten zonder er verder nog een gedachte aan vuil te maken. Vandaag liep Masja binnen, zo op het oog zonder een enkele specifieke reden. Ze streek neer op de rand van het bureau, zette haar voeten op haar vaders stoel, schonk uit de cafetière een kop koffie in en lachte haar vileine lachje.

Troy zei niets. Ze dronken hun koffie in stilte. Hij wachtte om te zien of het bezoek een doel had.

De telefoon ging. Hij nam die aan en hoorde zijn zwager Hugh vragen of hij zijn vrouw mocht spreken.

'Sasja?' vroeg Troy verbaasd, en voor hij nog een woord kon zeggen werd de hoorn uit zijn hand gegrist.

'Huugje,' kweelde Masja. Alleen Sasja noemde Hugh Huugje. 'Schat. (Pauze.) Ja, schat. (Pauze.) Ik denk dat ik na de lunch weer thuis ben.'

Er was een langere pauze. Troy hoorde het bakeliet knetteren, het raspen van Hughs bariton, zonder een woord te verstaan van wat die zei.

'O,' zei Masja weer. 'Niets bijzonders. Lucinda was er ook, dus hadden we een etentje *en famille*.'

Ze pauzeerde weer.

'Ja. Na de lunch.'

Ze wierp hem een luidruchtige kus toe en hing op.

Troy kon zijn oren haast niet geloven.

'Doet Sasja dat ook voor jou?' vroeg hij.

'Dat wil je niet weten.'

'Denk je dat hij daarin trapt?'

'Nou – tot nog toe wel.'

'Zo stom is Hugh nou toch ook weer niet.'

'Wedden van wel?' zei Masja.

20

Veertig minuten later belde Onions.

'Pak je koffer. Je bent geboekt op de nachttrein naar Aberdeen.'

'Een lekkere kluif?' vroeg Troy.

'Arsenicum. Vier lijken. Zelfde werkwijze, en de mensen daar zijn radeloos.'

Dat leek hem wel wat. Hij had al een tijdje geen behoorlijke moord onder handen gehad. Het was al een jaar of vijf geleden dat hij met een vergiftiging te maken kreeg, en nu had hij er zo te zien vier tegelijk.

'Hoe zit het met het team?'

Hij hoorde Onions diep zuchten. Het team was niet op sterkte. Toen Troy Chroesjtsjovs apparatsjik had verteld dat hij het hoofd was van de afdeling Moordzaken, had hij niet helemaal de waarheid gesproken. Hij verving als waarnemend hoofd de afwezige hoofdinspecteur Tom Henrey. Maar Tom was al afwezig sinds kerst.

'Ik betwijfel of Tom nog terugkomt,' zei Onions uiteindelijk. 'Het is kanker aan de alvleesklier. Maar tot hij me laat weten hoe of wat, wil ik hem niet definitief van zijn taak ontheffen. Anders lijkt het net of ik de zaak wil bespoedigen, en hem zijn graf injaag.'

'Natuurlijk,' zei Troy. 'Ik vraag niet om promotie, maar ik vind dat we zo gauw mogelijk iemand uit het lagere echelon moeten binnenhalen.'

'Het zal heel wat moeite kosten je nog een inspecteur te geven.'

'Een brigadier is ook goed.'

'Iemand op het oog?'

'Ja,' zei Troy. 'Clark, Edwin Clark. Politiekorps Warwickshire, op het ogenblik bij de criminele recherche in Birmingham.'

Onions dacht even na.

'Goed. Dat is dan geregeld. Ik zal brigadier Clark laten overplaatsen.'

'Agent Clark.'

'Wat?'

'Hij is nu nog agent. En wordt brigadier bij ons in het team.'

'Jezus, je vraagt nogal wat. Kan hij dat wel aan?'

'Natuurlijk kan hij dat aan. Hij is in feite precies wat we zoeken. Een solide regelaar, iemand die goed is in administratief werk.'

'Het zou fijn zijn om bij het binnenlopen van je kantoor onze jonge vriend Wildeve weer eens te kunnen zien zitten. De stapels papier waren de laatste tijd hoger dan hijzelf.'

Troy wist dat het hem niet moeilijk zou vallen om Clarks aanwezigheid te rechtvaardigen. Twee weken op kantoor met hem, met zijn onverstoorbare kalmte en methodische militaire efficiency, en Onions zou hem algauw leren waarderen – en het contrast in temperament tussen deze sluwe vogel en twee mannen zo wispelturig als Troy en Wildeve.

21

Aberdeen duurde langer dan hij of Onions had ingeschat. Toen Troy begin juni in het stoffige ochtendlicht onder de bogen van het treinstation van King's Cross uit de nachttrein stapte, was hij bijna zes weken weg geweest. Londen was de zomer in gedenderd.

Hij voelde die vreemde mengeling van voldoening over het succes en de knagende twijfels over onafgemaakte zaken. Bij de moorden was inderdaad arsenicum gebruikt, maar de fout die de mensen in Aberdeen parten had gespeeld, was de veronderstelling dat overal dezelfde werkwijze was toegepast. Troy had meteen gezien dat zulks niet het geval was. De vier doses vergif waren in totaal verschillende hoeveelheden toegediend en het opduiken van een vijfde lijk, twee dagen na Troys aankomst, zorgde voor een nog grotere variatie aan bewijsmateriaal. Ze waren niet op zoek naar een moordenaar, had hij ze gezegd, maar naar diverse moordenaars. Het was zijn taak geweest om het team opnieuw te instrueren, al het bewijsmateriaal dat ze in de loop van bijna een jaar hadden vergaard tegen het licht te houden, en alle potentiële verdachten die voorheen niet in het verhaal pasten, opnieuw te ondervragen.

Het was een hele klus geweest, met ononderbroken dagen van vroeg in de ochtend tot laat in de avond. Zo nu en dan kreeg hij weleens een krant onder ogen, die hij dan vlug doorlas. Egypte sudderde nog altijd, Cyprus bloedde nog steeds en de regering deed geen mededelingen over de spion uit Portsmouth. De pers speculeerde onophoudelijk, met name de kranten die het eigendom waren van de Troys, en Troy wist dat sommige speculaties uit de koker kwamen van Rod. De mysterieuze spion werd vermist, of hij werkte helemaal niet voor de Secret Service en was ingehuurd door de rechtse regeringsgezinden / de linkse antisovjet trotskisten / de Wit-Russische ballingen / de zionisten, of was gekidnapt en zat nu in Rusland, of was in het harnas gestorven en lag nu op de bodem van de Solent – kies iedere combinatie van twee uit drie, en schrap welke niet van toepassing is. Hij had geen tijd om het hele verhaal naar behoren uit te diepen, maar kwam tot de conclusie dat de enige diepte die er in dit verhaal school, de diepte was waarin deze mysterieuze kikvorsman begraven kon liggen.

Hij had een bekentenis voor twee van de moorden losgepeuterd van de huisarts van de slachtoffers; de lokale inspecteur had hetzelfde gedaan bij de broer van het derde slachtoffer; het voltallige team had tegen een derde man een zaak opgebouwd voor de vierde moord die, daar was Troy van overtuigd, hem een veroordeling van de rechtbank zou opleveren – maar de vijfde zaak kon hij niet oplossen en hij keerde terug naar Londen in het besef dat hij voor het eerst had gefaald. Hij had het gevoel dat er bij deze zaak sprake was van imitatie, het na-aapsyndroom zoals de Amerikanen het tegenwoordig noemden. Weer een bewijs dat sommige dingen uit de kranten moesten worden gehouden. Het was, concludeerde hij, een open einde, dat zo te zien voorlopig ook niet kon worden gedicht. Hij zou op zijn vroegst pas tegen het einde van de zomer weer naar Schotland moeten, om te getuigen voor de rechtbank.

Het was zeven uur in de ochtend. Een mooie zomerochtend. De zon zocht zijn weg langs Pentonville Road, over de daken van Islington en Clerkenwell en belichtte de pracht van het St Pancras' Midland Hotel in al zijn roet en glorie. Londen ontwaakte. Twee miljoen waterketels zongen op de fornuizen. Hij gooide zijn tas achter in een taxi. Na koffie en een bad verheugde hij zich op een wandeling naar de Yard.

De oude Ascot Patent gasgeiser in zijn ijzeren klamp boven het bad deed het redelijk, als je wist hoe het moest. Begin in de badkamer. Uit de kraan komt een klein straaltje. Draai de knop helemaal open, tegen de klok in. Hol naar beneden, ram met de hak van een schoen stevig in de linkerhand geklemd tegen de pijp naast de gootsteen. Hol naar boven, draai de knop half met de klok mee, druk op de knop van de ontsteking. Ga naar de droogkast op de overloop, ram met de schoen stevig in de linkerhand geklemd tegen de pijp achter in de kast. Keer terug naar de badkamer, het straaltje is nu lauw en wat groter. Kleed je uit. Lauw groter straaltje is nu warme grote straal geworden. Stap in het bad. Na tien centimeter warm water houdt de stroom, volgens de richtlijnen van de Tweede Wereldoorlog, op.

Troy had geen idee waarom zijn Ascot nooit afstand had genomen van de oorlog. Maar dat gold voor zo veel in Engeland, en misschien vond de machine het wel prettiger zo. Maar na deze absurde procedure nam hij in ieder geval de telefoon niet meer aan. Die ging over toen hij in het bad stapte, en belde vijf minuten daarna nog eens. Hij zette zijn mok koffie en toast met marmelade op het zeepbakje en zakte onderuit in het zeepsop. Na een zachte schop met zijn voet tegen de bovenste pijp, leverde de Ascot een tweede oogst, waardoor het bad behoorlijk volliep. Je moest alleen wat geduld hebben. En die opbeller kon verder barsten.

Hij nam een slokje van de eerste behoorlijke koffie in weken, en dacht weer aan Larissa Tosca, en haar onbetamelijke gedrag dat ertoe leidde dat ze audiëntie hield in het bad, met hem onbeholpen op de wc-bril gezeten, terwijl zij wegzonk in het schuim als een Hollywoodsterretje in een musical. Het baden was sindsdien nooit meer hetzelfde geweest.

De wandeling naar de Yard overtrof zijn verwachtingen. Er waren van die dagen dat hij dol was op Londen. Er waren van die dagen dat de stad ondanks alle roet en vuil sprankelde, en je bereid was te geloven dat er ook nog weleens iets anders aan de orde was dan mist en winterweer.

Hij kende zijn kantoor nauwelijks terug. Het was net en schoon en ordelijk. Iemand had de prullenmand geleegd. Iemand had die stapels dossiers van de grond gepakt en ze opgeborgen. Iemand had het klemmende raam opengemaakt, zodat de bries over de Theems naar binnen kon, vermengd met wat straatgeluiden. Iemand had al die jaren oude notities van het prikbord gehaald. Iemand had de klok opgewonden. Iemand had de kapotte stoel vervangen door een van die zwaaidingen waar fraaie secretaresses op zaten, die met hoog opgeschoven rokken dictaat opnamen. En dan de bureaus. Jacks bureau was bijna leeg. Dat van hem lag vol papier, waaraan vanuit zijn stoel in alle rust werd gewerkt door een klein, allerminst fraai, gezet lichaam, die dringende dingen scheidde van routinezaken, en van tijd tot tijd aantekeningen maakte ten behoeve van, nam hij aan, Troy. Hij snapte er niets van. Hadden ze hem tijdens zijn afwezigheid ontslagen en vervangen door een echte politieman? Was dit een van de drie beren? Was dit een dik uitgevallen kantoorblondje?

'Goedemorgen, sir,' zei het kleine gezette lichaam.

Clark. Het was Clark. Hij was Clark helemaal vergeten.

'U zult wel toe zijn aan een kop koffie, denk ik zo?'

Voor Troy kon zeggen dat hij net een kop had gehad en alleen koffie van Scotland Yard dronk als hij de opperste wanhoop nabij was, viel zijn blik op een apparaat op het kastje in de hoek, naast de gaskachel. Het bestond zo te zien uit een bunsenbrander, diverse glazen kolven, een meter of twee buisleiding van glas en rubber, en een groot, rond condensatieapparaat, van waaruit een donkerbruine vloeistof in een bekerglas drupte.

'Vindt u hem mooi, sir? Ik heb hem zelf ontworpen.'

'Of ik hem mooi vind? Ik weet niet eens wat het is.'

'Een koffiemachine, sir.'

Troy keek naar de borrelende glazen doolhof. Piranesi had het niet beter gekund. Hij snoof de lucht op. Die rook goed, en naar koffie. Betere koffie dan hij zelf maakte.

'Waar heb je al die spullen vandaan?' vroeg hij, toen Clark hem een kop inschonk.

'Uit het lab, sir.'

'Wou je zeggen dat Kolankiewicz afstand deed van een flink deel van zijn spullen om jou koffie te laten maken?'

'Nou, nee, sir. Ik heb ze opgevraagd met een bonnetje.'

'Een bonnetje?'

'Ja, sir. Ik heb ontdekt dat als je Mr. Wildeve bij het weggaan tegenhoudt, vooral als je al van tevoren in zijn agenda hebt gezien dat hij die avond een afspraakje heeft, hij bijna alles ongezien ondertekent.'

Dat was slecht nieuws. Dat was ongeveer de manier waarop Troy altijd zijn bonnetjes door Onions had laten ondertekenen. Je moest er alleen maar achter zien te komen wanneer Stan ging bowlen of in zijn tuintje ging werken. Dat voorspelde weinig goeds. Hoeveel schurken pasten er in één kantoor?

'Je zit nu toch niet weer in het scharrelcircuit, hè Eddie?'

'Nou, sir. Ik heb voor de koffie betaald. En als u in het Police House woonde, zou u ook alles doen om uw kantoor zo leefbaar mogelijk te maken. Een thuis buitenshuis, om het zo maar te noemen.'

'Hebben ze je daar ondergebracht?'

'Tot ik iets voor mezelf heb gevonden, sir. Zodra ik mijn eerste loonzakje als brigadier krijg, ben ik een paar pond per week beter af. En kan ik me misschien wel ergens een flatje veroorloven, je weet maar nooit.'

Troy wist niet of dit een bedankje was van Clark vanwege zijn promotie of ook weer een onderdeel van de grote Britse klaagzang. Promotie betekende voor Clark zo'n dertig shilling in de week, schatte Troy, waarmee hij nog altijd onder de vijfhonderd pond per jaar bleef. Dat was misschien voldoende voor een eigen plek. Misschien ook niet. Veel geld was het niet. Troy zelf verdiende het toegestane maximum voor een hoofdinspecteur van de Londense politie, minder dan een vertegenwoordiger, en beduidend minder dan de sociale maatstaf van duizend pond per jaar – de benijdenswaardige 'man van duizend pond' – alleen had hij nooit van zijn salaris geleefd of hoeven leven. Maar Clark had wel gelijk. Een man alleen maakte in het Londen van nu maar weinig kans als het ging om het vinden van onderdak in een van al die gehavende gebouwen die na de blitz nog overeind waren blijven staan.

'Is er iets wat ik moet weten?' zei hij, en wees op de stapels papieren.

'Vijf, zes dingen die u moet lezen. Niets wat niet kan wachten. Dacht dat u dit wel leuk zou vinden.'

Hij gaf Troy een exemplaar van de *Police Gazette*, opengevouwen bij de pagina met promoties en overplaatsingen.

Troy las het stukje over 'de benoeming van brigadier Patrick Milligan van de recherche, tot inspecteur van de recherche en hoofd van de J-afdeling, gevestigd te Leman Street, Londen E1, als opvolger van het overleden afdelingshoofd inspecteur Horace Jago.' Leman Street was twintig jaar geleden Troys eerste post geweest.

'Dat is een hele promotie,' zei hij. 'Wie had ooit gedacht dat hij dat in zich had.'

'Volgens mij had Mr. Cobb niet zo'n positieve invloed op Paddy, sir.'

'Ik herinner me alleen nog maar dat hij de helft van de tijd zat te slapen, en de andere helft bezig was zijn gram te halen bij Cobb.'

'Zoals wij allemaal, toch, sir? O, ja, uw broer probeert u al de hele morgen te bereiken.'

'Dringend?'

'Ik zou het niet weten, sir.'

Troy belde zijn broer. Naast de telefoon lag een exemplaar van

The Times, opengevouwen bij de dagelijks kruiswoordpuzzel. Het was half tien in de ochtend, en Clark had hem al af.

'Wat is er aan de hand?'

'Ik heb iets leuks voor je,' zei Rod. 'Kan ik je over veertig minuten zien?'

'Ik sta op het punt veertien dagen met verlof te gaan. Vanaf morgenochtend ben ik op Mimram. Kan het niet wachten tot dan?'

'Nee. Het is iets bijzonders.'

'Rod...'

'Kom nu maar. Het duurt niet lang.'

'Naar je kantoor?'

'Nee. Naar de *Post*. Lawrence heeft een mededeling te doen.' In 1945 had Rod de familie bij elkaar geroepen. Hij kon, zei hij, niet de verantwoordelijkheid voor het familiebedrijf op zich nemen en tegelijkertijd parlementslid zijn. Hoe de regels ook mochten luiden, hij kon het niet en hij wilde het niet. Wilden zij, stelde hij aan de orde, de krantenwereld eraan geven en het spul verkopen? Nee, antwoordde iedereen in koor. Daarmee zouden ze alles van de hand doen wat hun vader had opgebouwd. Tot Troys verbazing schoot zijn zwager Lawrence, zelf nog in uniform, te hulp en bood aan de *Sunday Post* te leiden. Hij had geen ervaring met dat werk. Hij was advocaat toen hij met Masja trouwde, en bracht een frustrerende oorlog door met de rode insignes van een stafofficier, zonder ooit daadwerkelijk gevochten te hebben of voet op vreemde bodem te hebben gezet. Hij was, vertrouwde hij Troy toe, naarstig op zoek naar een uitdaging. En bleek die alleszins aan te kunnen. De *Post* was nu de meest tegendraadse zondagskrant van het land, en Lawrence de meest bevochten, ruzieachtige, strijdlustige uitgever. Al met al eenzelfde soort man als hun vader. Rod had misschien wel gelijk, het kon wel interessant zijn.

Misschien was het weer zo'n gelegenheid als die waarbij Lawrence Attlee beschuldigde zijn principes opzij te zetten nadat die de National Health Service had gedwongen op te draaien voor het Britse aandeel in de Koreaanse oorlog. Of de keer dat hij persoonlijk een redactioneel commentaar ondertekende waarin hij aandrong op het ontslag van Churchill op grond van diens seniliteit. In het hele Verenigde Koninkrijk werden abonnementen opgezegd. Massa's ex-koloniale kolonels en razende majoors hadden ingezonden brieven gestuurd, en patriotten hadden keien door zijn ramen gesmeten. Lawrence had zijn goede momenten.

22

De hal van de *Sunday Post* stond vol mopperende broodschrijvers die zich weer eens beklaagden over de absurde verbeelding van Lawrence met zijn persconferenties. De andere kranten hadden anders wel hun stagiairs of afdankertjes gestuurd, maar konden zich nu niet permitteren Lawrence en de kans op een nieuwe rel te missen. Ze hadden minstens een centimeter of vijf ruimte in hun kolommen voor de capriolen van de concurrentie. Ze groepten bijeen en praatten over het vak, maar dat deed de andere aanwezige groep ook.

Londen was een stad van ballingen. Zoals de statistiek dat vereiste, trof men hier of daar nog weleens een refugié aan van na de val van het Tweede Keizerrijk van Napoleon III. Een negentigjarige, die als kind het Kanaal was overgestoken. Zo had keizerin Eugénie tot in de jaren twintig in Chislehurst aan de zuidkant van Londen gewoond. Maar aan Russen die hun revolutie waren ontvlucht, had Londen in die tijd geen gebrek, en alle Russische ballingen die Troy ooit in Londen had ontmoet, of in gesprekken had horen noemen, inclusief een aantal van wie hij dacht dat die al lang dood waren, stonden nu hier. Het was geen aardig volkje. De laatste telgen van ontheemde en uitstervende families, de laatste dragers van oude en soms valse titels, de laatste gelovers, die zich niet konden verenigen met de loop die de geschiedenis had genomen, niet-zo-oude mensen die nog altijd dachten dat de bestorming van het Winterpaleis kon worden teruggedraaid, dat Jekaterinaburg misschien wel nooit had plaatsgehad. Doorgaans vermeed hij ze.

De USSR was de gebeurtenis van de eeuw. Het meest verhitte onderwerp van gesprek, van de oude garde van onwankelbare monarchisten tot de *fellow-travellers* van de jaren dertig. Hoewel beide dezer dagen niet veel meer te betekenen hadden, was er nog altijd een speciaal slag intellectuelen bij de minste geringste aanleiding bereid voor Engeland zijn nek uit te steken over het onderwerp van de Sovjet-Unie. Het was het meest aangevallen, het meest verdedigde, en het meest mythische land op aarde, waarover we het minste wisten en het meeste praatten. De mensen liepen uit voor Rusland.

'Als deze club kenmerkend is voor de toon of de inhoud van deze poespas,' zei Troy, 'ben ik weg. Het begint zo langzamerhand iets van een rariteitenverzameling te krijgen. Ik neem aan dat Lawrence weer een nieuw schandaal heeft opgeduikeld over de USSR? En het bijeenroepen van de stamhoofden bedoeld is ter viering van het zoveelste vijfjarenplan of soortgelijke lariekoek?'

'Wacht nou even rustig af,' zei zijn broer. 'Het gaat om meer dan alleen een handvol ouwe gekken en uitgebluste pennenkluivers.'

Achter in de hal zag Troy een van de weinige mensen naar wie hij nog wel wilde luisteren als het over de Sovjet-Unie ging. Op een klapstoeltje, hoed ver naar achteren geschoven, ogen gesloten als bij een steels ochtenddutje, zat zijn oom Nikolaj, de jongste broer van Troys vader. De laatste van de gebroeders Troitsky en de enige die met Troys vader was meegekomen naar Engeland. Hij was oud geworden, vond Troy, hoewel hij geen idee had hoe oud hij was.

Vanwege zijn consequente verzet tegen alle Russische regimes, van Nicolaas II tot Lenin en Stalin, tot Chroesjtsjov en Boelganin, behield de oude heer tijdens de oorlog zijn rol als man van de Britse geheime dienst bij schepen en vliegtuigen en bommen en raketten, tot in de vredestijd, en tot na zijn pensionering, ondanks zijn onmiskenbaar anarchistische trekjes. Hij kreeg een 'betrouwbaarheidsverklaring' die naar alle waarschijnlijkheid zou worden geweigerd aan Troy, politieman in actieve dienst, en aan Rod, voormalig minister en, als de Conservatieven de verkiezingen van 1960 verloren, zeer zeker de volgende minister van Buitenlandse Zaken. Nikolaj had zijn leerstoel in toegepaste fysica aan het Imperial College opgegeven, maar hield daar nog wel kantoor, met een adviserende functie en een toelage. Niemand wist meer van schepen en vliegtuigen en bommen en raketten; zijn geest was een zolder, vol met het stof van deze gruwelen. Een geest die wat weg had van die van zijn vader – Troys grootvader – die vaak op onverwachte momenten het stof op zolder wegblies en iets geheimzinnigs te berde bracht, om de conversatie een andere koers te geven – het houten paard van de natuurwetenschappen, de te vondeling gelegde lappenpop van de tijd vóór de sovjet. Zijn grootvader barstte dan onverwacht uit in een stroom van herinneringen en anekdotes, die maaltijden en gesprekken met een schok tot stilstand bracht. Zelfs Troys vader, Alexej Rodyonovitsj, die babbelzieke praatjesmaker, werd het zwijgen opgelegd door de onweerlegbare tussenwerpsels van de oudere generatie, een slavisch rommelen diep vanuit de omhullende baard en tuniek. Nikolaj was meer gericht, esoterisch misschien, of vermakelijk, of belangrijk, of dodelijk precies. Hij had de meedogenloze hebbelijkheid om in een paar zinnen de dingen bij hun naam te noemen, zonder zijn toevlucht te nemen tot een 'weet je wat er met jou aan de hand is?' Troy accepteerde dat stilzwijgend als een van de vele dingen die de oude man voor hen betekende, en wist vrijwel zeker dat Rod dat ook deed.

Troy voelde hoe Rod hem aanstootte. Lawrence was bij de lessenaar gaan staan en maande met een papier in zijn hand tot stilte, op dezelfde manier als Chamberlain dat zou doen.

'We hebben de laatste weken allemaal geruchten uit de Sovjet-Unie gehoord over een geheime toespraak die door Chroesjtsjov werd gehouden tijdens het Twintigste Partijcongres. Sinds februari wordt gespeculeerd over de inhoud van die toespraak, en ik denk dat ik namens de Londense krantenwereld spreek als ik zeg dat algemeen wordt aangenomen dat Chroesjtsjov deze geheime zitting heeft aangewend om Stalin te wraken. Ik kan u nu zeggen dat dat klopt.'

Ergens in de kringen van de kenners werd misprijzend gefloten en een tweede stem zei alleen: 'Reusachtig!' Dit was nauwelijks nieuws te noemen.

'Dat kan ik u zeggen,' vervolgde Lawrence, 'omdat ik de hand heb weten te leggen op een exemplaar van de toespraak.'

Geen minachtende geluiden meer. In de kringen van de pers klonken kreten als: 'Hoe dan?' en: 'Waarvandaan?'

Lawrence ging onverstoorbaar door. Iedereen luisterde nu. Het gras was ze voor de voeten weggemaaid, en dat wisten ze.

'Van, laten we zeggen, bronnen overzee.'

Lawrence had een simpele code. Rusland zelf zou 'naamloze bronnen' zijn, een omstreden Brits lek 'bevriende bronnen' en de Verenigde Staten waren altijd 'bronnen overzee'. Had Lawrence dan een tipgever op het Amerikaanse Ministerie van Buitenlandse Zaken? Dat zou de letterknechten niet moeten verbazen. Verbazend was wel dat Chroesjtsjovs geheim langs die weg naar buiten kwam. Wie had hij dan bij het Amerikaanse ministerie? Het was slim bedacht – de ontkenning zat al ingebouwd. Chroesjtsjov kon het tegelijkertijd laten doorlekken en ontkennen. Lawrence, met zijn dramatische gevoel voor timing, liet de pennenlikkers een paar minuten rumoeren, voor hij de genadeslag toebracht.

'De complete tekst wordt in de *Post* van deze zondag afgedrukt. Alle 26.000 woorden. Intussen kan ik u het een en ander vertellen over de gruweldaden die door Chroesjtsjov worden gewraakt. Er zijn een paar echt schokkende onthullingen. Ik denk dat we allemaal al heel lang weten hoe onwaarschijnlijk het is dat de geschiedenis al zijn doden prijsgeeft. Chroesjtsjov noemt geen getallen. Ik betwijfel inderdaad of hij of wij ooit zullen weten welke slachtingen tijdens de Jezhovshchina zijn aangericht, maar hij spreekt over werkwijzen en uitgangspunten – de werkwijzen van Stalins waanzin en de uitgangspunten van diens paranoia.'

Lawrence ratelde verder. Troy keek naar Rod. Diens gezicht zei: 'ik zei het wel,' en zijn lippen vormden de woorden kort nadat Troy ze in zijn ogen had gelezen.

'Zei wat wel?'

'Het is een giller. Een meesterzet.'

'Nee, hoor.'

'Hoezo? Het betekent dat Chroesjtsjov het meende met zijn vreedzame co-existentie. Of ga je me gewoontegetrouw weer beledigen en zeggen dat hij weer de typische politicus uithangt?'

'Erger nog, Rod. Hij is een acteur.'

'Wat?'

'Ik heb de man van wat meer nabij meegemaakt dan jij, en je kunt rustig van me aannemen dat hij een samensmelting is van Grimaldi en Alec Guinness.'

Lawrence was bijna klaar met zijn perskwelling, waarin hij veel zei zonder veel te zeggen, en die hij afsloot met een citaat van Chroesjtsjov zelf.

'"Kameraden, we moeten eens en voor altijd een definitief einde maken aan de verering van het individu." En als u meer wilt weten, dan moet u een exemplaar van de *Post* kopen. Dank u, heren.'

Na een weifelend applausje kwam Lawrence stralend van voldoening achter de lessenaar vandaan. Hij had op een slimme manier zijn doel bereikt, en was zich er volledig van bewust dat hij de rest van de Londense krantenwereld *en masse* de loef had afgestoken. Iedere krantenuitgever zou een moord doen voor die toespraak. De meesten van hen, zwelgend in hun propagandistische talent, zouden die, evenals Lawrence, volledig afdrukken, terwijl ze heel goed wisten dat er nog geen twee op de honderd lezers doorheen konden komen. Troy besloot de *News of the World* te kopen. Kameraad C. maakte geen kans tegenover de tieten en konten en eigenzinnige predikanten, de rechtmatige, de traditionele onderwerpen van de Engelse zondagskranten, en even Brits als de *fish and chips* die er tegen de volgende dinsdag in werden verpakt.

Achter zich hoorde Troy een zucht die ongeveer de hele loop van de geschiedenis leek te omvatten. Een oneindige moeheid, van het soort dat Troy sinds de dagen van zijn grootvader niet meer had gehoord. Dat kon alleen Nikolaj zijn. Ze draaiden zich tegelijkertijd om. Rod en Troy keken naar hun oom, die met zijn hoofd tegen de muur geleund stond, de rand van zijn hoed in de lucht, en zijn ogen gericht naar de hemel, waarin hij zeker niet geloofde.

'Nikolaj,' zei Rod zacht en voorzichtig. 'Voel je je wel goed?'

'Prima, beste jongen,' zei die, zonder naar hen te kijken. 'Ik ben banger voor jou en de jouwen, niet voor mezelf. Stalin is dood – lang leve Stalin.'

'Wat?' zei Rod voor hen beiden. Troy vond dit het meest voor de hand liggende antwoord dat hij kon geven.

'Weten jullie waarom Chroesjtsjov niet nader ingaat op het Sovjetboek van de Doden? Weten jullie waarom hij de miljoenen en de miljoenen niet optelt? Weten jullie wat deze man deed, in de eerste jaren na de oorlog?'

Beiden hadden het gevoel dat deze vraag geen antwoord behoefde.

'Stalin beschouwde iedereen die zich gevangen had laten nemen door de Duitsers als een verrader. Iedere krijgsgevangene moest na terugkeer ondervraagd worden en een willekeurig aantal van hen werd opgehangen. Schuldig of onschuldig, dat kon hem niet schelen; er moesten er genoeg worden opgehangen om de mensen van de macht van hun leider te doordringen. Deze man, Nikita Chroesjtsjov, hing zijn landgenoten in ontelbare aantallen op. Zijn wraking van Stalin komt tien jaar te laat om nog geloofwaardig te zijn.'

Te midden van het geroezemoes, het ruimtevullende gonzen van ijverige journalisten wier handen algauw moe waren van het klappen, ontstond een stilte die hun drieën leek op te slokken.

'Dat is niet zo,' zei Rod kalm. 'Het kan nooit te laat zijn. Chroesjtsjov heeft nu gedaan wat goed was. Ongeacht wat hij in het verleden mag hebben gedaan.'

Weer die ten hemel gerichte, wereldmoede, ter aarde gezonden zucht.

'Ongeacht?' vroeg hij. 'Ik kan zulke dingen niet negeren. Wat hij deed is toch kenschetsend voor wat hij gaat doen. Mijn land – ons land, en ik weet dat jullie het nooit hebben gezien – is een land geworden van geprogrammeerde verandering. Iedere verandering is een herschrijven van de geschiedenis van wat al eerder verdween. Iedere verandering betekende een nieuwe groep slachtoffers, een nieuwe kudde zondebokken aan een paaltje onder de zon. Denken jullie nou echt dat dit anders gaat? Denken jullie nou echt dat dit iets is wat we niet al eerder hebben gezien? Misschien komen er geen schijnprocessen – dat zou in tegenspraak zijn met wat de man zegt – maar dacht je dat er dan verder geen koppen zouden rollen? En geen zuiveringen zouden volgen, en weer mensen worden weggewerkt, en de kleine man daar niet onder zal lijden? Door de schuld van een generatie af te schuiven op één man, accepteert Chroesjtsjov de verering van het individu blijkbaar evenzeer als hij die lijkt te willen verwerpen. Maar die ene man is dood, dus komt de verantwoordelijkheid terecht bij hen die hem dienden. De kleine man.'

'Apparatsjiks,' zei Troy.

'Mensen,' zei Nikolaj.

'Apparatsjiks,' zei Troy.

'Mensen als jij en ik. De gewone mensen, gevangen in de loop van een geschiedenis die zij niet konden bepalen of tegenhouden.'

'Vraag me niet om begrip voor apparatsjiks,' zei Troy, die de toenemende druk van Rods voet op de zijne negeerde. 'Niets ter wereld kan me daartoe brengen.'

Troy trok nu in ieder geval de aandacht van de oude man. Die had zijn blik van de hemel neergeslagen en keek naar Troy met een grote droefheid in zijn ogen.

'Misschien,' zei Nikolaj langzaam, 'misschien zijn het geen mensen als jij en ik. Misschien heb ik ongelijk. Wat onderscheidt hen van ons, behalve de mogelijkheid van een keuze? Als er één kenmerkend ding is dat jullie vader voor ons allemaal heeft gedaan, zijn geld even buiten beschouwing gelaten, is dat hij ons de keuze heeft gelaten. Mij evenzeer als jullie twee. Deze mensen hebben geen keuze. Als ik Chroesjtsjovs hoofd van de KGB was, ging ik er niet van uit dat ik mijn pensioen zou halen, maar als ik een van zijn apparatsjiks was geweest, onder Jozef Stalin, zou ik nu voor mijn leven vrezen. Geloof me maar, er gaan koppen rollen. Deze wraking is slechts een voorbode van weer een zuivering. De doden zullen zich opnieuw in ontelbare hopen opstapelen. Dit is geen vrijheid. Jouw man heeft het bij het verkeerde eind. Dit is het valse ochtendgloren voor een nieuwe nachtmerrie. De vrijheid is nog ver te zoeken.'

Rod stond met zijn mond vol tanden, kon geen woord uitbrengen, maar trapte niet meer op Troys voet in de hoop hem de mond te snoeren.

'Weet je,' zei Troy, en nam verder geen blad voor de mond, 'waarom vraag je me ook niet begaan te zijn met het lot van de bewakers van Auschwitz?'

Nikolaj ging rechtop staan en liet Troys niet te beantwoorden vraag voor wat die was. Hij liep langzaam en met moeite naar de deur. Hij bleef staan. Aan zijn hele houding, de stand van zijn hoofd en lichaam, was te zien dat zijn geheugen aan het werk was. Toen draaide hij zich om en sprak, met een verdrietige, treurige blik, en een stem die nauwelijks hoorbaar was.

'Wederom aanschouwde ik alle onderdrukkingen die onder de zon geschieden en zie: tranen der onderdrukten, en zij hadden geen trooster; maar aan de zijde hunner onderdrukkers was macht – en zij hadden geen trooster.'

De stem van de oude man werd krachtiger, de zachte toon maakte plaats voor een plotselinge woede, die de tekst met grote nadruk naar buiten bracht.

'Daarom prees ik de *doden* die reeds lang gestorven zijn; gelukkig boven de levenden die nog in leven zijn, en gelukkiger dan die allen (prees ik) degene, die er nog niet geweest is, die nog niet heeft aanschouwd het boze werk dat onder de zon geschiedt.'

Nikolaj liep langzaam naar buiten, zwaar leunend op zijn wandelstok, en keek niet om.

'Goeie god,' zei Rod. 'Wat was dat? Shakespeare bij volle maan?'

'Dat was het Oude Testament,' antwoordde Troy. 'Vraag me niet welk boek. Zelfs oude atheïsten kunnen hun opvoeding niet verloochenen.'

'Hebben we hem erg van streek gemaakt, denk je?'

'Ja – maar dit keer kan me dat niet schelen. Hij kan niet van ons verlangen dat we gevoelens hebben voor die dienstkloppers in Rusland; die apparatsjiks kunnen van mij barsten, niet minder dan alle geheim agenten van Torquay tot Timboektoe en terug. En ik zou niet weten wie me daartoe zou kunnen dwingen. Hij heeft ongelijk, klaar.'

23

Hij lunchte met inspecteur Wildeve, die gapend zijn kantinevlees met twee groentes verorberde en nauwelijks leek te horen wat Troy tegen hem zei. Troy probeerde een onderscheid te maken tussen wat wel en wat niet van belang was. Jack kon nou wel blijven klagen tot hij een ons woog over de hoeveelheid werk die hem tot vier uur 's morgens uit zijn bed hield, maar Troy kon daar niet veel aan doen. Hij nam zo de veertien dagen vakantie op die hij nog tegoed had – de eerste sinds kerst – en was niet van plan zich daarvan te laten afbrengen door Jacks geklaag. Belangrijk was dat het klikte met Clark, dat Clark de werklast waarover hij zo zat te jammeren aanzienlijk had verlicht. En tegen het einde van een schaaltje kantinerijstpudding was Jack inderdaad bereid toe te geven dat zijn plichten op de Yard hem niet langer hadden vastgehouden dan tot middernacht, waarna hij er nog even uit wilde en slaap en salaris had verkwist in een nachtclub in de West End. Jack had niet veel haast met volwassen worden. Hij was zesendertig, vrijgezel, en gunde zichzelf weinig rust, bijna net zoals toen Troy en hij elkaar leerden kennen, bijna vijftien jaar terug. Troy deed niet mee. Hij kwam niet in de clubs van Soho, en bezocht daar slechts sporadisch een pub.

Die avond, op weg naar huis, na het opruimen van zijn bureau, met als doel dat hij de komende veertien dagen ongemoeid zou worden gelaten door alles wat meer was dan een varken of een pastinaak, had hij wel even zin in een pub en een drankje, maar van allebei maar eentje. Waar hij geen zin in had, was om meer dan twintig meter om te moeten lopen om er een te vinden. Dus duwde hij om half negen de zijdeur van de Salisbury open.

De vaste klantenkring van de Salisbury bestond uit acteurs zonder werk. Luide stemmen en zwiepende gebaren waren de huisstijl. Op een slechte avond moest je je naar binnen worstelen via enkele tientallen almaar doorpratende snoeverige dilettanten en wat rondhangers, die een paar uur moesten wachten tot de artiesteningang openging. De man aan de bar in het gekreukte witte overhemd viel op door zijn onbeweeglijkheid en stilzwijgen. Hij was de nestor van de rondhangers – Johnny Fermanagh. Troy maakte bijna rechtsomkeert om weer naar buiten te lopen, maar het voorkomen van de man, en diens verbeten stilzwijgen wekten zijn nieuwsgierigheid. Hij liep naar de bar. Johnny had zijn handpalmen op de toog, zijn armen recht, hoofd gebogen, en staarde gespannen naar een leeg bierglas en een vol whiskyglaasje. Hij dronk dus een kopstoot. De basismethode om stomdronken te worden in een zo kort mogelijke tijd.

Johnny bewoog zich niet. Leek Troy niet eens te hebben opgemerkt.

'Wat is er aan de hand?' vroeg Troy aan de barman.

'Moet u mij niet vragen. Het is nu al meer dan een uur aan de gang.'

'Wat?'

Voordat de barman kon antwoorden slaakte Johnny een verstikte kreet, schudde zijn hoofd en schoof zijn rechterhand langzaam naar het glas whisky. Vervolgens goot hij met de snelheid van een slang de inhoud ervan in één keer naar binnen, zette het glas met een klap terug op de toog, en kreunde als een gekweld dier.

'Aaaaaghhhhhhh! Nja, nja, nja. Yeworrayewarroyeworra. Nog een keer hetzelfde, Spike.'

De barman vulde beide glazen. Nu zag Johnny Troy eindelijk.

'Freddie, ouwe rakker. Wacht even, ik kom zo bij je.'

Hij haalde zijn hemdsmouwen omhoog met zijn zilveren mouwbanden, rukte zijn das nog een paar centimeter lager, tot op de derde knoop, en nam zijn vorige houding weer aan. Zijn gezicht trok even bij het herstellen van zijn kalmte, toen ging zijn rechterhand naar het bierglas, dat hij in één, tien seconden durende teug leegdronk, en begon hij weer te staren naar het whiskyglaasje.

Spike sprak in vertrouwen tegen Troy. 'Het punt is, Mr. Troy, hij gaat er een tijdje naar zitten kijken, dan slaakt hij een kreet, dan giet hij het naar binnen, vervolgens trekt hij een gezicht of hij er bijna in stikt, en dan bestelt hij nieuw. Dit is ronde vier.'

'Denk je dat het een bedoeling heeft?'

'Geen idee.'

Minuten verstreken. Troy hoorde iemand achterin een slechte imitatie doen van Robert Newton, doorspekt met een constant geklingel van glazen en een voortdurend herhaald 'Schat'. Johnny rechtte zijn rug, zijn blik nog altijd gericht op de whisky. Langzaam nam hij de waardige houding aan van een dronkenlap en wuifde de whisky van zich weg.

'Klaar, afgelopen. Verdwijn uit mijn ogen, gij single malt! Haal maar weg! Haal weg!'

'Versta ik dat goed?' vroeg de barman.

Johnny reikte naar de kapstok en trok zijn jasje aan.

'Ja, ja. Ik heb gedaan met het duivelse bocht. Geef het maar aan een van die zielige treurspelacteurs. Of drink het zelf op. Het kan me niet schelen.'

Hij vestigde opnieuw zijn blik op Troy.

'Thee, thee,' zei hij. 'We gaan bij jou thuis theedrinken.'

'Op de lat, Johnny?' vroeg de barman.

'Nee', zei Johnny. 'Geen lat meer. Geen pof meer. Geen mañana meer. Zeg maar hoeveel je nog van me krijgt, en ik geef je meteen een cheque.'

Hij reikte in zijn binnenzak en haalde een chequeboekje tevoorschijn, met cheques van het formaat van een klein zakdoekje, en de tekst in een sierlijke vooroorlogse koperdruk.

'Twaalf pond, drie shilling en ninepence, Johnny.'

Troy verschoot. Wie speelde het in godsnaam klaar zo'n bedrag uit te geven aan alleen drank? Maar Johnny schreef de cheque uit, scheurde die uit het boekje met een gezicht alsof hij genoot van de klank, en gaf hem met een omstandige zwaai aan Spike.

'Vrij,' zei hij. 'Vrij, vrij, vrij.'

Hij draaide zich om, mikte op de deur en wandelde zijn wankele dronkenmansgang naar de straat. Troy volgde, benieuwd wat hier allemaal de bedoeling van was. Johnny gaf nooit drank weg, maar was juist altijd te vinden in de buurt van iemand die net een rondje gaf. Troy had hem nog nooit zien weglopen bij een vol glas.

'Dat is het hem juist,' zei Johnny. 'Daar gaat het om. Het glas was vol. Ik niet.'

Ze staken St Martin's Lane over, Goodwin's Court in, en liepen naar Troys voordeur.

'Niet vol, misschien, maar wel zat,' zei Troy, met zijn hand op de sleutel.

'Zat, zat – maar dat is toch heel wat anders.'

'Krijg ik een prijs als ik het verschil aantoon?'

Hij duwde Johnny in een stoel en zette de ketel op het vuur. Hij kon zijn bakkie troost krijgen, daarna moest hij opkrassen.

'Wat ben je nou aan het doen?' vroeg hij, bij het inschenken van de thee.

Johnny schrok op uit zijn mijmeringen, glimlachte, staarde in zijn kopje en keek op naar Troy, zijn donkere ogen verscholen achter een slordige lok zwart haar. Hij veegde het haar uit zijn ogen, een gebaar dat Troy zijn zuster zo vaak had zien doen.

'Iedere gek kan stoppen met drinken als hij nuchter is.'

Daar zat wat in, dacht Troy.

'De kunst is om het op te geven met het glas voor je neus. Als ik wegloop met een vol glas op de bar, weet ik dat ik de zaak onder controle heb. Begrijp je wel?'

'Het enige wat ik zie, is dat je op vrijdagavond weer bent volgelopen, zoals op iedere andere vrijdagavond.'

'Het is de enige manier, de enige manier. Je bestelt een bier en een borrel. Je drinkt het bier. Alleen als je het borrelglaasje vol kunt laten en wegloopt met het bier in je lijf, weet je dat je over wilskracht beschikt, en zonder wilskracht kun je het verder wel schudden.'

'Maar je moest vier keer een grote pils drinken om zover te komen.'

'Vier grote pils en drie borrelglazen malt!'

'Waardoor je nu zat bent.'

'Reken maar van yes. Zat? Natuurlijk ben ik zat. Maar dat nooit meer. Klaar. *Finito!*'

'Drink je thee nou maar, zei Troy.

Johnny nam een slokje van zijn Best Orange Pekoe en trok een gezicht.

'Hieraan zal ik dus moeten wennen, niet?'

'Dat heb je zelf bedacht,' zei Troy. 'Ik vraag me alleen af waarom.'

'Hmm,' zei Johnny.

'Wist je dat ik een tijdje terug bij CRO je dossier heb opgevraagd? Alleen om eens te zien hoe vaak je bent opgepakt wegens dronkenschap en verstoring van de openbare orde.'

'Toe maar. Laat me maar schrikken.'

'Zevenenvijftig keer.'

'Zou ik copyright op moeten nemen. En die lui die me opsluiten voor de rechter slepen.'

Johnny vond deze grap zo ontzettend leuk, dat hij in een dronken kakellach uitbarstte.

'Weet je de eerste keer nog?' vroeg Troy.

'Hoe zou ik die kunnen vergeten. November 1934. Mijn eerste semester in Oxford. Binnenhof van Wadham. Klom laat naar binnen. Vechtpartijtje met een portier. Politierechter geeft een boete van vijf shilling voor dronkenschap en verstoring, de universiteit maakt me een pond lichter met de vermaning dat ik met dat gezuip alle tradities geweld aandoe die teruggaan tot in de tijd van mijn over-over-overgrootvader en al dat soort gelul.'

'Waarna je,' zei Troy, 'een tweeëntwintig jaar durende traditie van mateloos gezuip opbouwde.'

'Die nu voorbij is.'

Johnny duwde zichzelf omhoog uit zijn stoel. Hij ging tegen de schoorsteenmantel staan, haalde diep adem en probeerde een nuchtere indruk te maken. Hij keek naar de muur, die maar een paar centimeter van zijn gezicht vandaan was.

'Met een vader als de mijne, Freddie, was jij ook een zuipschuit geweest.'

'En waarom wil je die ouwe slampamper dan nu opeens begraven? Hij is al elf jaar dood.'

Johnny ademde diep in. Draaide zich om en keek naar Troy.

'De liefde van een bijzondere vrouw,' zei hij.

Het probleem met clichés is dat ze aanvankelijk allemaal waar zijn. Alleen leidt overmatig gebruik altijd tot de gedachte dat ze misschien weleens niet waar kunnen zijn. Af en toe gebruikt iemand er geheel onverwacht eentje, met een stalen gezicht of een stalen pen, die dan met een beetje geluk en de wind mee de oorspronkelijke waarheid onthult die al lang verborgen lag. Troy wist dat hij niet mocht lachen – zelfs niet in zijn vuistje. Johnny, in zijn argeloosheid, geloofde ieder woord van zijn cliché. Maar welke vrouw die bij haar zinnen was, goed- of kwaadwillend, wilde nou iets met Johnny? De een of andere titel najagende, geldbeluste helleveeg die haar malende echtgenoot aan de kant had gezet om te kunnen worden aangesproken als markiezin? Het een of andere drankzuchtige, zelfkastijdende, stomme wijf?

'Mag ik vragen wie?'

'Kan ik je niet zeggen, beste jongen. Zou wel willen, maar kan niet.'

'Ik begrijp het.'

'O ja, Freddie? Echt?'

'Een getrouwde vrouw, neem ik aan?'

'O. Je begrijpt het echt. Hoe wist je dat?'

'Gokje.'

'Geef me even de tijd om een en ander te regelen. Even maar. Of eigenlijk moet zij even de tijd hebben. Om een en ander te regelen. Dan breng ik je op de hoogte. Ik zou het je dolgraag nu vertellen. Maar dat gaat niet. Het is helemaal uit tussen haar en haar man. Ze geven al jaren niets meer om elkaar. Maar ze moet het hem eerst vertellen. Tot die tijd kan ik niets zeggen.'

Een vriend kon maar één ding zeggen. En Troy was een vriend, toch? Zo was hij Johnny op den duur gaan beschouwen. Nadat hun geregelde contacten en gemeenzaamheid de vijandige gevoelens hadden verdreven. De vriend als meubelstuk? Een tiental mogelijkheden, maar een vriend kon slechts één essentieel ding zeggen. Er kwamen er twee spontaan in hem op.

'Heel goed, Johnny. Gefeliciteerd.'

Johnny glimlachte en bloosde. Hij leek inderdaad gelukkig, wat niets voor hem was.

'Ik ben erg gelukkig, Freddie. Ze maakt me gelukkig. De laatste keer dat ik me zo voelde, was ik nog jong.'

Troy benijdde hem. Hij wist nooit zo goed of hij wel gelukkig was. En er was zeker niet iemand anders die hem gelukkig maakte.

'En ik wou je vragen...' Johnny liet de zin wegebben. 'Ik wou je vragen over... Diana.'

In zijn gedachten begon Troy hem naar buiten te werken. Zodra hij kon zou hij hem lijfelijk naar de deur werken, de binnenplaats op, de straat op. Weg.

'Over jou... en Diana.'

'Johnny. We kennen elkaar nu al tien jaar.'

'O, ja?'

'Jij kwam in de herfst van 1946 in de Muleskinners' Arms op me af. "Jou ken ik," zei je. "Jij bent die vent die mijn zuster heeft vermoord."'

'Echt? Dan was ik zeker niet goed bij mijn verstand. Het spijt me verschrikkelijk.'

'Laat maar. Het is nog waar ook, uiteindelijk. Ik heb je zuster gedood. Daar kan ik niets aan veranderen. Maar uit al je gesprekken met mij bleek dat je ervan uitging dat Diana en ik een verhouding hadden. Ik heb dat nooit gezegd. Maar je ging er toch van uit. Dat was niet uit je gedachten te branden, zoals jij tot vanavond niet uit de meeste kroegen van Soho was te branden. Waarom nu, Johnny? Waarom vraag je me dat nu?'

'Ik moet het weten. Echt, ik moet het weten.'

Troy zei niets.

'Ik moet weten of... iemand zich net zo kan voelen als ik. Ik moet weten of ik niet als enige aan een soort waanidee lijd. Ik heb in een andere wereld gezeten. Nooit met het gewone leven meegedraaid. Een dronken lord, een operettefiguur. Er valt vrijwel niets normaals aan me te ontdekken. Ik weet niet wat echt is. Ik weet niet wat ik moet voelen. Maar wel wat ik doe. Na jaren van een excentriek bestaan, snak ik naar het normaal-zijn, waar ik geen barst van afweet, en wil ik niets liever dan volwassen worden, mijn rug rechten en de juiste koers inslaan. En ik weet niet of ik de enige ben die ooit zoiets heeft gevoeld.'

Dit, dacht Troy, is waarom we romans en poëzie lezen. Om te weten dat wat we dachten en voelden niet alleen het solipsisme van de geest en het hart was.

'Vraag dat aan iemand die getrouwd is, Johnny. We hebben zat vrienden die getrouwd zijn.'

'Wie dan wel?'

Troy wist het niet.

'Je weet het niet, omdat we zulke vrienden niet hebben. De meeste mensen die we kennen zijn zoals jij en ik. De getrouwden zijn al eeuwen geleden met elkaar in het bootje gestapt. Wie ziet die ooit nog? Wie van ons gaat met getrouwde mannen om? Ik moet het weten. Ik moet weten of het normaal is zoals ik me nu voel. Anders blijf ik erin steken als een zeester in een glazen bol. Een eigen wereldje. Dat is het resultaat van tweeëntwintig jaar ongebreideld gezuip. Help me, Freddie.'

Troy zei niets.

24

Diana Brack tuimelde door zijn dromen, voor de zoveelste keer door haar broer uit de een of andere kast in Troys geheugen gesleurd. Toen hij wakker werd, met de eerste voortekenen van een pesthumeur, lagen de zondagskranten al op de mat.

Het was een overhaaste belofte geweest. Alleen aan zichzelf, maar een die hij niet kon houden. Nog voor het einde van de ochtend betreurde Troy het al dat hij de krantenjongen had laten schieten voordat hij een *News of the World* van hem kon kopen. De *Sunday Post* lag op het rieten tafeltje op de veranda, een dik onleesbaar pak papier. Hij las de eerste alinea van Kameraad C's boodschap aan de mensheid en geeuwde boven zijn ochtendkoffie. Schuld en verlossing, terwijl hij behoefte had aan zondigheid en zinnenprikkeling. Misschien moest hij maar even op zijn fiets naar het dorp om een exemplaar van het *News* te halen. Maar hij kon ook gewoon blijven zitten en geeuwen.

Hij geeuwde nog bij zijn tweede ochtendkoffie, toen zijn zuster Masja uit het niets opdook. Hij had geen auto op de oprijlaan gehoord. Rod had zijn weekend eraan gegeven, was zaterdag hiernaartoe gekomen voor het ochtendspreekuur en meteen weer teruggegaan voor een vergadering in Londen. Troy had uitgezien naar een weekend alleen, met uitzondering van de Dikzak. Het was het geluid van diens motorfiets waarop hij zat te wachten. Hoe had hij dan die auto kunnen missen, en wat moest dat verdraaide mens hier vandaag?

'Rotvent!'

Troy keek haar met half toegeknepen ogen aan, niet bijster geïnteresseerd in wat hij nu weer zou hebben gedaan. Ze gooide haar hoed naar hem.

'Wat heb je tegen Nikolaj gezegd?'

'Ik?'

'Jullie! Gewetenloze rotzakken! Ik had hem vrijdag en gisteren volledig over zijn toeren aan de telefoon. Wat hebben Rod en jij tegen hem gezegd?'

Troy trok zijn kamerjas dicht. Zo had hij zich zijn eerste vrije zondagmorgen na zes weken niet voorgesteld. Hij pakte de *Sunday Post* en gooide die naar haar toe. Ze ving hem op, snoof even, maar keek er niet naar.

'Hier,' zei hij. 'Lees het zelf maar. Ik heb er geen zin in. En ga dan, als je klaar bent, maar met hem praten over het lot van de kleine man. Over noodzaak en keuze, over schoenen en schepen en zegelwas, over apparatsjiks en koningen, en waarom de zee kokendheet is, en of de varkens vleugels hebben. En probeer hem dan nog maar veel meer op stang te jagen dan ik.'

Hij liet haar achter met de krant en liep naar de keuken om meer koffie te maken. Op de keukentafel lag een briefje van de Dikzak. Dikke potloodletters op gelinieerd papier.

'Varken zit met jong. Je oude makker...' Dan een lange haal, die Troy voor zijn handtekening hield. Het enige wat hij ervan kon maken, was dat die inderdaad erg lang was.

Verdomme, hij had hem gemist. Hij moest hier zijn geweest voordat Troy op was. 'Varken zit met jong.' Troy probeerde de datum uit te werken. De drachttijd van een varken was 117 dagen. Dat maakte het... september, de... nou ja, tegen het einde van september. Dat moest hij onthouden. Het zou jammer zijn als hij dan in Aberdeen of Aberwaardanook zat.

Op weg naar buiten hoorde hij de telefoon in zijn vaders werkkamer overgaan. Toen hoorde hij Masja's stem antwoorden. Ze sprak met een vleiende lispeltoon. Dat kon alleen haar echtgenoot zijn. Toen viel het kwartje. Een echtgenoot. Niet de hare.

'Natuurlijk, schat. Natuurlijk. Nou, ik geloof dat Masja vanmiddag een boswandeling wilde maken, dus misschien kunnen we wat broodjes maken, en... wat? Nee, die komt niet. Die blijft thuis bij dat stomme varken. Ik bel je rond vijven, goed? Dahag, lieve Hughdey.'

Troy wachtte tot ze klaar was, en liep toen het vertrek door naar de veranda. Het kon hem niet schelen dat ze wist dat hij haar had gehoord; het kon hem niet schelen wat ze allemaal had staan liegen.

Toen hij eenmaal zat, kwam Masja naast hem staan en ze pakte haar hoed.

'Vraag maar niks,' zei ze.

'Dat was ik ook niet van plan.'

'En oordeel niet.'

Wat hij zeker niet van plan was.

Hij hoorde Masja nog een minuut of tien door het huis heen scharrelen, daarna hoorde hij het knarsen van het grind toen haar auto de oprijlaan afreed. Hij begon zich net af te vragen wat hij moest met het probleem als Hugh terugbelde om naar Sasja te vragen, toen de telefoon ging. Als dit Hugh was, had hij geen idee wat hij de arme bedrogen echtgenoot moest zeggen.

Het was Rod.

'En, heb je het gezien?'

'Ja, dat was moeilijk over het hoofd te zien. Het weegt ongeveer net zo veel als een zij spek. Wanneer werd de papierrantsoenering eigenlijk opgeheven?'

'Nee, niet Chroesjtsjov. Chroesjtsjov kan barsten. Pagina zeven, onderaan links. Ik heb ze te grazen! Nu alleen nog de naam!'

Troy hing op en sloeg pagina zeven op. Hij vond alles best, zolang het maar geen Chroesjtsjov was, maar hij had intussen geen idee waar Rod het over had. Toen zag hij het. Een klein stukje, verborgen tussen een stuk Chroesjtsjov en een advertentie voor Horlicks.

'Bronnen uit de kringen rond Downing Street melden dat de regering begin volgende week via het Lagerhuis een verklaring aflegt over de kwestie van de kikvorsspion, in antwoord op de vragen van de afgelopen weken van Sir Rod Troy (Lab. – Herts. Zuid), de schaduwminister van Buitenlandse Zaken. De premier zal dan, naar zich laat aanzien, de fout toegeven en de sovjetleider en de kapitein van de Ordzhonikidze zijn onvoorwaardelijke en volledige excuses aanbieden. Naar verluidt had de marine de kikvorsman uitgestuurd voor het testen van een nieuwe experimentele onderwateruitrusting, maar kon deze oefening gemakkelijk verkeerd worden geïnterpreteerd en deze wordt dientengevolge betreurd.'

Mooi, dacht Troy, en bladerde door naar Uncle Todgers Tuinstrip op de achterpagina van de krant.

'Hallo,' zei een ballon die kwam van de lippen van een karikatuur van een noorderling, op zijn grondje achter de molen, vest, sjaal, werkmanspet op zijn hoofd, touw om de knieën van zijn slonzige broek. 'Wist u dat het nu de goeie tijd is om voor de tweede keer snijsla te zaaien, zodat u de hele herfst niet zonder sla zit? Vast niet.'

Nu begon het erop te lijken. Bij ontstentenis van zondigheid en prikkeling was Uncle Todger oneindig veel interessanter dan Chroesjtsjov of de kikvorsspion. Rod mocht zijn geheime dienst en zijn spionnen houden. Dit was de echte wereld van wortelstokken en knollen, van schurftziekten en plantrot, van uitpoten en aanaarden, en paardenmest op rozenstruiken leggen. Niet dat Troy precies wist wat een wortelstok was. Maar hij geloofde Uncle Todger niettemin op zijn woord. Na zich te hebben gedoucht en aangekleed, pakte hij een hark en een schoffel en zaaide hij een tweede ronde sla.

Aan het eind van de middag ging de telefoon opnieuw. Hij streefde in gedachten naar het laatste plaatje van Uncle Todger's strip – van iedere strip, op iedere zondag – de scène van pastorale verzoening waarin die op een vat zat en tevreden aan zijn pijpje lurkte, terwijl de Natuur aan alle kanten om hem heen uitbundig opbloeide, gevoed en bewaterd door diens eigen hand... alles wat nodig was voor een groene gedachte in de groene schaduw. Het was bijna vijf uur, op een zonnige, redelijk warme middag in juni, het hoogtepunt van de Engelse zomer, op een vredige zondag, gezegende zondag... vervloekte zondag. Het wilde allemaal niet lukken, en hij kreeg het gevoel dat Uncle Todger en hij misschien wel niet uit hetzelfde hout waren gesneden. En – hij verwachtte eigenlijk dat Masja ieder moment kon opduiken om haar zusters alibi te bekrachtigen. Hij nam de telefoon aan, in de hoop dat het niet Hugh was, de bedrogen echtgenoot, en hoorde de stem van Jack.

'Ik ben op kantoor.'

'Op zondag?'

'Beetje aan het opruimen. Moet je horen, er ligt hier een luchtpostbrief voor jou. Die al een tijdje onderweg is. Hij is gedateerd op afgelopen dinsdag. En was geadresseerd aan "brigadier Troy", behalve dat de "y" gevlekt is. Hij is in jouw bakje beland. Waarschijnlijk gistermiddag laat. Zal ik hem openmaken?'

'Ja.'

Er staat: "Hotel de L'Europe in Amsterdam. Tot donderdag over een week. Lois Teale." Je kent toch geen Lois Teale, hè?'

'Nee,' loog Troy. 'Die ken ik niet.'

25

Amsterdam is een stad van concentrische cirkels, van concentrische grachten. Prinsengracht, Keizersgracht, Herengracht, en zo goed als in het midden, de Singel.

De laatste keer dat Troy in Amsterdam was, was als kind, eind jaren twintig. Een van zijn moeders muzikale grand tours. *Eine kleine Nachtmusik* in Wenen, dan naar Hannover om Walter Gieseking – in de dagen voor zijn dubieuze, schandelijke samenwerking met de nazi's – alle *Préludes* van Debussy te horen spelen, met *Estampes* als toegift, en ten slotte naar het Concertgebouw in Amsterdam, voor de volle lading van Mahlers Tweede. Van de Mahler herinnerde hij zich niets, die was in de loop van de jaren versmolten met tientallen andere uitvoeringen, maar hij hoefde tot op de dag van vandaag alleen maar zijn ogen te sluiten en zich de klanken van de derde *Estampe* voor de geest te halen, 'Jardins sous la pluie', om de grote gestalte en het kale hoofd van Gieseking over de piano gebogen te zien, terwijl hij met zijn reusachtige handen op de een of andere manier de meest delicate muziek vertolkte die hij in zijn jonge leven had gehoord. En als hij Gieseking zag, zag hij niet Hannover, maar Amsterdam.

De oorlog en de bezetting hadden Amsterdam zo op het oog weinig schade toegebracht. Een zeventiende-eeuwse handelsstad, intact gelaten door de blitzkrieg die Antwerpen en Rotterdam, Coventry en Plymouth had verwoest. Het had niets van de ambitieuze vormgeving van Hausmanns Parijs, een stad herschapen als een militaire colonne – hij zag de Nederlanders niet zo gauw in een militaire colonne. Evenmin was het de warboel met incidentele concessies aan een plan, zoals Londen – een stad waar een groots opgezette planning nooit verder kwam dan een paar straten, waarna alles weer verzandde in de chaos die er nu eenmaal bijhoorde.

Hoge smalle huizen, waarvan er zo te zien geen twee hetzelfde waren, verdrongen elkaar langs de kanten van de grachten – verschillende vormen, ongelijke hoogtes, trapgevels die soms vervaarlijk naar voren hingen – het kwam Troy voor dat de stad zich over hem heen boog, zich om hem heen wikkelde, hem inpakte en tegen het hart drukte. Bijgevolg bevond hij zich de dag die volgde op de raadselachtige luchtpostbrief, om ongeveer vijf uur in de middag in de binnenste cirkel, de roos als het ware, bij een scherpe bocht in de Singel. Hij veronderstelde een zekere mate van geheimhouding en had dus niet vooraf gebeld. Hij veronderstelde ook dat Lois Teale hem verwachtte. Hij keek langs de buitenkant van Hotel de L'Europe omhoog, zeven verdiepingen van rode baksteen, omzoomd door wit, en bekroond met een reusachtig gevelbord, dat zich verhief boven een hele massa koekoeksvensters, St Pancras in miniatuur, en aarzelde, onzeker over wat hij daar zou aantreffen. Junilicht danste over het water van de Singel. Het was een stralende, hete zomerdag geweest, zo'n dag waarbij de grachten van glas werden en de stad van onderuit belichtten, met een mengsel van bundellicht en schaduw, een gespikkelde stad, die evenveel onthulde als hij achterhield.

Hij kon nu weggaan. Hij kon rechtsomkeert maken, een van die knarsende oude trams nemen en teruggaan naar het Centraal Station, zoals hij was gekomen. Hij kon doen alsof hij de luchtpostbrief nooit had ontvangen. Hij kon lering trekken uit zijn jeugd, toegeven dat hij wat volwassener was geworden, en zich hier buiten houden.

Op nog geen meter bij hem vandaan prees een bloemenverkoper vanaf een houten kar zijn waren aan. Een in het oog lopende mengeling van rode, gele en blauwe zomerbloemen tegen het bladderende Balmoral-groen van de oude wagen. Op iedere straathoek stond wel een soortgelijke uitstalling. De bloemenman keek hoopvol naar Troy.

'Waarom koopt u geen bloemen voor haar?' vroeg hij in het Engels. Twee veronderstellingen in één enkele uitdrukking, zodat Troy zich meteen niet meer op zijn gemak voelde. Was hij echt zo doorzichtig? Zei de uitdrukking op zijn gezicht 'vrouw'? Erger nog, zei die dat in het Engels? Hij wist niet wat hij moest kopen. Tulpen leken hem zo banaal.

'Ja,' zei hij. 'Rozen. Een dozijn witte rozen.'

Engelser kon zijn keuze niet, twaalf rozen uit York. Als hij dan toch zo herkenbaar Engels was...

Hij stak de ijzeren brug over naar de andere kant van de gracht, een meter of wat dichter bij het hart, liep de hal van het hotel binnen en vroeg naar Miss Teale. Bedoelde hij misschien Mrs. Teale? Er zat een Mrs. Teale in kamer 601. Ja, die bedoelde hij. Een Amerikaanse dame? Dan zouden ze even bellen. Alle bezoekers moesten worden aangekondigd. Mrs. Teale had daarover geen misverstand laten bestaan.

Hij klopte zachtjes op de deur van 601. Die ging meteen open en gaf een centimeter of vijf licht vrij. In de schaduw verscheen een gezicht voor de kier en een bruin oog nam hem op.

'Ben jij dat, schat?'

'Ja.'

'Ik – eh – heb nog even nodig. En het sterke spul is op. Kun jij om de hoek in een drankwinkel een fles Jack Daniels halen?'

Voor hij ook maar een woord kon uitbrengen, ging de deur weer dicht.

Terug over de ijzeren brug vroeg hij de bloemenman de weg, en twee zijstraten verder vond hij een drankwinkel die peperdure, geïmporteerde Wild Turkey had. Daar moesten ze het maar mee doen.

Hij gaf haar een vol kwartier en klopte toen weer op haar deur. Haar stem klonk van ver weg.

'Hij is niet op slot. Kom maar binnen.'

Ze stond opgesteld tussen twee dubbele bedden, met haar gezicht naar hem toe, haar rug naar het raam, de gordijnen halfdicht, zodat het daglicht werd gereduceerd tot een enkele bundel, gericht op hem, omlijnd door de deurpost, verlicht als door een natuurlijk spotlight. De kamer nam langzaam aan vorm voor hem aan en hij zag dat het daglicht niet het enige was dat op hem werd gericht. Het ding in haar hand was een kleine automaat, een .25 Beretta of zoiets, het klassieke vrouwenwapen, op maat gemaakt voor in de handtas.

Ze droeg een keurig diepblauw mantelpakje van Chanel, o-zo-hoge hakken, en er speelde een nerveus fladderende grijns over haar gezicht, die er maar niet in slaagde een glimlach te worden. Haar blonde haar was kort geknipt, haar onpeilbare bruine ogen staarden naar hem.

'Lang niet gezien,' zei ze, en liet haar wapen zakken.

'Ja. Dat is al weer een tijdje geleden.'

'De deur mag nu wel dicht.'

Hij gaf die een duw met zijn voet. Ze vergrendelde het pistool en gooide het op het bed achter zich.

'Kon het risico niet nemen. Dat begrijp je toch wel, hè?'

Troy was er nog niet zo zeker van of hij het wel begreep. Hij voelde zich opgelaten, met de bourbon in de ene hand, de bloemen in de andere, terwijl die beide niet zo veel meer te betekenen hadden. Hij legde ze voorzichtig op een stoel en liep langzaam met een boog om haar heen naar het zware brokaatgordijn. Zij draaide met hem mee. Hij pakte het gordijn met zijn ene hand, haar arm met de andere en trok. De lichtbundel spreidde zich en hij trok haar naar zich toe, hield een hand tegen haar gezicht en wreef met zijn duim langs haar wang. Nu wist hij waarom hij had moeten wachten, waarom de gordijnen dichtzaten. Op haar wang zat een dikke laag make-up. Ze kronkelde en tierde, maar voordat ze zich losrukte zag hij haar blauwe plekken, in paars omringd door geel. Hij ving de hand op die naar hem toe kwam om hem te slaan. Twee vingernagels waren deels weggescheurd, het weke vlees eronder was felroze en opgezwollen.

'Wat is er in godsnaam aan de hand?'

Ze strompelde de kamer door en pakte het eerste dat binnen haar bereik kwam. Een dozijn witte rozen suisde zijn kant op, gevolgd door de bourbon. Hij ving de bloemen met zijn rechterhand en de bourbon handig met de linker.

Ze stortte zich met maaiende armen op hem. Ze gaf hem een paar meppen tegen zijn kop. Een gebalde vuist in zijn middenrif benam hem bijna zijn adem. Hij voelde zich opnieuw opgelaten, de bloemen en de bourbon waren gewoon in andere handen overgegaan. Hij trok haar naar zich toe, smoorde haar woede in een onhandige halve omhelzing, alsof je iemand tegen je aandrukt met te veel jassen en wanten aan.

Ze schopte tegen zijn schenen, maar hij verstevigde gewoon zijn greep tot ze zich niet meer bewoog. Het duurde voor zijn gevoel een hele tijd voor ze zich weer verroerde. Maar hoe lang wist hij niet. Hij hoorde het verkeer op straat, zo nu en dan het toeterende geluid van een boot op de gracht, en als die stilvielen hoorde hij alleen het bonken van haar hart.

'Troy, Troy, Troy, Troy, Troy,' zei ze tegen zijn borst.

'Tosca,' zei hij, en keek neer op haar hoofd. 'Of is het Mrs. Teale?'

Ze kronkelde en keek schuin naar hem op. Er vertoonde zich één helder bruin oog, met een traan in de hoek. Haar stem was schor en hees, zo New Yorks als bagels en gepofte kastanjes.

'Tosca, tralala. Wat maakt het uit?'

26

Het was op een regenachtige avond in de winter van 1944. De laatste bommen van de 'kleine blitz'. Zijn tweede treffen met sergeant Larissa Tosca van het Women's Army Corps, het WAC. Het eerste stelde niet veel voor. Hij was doorweekt en voelde zich ellendig, wist hij nog, en stond op het punt het op te geven, toen hij haar in het vizier kreeg, op weg van Eisenhowers hoofdkwartier op St James's Square naar haar onderkomen in Orange Street. Niet dat hij wist dat het in Orange Street was, anders had hij haar niet proberen te volgen, geen tijd verspild, en haar de kans gegeven hem eerst te beschuldigen en vervolgens uit te lokken.

Ze lokte hem met seks – ze dacht, vertelde ze hem later, dat hij haar volgde omdat hij haar wilde versieren. Hij wist absoluut niet of dat waar was of niet, en dat was misschien ook niet van belang. Hij viel een halfuur daarna onhandig, maar zonder al te veel tegenstribbelen in haar bed, en kwam zo in een gevaarlijk circuit terecht dat hem bijna het leven had gekost, en zijn baan, als de Yard ooit achter deze liaison met een getuige was gekomen.

Hij was verleid, volgens elke denkbare betekenis van het woord, door deze mini-Venus, deze pizza-verslindende, bourbon-zwelgende, import Italiaans-Amerikaanse straatmeid uit Manhattan, geboren en getogen in Spring Street, moppentappend, grofgebekt, door de wol geverfd, gewiekst en brutaal – en helemaal en totaal en volkomen onbetrouwbaar.

Ze verdween hartje zomer, twaalf jaar geleden, omstreeks deze tijd – de achtste of negende juni, dacht hij. Haar onderkomen in Orange Street dreef van haar eigen bloed en hij meldde haar dood. Jack was toen bij hem, maar als puntje bij paaltje kwam, was Jack de betrouwbaarste persoon die hij kende, zijn grootste vertrouweling, die wist wanneer hij geen vragen moest stellen.

Toen, in de winter van 1948, dook sergeant Larissa Tosca van het Women's Army Corps, Italiaans-Amerikaanse – net toen hij een beschermengel nodig had – op in Berlijn, dat lag opgesloten in Stalins ijzeren vuist, en bleek op mysterieuze wijze getransformeerd tot de Russisch-Amerikaanse majoor Larissa Dimitrovna Toskevitsj van de

KGB, NKVD?, P&O?... of welke afkorting er dan ook in die tijd werd gebruikt door de Tsjeka. Hij hield het allemaal niet zo bij, want als er één ding was wat de geheime politie op de hele wereld karakteriseerde, was het wel hun alfabetische mobiliteit en de willekeur waarmee ze hun initialen wijzigden.

Tosca had hem geholpen Jimmy Wayne in de val te lokken, alias John Baumgarner, de meest ongrijpbare crimineel waarop Troy ooit zijn zinnen had gezet. Vanaf de eerste kerstdag van 1948 tot gisteren, de zondag waarop Jack de luchtpostbrief van Lois Teale aan hem voorlas, had hij geen geluid meer van haar gehoord, van Tosca, Toskevich, Teale, of – wat maakte het inderdaad ook uit?

27

Troy werd laat in de ochtend wakker; het was eerder elf uur dan tien. De vormeloze massa in het bed naast hem bewoog niet. Larissa/Lois Tosca-Toskevitsj-Teale sliep als een blok. Laat in de nacht had ze hem naar zijn eigen bed gestuurd en gezegd dat ze helemaal op was.

'Dat vind je toch niet erg, hè?'

'Erg?' had hij gezegd. 'Hoezo erg?'

'Aparte bedden. Aparte bedden zijn erg. Maar...'

'Geeft niks. Ik begrijp het best.'

'Ja Troy? Is dat zo?'

Hij had geprobeerd haar die avond mee uit te nemen, maar dat was mislukt. Ze wilde niet van haar kamer af, al een week lang niet.

'Hoe speel je dat klaar?' vroeg hij.

'Roomservice. Ik leef van bezorgeten. Ik heb dat hele verdomde menu al een keer gehad. Ik ben weer terug bij de kouwe braadkip. Ik heb meer zoute haring gegeten dan Moby Dick. Ik doe een moord voor een pizza met pepperoni en mozzarella, of spaghetti vongole, of zelfs een warme bagel.'

Dus gingen ze op de grond zitten, met hun rug tegen de aansluitende bedden, en trokken een hele braadkip uit elkaar, die hij wegspoelde met Perrier en zij met glazen bourbon. Hij wilde haar wel duizend vragen stellen, maar betwijfelde of ze er ook maar één zou beantwoorden, dus liet hij haar haar duizend vragen stellen, en probeerde die allemaal te beantwoorden. Tot ze, via een andere route, weer terugkwamen bij het begin.

'Je bent een tijdje beroemd geweest, wist je dat?'

'Zelfs in de Sovjet-Unie?'

'*The Man Who Shot Jimmy Wayne*. Een hele vermaardheid.'

'Klinkt als een goeie titel voor een cowboyfilm. Maar het klopt niet.'

'Heb je hem niet neergeschoten?'

'Nee. Waarom zou ik?'

'Ik had gehoord dat je hem met een pistool opwachtte op Heathrow. En dat hij een wapen op jou richtte, waarna jij hem onschadelijk hebt gemaakt.'

'Zo is het niet gegaan. *High Noon At Heathrow* is nogal on-Engels.'

'Dat doet me genoegen. En dat is een afschuwelijke titel voor een film.'

'Een pistool had ik wel. Voor het geval dat. Maar er stonden ook zes gewapende agenten rond het vliegtuig waarin hij zat. En ik hoefde hem niet neer te schieten, om de eenvoudige reden dat hij niet gewapend was.'

'Hoe is hij dan aan zijn eind gekomen? Ik weet dat zijn straf nooit is uitgevoerd.'

'Zelfmoord.'

'Nou, die KGB-roddel klopte dan tenminste. Heeft hij zich opgehangen aan zijn bretels?'

'Een capsule met cyaankali in een van zijn tanden. Een overblijfsel van zijn tijd in Berlijn, denk ik. Hij werd direct na de uitspraak van de Old Bailey in een boevenwagen gezet voor het transport terug naar de gevangenis in Brixton. Hij was geboeid, maar moest toch begeleid worden. Maar de luie sodemieters kropen bij elkaar voorin, zodat ze konden roken en lullen. Bij aankomst in Brixton was hij dood. Als de rechtszaak niet achter gesloten deuren had plaatsgevonden, was er een geweldige toestand geweest, maar – wacht eens even, het was achter gesloten deuren, hoe wist je dan dat hij dood was?'

'Dat hebben we laten uitlekken. Dacht je dat ik je hem hielp pakken omdat we vroeger zulke goeie vriendjes waren? De Britten berechtten hem achter gesloten deuren, wat natuurlijk wel was te voorzien. Een openbare rechtszaak tegen een CIA-moordenaar zou de laatste nagel aan de doodskist van de 'speciale betrekkingen' zijn geweest. Maar wij hadden onze bronnen en speelden het door. Iedere krant in het Westen wist dat Wayne terechtstond en waarvoor. Sommige Franse kranten schreven er een paar dagen over, tot er paal en perk aan werd gesteld. Toen was het al te laat. We hadden het zaad van de twijfel gezaaid. Dat vermoedelijk meer effect had als gerucht dan dat de kranten het hadden afgedrukt. Je mag blij zijn dat je de Orde van Lenin niet kreeg.'

Hij stapte uit bed en trok de gordijnen open. Weer een wolkeloze junidag. De bourbonfles was omgevallen, en nog maar halfvol. De rozen lagen op de kaptafel, bedroefd verwelkend op de plek waar ze die had achtergelaten, de bloemblaadjes als reuzensneeuwvlokken op de lavendelkleurige vloerbedekking. Hij was niet van plan om nog eens bloemen voor haar te kopen. En als ze zo kon drinken, was hij ook niet van plan om nog eens bourbon voor haar te kopen. Hij trok voorzichtig het laken van haar af. Ze werd nog altijd niet wakker. Hij bekeek haar. Ze was mager, bijna weggekwijnd voor haar normale doen. Een kilo of zes onder haar gewicht. Ze had zo te zien slecht gegeten, en te weinig, en al geruime tijd de zon niet gezien. Hij had levendige, tastbare herinneringen aan de welving van haar achterste – het was een van de topachterstes – maar dat leek nu plat, en de spieren van haar kuiten leken slap, en haar rug zat onder de blauwe plekken, van het soort dat ze had verstopt onder de pancake op haar gezicht. Hij had dit in de loop van zijn carrière al veel vaker gezien – het betere trapwerk tegen de nieren.

Hij waste en schoor zich, trok zijn kleren aan, en zag bij zijn terugkeer dat ze zich nog niet had bewogen. Alleen waren haar ogen nu open.

'Opstaan.'

'Waaah?'

'Opstaan. We gaan naar buiten.'

'Naar buiten?'

'Je kunt niet voor de rest van je leven in deze kamer blijven.'

'Wedden van wel?'

Tosca slofte naakt naar de badkamer, en kwam geheel gekleed terug, met een verse laag make-up op haar gezicht, en een handschoen over de beschadigde vingers van haar rechterhand. De linkerhand liet ze voor wat die was.

'En wat wilde je dan gaan doen?'

'Lunchen. We gaan lunchen. En we gaan praten.'

Het enige wat Troy wilde, was een frisse, goed verlichte gelegenheid. Met uitzicht op de gracht. Welke gracht dan ook. Maar Tosca keek de hele weg bij iedere hoek achterom, en speurde in de weerspiegeling van de etalageramen als in een slechte parodie van een spionagefilm.

'Hou daarmee op,' zei Troy.

'Waarmee?'

'Met al die melodramatische geheimzinnigheid. Als de persoon die ons volgens jou volgt goed is, zie je hem toch niet, en als hij niet goed is, zie ik hem binnen de kortst mogelijke tijd.'

Als door een gelukkig toeval stonden ze voor een klein café aan de Prinsengracht. Troy besloot niet verder te zoeken en sleurde haar praktisch naar binnen. Om haar tegemoet te komen, namen ze een tafeltje aan het raam. Troy kon tot de volgende bocht in de gracht zien, de ene kant op, en Tosca de andere. Ze wuifde het menu weg en bestelde: 'Koffie, zwart, een heleboel.'

'Door wie word je gevolgd, denk je?' vroeg hij.

Tosca zei niets, beantwoordde zijn blik niet, en trok met haar vork tramrails in het tafellaken.

Troy vroeg zich af hoe hij de stilte kon doorbreken. Haar rechterhand liet de vork los en verdween onder de tafel. Hij veronderstelde dat ze die, handschoen of geen handschoen, instinctief verstopte, maar de hand kwam terug met daarin haar handtas.

'Ik heb een brief voor je.'

'Een brief? Voor mij?'

'Nou, meer een berichtje, eigenlijk.'

'Van wie?'

Even had hij een denkbeeldig visioen van verloren gewaande familieleden van wie hij nooit had gehoord en die hij nooit had gekend en die op de een of andere manier met Tosca in contact waren gekomen in dat verloren domein van de familiegeschiedenis dat de Unie van Socialistische Sovjet Republieken heet. Ze viste in haar handtas en haalde een klein stukje papier tevoorschijn dat vele keren was opgevouwen.

'Burgess.'

'Gúy Burgess?'

'Ja. Die heb ik behoorlijk goed leren kennen. Hij verveelt zich nogal, heeft nooit behoorlijk Russisch geleerd. Hij nam me vaak mee uit drinken, al was het maar om dan Engels te kunnen spreken.'

'En jij en Guy Burgess hadden het dan over mij?'

'Nou, nee, niet precies. Je naam kwam op een gegeven moment ter sprake, neem ik aan. Meestal wilde hij alleen maar over Engeland praten, hij vond het fantastisch dat ik daar had gewoond. Dat ik daar al vijf jaar weg was voordat hij de benen nam, maakte niet zo veel uit. Maar het kennen van dezelfde bars en restaurants was al voldoende. We namen alle namen van onze kennissen door, om te zien of er iemand bij zat die we allebei kenden. Ik had nooit gedacht dat jij dat zou zijn. Hij vroeg of ik je dit wilde geven als ik ooit nog in Engeland kwam.'

'Wanneer vroeg hij je dat?'

'De eervorige kerst.'

Troy hield zijn hand op voor het briefje, maar ze vouwde het open en begon te lezen.

'Wacht even. Ik kan het niet... er staat iets van stuur alsjeblieft tien potten... tjeezus, het lijkt wel... pappum papperum. Mens, ik weet het ook niet. Goed, dat is het spul dat je hem moet sturen. Het zal het Engelse equivalent wel zijn van de Hershey-reep. Je mist ze als de pest, en als je er dan eindelijk een eet moet je bijna kotsen en vraag je je af hoe je ze ooit lekker hebt kunnen vinden.'

Troy griste het papiertje uit haar hand. Er stond 'Patum Pepperium' in Burgess' rechte handschrift zonder lussen, zijn letters stijf en strak, als tinnen soldaatjes in hun doos – geheel tegengesteld aan de man zelf. Patum Pepperium, een ansjovispasta die zichzelf 'het Genot der Heren' noemde, beroemde zich evenals Heinz op zijn zevenenvijftig variëteiten. Burgess gaf het adres van het Moskva Hotel en deed de beste groeten. Troy verfrommelde het briefje en gooide het in de asbak.

'Nee,' zei hij, 'Guy kan mijn rug op met zijn Patum Pepperium.'

'Burgess zou dolblij zijn als hij je rug op kon. Hij is nu doodongelukkig.'

'Gaat het zo slecht?'

'Als je ooit overloopt, doe dat dan naar Parijs of Monte Carlo – niet naar Moskou. Nooit naar Moskou.'

'Ik was het niet van plan. Doet me denken aan een krabbel die ik eens op Liverpool Street Station zag. Een bord, dat zei: "Harwich: voor het vasteland." Iemand had daaronder geschreven: "En Parijs: voor de rest van ons."'

Ze glimlachte. Zonder zenuwen, ongedwongen. Een natuurlijke reflex. De eerste in al die uren dat ze samen waren.

'Hij heeft gelijk. Die anonieme krabbelaar. Burgess zit opgesloten in zijn hotel, voor de helft van de tijd zat, en de hele tijd in de gaten gehouden. Dat is geen leven.'

Ze zweeg even, en maakte van de tramrails die ze op het witte tafelkleed had getekend een dambord.

'Zeg eens,' zei ze, en keek op. 'Weet je nog hoe je Diana Brack verhoorde?'

Hij vond het ongelooflijk dat ze die naam opbracht, maar de blik in haar ogen vertoonde geen woede, geen geraaktheid die hem tot boosheid dwong, of spijt, of verdriet. Hij knikte.

'Ze zei toen dat het praten met de oude Britse socialisten iets had van een avondje met de jongens die de busroutes in de stad of het rioleringssysteem hadden uitgedacht. Nou, ik heb sindsdien de Sovjet-Unie van binnenuit mee gemaakt, en geloof me, het mens had gelijk. Dump een willekeurig stel gemeenteambtenaren en stadsplanners in Moskou, Omsk, of Tomsk – ze voelen zich er binnen tien minuten thuis, en de Russen vinden het allemaal best. Het is het burgermansland bij uitstek, Troy. Ze bedienen zich van dezelfde praktijken als het gemiddelde Engeland, ook al doen ze alsof ze daartegen zijn. Er zijn formulieren voor dit, en formulieren voor dat, een ministerie voor Omslachtigheid, een departement voor Papierzooi. Allemachtig, het is een godswonder dat er überhaupt nog wat gebeurt. Rusland is het thuisland geworden van de kleine man met de rubberstempel. Voor iedere heldhaftige stachanovist waarover je hoort, zijn er wel tien Mr. Efficiency's die een wereld beheren waarin de wijkinspecteur van Oogklepstad en Geraniumtuin zich thuis zal voelen. Prijs de Heer en geef mij de appelmoes eens aan.'

'Hoe heb je je daar gered?'

'Lach je me nou uit? Troy, je zit me toch niet uit te lachen, hè?'

'Nee, ik wil het gewoon weten. Ik ben er nooit geweest – maar er is, na Lilliput, nog nooit een land geweest dat zo tot de verbeelding sprak en waarover zo veel werd gefantaseerd.'

Ze haalde haar schouders op, roerde met de vork het dambord op het tafelkleed om tot rommelige, concentrische cirkels. En opeens realiseerde hij zich dat hij de sluizen had opengetrokken. Hij wist absoluut niet wat hij had gezegd om dit te bereiken, misschien kwam het wel helemaal niet door hem, misschien moest hij Burgess wel dankbaar zijn voor het doorbreken van haar zwijgen. Maar ze praatte nu.

'Ik was er natuurlijk niet zo vaak. Het is niet handig om iemand die voor een Amerikaanse kan doorgaan thuis te houden. Mijn werkterrein lag voornamelijk in West-Europa. Ik zat een hele tijd in Berlijn, maar moest daar kort nadat jij Wayne had opgepakt weg. Alles lag daar zo langzamerhand open en bloot op straat. Ongeveer iedereen was een spion. Ik liep het risico te bekend te worden. En eenmaal thuis, werd ik in de watten gelegd. Tot 1953, welteverstaan.'

'1953? Wat gebeurde er in 1953?'

'Toen stierf Stalin. Ik dacht dat dat nieuws je misschien wel had bereikt.'

'Ik begrijp het niet helemaal.'

'Als de topman gaat, vindt er meestal een schoonmaakactie plaats onder kleinere jongens uit zijn omgeving. Het lijkt wel iets op een kaartenhuis of een rij dominostenen. Als er één valt, vallen ze allemaal. Hoewel de dood van Beria belangrijker was. Uit zijn omgeving bleef vrijwel niemand over.'

'Was jij dan een van Beria's mensen?'

'Niet direct. Niet aantoonbaar. Ik heb de man zelfs nooit ontmoet. Maar zo concreet werken die dingen niet. Ergens hogerop werd de man voor wie ik werkte erop aangezien dat hij te veel een Beria-man was, dus lag hij eruit. Daarna bleek dat ik voor hem was, wat hij voor Beria was geweest. Ik hoefde niet weg, maar werd gedegradeerd, kreeg minder riskant werk en mijn promotiemogelijkheden werden bevroren. Ik ben nog altijd majoor. Ik ben al zeven jaar majoor. Sedert 1953 was ik een onbetekenende koerier in plaatsen die als relatief veilig worden beschouwd, zoals Parijs, Brussel, of Zürich. Plaatsen die nooit werden verdeeld in zones, plaatsen waar de conciërge uit het raam hangt en goedkope sigaretten rookt alsof het niks is, in plaats van voor de een of andere stompzinnige geheime dienst bij te houden wie er langs loopt. Ik heb dat drie jaar lang gedaan, pakjes heen en weer schuiven, afleveren en *duboks*. Maart van dit jaar werd ik teruggeroepen. Ik vroeg me af of de een of andere op non-actief gestelde apparatsjik ergens in een gevangenis me had verlinkt om er zelf beter van te worden. Of dat de wraking door Chroesjtsjov nu ook mij had getroffen. De ouwe Jozef is van zijn voetstuk gestoten en de dominostenen zijn nu bij mij aangekomen, de laatste apparatsjik van het rijtje. Joost mag het weten, ik weet het niet. Ik was niet alleen mijn baan kwijt, maar werd ook nog gearresteerd.'

'In de Lubljanka gegooid?'

'God, nee, daar was ik geloof ik niet belangrijk genoeg voor. Zelfs niet voor het Dzerzjinskiplein. Ik zat in een van die goedkope KGB-hotels. Van dertien in een dozijn. Ze sluiten je op in een kamer, slaan je verrot, en niemand hoort iets, want de tent is leeg, of alle andere mensen in alle andere kamers worden tegelijkertijd verrot geslagen. Weet je, ze stelden niet eens vragen. Zo onbelangrijk was ik. Ze wilden helemaal niets van me weten. Ze deden het gewoon om wat te doen te hebben. Ze deden het, omdat het hun werk was, en er voor hen maar één manier was om dat te doen.'

Ze stak de gehandschoende hand omhoog en draaide die langzaam rond. Maakte een vuist en legde hem toen weer op tafel.

'Ze waren niet erg inventief in hun martelpraktijken. Eind april moest ik verhuizen. God weet waarom. Van het ene hotel naar het andere. Maar dat betekende wel dat we dwars door Moskou moesten, twee dagen voor de 1ste Mei. Normaal gesproken kan je honkbal spelen in de straten van Moskou; verkeer of opstoppingen zijn er eigenlijk niet. Maar Misja en Kleine Yoeri hadden al een maand lang op me gepast. Yoeri was oké, maar Misja een smeerlap. Sloeg me omdat hij dat leuk vond. De enige reden waarom hij me niet ook nog naaide, was omdat ik hem had gezegd dat hij me daarna maar meteen moest doodmaken, omdat ik anders niet zou rusten voordat ik hem te grazen kon nemen. Dus ging hij door met slaan, greep me waar hij me grijpen kon, maar probeerde me niet te naaien. Je wist maar nooit, misschien ging ik wel vrijuit en na een week of wat weer aan het werk. Het zou niet voor het eerst zijn... ik bedoel, sommige koeien vangen hazen. Hij nam het risico maar niet. Tijdens onze tocht door Moskou stuitten we op een militair konvooi dat zich aan het opstellen was voor de 1ste Mei, en het verkeer kwam tot stilstand. Yoeri reed. Ik zat achterin met Misja. Verwaande klootzak had me niet eens geboeid – ik kon immers toch nergens heen? En hij bedacht dat een goeie manier om de wachttijd in de file te veraangenamen, was dat ik hem zou afzuigen. Haalde zijn fluit tevoorschijn en zei: "Zullen we maar?" De stommeling. Ik knakte zijn stijve pik om met mijn rechterhand, griste zijn wapen weg met mijn linker, en sloeg hem toen zo hard als ik kon op zijn keel. Yoeri stak zijn hand in zijn jack en probeerde zich om te draaien. Ik duwde het wapen in zijn rug en zei: "Yoeri, wil je echt dood omdat deze zak wilde dat ik aan zijn pik zoog?" Hij gooide zijn wapen op de achterbank en zei, "Wegwezen" Misja was bewusteloos of flauwgevallen, dat weet ik niet, dus Yoeri zei nog "Succes". Ik stapte uit de auto en liep weg. Het heeft me zes weken gekost om hier te komen. Ik durfde Rusland pas uit na een maand. Ik ging ervan uit dat ze gedurende een week of twee bij alle grensposten naar me zouden uitkijken en dan veronderstelden dat ik was ontsnapt, en dan andere kanalen zouden inschakelen. Zo belangrijk was ik al niet meer. Ik verliet het land via Finland en reisde verder via Noorwegen en Denemarken. Kalmpjes aan. Maar toen kwam het probleem. Ik vroeg me af wat ik zou doen als ik mezelf moest opsporen. Ik zou geen geld en mankracht spenderen aan alle grensposten op het vasteland; daar zijn er veel te veel van. Ik zou de plek in de gaten houden waar ik uiteindelijk terecht zou komen. Engeland. De havens. Als ik Larissa Tosca wilde terughalen, zou ik kerels hebben staan bij elke veerboot die aanlegde in Dover of Folkestone of waar dan ook. En zo ben ik vast komen te zitten. Ik weet niet hoe ik de oversteek moet maken. Normaal gesproken improviseer ik wel wat, mijn leven bestond toch al uit plannen en misleiden, maar nu zit ik voor het blok. Die klootzakken grijpen me zodra ik in Engeland voet aan wal zet. En als ik op het vasteland blijf, loop ik uiteindelijk ook tegen de lamp. De dekmantel die ik gebruikte voor de KGB maakt me hier zo herkenbaar als Paul Robeson tijdens een bijeenkomst van de Klan. Ze krijgen me te pakken. Daar ben ik zeker van.'

'Geen zorgen,' zei Troy. 'Ik bedenk wel iets.'

Ze trok een onnozel gezicht, glimlachte, begon bijna te blozen, boog haar hoofd een beetje en keek naar hem op met knipperende oogleden.

'Jemig, grote man – ik hoopte al dat je dat zou zeggen.'

Hij moest, besefte hij, er weer even aan wennen dat iemand de draak met hem stak.

28

Terug in het hotel schopte Tosca haar schoenen uit, pakte haar make-upkoffertje, trok de valse bodem los en gooide een tiental verschillende paspoorten op een hoopje op het tapijt. Ze zaten, evenals de vorige avond, dicht bij elkaar op de grond, als kinderen die aan het spelen waren.

'Nou. Wie ben ik? Kies maar. Lois Teale heeft het wel weer gehad. Tijd om iemand anders te worden.'

Troy pakte een paspoort van het stapeltje.

'Greta Olaffssonn. Geboren op 3 augustus 1912, in Duluth, Minnesota.'

'Neuh. Greta ben ik al te vaak geweest.'

'Zijn ze allemaal vals? Hoe kom je aan die dingen?'

'Vals? Natuurlijk zijn ze niet vals. De meeste zijn gemaakt via de bekende truc. Je duikt ergens een naam op van een zielig kind dat jong is gestorven en geen paspoort had, en je vraagt er een aan in haar naam met jouw foto erop. Werkt altijd prima. Greta heeft haar tweede verjaardag nooit meegemaakt.'

Tosca pakte een ander paspoort en keek naar de naam.

'Clarissa Calhoun Breckenridge. Tja, haar ben ik nooit geweest, maar met zo'n naam kan ze alleen maar uit The Deep South komen. Dat accent kan ik niet nadoen. En mint juleps vind ik smerig.'

Ze gooide het terug op het stapeltje. Troy pakte het weer op.

'Geboren in Hoboken, New Jersey, op 22 augustus 1913,' zei hij.

'O. Nou ja, zeg. Hoboken lukt me wel. Geboortestad van Sinatra. Op steenworpafstand van Manhattan, klein stukje met de veerboot. Die moet ik onthouden. Die Clarissa kan nog weleens van pas komen.'

Troy pakte een andere pas.

'Nora Schwartz. Geboren in Chicago, op 10 juni 1911.

'Neuh. Geen leuke naam. Als ik Nora Schwartz heette, had ik dat veranderd. Betty Boop, Minnie Mouse, wat dan ook, maar geen Nora Schwartz.'

'Larissa Dimitrovna Tosca. Geboren in New York, op 5 april 1911. Dit is de jouwe. En nog geldig. Dat moet een valse zijn. Hij is pas vier jaar oud.'

'Nee. Hij is echt. En Tosca is ook mijn echte naam. Dat was het enige wat de immigratiedienst kon opmaken uit mijn vaders naam. Mijn laatste paspoort verliep in 1952. Ik ging ermee naar de Amerikaanse ambassade in Lissabon en kreeg een nieuw.'

'Maar de Amerikanen denken dat je dood bent. Je stierf in 1944 in een bloedbad in Orange Street.'

'Yeah. Maar hoe zou, behalve de mensen met wie ik toen werkte, iemand dat verder kunnen weten? Alleen omdat jij voor Scotland Yard een paar formulieren hebt ingevuld en die naar Grosvenor Square hebt gestuurd? Troy, zo efficiënt werkt de wereld niet. Wie streept er nou geboorte- en overlijdensdata tegen elkaar af? Het is hetzelfde als aan iets meedoen onder een andere naam. Als je je met het goeie smoelwerk en de goeie papieren aanmeldt, vindt iedereen het verder best!'

Toen viel het muntje. Dat had hij al meteen moeten zien. Het was zo'n simpele oplossing. Het goeie smoelwerk, de goeie papieren, en iedereen vindt het verder best.

'Hoor eens, ik denk dat ik de oplossing heb gevonden.'

'Aha?'

'Jij moet Brits worden. We bezorgen jou een Brits paspoort.'

'En hoe doen we dat?'

'Je moet met me trouwen.'

'Ik ben weleens op een aardiger manier gevraagd, kan ik je zeggen.'

'Je moet met me trouwen, omdat een huwelijk tot staatsburgerschap leidt. En als je eenmaal staatsburger bent, kun je een eigen paspoort aanvragen. Je komt Groot-Brittannië binnen als Mrs. Frederick Troy, Brits onderdaan. Weg met Tosca, weg met Greta. We trouwen in Wenen. Dan moeten we een paar dagen wachten, misschien zelfs wel meer dan een week, tot de ambassade een paspoort voor je heeft. En dan gaan we via de achterdeur Engeland binnen.'

'Achterdeur?'

'Ierland.'

'Waarom Ierland?'

'Omdat er geen paspoortcontrole is tussen de republiek en het hoofdeiland. En dan reizen we via het Isle of Man, om de verwarring nog groter te maken. Schepen die daarvandaan komen gelden niet als internationaal. We meren in Liverpool af aan de binnenlandse aanlegplaats. Geen douane, geen paspoorten, en dus niet interessant voor jouw mannen van de geheime dienst.'

'Zou dat lukken?'

'Als we in Wenen kunnen komen zonder te worden opgemerkt, ja.'

'En wat dan? Vliegen naar Dublin?'

'Ja.'

Tosca staarde naar de grond, en keek hem toen aan.

'Mrs. Frederick Troy.' Ze sprak de woorden heel langzaam uit.

Ze vervielen in stilte. Die Troy verbrak.

'Het is gewoon handig, zo.'

Ze staarde hem aan.

'Het heeft niets te betekenen.'

'Liegbeest,' zei ze.

Ze pakte de paspoorten op en drukte die tegen haar borst.

'Het is goed zo. Ik doe mee. Maar ik snap alleen niet hoe je dit hiervandaan allemaal kunt regelen.'

'Ik heb een vriend,' zei hij.

'Aha?'

'Op onze ambassade in Wenen. Kennen ze jou in Wenen?'

'Neuh. Ik heb daar nooit gewerkt. Niks dan spionnen.'

Ze waaierde de paspoorten uit als een hand met kaarten en legde ze op de grond.

'Wie ben ik?' vroeg ze.

'Je kunt het beste jezelf zijn. Dat risico moeten we dan maar nemen. De inreisstempels in je paspoort zouden weleens nodig kunnen zijn, en het huwelijk en dus het staatsburgerschap gelden alleen als je Larissa Tosca bent. Ik kan niet met je trouwen als Minnie Mouse of Betty Boop. Dat heeft geen zin. Je moet Oostenrijk binnenkomen en trouwen als jezelf.'

'Dat begrijp ik. Maar wat ik bedoelde was: "Wie Ben Ik", hoofdletter W, hoofdletter B, hoofdletter I'

'Dat begrijp ik niet.'

'Ik ook niet. Daarom vraag ik, Troy: Wie Ben Ik?'

29

Gus Fforde was een deugniet. Een deugniet, een snaak en een oude vriend. Hij en Troy en Charlie hadden bij elkaar op school gezeten. Charlie was de leider, Troy en Dickie Mullins zeer bepaald de onderofficieren, en Gus de bevlogen, vermetele ondergeschikte. Het was Fforde die Troy had geleerd hoe je een auto onklaar kon maken door een aardappel in de uitlaatpijp te schuiven, met schietkatoen de afvoerpijp van de stortbak van de wc kon blokkeren, zodat de volgende arme sukkel die de plee doorspoelde een gratis douche kreeg, en hoe je stinkbommen de kerk in schoot. Van al deze vaardigheden ondervond Troy alleen van de eerste enige blijvende waarde.

Fforde was ook Eerste Secretaris van de Britse Ambassade in Wenen, hoofdstad van het weer tot zijn normale staat teruggebrachte Oostenrijk – met een democratische regering die slechts enkele weken oud was, en de Russische en Amerikaanse troepen die daar sinds 1945 gelegerd lagen nog maar een paar maanden geleden vertrokken.

'Een paspoort, zei je?'

'Ja, Gus. Voor mijn vrouw.'

'Dus is ze geen Engelse?'

'Natuurlijk niet.'

'Okido. Wanneer zijn jullie getrouwd?'

'Morgen. Jij kunt getuigen, als je dat leuk vindt.'

'Freddie, er zit toch niet iets... hoe moet ik het zeggen?... onbetamelijks achter, wel?'

'Onbetamelijks, nee. Uitgesproken netelig, ja. Wat de discrete hulp van een oude vriend behoeft, ja.'

'Juist,' zei Fforde. 'Waar heb je anders oude vrienden voor, wat?'

Fforde droeg zijn steentje bij. Getuigde bij een burgerlijk huwelijk, noemde Tosca, zelfs met haar verwilderde uiterlijk en pancake make-up een 'prachtstuk', kwam discreet tussenbeide toen de ambtenaar de lastige kwestie van de 'woonplaats' aanroerde, liet in de hal van het Sacher Hotel de champagnekurk knallen en de Sachertorte serveren, en joeg er in een oogwenk een Brits paspoort door, zonder vragen te stellen of zich van de wijs te laten brengen door de ambassademedewerkers die vonden dat het allemaal wel hoogst ongebruikelijk was.

'Over ongebruikelijk gesproken,' zei hij. 'Heb je de laatste tijd nog iets van Charlie gehoord?'

Troy moest even denken.

'Nee,' zei hij. 'Helaas niet. Maar ik heb hem al sinds april niet meer gezien.'

'Ik wel,' vervolgde Fforde. 'Hij kwam hier een week of twee geleden nog langs. Een en al plichtplegingen en vriendelijkheden, maar niets concreets. Vertelde me helemaal niets. Denk je dat hij nog steeds bij die club zit? Na al die jaren, bedoel ik?'

Waar heb je anders oude vrienden voor? Fforde was onmetelijk goed voor Troy geweest. God weet wat hij er nog voor problemen mee kreeg. Een minder goeie vriend zou Troy naar huis hebben gestuurd om daar zijn problemen op te lossen. Maar zover reikte Troys schuld tegenover Fforde nou ook weer niet. Hij vond het wel vreemd dat die, in zijn positie, niet van die dingen wist, maar dan was het ook niet aan Troy om hem in te lichten. Natuurlijk zat Charlie 'nog steeds bij die club'. En daar kon Troy niet verder op ingaan. Hij zette het van zich af en dacht met weemoed terug aan de tijd dat ze elkaar wel alles vertelden. Waar had je anders oude vrienden voor?

30

Het was een probleemloze oversteek. Over de Ierse Zee. Aan boord van de Maid of Erin, vanuit Dublin, met bestemming Liverpool, via Douglas, Isle of Man. Met het Isle of Man in zicht, niet ver van het onbewoonde zuidelijke eiland, het Calf of Man, stonden ze bij de reling en keken naar de rondcirkelende meeuwen en de haringboten die een eind verderop op het water lagen te dansen.

'Geef mij je wapen,' zei Troy.

'Wat? Ik bedoel, waarom?'

'Geef het me nou maar.'

Tosca keek om zich heen of niemand haar zag, pakte haar pistool uit haar handtas en gaf het onopvallend aan Troy. Het was zo klein, dat het bijna helemaal in zijn hand verdween. Hij keek om zich heen, net zoals zij, en gooide het wapen overboord, in de grijze branding.

'We hebben geen wapens nodig,' zei hij.

'Nee? – Nee, dat zal wel niet.'

'Goed,' zei hij, 'dan gaan we nu een sluitend verhaal bedenken.'

31

Hij stopte de Bentley in de bocht met de beukenbomen, luisterrijk in hun flessengroen, en met de junizon reflecterend in de bladeren als wel duizend kleine spiegeltjes. Na de bocht was het huis op een paar honderd meter afstand net zichtbaar.

Tosca zei: 'Gisternacht droomde ik dat ik naar Manderley ging.'

Hij keek naar haar, blij verrast dat ze een Engelse roman kende, dat ze nog iets anders had gelezen dan Huck Finn – ze zat altijd met haar neus in Huck Finn – maar ze lachte niet.

'Is dit literatuur of een voorgevoel?'

Ze wimpelde hem af.

'Ach, laat me maar. Maar zo komt het nu eenmaal op me over. Je weet wel, het Engeland van Hollywood, groene graafschappen in een achtertuin.'

Dus ze had het boek uiteindelijk niet gelezen, maar dacht aan de film van Hitchcock – Olivier, de mysterieuze romanticus, en George Sanders opnieuw in de rol van een superploert.

'Ik vind het best,' zei hij. 'Maar Joan Fontaine verhaspelt die openingszinnen zo.'

'Ze deed haar best, schat. Zoals wij allemaal. En stel je me dan nu voor aan Mrs. Danvers?'

'Als je nou de draak met me gaat steken...'

Ze legde haar hoofd tegen zijn schouder en porde hem in zijn zij tot hij een arm om haar heen legde. Hij liet zijn voet langzaam van de koppeling komen en de auto rustig in zijn eerste versnelling de oprijlaan op rijden, het stuur slechts licht corrigerend met de vingertoppen van één hand. Eventjes leek het erop, op de verleidelijke leugen dat dit de eerste bladzijde was van een eeuwig liefdesverhaal. Iedere bot in zijn lijf wilde dat, en iedere cel in zijn hersenen zei van niet.

'Natuurlijk stel ik je voor aan Mrs. Danvers,' zei hij. 'Maar hou haar wel bij de lucifers vandaan.'

Voor hem was Mimram een reeks vormen en ruimtes, kleuren en aaneenschakelingen, gerangschikt in een transparant tijdperk – een glazen ui. Het huis van zijn jeugd, nog zichtbaar vanuit de volwassenheid, verschool zich in de kern, opgesteld in de volgorde waarin hij die had ontdekt.

Tosca trok een gezicht naar de opgezette zwarte beer in de hal.

'Jemig, wat een aftands beest. Moet dat bij het binnenkomen nou het eerste zijn wat je ziet?'

Het was waar, hij was zo lelijk als wat, miste een oog, en een oor en leek iedere dag meer van zijn inhoud kwijt te raken, maar voor Troy was hij Boris de Beer. Hij stond daar al op diezelfde plek sinds 1919 en Troy zag geen reden waarom hij daar in 1969 niet nog steeds op diezelfde plek zou staan. Een van Troys oudste herinneringen was Boris zwaaiend met de Britse vlag en met een helm op zijn kop tijdens de viering van de eerste wapenstilstandsdag. Sindsdien droeg hij iedere november een rode klaproos, die iemand dan, niet altijd Troy, op zijn jasje speldde. Hij maakte deel uit van de structurele instandhouding van de kinderjaren, zoals zoveel attributen in dit huishouden. In de grote zitkamer, de blauwe kamer, had een gehavend Congolees beeld van een pygmee op de rug van een ebbenhouten olifant, waarbij de menselijke figuur veel en veel groter was dan het dier, langer naast de open haard gestaan dan hij zich kon herinneren. Sasja had hem als kind al Minnie gedoopt. De keer dat Troy Minnie had verplaatst van de linkerkant van de haard naar de rechterkant, zette Sasja het beeld bij haar volgende bezoek weer terug, zonder commentaar of, dacht Troy, zich er zelfs maar van bewust te zijn. Het zou hem niet meevallen Tosca dit soort dingen uit te leggen. Het pure gevoel van vastigheid dat de ouwe heer om ze heen had gezet, het fijnmazige netwerk van luchtige nietigheden – zijn grote talent, zoals Nikolaj het stelde, om van de nood een deugd te maken. Tosca had haar hele leven uit koffers geleefd – drie landen, een tiental paspoorten en talloze steden. Haar kreet 'Wie ben ik?' had hij zichzelf nooit gesteld. Hij was zeker van het antwoord. En Rod ook, wist hij. En als ze ooit een niveau zouden bereiken dat op zelfkennis leek, misschien de zusters ook. Hij wist wie hij was. Hij was een Troy. En de beste bescherming die hij haar geven kon, was haar er ook een te maken. Als ze dat tenminste wilde.

'Zoek maar een kamer uit,' zei hij tegen haar, toen hij hun bagage op de overloop van de eerste verdieping zette.

'Hoezo: "Zoek maar een kamer uit"?'

'Je zei dat je je eigen kamer wilde.'

'Dat weet ik – je moet me even tijd geven. Ik bedoel, ik...'

'Nee, nee, dat is helemaal niet ter discussie. Ik zei: zoek maar een kamer uit die niet bezet is. Doe of je thuis bent.'

'Maakt niet uit welke?'

'Als hij maar niet bezet is.'

'En hoeveel kamers zijn er wel niet?'

'Ik heb ze nooit geteld. Ik denk tussen de vijftien en twintig.'

'Hoe weet ik of ze bezet zijn?'

'Pantoffels aan het voeteneinde van het bed, kamerjassen aan de achterkant van de deur, en de kamers die nog vrij zijn ruiken waarschijnlijk een beetje naar mottenballen.'

Ze dwaalde van kamer naar kamer, waarbij iedere stap en ieder woord doorklonk in het lege huis. Ze was verrukt van de kamer van Masja en Lawrence, badend in het gekleurde, westelijke, late namiddaglicht, dat een vleugje roze toevoegde aan het gebroken wit dat Masja voor de muren had uitverkoren. Even vroeg hij zich af of hij zijn zuster niet moest vragen te ruilen, maar ze viel aan de zuidkant van het huis pardoes voor een kleine donkere kamer met verschoten behang en een uitzicht over de rivier en de wilgen.

'Dit is zo'n beetje mijn maat. Snap je wat ik bedoel? Nou, als je ooit in een flat in Moskou had gewoond, wist je het wel.'

'Ja. Ik weet het. Dit was vroeger mijn kamer.'

'Ben je hier opgegroeid? Heb je hier *Winnie de Poeh* gelezen, 's avonds zitten blokken met Kennedy's *Latijn voor Beginners*, en je afgetrokken bij het dromen over Carole Lombard?'

'Zoiets, ja. Maar ik had liever Barbara Stanwyck.'

'En nu?'

'Ik heb sinds het eind van de oorlog de kamer van mijn vader. Hiernaast. Luister, waarom neem je niet een bad en trek je andere kleren aan? Het was een helse reis. Dan scharrel ik wat te eten bij elkaar en laat ik je de rest van het huis zien.'

Hij had niet op deze situatie aangestuurd, maar nu deze zich voordeed, kwam het hem allemaal wel erg bekend voor. Tosca tot aan haar tieten in een bad vol zeepbellen, theekopje in haar hand, tegen hem aan kletsend met allerlei verhalen; hij zittend op de pleedeksel, deels luisterend, deels dagdromend, met zijn gedachten ergens tussen het heden en het verleden. Zo was het in het verleden ook geweest. Deze simpele juxtapositie met een naakte, praatgrage vrouw had zich als gelatine in zijn geest gehecht als een van zijn 'dierbaarste' herinneringen. En hij wenste vurig dat hij er een beter woord voor wist dan 'dierbaar' Het was geëindigd in bloed, het hare en het zijne, en voor hem het gewelddadige verlies van een halve linkernier.

Tosca stak een been uit om dat in te zepen en hij zag de onmiskenbare merktekens van brandwonden die waren veroorzaakt door sigaretten – littekens die nooit meer zouden verdwijnen – en op de arm die de zeep vasthield zaten nog altijd kneuzingen die vervaagd waren tot medicinaal geel. En weer vroeg hij zich af hoe hard ze wel niet moesten hebben geslagen, als de merktekens na bijna twee maanden nog zichtbaar waren. Hij kon haar er pas naar vragen als ze erover kon praten. Het zou niet meevallen vast te stellen wanneer het goeie moment daarvoor was aangebroken.

Hij leidde haar, gekleed, gepoederd, geparfumeerd, en, dacht hij, misschien zelfs wel in haar nopjes, van de ene kamer naar de andere, stuk voor stuk nog in de zachte, stoffige bloemenkleuren waarin zijn ouders ze in de zomer van 1910 hadden aangetroffen, vijf jaar voor zijn geboorte. De blauwe kamer, de grootste zitkamer in de zuidwesthoek van het huis – Tosca verwijlde even bij de krassen op het raam, waar Sasja met de diamant van haar verlovingsring haar en Hugh's initialen in het glas had gegraveerd – Alexandra Troy en Hugh Darbishire – AT & HD, verstrengeld boven een hart en de datum '30 januari 1933'.

'Dat is wat de tijd en het lot je aandoen,' zei Tosca, die met haar vingertoppen langs de letters gleed. 'Je een romantische dwaas maken, voor je er erg in hebt.'

'Hoezo?'

'"30 januari 1933" – de dag waarop Hitler kanselier van Duitsland werd.' Hij wachtte om te zien of ze erop door wilde gaan. Dat wilde ze niet. Maar hij dacht dat hij wel begreep wat ze bedoelde – de levens van de kleine man afgemeten tegen het belang van de geschiedenis. Wat destijds van belang was, gezien met het vernietigende voordeel van de terugblik achteraf. Sasja had de datum van haar verloving willen vereeuwigen in het glas, en onbedoeld een andere nagedachtenis opgeroepen, aan een gebeurtenis die alle andere van die dag zou overstijgen.

Troy opende de deuren naar de kleinere rode kamer, met de erker, waar ieder jaar een kerstboom stond. En waar de rest van het jaar zijn moeder vaak zat, te naaien of te kantklossen, of een van die vele andere soorten handvaardigheid die haar ogen hadden bedorven tegen de tijd dat ze zeventig werd. Naar de roze kamer – die niet zozeer roze was, maar meer van een verschoten donkerrood; naar de gele kamer – lichtgeel en donkergeel, 'patentgeel' voor het oog van de kenner; via het diep pruisisch-blauw van de eetkamer, via de lagen van de ui naar de werkkamer van zijn vader, waarvan de kleur een donker, duister niets was, een verschoten iets.

Op een gegeven moment had zijn vader de kamer volgezet met boekenkasten, en toen die vol waren, had hij de hangkasten vol boeken gestopt, en toen die ook vol waren, had hij de boeken in stapels op de vloer gelegd, waar ze tot op de dag van vandaag nog lagen. En voor die boeken had hij alles neergezet wat hij leuk vond. Drie staande klokken van verschillende hoogte – die, dacht Troy nu, opmerkelijk veel weg hadden van de skyline van Amsterdam – en die niemand ooit gelijk had kunnen zetten. Een compleet planetarium – compleet op de onontdekte negende planeet na – in koper, dat al jarenlang door niemand was opgewonden en in beweging gezet. Een harmonium waarvan de leren longen het al lang hadden opgegeven. Een mechanische piano waarop de handen van Gustav Mahler, Igor Stravinsky en George Gershwin tot leven konden worden gebracht via een papierrol met ponsgaten. Een grote handbeschilderde bladderende globe van gips op een ijzeren standaard die in pastelkleuren de wereld weergaf zoals die eruit had gezien in de dagen van keizerrijken en adelaars. Niet meer bestaande landen als Oostenrijk-Hongarije, Keizerlijk Rusland, en geen aanwijzingen van neogeografische entiteiten zoals Joegoslavië. Het bestaan van Polen was voor de kleine Troy altijd een raadsel geweest, een land dat kwam en ging als het mannetje in het weerhuis, nu zie je het, en nu niet, en dat, sinds de dood van zijn vader, na zijn meest recente wedergeboorte fysiek zo'n achthonderd kilometer naar het westen was opgeschoven. De ouwe heer had Troy aardrijkskunde en geschiedenis bijgebracht door middel van de globe en zijn postzegelalbum. Zijn album liep van een overvloed aan 'penny reds' en het jonge hoofd van koningin Victoria tot de geïnflateerde miljoenen op de zegels van de Weimar Republiek en de smaakvolle bruintinten van Hitlers portret, via de verdwenen confederaties van Brits Oost-Afrika en de bijzonder kleurrijke zegels van de Zuidzee-eilanden, waar het hoofd van George V tussen de palmbomen en de reuzenschildpadden prijkte. Had de koning een schildpad thuis die de gazons van Buckingham Palace afgraasde, vroeg Troy zich af. En de benaming van de plaatsen verbaasde hem. Wie was Gilbert? En waar waren hij en Ellice getrouwd? En hadden ze kinderen, naar wie misschien andere eilanden waren vernoemd? Het leren spellen van Joegoslavië, met zijn uitwisselbare J of Y, had hem eeuwen gekost.

'Het spijt me bijna van je tijd,' had zijn vader tegen hem gezegd. 'Ik denk niet dat het lang standhoudt. Je kunt een land niet uitvinden. Als je jezelf kunt uitvinden, ben je al een heel eind.'

Tosca's blik bleef hangen op de muur tussen de ramen, net boven het bureau.

'Zo eentje heb ik jaren niet meer gezien.'

Hij wist niet precies waarnaar ze keek, maar ze reikte naar voren en pakte zijn vaders wapen van de twee houten pinnen in de muur. Het was een groot, zwaar, semi-automatisch pistool.

'Dat was van mijn vader,' zei hij.

'Tsja – mijn ouwe heer had precies hetzelfde. Weet je wat het is?'

Troy schudde zijn hoofd. Hij had meestentijds een aversie tegen wapens.

'Het is Duits. Het is een Mauser Conehammer van 1896. Een semi, een machinepistool – een soort hand-machinegeweer.'

Dit zei Troy niets. Het had wat hem betreft wel een houwitser kunnen zijn.

'Mijn vader had er een tijdens de Burgeroorlog. Schoot er zijn weg mee door Siberië, met dat verdomde kreng – zo vertelde hij het tenminste.'

'Misschien is het ding wel daarvoor bedoeld. Voor grootse verhalen. Mijn vader vertelde dat hij er zich een weg mee had geschoten naar de laatste trein uit Rusland, in 1905.'

'Geloof je hem niet?'

Troy haalde zijn schouders op. Hij had nooit precies geweten wat hij moest geloven van wat zijn vader hem vertelde. Als zou blijken dat zijn leven één groot verzinsel was geweest, zou dat Troy niet verbazen. En zou hij dat, in tegenstelling tot zijn broer, niet erg vinden.

'Een trein misschien wel. De laatste trein betwijfel ik. Zijn weg ernaartoe geschoten betwijfel ik ook. Zich ernaartoe gepraat was meer zijn stijl. Maar het kan zijn dat hij al pratende wat met dat pistool heeft gezwaaid. Voor de show.'

Tosca klikte het magazijn naar buiten, keek of het leeg was en duwde het weer op zijn plaats voor de trekkerbeugel.

'Het is een cavaleriepistool,' zei ze met het soort enthousiasme van een treinspotter. 'Het heeft een side-mounted haan. Het hoort eigenlijk in een zadelholster. En als je het moet trekken, rol je het over je dij, waardoor de haan gespannen wordt, zodat het pistool schietklaar tevoorschijn komt, kijk zo.'

Tosca ging op één been staan, hief haar rechterdij en spande met één beweging de haan en richtte het pistool op hem. En weer stond hij in de loop van een pistool te kijken.

Toen werd het stil, toen heerste er stilte. Ze wisten allebei niet wat ze nu moesten doen, beiden voelden zich ongemakkelijk in de aanwezigheid van een wapen, Tosca op één been als een dwergflamingo. Het plotselinge geratel van een fazant uit de tuin verbrak de stilte. Ze liet het wapen en haar been zakken, bloosde licht, en voelde zich kennelijk net zo opgelaten aan haar kant van het wapen als hij aan de zijne. Hij nam het op een onhandige manier van haar aan en hing het terug aan zijn houten pinnen, waarbij hij opeens een beeld voor ogen kreeg van een potige Russische soldaat die een klein meisje met een dodelijk wapen leert omgaan, en zich afvroeg hoe het met de vaderlijke wijsheid stond.

'Dat is de beste plek ervoor,' zei Troy.

'Zeker,' zei ze zacht.

In de groene kamer – saliekleurige panelen vervat in dieper groen – stond de Bechstein die zijn ouders in 1911 uit Wenen hadden overgestuurd. Hij had daaraan honderden uren les gehad van zijn moeder.

Tosca streek met haar vinger langs de klep en hield er een heel bosje pluisjes aan over.

'Speel je niet meer?'

'Natuurlijk wel. Alleen heb ik al een tijd niet op deze piano gespeeld.'

Hij sloeg de klep op en speelde een vlugge toonladder.

'Nog mooi zuiver,' zei hij. 'Zijn er nog verzoekjes?'

'Een van de ouwe jongens. Cole Porter of Gershwin? Ik ben altijd dol op Gershwin geweest.'

'Yip Harburg?'

'Je bedoelt: "Over the Rainbow"?'

'Nee, ik bedoel...'

Hij speelde de vijf openingsakkoorden die de woorden 'April in Paris' vormden. Ze glimlachte, en hij begon opnieuw. Hij zette alles op alles, en toen hij zag dat ze nog steeds glimlachte, en tegen de piano leunde, haar kin op haar handen, haar ogen gesloten, waagde hij het erop, en gaf hij zijn handen vrij spel in Monks interpretatie, waarbij voor zijn gevoel iedere hoekige noot bijdroeg tot de romantische aantrekkingskracht van het lied, en alles prijsgaf zonder iets terug te nemen. Ze liet hem helemaal begaan, voor ze haar ogen opendeed. Nu zou er vermoedelijk wel het gemopper komen van de purist.

'Tsjee – maar dat was prachtig. Zelfs die zwerfnoten deden het goed.'

'Ik denk dat je net een mooie definitie van jazz hebt bedacht. Zwerfnoten die het goed doen.'

'En wat is het laatste nieuws?'

'Het laatste nieuws?'

'Ik bedoel het nieuwste van het nieuwste. Echt hartstikke nieuw. Vers van de pers. Je krijgt in Rusland zo'n behoefte aan nieuwe dingen. Oud is er zat. Maar nieuw krijgen we niet. Toen ik uit Moskou vertrok, was de hit van dat moment Judy Garland die Clark Gables foto toezong. "You made me love you, didn't wanna do it, didn't wanna do it". Hoe oud is dat nou?'

'Dat weet ik niet. Een eeuwigheid, zou ik zeggen.'

'Dat klopt dan wel. Zoals alles bij ons eeuwen oud is.'

Bij tijd en wijle reisde Rod naar Amerika, en vervulde zo zijn plichten aan de partij en het vaderland door, zoals hij het zag, zijn leven in de waagschaal te stellen en in een van die reusachtige nieuwe vliegtuigen te vliegen: de Comet, de Constellation, de Caravelle, en ga zo maar door; naar Troys idee begonnen ze allemaal met een C.

De held van de Battle of Britain hield stug vol dat een vliegtuig niet meer dan zes zitplaatsen mocht bevatten, en dat hoe groter ze werden, hoe meer kans ze liepen neer te storten. Maar hij ging desondanks, en vergat nooit cadeautjes mee terug te nemen, zoals blue jeans met knopengulpen voor de tieners en grammofoonplaten voor Troy. Tussen de laatste stapel die Troy op de grammofoon in zijn werkkamer had aangetroffen, zat een plaat waarvoor het woord 'nieuw' maar een zwakke omschrijving was.

'Oké,' zei hij, en begon te spelen.

Een dikke twee minuten later was hij klaar, blij dat hij het tempo had weten te houden – het was een snelle en moeilijke melodie – en buiten adem van het zingen, wat niet zijn kracht was, maar dat er in dit geval bij hoorde om het geheel meer compleet te maken.

Ze stond voor hem, met open mond, en opengesperde ogen. Afschuw of fascinatie, dat kon hij zo gauw niet zeggen.

'Is dat alles?'

'Eh, ja.'

'Dan snap ik het niet.'

'Wat snap je niet?'

'Nou – wie is die Daisy dan?'

'Kweenie.'

'Waarom wordt hij dan dol van haar?'

'Niet dol, gek.'

'En wie is Sue, en hoe weet die wat ze moet doen?'

'Ik kan er alleen maar naar raden.'

'En de woorden. Ik verstond er de helft niet van. Awobbly dobblynobbly – wat betekent dat nou weer?'

'Ik voel met je mee. Het heeft me ook even gekost. Zullen we het eens regel voor regel doornemen?'

'Best,' zei ze schouderophalend. 'Waarom niet?'

'Awop,' zei hij voorzichtig.

'Awop', herhaalde ze, en er was het begin van een blik in haar ogen die hem tot nadenken stemde.

'Awopbop.'

'Awopbop.'

'Awopbopalubop.'

'Awopbopa – wat?'

'Lubop. Het is lubop.'

'Hoe spel je dat?'
'Geen idee, maar je spreekt het uit als Awopbopalubop.'
'Oké – Awopbopalubop.'
'Awopbopalubopalopbamboom.'
'Awopbopalubopalopbamboom.'
Ze sloeg met de vlakke hand op de piano.
'Awopbopalubopalopbamboom! Verdomme Troy, weet je wat dat is? Dat komt rechtstreeks uit de een of andere danstent in Mississippi. Jezus, Troy het is negermuziek!'
'Juist,' zei hij. 'En die heet geloof ik rock-'n'-roll.'
Achter haar klonk een beleefd kuchje. Troy keek op, Tosca draaide zich op één been om, haar ellebogen op de piano, één been iets omhoog, haar tenen in de holte van haar knie, en zag eruit alsof ze net klaar was met het zingen van een omfloerste uitvoering van 'Cry Me A River.' Rod stond in de deuropening, en achter hem Nikolaj, en meteen daarachter Sasja en Masja, en daar weer achter Hugh and Lawrence, en achter hen...
Tosca maakte zich los van de piano.
'Wel,' zei ze, en met haar zware Moskouse accent: 'Это что ли пистолет у тебя в кармане, или ты просто рад меня видеть ?'

32

Ze beriepen zich op de vermoeienissen van een lange reis en lieten Rod en de zusters rond middernacht achter aan tafel, druk pratend en drinkend rond de resten van het diner. Tussen Lawrence en Masja ging het zo te zien goed. Hugh en Sasja, concludeerde Troy, hadden weer flink ruzie, maar voor vanavond hadden ze de strijdbijl er even bij neergelegd. Aardig van ze – hij herinnerde zich gevallen waarbij dat niet was gebeurd, maar hun ruzies waren meestal kortstondig en het zou niet lang duren voordat Hugh weer overging tot zijn zelfmisleidende en vergoelijkende opstelling jegens zijn vrouw. Rod zou dronken worden, een kater hebben en daar spijt van krijgen. Sasja en Masja zouden dronken worden en de volgende morgen op wonderbaarlijke wijze onbeschadigd blijken, immuun voor de verwoestende uitwerking van de drank of de kritiek van hun echtgenoten. Nikolaj had zich voor de koffie al teruggetrokken. Cid liep met ze mee naar boven, tikte ze beiden tegen de wang, glimlachte en zei verder niets. Zij begreep, dacht Troy, vermoedelijk beter dan de meeste mensen hoe moeilijk het was om deel te gaan uitmaken van een groep.

Na haar vertrek voelden ze zich nog steeds niet op hun gemak.

'En,' zei hij. 'Wat vond je ervan?'

'Tuttifrutti,' zei Tosca.

En ze gingen ieder naar hun eigen kamer.

Uren later, leek het wel, werd hij wakker omdat de deur van zijn kamer openging. Iemand klom in zijn bed, naast hem, centimeters bij hem vandaan, zonder hem aan te raken.

'Ben je wakker?'

'Stomste vraag van de wereld. Als ik nou "nee" zei?'

'Maar je bent wakker.'

Hij draaide op zijn zij om haar aan te kijken, maar ze duwde hem terug.

'Nee, niet bewegen. Blijf maar liggen. We gaan nu slapen.'

'Voor je dat doet, wil ik je iets vragen.'

'Toe dan maar.'

'Dat Mae West-optreden, daar heb je toch op geoefend, hè?'

'Natuurlijk. Wees jezelf, zeg jij voortdurend. Daar moet aan gewerkt. Ik ben jarenlang iemand anders geweest, ik ben veel iemanden anders geweest – mezelf zijn vergt heel wat oefening. En verder kon het geen kwaad. Hij had geen pistool op zak en was blij me te zien.'

Na lange tijd, toen hij dacht dat ze in slaap was, wurmde hij zich zo voorzichtig als hij kon op zijn zij en stak een hand uit. Voordat hij ook maar iets kon aanraken zei een slaperige, schorre, slaapkamerstem 'afblijven'.

33

De volgende morgen was ze er nog. Het was vertrouwd en het was niet vertrouwd. Hij was al jarenlang niet naast Tosca wakker geworden. Niet dat hij dat ooit kon of zou vergeten. Eerste kerstdag 1948.

Maar het niet-vertrouwde zat hem niet lekker. Op het moment kon hij nog niet precies zeggen waarom.

Het was nog vroeg. Hij lag een tijdje over van alles en nog wat na te denken, keek naar het dansen van de zon achter het gordijn dat zachtjes flapperde in het open raam, en luisterde naar het zingen van de vogels. Toen begon het hem te dagen. De laatste keer dat hij in dit bed wakker werd naast iemand was in april. Of was het maart? De week dat zijn zusters hem hadden gedwongen een televisietoestel te kopen. Hij had zijn vriendin al geen... weken... maanden meer gezien. Dat zou hem nog grote problemen gaan opleveren. Hij moest nu toch echt wel iets van zich laten horen.

De telefoon ging. Hij stak zijn arm uit en nam op voordat hij weer overging, maar Tosca verroerde geen vin.

'Hallo Troy?' zei de stem van Anna.

'Hallo,' zei hij. 'Ik lag net aan je denken.'

34

Troy en Anna spraken altijd af in het Café Royal, in het kwadrant van Regent Street. Het lag handig tussen zijn kantoor op Scotland Yard en haar praktijk in Harley Street, en haar man, die de kroegen van half Londen afstroopte, was voor zover zij wisten nog nooit in Café Royal gesignaleerd.

'Ik heb mijn middagafspraken een beetje opgeschoven' zei Anna. 'We hebben tot ongeveer half drie de tijd.'

Anna was begonnen als patholoog en assistente van Kolankiewicz. Toen de National Health Service van de grond kwam, had ze haar intrek genomen in een huisartsenpraktijk – ze sloot een akkoord met de streepjesbroeken en elegante vesten van Harley Street en maakte een clubje niet-begrijpende oude mannen wegwijs in de naoorlogse wereld door een praktijk op te zetten die een combinatie vormde van mensen die voor hun behandeling konden betalen en mensen die dat niet langer hoefden. Troy miste haar talent om de kennis en vaardigheden van Kolankiewicz om te vormen tot een bruikbaar geheel, maar hij bewonderde haar idealisme.

'Ik vond dat we elkaar maar weer eens moesten zien,' zei ze.

'Het is alweer een tijdje geleden,' bevestigde hij.

'Ik heb iets met je te bespreken.'

'Ik ook met jou. Ik heb iets met jou te bespreken. Een nieuwtje, denk ik.'

'Juist, ja – zal ik dan maar eerst?'

'Als je wilt,' zei hij, en verwachtte de wind van voren te krijgen.

'Angus is terug.'

Angus was haar man. Een onvoorstelbare drinker, een dappere drinker, met net zoveel onderscheidingen als Rod, voor dezelfde dingen. Een erop-of-eronder piloot van de RAF, die erop was gegaan en was blijven leven. Maar daarna had hij de oorlog niet van zich afgezet zoals Rod dat, zonder verdere littekens, had gedaan. Zijn boemelpartijen waren berucht. Het werd Troy op een gegeven moment duidelijk dat de echte reden waarom hij nooit in het Café Royal was gezien, was omdat ze hem gewoon niet binnenlieten.

'Ik wist niet dat hij weg was geweest.'

'Dat was overdrachtelijk bedoeld, Troy. Ik bedoel dat hij terug is bij mij. Ik bedoel dat ik hem heb teruggenomen.'

Angus had de echtelijke woning nooit echt verlaten. Hij had gewoon alles wat met hem te maken had, verhuisd naar de planeet Angus – en dat niet voor het eerst.

'Wilde je zeggen dat hij nuchter is?'

'Het ziet ernaar uit.'

'En wat zegt hij dan?'

'Hij zegt dat hij het nog een keer wil proberen.'

'En dat hij nuchter blijft als dat lukt?'

'Zoiets, ja.'

'Zoiets?'

'Je kent Angus.'

'Ik weet dat je geen woord van wat hij zegt kunt geloven als het over drank gaat.'

'Dat weet ik.'

Ze zweeg in een soort droefheid die Troy niet kon peilen. Woede hoorde veel meer bij haar.

'Het punt is, dat ik hem wil geloven.'

'Jaaah...'

'Het punt is dat ik het nog een keer wil proberen.'

'Juist, ja.'

'Ik ben achtendertig. We kunnen nog kinderen krijgen. Het is nog niet te laat.'

'Inderdaad.'

'En zo gek zijn wij nou toch ook weer niet op elkaar.'

Dit 'wij', realiseerde hij zich, sloeg op hem.

'Jij en ik waren toch niet de echte grote passie, vond je wel?'

'Waarschijnlijk heb je gelijk,' gaf hij toe.

'Ik bedoel – wij vonden elkaar in de tussenruimtes die waren ontstaan, toch?'

Dat klopte wel. Het was een melodie die alleen werd uitgevoerd via de zwarte toetsen van het klavier. Ze kenden elkaar al sinds het tweede jaar van de oorlog. Het was eind 1949 toen ze met elkaar in bed vielen, en het was vermoedelijk voor beiden beter geweest als ze dat eerder hadden gedaan. Het zat er al van het begin af aan in – alleen haar eenzaamheid en zijn onhandigheid hadden hen over de lijn getrokken waarvan hij wist dat die bestond. Hij dacht eigenlijk dat zij dat ook wist.

'Misschien heb je gelijk,' zei hij.

'Ik wil dat dit gaat lukken, Troy, echt waar. En hou in godsnaam nou eens op met dat "heb je gelijk".'

Ze begon zachtjes te huilen. Haar zakdoek kwam tevoorschijn om haar ogen te deppen.

'Je had hem eens moeten zien toen we trouwden...'

Het werd stil. Dit was geen tekst om op door te gaan, geen zin waarvan hij ooit het einde wilde horen. Troy wachtte tot ze weer tot zichzelf was gekomen. Het was niets voor haar om zoveel gevoelens te tonen. Wat zij gemeen hadden, had hij vroeger eens bedacht, was het tranenloze cynisme van mensen die leefden van de dood.

'Het geeft niet,' zei hij ten slotte. 'Ik begrijp het wel.'

'Zou je misschien wat minder begrijpend kunnen zijn?'

'Wat?'

'Laat maar zitten. Waarom vertel je me jouw nieuws niet?'

'Mijn nieuws?'

'Ja. Je zei dat je me iets te vertellen had.'

'Nou,' zei hij. 'Ik weet eigenlijk niet precies hoe ik het je moet zeggen.'

'Gewoon recht voor zijn raap. Het kan moeilijk zo dodelijk zijn als wat ik jou net heb verteld, toch?'

Ze glimlachte door een vlies van tranen.

'Ik ben vorige week getrouwd,' zei hij zonder verdere omhaal.

De glimlach verdween. Finaal.

'Troy – jij schoft. Jij complete, volmaakte vuile rotschoft!'

35

Op een vrijdagmorgen, eind juli, was Troy in Goodwin's Court het ontbijt aan het klaarmaken voor hen tweeën. Hij hoorde Tosca uit het bad komen, haar voeten flappen over de planken boven hem, en begon met het bakken van het spek en het opwarmen van een steelpan voor de roereieren. Ze had wel een eeuw in het bad gezeten. De geur van badzout was langs de trap de keuken binnen komen zweven, begeleid door de klank van haar ritmische, nogal toonloze hese gezang: 'Ik was die man compleet uit mijn haar.' Hij hoopte dat dit niets te betekenen had. 'En stuur hem de tent uit.' Hij wist zeker dat dit niets te betekenen had. Hij zette op tijd de radio aan voor het nieuws. Een keurige nieuwslezersstem sprak.

'In Alexandrië is gisteravond bekendgemaakt dat Egypte het Suezkanaal wil nationaliseren. Kolonel Nasser zegt zich te willen verzetten tegen de overeenkomst van 1888, toen werd besloten dat Groot-Brittannië en Frankrijk tot 1968 toezicht op het kanaal zouden blijven houden. Dit wordt gezien als reactie op de Britse terugtrekking van de financiële hulp voor het project van de Aswandam...'

De telefoon ging. Dat moest Rod zijn. Het was een Rod-moment.

'Mr. Troy? Bill Bonser. Inspecteur van de recherche in Portsmouth.'

Troy haalde het spek van de gaspit.

'Wat kan ik voor u doen, inspecteur?'

'Ik vroeg me af of u een paar uur kon vrijmaken om naar Portsmouth te komen. We hebben het lijk gevonden.'

'Hét lijk?'

'Wel... ik zeg het lijk. Maar ik ben niet honderd procent zeker dat hij het is.'

'Wie?'

'Hij, sir. De spion van Portsmouth.'

'Ik hoop dat ik niet te dom overkom, inspecteur, maar wat heb ik daarmee van doen? Het klinkt me niet in de oren als een typisch geval voor Moordzaken.'

'Nee – dat is het ook niet. Maar het lijkt erop dat u de laatste persoon bent die hem levend heeft gezien.'

'Die wie levend heeft gezien?'

'De spion, sir.'

Het prilste begin van wrevel begon aan de verdraagzaamheid van zijn rang te knagen.

'Ik snap het nog steeds niet. Wanneer moet ik die man dan hebben gezien?'

'O... Hoe moet ik dit nu zeggen zonder onbeleefd te klinken. Bent u misschien een tijdje het land uit geweest? Weg van de kranten?'

'Ja, toevallig wel. Het grootste deel van juni.'

'Ah... dan kunt u het niet weten. De regering heeft de spion zo'n vier weken terug een naam gegeven. Cockerell. Kapitein-luitenant-ter-zee Arnold Cockerell, Royal Navy in ruste.'

Die naam zei Troy niets. Toen een geheugenflits. Suède schoenen. Suède schoenen. Die gluiperige vent, met die Ronald Colman-snor, de marineblauwe blazer en de suède schoenen.

'Zoals ik zei, sir, we hebben een lijk. Gistermorgen uit zee gevist, in de buurt van Chichester, aan de andere kant van Selsey Bill. Maar tot nog toe heeft niemand het kunnen identificeren.'

'Sorry, inspecteur. Het duurde even, maar ik weet nu waarover het gaat. Ik kan u overigens zeggen dat ik niet de laatste was die hem in leven zag. Ex-brigadier Quigley zag hem na mij, en die zit bij u om de hoek.'

'Dat weet ik, sir. Maar hij weet het niet zeker, en zijn dochter wil niet kijken. Het teergevoelige type, vrees ik.'

'Familie?'

'Er is een vrouw, sir, maar... tja... die is nogal van streek. Misschien dat we later nog iets aan haar hebben, maar op het ogenblik kan of wil ze niets zeggen. Als u zou willen komen, sir, kan de zaak misschien snel worden afgewikkeld. Op het moment ligt het allemaal een beetje ongelukkig. Mrs. Cockerell is nog hier, en ik kan haar wel vragen nog een keertje te kijken, maar het ligt... wel... een beetje ongelukkig, begrijpt u wel?'

'Oké,' zei Troy. 'Ik ben na de lunch bij u.'

Hij zette het spek weer op, sloeg de eieren stuk in de glanzende boter op de bodem van de steelpan, luisterde naar het gestommel van Tosca bij het aankleden, hoorde hoe ze een nieuw lied aanhief – 'Ik ben gewoon een meid die geen nee kan zeggen!' – en vroeg zich af waarom Rod hem niets over Cockerell had gezegd. Nog maar een paar weken terug was het ontlokken van een bevestiging aan Eden ongeveer het enige waaraan hij kon denken. Maar het antwoord lag eigenlijk wel voor de hand. Hij was thuisgekomen met een vrouw, en nog wel een Russische vrouw. Rod, de gelukkig getrouwde man, die zich niet kon voorstellen dat iemand gelukkig kon zijn zonder huwelijk en ongelukkig daarbinnen, was daar zo vol van geweest, dat hij vergeten was dat er nog andere dingen in de wereld bestonden. Hij was volledig uit zijn dak gegaan door de May West-act van Tosca; ze had het ijs op geen betere manier kunnen breken. Hij had haar tegen zijn borst geklemd, of hoe hoog ze dan ook kwam met haar 1 meter 55 op hoge hakken, en gelachen tot hij huilde. Het was kenmerkend voor Rods passies dat die elkaar verduisterden als de maan die rond de zon vloog. Op een gegeven moment zou hij het hem vast wel hebben verteld.

36

Ongelukkig was niet het woord dat Troy zou hebben gekozen. Het grootste deel van Cockerells gezicht was verdwenen. En daarnaast ook zijn hele rechterhand, zijn linkerhand tot aan de knokkels, zijn hele rechtervoet en twee tenen van zijn linkervoet. De bovenkant van zijn hoofd was afgesneden en de achterkant vermorzeld als een peperkorrel. Hij had meer dan drie maanden in het water gelegen. Zijn romp was beschermd door zijn rubberen pak, maar verder hadden de vissen alles wat niet bedekt was geconsumeerd. Het ene halfopgegeten oog dat uit de resten van zijn oogkas hing, was genoeg om de sterkste maag om te keren.

Hij keek naar de naakte zooi op het groen rubberen laken, die mogelijk ooit dat miserabele, zeurderige mannetje van de tapijtfirma was geweest. Het onbedekte vlees zat vol strepen en vlekken, het vlees dat was vrijgekomen nadat het duikerspak was afgepeld was zo wit als meel, en gezwollen als een witte naaktslak op een koolblad.

Hij wendde zich tot de brigadier die Bonser met hem had meegestuurd.

'Dat menen jullie toch niet, hè?' zei hij. 'Zijn eigen moeder zou hem nog niet eens herkennen.'

De man was ongeïnteresseerd, of ongevoelig, of gewoon jong. Hij haalde zijn schouders op.

'Er zijn altijd nog de tanden, neem ik aan. En de afdrukken van drie tenen.'

Om de een of andere reden irriteerde de man Troy.

'Kijk nou eens naar zijn kaken. Zie jij tanden? Zie je niet dat hij een gebit droeg?'

De brigadier ging op zijn hurken zitten en keek in het zwarte, lipoze gat.

'O, ik begrijp wat u bedoelt. Waar zou dat nu zijn?'

'Dat weet ik niet. Misschien moet de Solent worden afgedregd?'

Het sarcasme hiervan ontging de man. Hij was waarschijnlijk in staat om de Solent te laten afdreggen voor een vals gebit.

'En wat die afdrukken van de tenen betreft, in welk archief denk jij teenafdrukken te vinden?'

De man haalde opnieuw zijn schouders op. Hij had geen moeite met de dood. De dood stoorde hem niet. Die stoorde Troy. Hij hoopte dat hij gauw weg mocht.

De deur naar Bonsers kantoor stond open. Die zat op de rand van zijn bureau en boog zich diep over de ineengekrompen, trillende gestalte van een vrouw.

'Dat kunt u toch wel?' vroeg hij. Toen: 'Na zestien jaar huwelijk?'

De intonatie van zijn stem hing ergens tussen ongeloof en intimidatie. Hij klonk niet erg prettig in Troys oren, vooropgesteld dat de snikkende vrouw Cockerells vrouw was.

Troy tikte zachtjes tegen het glas.

Bonser kwam overeind en liep naar de deur.

'Al iets verder?' vroeg hij.

Troy wilde niets zeggen waar Mrs. Cockerell bij was en schudde zijn hoofd.

'Wat, niets? Maar u kunt toch wel...'

Hij sprak met hetzelfde toontje als waarmee hij zojuist de treurende weduwe had toegesproken. Troy weigerde te reageren, en voorkwam dat hij verderging, door langs hem heen te lopen en een hand op Mrs. Cockerells schouder te leggen.

'Mrs. Cockerell?'

Ze kwam wat los en keek naar hem op, haar gezicht door de tranen verwrongen tot een masker van lelijkheid. Een tuttig vrouwtje van zeer middelbare leeftijd. Te formeel gekleed voor dit weer, in een tweedjas; te formeel gekleed voor de gelegenheid, met een van die stompzinnige hoeden die vrouwen dragen om er stemmig uit te zien. Maar ja, wat was er eigenlijk stemmiger dan een dode echtgenoot?

'Frederick Troy. Ik ben een hoofdinspecteur van Scotland Yard. Ik heb uw man in april kort gesproken. Ik wil u mijn diepste medeleven betuigen.'

De paniek flitste door haar ogen. Ze draaide zich om in haar stoel, keek vorsend naar Bonser, en toen weer naar Troy.

'Dat is hem niet, weet u. U heeft ze toch niet gezegd dat hij het is?'

Hij keek naar Bonser. Nogal een sukkel, een grote kerel, met de neus van een bokser. Hij stond in de deuropening, met zijn gestreepte bretels, zijn das halfstok, zijn handen in zijn broekzakken, ballpoint in het borstzakje van zijn nylon shirt, alsof hij veel te veel afleveringen van *Dragnet* had gezien. Zij was geschrokken, haast radeloos bij de gedachte. Hoe lang was Bonser al bezig haar de duimschroeven aan te draaien?

'Nee. Ik kon niet naar eer en geweten zeggen dat ik het lichaam heb herkend als dat van uw man.'

'Dat is het ook niet. Dat ziet u toch ook wel? Dat is hij niet. Dat kan niet.'

Bonser nam zijn handen uit zijn zakken.

'Och, kom nou toch... '

Troy onderbrak hem, sprak iets luider dan nodig was en staarde hem aan tot hij de ogen neersloeg. Op je strepen gaan staan, heette dat.

'Heeft u al geluncht, Mrs. Cockerell?'

Ze schudde haar hoofd. Een lok grijs haar schoot los onder de belachelijke hoed vandaan.

'Het is bijna drie uur. U zult wel rammelen.'

Troy stak een hand naar haar uit. Ze pakte die en stond op. Iets langer dan Troy, slank en in de vijftig. Voor het eerst dat hij haar goed kon zien. De poeder op haar gezicht doorploegd door de stroompjes tranen. Haar helderrode lipstick was gevlekt. Nog een geluk dat ze geen mascara droeg, dacht Troy, anders was het effect van een vulkaanuitbarsting compleet geweest.

Hij zette haar voor in de Bentley. Dook het bureau weer binnen. Bonser keek ongelukkig, maar zei niets.

'Ik praat wel met haar,' zei Troy. 'Het heeft geen zin haar onder druk te zetten.'

Bonser haalde zijn schouders op en begon de losse papieren op zijn bureau bij elkaar te zoeken. Hij zat met zijn hoofd alweer ergens anders.

'Het kan zijn. Maar het wordt wel weer een slepende affaire, zo.'

'Wat ga je nu doen?'

'Wat kan ik doen? De voorschriften volgen. En hem op ijs zetten.'

Hij duwde een dossier in de open kast en klapte de deur dicht.

'De rechter van instructie stelt een onderzoek in en verdaagt dat tot in de eeuwigheid. U weet hoe dat gaat. Intussen zit ik met een niet-geïdentificeerd lijk en een onafgehandelde zaak. Slecht voor de statistieken.'

Dit was universele dienderpraat, en ondanks het verschil in rang een beroep op Troys medegevoel.

'Er zijn erger dingen,' zei Troy. 'De autopsie. Wil je een kopie van het rapport aan de Yard sturen?'

'Zo u wilt,' zei Bonser, alsof niets hem minder kon schelen.

Troy draaide de auto het terrein op van de King Henry. Het was na sluitingstijd, en hij verliet zich op de welwillendheid van Quigley. De deur stond open. Quigley stond, met een theedoek demonstratief over de pompen, achter de bar glazen af te drogen.

'Mr. Quigley?' begon Troy. 'Het zal wel niet mogelijk zijn nog een hapje te eten?'

'Ik flans wel wat in mekaar,' zei Quigley.

'En heeft u dan misschien ook nog een drupje cognac?'

Quigley keek naar de klok boven de bar. Hij wist precies hoe laat het was. Zijn gebaar was alleen om dat nog eens met klein theater te bevestigen. En werd begeleid door een haast onhoorbaar stokken van de adem.

'Het is niet voor mij,' zei Troy. 'Ik ben met Mrs. Cockerell.'

'Genoeg gezegd. Van het huis. Zo doen we de wet geen geweld aan, nietwaar?'

Ze zaten alleen aan een tafeltje in het midden van het vertrek. Quigley sloeg een blik op Mrs. Cockerell en zette toen een zeer grote cognac voor haar neus. Troy probeerde voorzichtig tot haar door te dringen. Kreeg haar zover dat ze haar jas uittrok en een slokje cognac nam. Haar tranen waren gedroogd. Het verdriet was overgegaan in stilte. Ze zei niets tegen Troy tot Quigley terugkwam met twee borden rosbief en gekookte aardappelen in plassen jus. Ze maakte haar malle hoed los, legde die op de lege stoel, streek het haar uit haar gezicht, ging rechtop zitten en nam de geforceerde houding aan van iemand die zich niet door tegenslag uit het veld laat slaan.

'Hij is het niet, weet u,' zei ze botweg.

Diplomatie, geen eerlijkheid, dacht Troy.

'Niemand weet dat beter dan u.'

'Die inspecteur wilde dat ik zei van wel.'

'Nee – ik denk dat die gewoon zijn werk deed. Hij wilde alleen dat u zeker was van uw zaak.'

Ze beet een muizenhapje van een aardappel, kauwde weifelend, besloot dat het smaakte en zette het toen op een eten.

'Nee,' zei ze. 'Het was meer dan dat. Hij wilde mijn antwoord niet accepteren.'

Ze sprak rustig. Ze maakte geen hysterische indruk op hem. Daarnaast moest Troy toegeven dat dit overeenkwam met wat hij zelf had gezien. Maar het leek hem niet goed om het met haar eens te zijn en haar te laten gaan met het idee dat Bonser haar te zwaar onder druk had gezet. De rust, indien haalbaar, lag in het ontkennen. De waarheid moest het doen met een tweede plaats.

'Zeg eens,' zei hij, 'waren er geen speciale kenmerken die alleen uw man had?'

'Hij had een litteken op de rug van zijn rechterhand. En een moedervlek aan de zijkant van zijn hals. Maar er was geen rechterhand, toch? En ook niet veel nek. Dat heb ik ook allemaal tegen de inspecteur gezegd. Maar die vindt nog steeds dat ik hem zou moeten herkennen.'

Troy besloot het daarbij te laten. Ze at langzaam, maar gestaag, en leek ook met de hoeveelheid geen moeite te hebben. Mary Quigley bracht twee schaaltjes jan-in-de-zak met synthetisch gele custardvla. Troy zag zijn technicolor liever op het doek dan op zijn bord. Hij weigerde beleefd en maakte van de gelegenheid gebruik om naar Quigley te lopen.

'Mr. Quigley, had u toen u nog bij de politie was weleens contact met Bill Bonser?'

Quigley ontkurkte de cognacfles en schonk twee glaasjes cognac voor zichzelf en Troy in, zeer, zeer beduidend veel kleiner dan dat voor Mrs. Cockerell. Hij schoof dat van Troy over de bar naar hem toe. Maakte ruimte voor de elleboog waarop hij, volgens de wetten van de vertrouwelijkheid, nu moest gaan leunen.

'Die kwam van Liverpool in het jaar dat ik met pensioen ging. Hij was brigadier in die dagen. En had dat wat mij betreft moeten blijven.'

'Waarom zegt u dat?'

'Nou, noemt u eens wat eigenschappen waar u zelf prat op gaat, Mr. Troy. Intuïtie, verbeeldingskracht – fijne neus, kunt u zich daarin vinden?'

'Als u wilt,' zei Troy.

'Billy Bonser mist die dingen. Hij is wat ik een geboren brigadier noem.'

Quigley pauzeerde even om zijn cognac naar binnen te kunnen slaan. Troy zag nog niet waarop hij doelde.

'Maar u zegt niet dat hij onbetrouwbaar is?'

'Onbetrouwbaar? Bill Bonser? Die is zo betrouwbaar als de Bank van Engeland. Nee – om dat soort dingen gaat het niet. Waarom het gaat is – wat onderscheidt de geit van de schapen? Koppie, koppie, Mr. Troy. Bonser heeft geen koppie. Bonser is – tja – trouw, gehoorzaam. De dingen die je verwacht van een goeie brigadier. Maar hij mist de verbeeldingskracht om onbetrouwbaar te zijn. Als je Billy Bonser een opdracht geeft, voert hij die uit tot hij erbij neerstort. Hij was hier de dag dat ik Cockerell als vermist opgaf. Dat was twee dagen nadat u hier was. Komt binnen. Vraagt of hij het gastenboek mag zien.'

Quigley greep onder de bar en haalde het gastenboek tevoorschijn. Hij sloeg het open en ging met zijn vinger langs de gerafelde naad tussen de pagina's.

'Zoekt de pagina op met Cockerells naam, en die van u, toevallig, en scheurt die er, zowaar ik hier sta, met een ruk uit, en zegt dat die hier nooit is geweest. Toen liep hij hier gisteren binnen en vroeg me het lijk te identificeren. Dat is nou Bonser. De ene dag de order Cockerell te laten verdwijnen, de volgende om hem te laten identificeren, en hij doet precies wat hem wordt gezegd. Onbetrouwbaar – van-ze-lang-zal-ze-leven niet. Plank voor zijn kop. Een geboren brigadier.'

Gegeven het feit dat Quigley twintig jaar van zijn leven brigadier was geweest, school er wel een merkwaardige mengeling van ruimhartigheid, objectiviteit en perversiteit in zijn beschouwingen, vond Troy, maar er kwam wel meteen een vraag bij hem op.

'Wiens orders volgde hij dan op? Waarom zou iemand hier willen dat Cockerell verdween?'

'Nee. Niet van hier, Mr. Troy. Het is vast een van zijn makkers bij Special Branch. Bonser was, voordat hij hier werd gestationeerd, brigadier bij de Branch in Liverpool. En denk erom, hij kwam te laat. Ik had hier al een verslaggever gehad. En die had het al gezien.'

'Een journalist? Weet u van welke krant?'

'Hij zei dat hij van de *Sunday Post* was. Plaatselijke correspondent. Als u het mij vraagt, had hij het gehoord van een tipgever op het politiebureau. Hij was Bonser gewoon te snel af.'

'Heeft u dat tegen Bonser gezegd?'

'Neu. Waarom zou ik hem op stang jagen?'

Hierdoor viel er een stukje van de legpuzzel op zijn plaats. De *Sunday Post* was het eigendom van de familie Troy, met als uitgever zijn zwager Lawrence. Lawrence gaf Rod zonder mankeren alles door wat voor hem van belang kon zijn – en zo had Rod, lang voordat bekend raakte dat er een spion was, de regering kunnen trakteren op zijn dondertoespraken. Het was nu ook duidelijk dat Rod altijd al had geweten dat de spion van Portsmouth kapitein-luitenant-ter-zee Cockerell was. Zonder dat te zeggen. Hij kon zich voorstellen wat een genot het voor Rod moest zijn geweest Eden te dwingen hem bij naam te noemen, hem voortdurend te laten doorschemeren dat hij de naam wist. Maar nu – nu leek het wel dat de spion van Portsmouth misschien wel niet kapitein-luitenant-ter-zee Cockerell was geweest.

Troy bood Mrs. Cockerell een lift terug naar Londen aan. Ze bedankte en zei dat ze kon overstappen in Reading, en dat hij haar alleen maar bij het station hoefde af te zetten.

'Hij is het niet,' zei ze nog eens, met haar hand op het autoportier, vlak voordat ze het stationsplein opliep. 'Echt niet.'

Het was een gewoonte. Een slechte, en meestal bedoeld als een afpoeiering. Troy gaf haar zijn kaartje. Zijn rang, het nummer Whitehall 1212, het bekendste nummer van Groot-Brittannië.

'Als er iets is wat ik kan doen –' zei hij uit beleefdheid, wetende dat hij nooit meer van haar zou horen.

En een maand lang was dat ook zo.

37

Hij had zich teruggetrokken in zijn vaders werkkamer – zijn werkkamer, hij moest er nog steeds aan wennen. De zomerregen kletterde tegen de ramen, zodat het glas rammelde in de sponningen. Hij zette een plaat op van Art Tatum, haalde *The Quiet American* van Graham Greene uit de kast en besloot de natte zaterdagmiddag en vermoedelijk het natte weekend op een aangename manier en in afzondering door te brengen. Ergens in de verte hoorde hij zijn zusters babbelen. Rod zat, zoals ieder zaterdag, boven in zijn kantoor met een bureau vol papieren. Nikolaj deed in de serre zijn middagdutje. Cid besprak in de keuken met de kok het menu van die avond. Hij had geen idee waar Tosca was, en vroeg zich dat de eerste twee hoofdstukken van Graham Greene ook niet af.

Als je over de duvel spreekt – ze opende de deur zachtjes, alsof hij haar had opgeroepen door aan haar te denken, en kwam binnen. Het wezen dat hij had gesommeerd was excentriek gekleed. Alle kleren die ze droeg waren van hem, opgevist uit de doos die hij opzij had gezet voor het werk in de tuin en de varkensstallen. Zijn oude grijze katoenen broek, enkele keren opgerold bij de enkels, en een Tattersall-shirt, met weerschijn aan de kraag en de manchetten. Ze verveelde zich. Hij was daaraan gewend geraakt. Ze verveelde zich gauw. Ze kwam nu waarschijnlijk af op de muziek, de kabbelende, sentimentele piano van Tatum, de o-zo-milde saxofoon van Ben Webster, het duistere bonzen van de contrabas. Ze stoorde hem niet. Hij zou het alleen maar toejuichen als ze wat meer initiatief toonde en een boek pakte of een plaat opzette zonder dat hij daartoe aanleiding gaf. Hij had geprobeerd haar van Huck Finn af te brengen, haar duidelijk te maken dat er nog andere schrijvers waren dan Mark Twain. Maar hij moest al snel concluderen dat hij haar niet kon tevredenstellen – in geen enkel opzicht.

'Alles tof, schat?'

Ze ging, zonder zich te ontspannen, op de punt van de stoel tegenover hem zitten. Meer als zijn dochter dan als zijn vrouw. Prikkelbaar, geprikkeld en prikkelend.

'Prima.'

'Je vindt het niet erg als ik hier... gewoon een beetje zit?'

'Natuurlijk niet. Je bent mijn vrouw.'

'En dat geeft me recht op een voorkeursbehandeling, niet?'

Hij gaf geen antwoord.

'Sorry. Dat was hatelijk. Ik ga te veel met je zusters om.'

De regen rammelde aan de terrasdeuren en verbrak zo de stilte. Waardoor hij niet hoefde te zeggen wat hij eigenlijk zou moeten zeggen en waarin hij geen zin had, omdat dat tegen zijn natuur indruiste.

'Geeft niet. Ik bedoelde niet dat je mijn eigendom bent. Ik bedoelde alleen dat alles wat van mij is, ook van jou is. Het bekende cliché.'

Ze glimlachte en verstarde weer, alles in een flits.

Hij ontkwam er niet aan. Hij kon het maar beter zeggen. Wist dat hij het moest zeggen. Hij legde zijn boek neer. Zijn tekortkomingen pakten in hem samen als een donderwolk.

'Ik bedoelde dat ik van je hield.'

'Werkelijk?'

Een fluisteren, niet halfhartig, niet onzeker, geen spoor van twijfel. Maar het kwam op hem over alsof het niet bij haar beklijfde; zoals zo veel, ten slotte, en dit was haar enige reactie, en het leek wel of de woorden die ze gebruikte de inhoud niet dekten.

De telefoon ging. Die stond een stuk dichter bij haar dan bij hem. Ze keek gespannen naar hem, glimlachte verlegen, zocht naar woorden. Ze liet hem overgaan, tot Troy zei: 'Neem hem even aan, Het is waarschijnlijk voor Rod. Dat is het bijna altijd.'

'Hallo', zei ze kalm, en hij zag het bloed uit haar gezicht wegtrekken, zag hoe ze hem aankeek met een dodelijk verschrikte blik in haar ogen.

'Ja, ja (pauze). Ja, hij is er. Natuurlijk.'

Toen legde ze haar hand over het mondstuk, en schreeuwde fluisterend naar Troy.

'Aaaaaaagh!'

'Wat is er aan de hand?'

'Aaaaaaaaaaaagggggghhhhhhhh!!! Dat is Ike!'

'Welke Ike?'

'Eisenhower, uilskuiken!!! De president, verdomme! Jezus Christus. Pak in godsnaam die telefoon aan!'

Troy holde om het bureau heen.

'Wat wil hij?'

'Alleen maar even weten hoe het met me gaat, natuurlijk. Godallemachtig, Troy! Wat denk je dat hij wil? Hij wil Rod!!!'

Troy griste de telefoon uit haar handen. Ze sprong door het vertrek rond, geluidloos schreeuwend, en danste van de ene voet op de andere alsof ze op hete kolen liep.

Hij holde naar boven. Rod gaf geen krimp. Gaapte, nam de hoorn van de haak en zei: 'Ike,' alsof hij hem gisteren nog had gesproken.

Daarna liep hij weer naar zijn werkkamer, ging naar Tosca zitten kijken, die liep te tieren en te razen, terwijl ze nog steeds door het vertrek rende alsof ze in brand stond.

'Tsjeezus, schat. Stel je voor dat hij mijn stem heeft herkend?'

'Dat is twaalf jaar geleden.'

'Verdomme, Troy. Ik zag die ouwe rakker wekenlang iedere dag, maandenlang zelfs! Hij liep zelfs met me te flirten!'

'Natuurlijk heeft hij niets gemerkt. Je bent dood, weet je nog?'

Ze liep terug naar haar plaats, ging op de rand van de stoel zitten en trommelde nerveus met haar tenen op de vloer.

'Dat klopt. Ik ben dood. Soms heb ik daar nog weleens moeite mee. Ik bedoel, daar zit ik dan, met het probleem wie ik nu in godsnaam eigenlijk ben, een blinde ziener, ergens in Hertfordshire, verloren in het Engelse groene hart, geparkeerd tussen de Coöp en Dorothy Perkins, gevangen tussen de duivel en de vrouw in de donkerblauwe jurk, net binnengewipt uit het Women's Institute, stuurloos in een zee van goeie manieren en schuldgevoelens over het masturberen, heen en weer geslingerd tussen de vraag of bezit nu echt diefstal is, of dat mijn reebruine handtasje wel past bij mijn twinset, tot waanzin gedreven omdat ik niet weet wat ons het eerst te gronde richt: de H-bom of het gebruik van de verkeerde vork aan de eettafel, en dan vergeet ik intussen maar steeds dat ik dood ben. Nou... 't is me hartstikkegodverdomme wat!!!'

Minutenlang hoorde hij niets anders dan de regen en het toenemende gerommel van de donder.

Hij leunde achterover, de stoel op twee poten, en zette het knopje om, zodat de plaat weer op gang kwam. Tatum begon met zijn interpretatie van 'Gone With the Wind' – de vooroorlogse song waaraan Margaret Mitchell de titel van haar boek had ontleend, dat vervolgens werd verfilmd, en daarna een totaal andere song had opgeleverd – en zette de strijd in tegen de regen op de ruiten. Niet dat er veel sfeer verloren was gegaan die weer terug moest komen, maar hij had een haat/liefde-relatie met de breekbare stilte tijdens de regen. Haast erotisch. De verleiding die te verstoren was te groot. Hij had het eens geprobeerd en jammerlijk gefaald.

Hij pakte zijn boek. Toen sprong ze van haar stoel, sloeg het boek uit zijn hand, sloeg haar armen om zijn nek en huilde tegen zijn borst.

De naald draaide rond in de laatste groef. Zoals altijd werkte de automatische wisselaar niet als je hem nodig had. Ze tilde haar hoofd van zijn borst, snoof luidruchtig en keek hem aan, met haar neus tegen de zijne.

'Weet je nog wat Twain zei?'

Hij schudde zijn hoofd.

'De geruchten over mijn verscheiden zijn hogelijk – wat was het ook weer?'

'Overdreven?'

'Dat is het.'

Toen kuste ze hem, trok haar benen op, wrikte haar kousenvoeten tussen zijn dijen en begroef zich in zijn hals. Ze rook naar parfum, een merk dat hij niet kende, naar zeepvlokken, en naar Tosca.

38

Rod blies met de blaasbalg het ingeslapen vuur weer wat leven in. Voor een man met twee linkerhanden was hij in twee, drie dingen zeer bedreven. Hij was een meester in het pannenkoeken bakken, hoewel daar tegenwoordig niet vaak meer een beroep op werd gedaan, aangezien zijn kinderen dat stadium intussen waren ontgroeid, mixte duivelse martinicocktails, en was altijd degene die de open haard aanmaakte, onder het herhaald slaken van de kreet 'Afblijven, afblijven!' En zo zag men hem op koele zomeravonden als deze dan ook vaak, met de kont in de lucht, over de gloeiende as gebogen, in een poging daar weer wat vuur in te krijgen. Als het vuur eenmaal brandde, zag hij af van iedere andere vorm van verwarming of licht, en zat hij meestentijds tot na het middernachtelijk uur bij de haard met de papieren van zijn werk, of het boek dat hij aan het lezen was, ongezellig, gapend, knikkebollend. In de tijd dat hij minister was, had Troy hem een keer gered toen een regeringsstuk van zijn schoot in de haard was gegleden, waardoor zijn broekspijpen hadden vlamgevat.

Het avondeten was achter de rug, de familie naar hun respectieve kamers vertrokken. Troy liep langs de tafel en doofde met zijn vingers de kaarsen. Hij had uit voorzorg eerst de deur dichtgedaan. Hij ging bij het vuur zitten, en hoopte op een gezellige babbel bij de haard – een uitdrukking die aan populariteit had ingeboet sinds het overlijden van Franklin Delano Roosevelt. Rod kreeg het vuur aan de gang, zuchtte en zakte in de stoel tegenover hem.

'Geen zin om naar bed te gaan?' zei hij.

Wat een hint was. Hij bedoelde 'opgekrast' in Rod-taal, maar Troy liet zich niet krassen.

'Zou ik misschien mogen weten wat er aan de hand is?'

'Hoezo?'

'De president van de Verenigde Staten staat zaterdagsmorgens gewoonlijk op het golfveld en pleegt geen heimelijke telefoontjes naar de huisaansluitingen van lagere Britse politici.'

'Lager! Heimelijk!'

'Ik wist niet eens dat je hem kende.'

'Tijdens de aanloop naar D-Day kwam ik vaak in het hoofdkwartier van de Opperheer. Ik zal niet zeggen dat de vijfsterrengeneraal en ik elkaar tutoyeerden, maar ik kende hem. Ik zag hem een paar keer in 1954, en ik was in juni dit jaar de leider van de Labour-groep naar Washington, toen jij met je nieuwbakken echtgenote op stap was.'

'En toen gaf je hem tussen de bedrijven door je telefoonnummer hier?'

Rod legde de stapel papieren die hij in zijn hand had weg. Dat hield in dat Troy in ieder geval zijn aandacht had.

'Dit blijft tussen ons. Oké?'

'Ik ben niet de een of andere journalist van Fleet Street, Rod.'

'Je zult het met me eens zijn dat het contact met de oppositieleiders een onderdeel is van ons werk, het mijne en het zijne. Dat is niets bijzonders, dus bespaar me de komedie. Het feit dat we elkaar tijdens de oorlog leerden kennen helpt. Hij kende Gaitskell tenslotte niet. In juni vertelde hij me dat hij zich zorgen maakte over Egypte – het pact van Bagdad en dat soort dingen, en zei dat het zinvol kon zijn van tijd tot tijd te horen hoe Hare Majesteits Oppositie over bepaalde aangelegenheden dacht, zonder de formaliteiten en kouwe drukte. En nee, ik heb hem dit nummer niet gegeven. Dat had hij al. Vroeg of ik het erg vond als hij me hier belde, en zei dat hij wist dat de lijn niet werd afgetapt. Wat niet van mijn kantoor kan worden gezegd. Hij zei dat we konden praten zonder dat iemand er verder van wist – zijn mensen niet, en mijn mensen niet. Hij belde vandaag vanwege de televisietoespraak die Eden gisteravond hield. Ike heeft blijkbaar de ambassade in Londen gezegd de hoorn van de telefoon bij het tv-toestel te houden, zodat hij een directe ontvangst in het Witte Huis had. Het komt erop neer dat hij vreest dat Eden niet begrijpt waarom het gaat. Hij zegt dat Dulles er geen enkel misverstand over laat bestaan dat de Amerikanen ons niet steunen, voor zover het Egypte aangaat – "wij banen ons niet schietend een weg door het kanaal" en al dat gezeur – een beetje te subtiel voor Eden, eigenlijk – en dat we dat ook niet van ze mogen verwachten. Maar hij vindt dat Eden doet alsof het hem niet aangaat.'

'Niets bijzonders, dus. Ike moet Eden tijdens de oorlog hebben leren kennen. En die zal er zeker niet op vooruit zijn gegaan.'

'Precies. Dat is een deel van het probleem. Ik betwijfel of Ike ooit enig vertrouwen in hem heeft gehad. Maar er is wel degelijk iets bijzonders.'

Rod aarzelde even, en zuchtte haast van spijt.

'We gaan een inval doen.'

Troy besloot dat zwijgen de verstandigste optie was. Laat Rod maar praten.

'De Tories hebben een geheim verdrag getekend met Frankrijk en Israël. Israël valt Egypte aan via de Sinaï, richting kanaal. Dan stomen de Fransen en de Britten binnen als vredestichters, en pikken intussen onderweg het kanaal in. Het stond volgens zeggen allemaal op schrift, maar Eden heeft zijn exemplaar van het verdrag verbrand en een snuiter van BuZa naar Frankrijk gestuurd om het Franse exemplaar te halen. Maar het Israëlische exemplaar kreeg hij niet. Eden heeft het parlement voorgelogen en als we hem terughalen voor een buitengewone zitting is hij van plan weer te liegen.'

'Hoe weet Ike dat allemaal?'

'De CIA heeft inzage gehad in het Israëlische exemplaar.'

'En waarom vertelt hij jou dit alles?'

'Gewoon omdat hij wil dat ik dit weet.'

'Daar geloof ik niets van. En jij ook niet. Ik zou niet weten hoe je dit kon gebruiken. Wanneer is er voor het laatst iemand opgestaan in het Gekkenhuis en heeft de premier een leugenaar genoemd? Als je dat doet, zal iedere journalist in Groot-Brittannië je naar je bron vragen. Wat ga je dan tegen ze zeggen? Dat Ike je thuis opbelt? Want dat gelooft geen mens. Dat je een hotline met de CIA hebt? Dat zal je meer kwaad doen dan goed. Dan krijg je je eigen linkervleugel over je heen.'

Rod leunde naar voren. Niemand die hem kon horen, maar hij fluisterde toch.

'Hij zegt dat hij het pond onderuit zal halen, als Eden zijn zin doorzet. Zodat dat geen cent meer waard is tegenover de dollar. In de herfst moeten we de rente betalen over de na-oorlogse leningen die de Amerikanen ons gaven. Dat lukt ons dan niet. Het Centraal Hof van Financiën moet met de pet rond en we lenen dan van iedereen die nog een postwissel van een paar shilling heeft liggen. Van wereldmacht tot internationale bedelaars in minder dan tien jaar. Waarbij Ike ons dan bij de ballen heeft – en een van Ikes stelregels is dat als je een man bij de ballen hebt, zijn hart en geest spoedig volgen.'

'Godallemachtig,' zei Troy. 'Dat is knap opportunistisch. Maar ik begrijp nog altijd niet waarom hij de moeite nam je dit te vertellen.'

'"Bijzondere betrekkingen"?'

'Hou toch op.'

'Hij wil dat we klaarstaan.'

'Klaarstaan waarvoor?'

'De machtsovername.'

'Machtsovername? Er zijn verdomme pas verkiezingen in 1960!'

'Eden verdwijnt. Dat heeft Ike besloten. Als hij gaat, is de kans groot dat hij de Tories meesleept in zijn val. Dan zijn wij in januari weer aan de macht.'

'Dus Ike gedraagt zich als de boodschappenjongen van een bookmaker. En geeft je de gouden tip.'

'Alles in het belang van de continuïteit.'

'Kletskoek.'

'Dat heet diplomatie.'

'Zeg jij,' zei Troy. 'Ik weet er wel een paar andere woorden voor.'

Het was Troys beurt om naar voren te buigen bij het sputterende vuur en over te gaan tot een onechte toon van vertrouwelijkheid. Geheimen waar die niet mochten zijn. Harde waarheden waar alleen vreemde leugens pasten.

'Zeg eens, stoort het je dan helemaal niet om een doelwit te zijn van een CIA-operatie? Maak je je dan helemaal geen zorgen over het feit dat een Amerikaanse president de Britse regering omvergooit? Want als ze de Conservatieven kunnen lozen, kunnen ze dat jou ook.'

'In rare tijden, Freddie, ontmoet je soms rare bedgenoten.'

'Als ik naar bed ging met de CIA, zou ik 's morgens mijn ballen tellen.'

39

The Quiet American lag niet meer waar hij het had neergelegd. Met nog maar een paar hoofdstukken te gaan, had hij er echt zin in het uit te lezen in bed.

Hij klopte op Tosca's deur en ging naar binnen. De ramen stonden wijd open om de nachtlucht binnen te laten, en daarmee de laatste weerbarstige regendruppels. Haar broek, onderbroek en sokken slierden vanaf de deur over de vloer in dezelfde volgorde waarin ze die had uitgetrokken. Het was in de kamer langzamerhand een haast even grote bende als in Orange Street, al die jaren geleden. Ze zat rechtop in bed. Het Tattersall-shirt was een nachtpon geworden. Ze las zijn boek. Hij besloot daar niets van te zeggen. Hij pakte wel een ander.

'Het spijt me van vanmiddag.'

'Geeft niks. Je was vast erg geschrokken.'

'Hartstikke dood, mag je wel zeggen.'

Ze aarzelde even, hield haar duim tussen de pagina's en drukte het boek tegen haar boezem. Trok haar knieën op, tot onder haar kin.

'Heeft me wel aan het denken gezet, weet je. Het kan iedereen zijn. Altijd weer. Ik bedoel – je weet maar nooit. We zullen het nooit echt weten, hè?'

Ze keek naar hem. Een blik die hij niet kon peilen. Ze had zich helemaal om hem heen geslingerd, de angst van de dag van zich afgeslapen in de slaap van een bang kind. Dat had ze nooit eerder gedaan. Ze had tijdens het eten geen woord gezegd, de bediening aan Rod en de zusters overgelaten, hem af en toe onder het tafelkleed bij de hand gepakt of bij zijn ballen gegrepen. Dat had ze tientallen keren gedaan. Hij wist niet wat ze nu van hem wilde.

'Nee', zei hij. 'Nooit.'

40

Het was een kletsnatte zomer geweest. Wind en regen, met een enkele dag van niet-aflatende zonneschijn om de kalender te kruiden en de Engelsen eraan te herinneren dat de zomers niet meer waren wat ze geweest waren – voor de oorlog. Eén sprankje zon was gebleven – eerder in het seizoen had Engeland het reizende Australische cricketteam tijdens de testmatch in de pan gehakt en ze onder de neus gewreven dat Len Hutton dan misschien wel met pensioen was, maar dat zijn geest was gebleven.

De agent van dienst van de Yard was even betrouwbaar als een goeie barometer. Hij sprak over het weer of hij sprak over cricket. De uitkomst was in beide gevallen hetzelfde.

'Het komt door de bom,' zei hij eind augustus op een ochtend tegen Troy. 'Spreekt vanzelf.'

Troy was dol op 'spreekt vanzelf' – het was, als het werd gebruikt door het soort idioot zoals je die alleen in Engeland aantreft, het teken, de voorbode, van het ongerijmde, van een bewering die, zonder enige vorm van twijfel, absoluut niet vanzelf sprak.

'De bom, dat kan niet anders,' zei de diender, toen Troy vanuit Whitehall binnenwandelde.

Troy wachtte. Cricket of het weer?

'We hadden nooit zulk weer, tot je al die atomen in de lucht kreeg! Het zijn die atomen. Daar zijn er veel te veel van, en die suizen maar rond door de atmosfeer.'

Meespelen of overslaan? Meespelen, dacht hij. Met een absurdistische openingszet.

'In Japan regent het ook altijd.'

'Ja, maar daar heb je altijd die passaatwinden. Wij zitten in dezelfde passaatwinden als Japan, ziet u. De wind blaast al die atomen van Hiroshima en Naga-watdanook naar Engeland.'

Dit vereiste enig nadenken. Troy voorzag na enige zetten een schaakmat.

'En Japan was,' zei hij, paard naar dameloper 4, 'natuurlijk niks waard met cricket.'

'Spreekt vanzelf,' zei de diender, en paste zo de kunstgreep toe die Troy kende als de praathuistoer, de truc van de huisbakken wijsgeer, van de herhaling, de bewondering en het ontzag over de grootsheid van God en Natuur. Troy gaf het op. Ze brachten wel een bijzonder onverschrokken soort idioten voort – de Engelsen.

In zijn kantoor rinkelde de telefoon. En geen spoor van Clark of Wildeve.

Hij herkende de stem van de vrouw die naar hoofdinspecteur Troy vroeg niet.

'Janet Cockerell,' zei ze.

'Ja,' zei hij neutraal.

'U zei dat ik u kon bellen als...

Ze kon de zin niet afmaken, maar dat hoefde ook niet. Het 'als' was algemeen bedoeld. Parels voor de zwijnen. Alles en niets, in de hoop dat het niets zou zijn. Maar ze belde nu.

'Ik heb weer van die inspecteur Bonser gehoord.'

Troy ook. Een rapport van de lijkschouwer lag ongelezen in zijn in-bakje. Als hij een reden had gehad om er Bonser om te vragen, was hij die nu vergeten.

'Hij wil dat ik weer naar Portsmouth kom. En ik vroeg me af... of ik dat moest doen.'

'Nee, Mrs. Cockerell, dat hoeft niet.'

'Kan hij me niet dwingen?'

'Nee.'

Bonsers verzoek verbaasde Troy niet. Hoe kreeg hij dat lijk anders ooit geïdentificeerd? Het was hoogstens wat vreemd dat hij de zaak zo lang op zijn beloop had gelaten.

'Maar,' vervolgde Troy, 'u begrijpt natuurlijk wel hoe weinig aanknopingspunten Mr. Bonser heeft.'

'Maar u zegt niet dat ik het moet doen?'

'Dat klopt.'

'Hij is het niet. Ik kan niet zeggen van wel, als het niet zo is.'

Troy had dit allemaal al gehoord.

'Het is de manier waarop hij het vraagt. Ik krijg het gevoel alsof hij probeert me te intimideren.'

Hij wist niet precies waarom hij het gesprek niet verbrak, wat hij er verder nog van verwachtte.

'Waarom bent u er zo zeker van dat het lijk dat we zagen niet van uw man is, Mrs. Cockerell?'

'Hij leeft nog. Dat weet ik.'

'Ik doe nu al twintig jaar onderzoek naar verdachte sterfgevallen, Mrs. Cockerell. De meeste mensen die vermist raken, blijken achteraf overleden. Het komt buitengewoon zelden voor dat iemand erin slaagt zijn eigen verdwijning te ensceneren. De ouwe truc van het achterlaten van je kleren op het strand werkt allang niet meer. Als hij na vijf maanden nog altijd vermist is, zult u er toch van uit moeten gaan...'

'Mijn man heeft zijn kleren niet op het strand laten liggen, maar in het King Henry Hotel,' protesteerde ze.

'Inderdaad. En zegt u dat dan niets?'

'Nee.'

'Nou, mij zegt het dat uw man geen verdwijntruc heeft geënsceneerd. En kleren is niet het enige. Uw man liet zijn portemonnee achter, zijn koffer en zijn auto, zijn tandenborstel en zijn scheerapparaat. Als hij door Engeland zwerft, doet hij dat zonder een cent op zak.'

'En zegt dat ú dan niets?' Ze confronteerde hem met zijn eigen vraag.

'Wat dan?'

'Dat dit misschien wel allemaal om geld draait. Dat hij misschien wel ergens een reservepotje heeft verstopt?'

'Het kan zijn. Maar...'

'Het is geld, Mr. Troy. Het draait allemaal om geld. Waarom komt u hier niet eens kijken?'

'Wat?'

'Naar Derbyshire. Om te kijken.'

'Ik zit bij Moordzaken. Ik kan niet achter vermiste personen aan, of geld.'

'Maar u gaat er niet van uit dat hij vermist is. U denkt dat hij dood is!'

Ze had hem aardig weten in te pakken. Later had hij zich vaak afgevraagd waarom hij zich had laten overhalen om naar Derbyshire te komen, zich in te laten met deze akelige, weerzin oproepende warboel. Zelfs toen hij haar adres opschreef, kwam de naam van haar woonplaats – Belper – hem vagelijk bekend voor, alsof hij die onlangs nog in de een of andere context had gehoord. Ze had gelijk: hij dacht inderdaad dat Cockerell dood was, al was het maar door een combinatie van ervaring en instinct. Ze had ook gelijk dat hij, ook al kon hij Bonser niet de juridische zekerheid geven die hij nodig had, dacht dat het lijk Cockerell was. Wat het zwak maakte was, dat als het lijk Cockerell bleek te zijn, het buiten zijn competentie viel – dan kon de geheime dienst er verder zijn hart aan ophalen. Maar als het Cockerell niet was, wat waren dan de consequenties van de veronderstelling dat de man dood was. Dood waar? Dood wanneer? En door wiens toedoen? Nee – zij had hem niet ingepakt, dat had hijzelf gedaan. Dat, en het feit dat zijn nieuwsgierigheid naar de Cockerell-zaak was gewekt door het simpele feit dat zijn eigen broer zich zo druk had gemaakt over het politieke voordeel dat hij ermee dacht te kunnen behalen. Rod speelde een vreemd spel. Troy verbaasde zich erover hoever hij de laatste tijd ging, welke methoden hij daarbij toepaste, en met welke mensen hij bereid was in zee te gaan. Vreemde bedgenoten had hij ze genoemd. Hij herinnerde zich de grote lepel in Downing Street. En hij herinnerde zich Rods pijnlijke suggestie dat Troy en 'alle ploeteraars van de Special Branch' misschien slechts lokeenden waren geweest in het tussenspel van kapitein-luitenant-ter-zee Cockerell. Hij wist niet wat Rod deed met alles wat hij wist, en hij wist ook niet waar dat allemaal vandaan kwam – maar het gevoel dat hij misschien wel was gebruikt, stoorde hem meer, veel meer, evenals de gedachte dat hij, in de veronderstelling dat hij deel uitmaakte van de hoofdgebeurtenissen, al die tijd aan de zijlijn had gestaan.

Hij keek naar het nette, kleine stapeltje papieren op zijn bureau, zo goed geregeld en onder controle sinds de komst van Clark. In tegenstelling tot zijn leven.

'U ziet me morgen in de loop van de dag,' zei hij tegen haar.

Hij hing op en pakte het rapport van de lijkschouwer uit zijn inbakje. Alle goeie onderzoeken begonnen met een goed lijk. En het lijk dat daar in Portsmouth op de snijtafel lag, was ongeacht de herkomst het geschiktste lijk sinds tijden.

Bedorven, aangevreten door vissen, rottend en stinkend. De patholoog had een walgelijk leesbaar verslag geleverd – tot aan het hoofdstuk 'Inhoud van het Spijsverteringskanaal, de Maag, Twaalfvingerige Darm, Karteldarm & Onderzoek van de Endeldarm.' Daarin overvleugelde de walg zelfs de meest perverse politiegenoegens, zodat Troy het rapport in het uit-bakje deponeerde. Een bakje voor lopende zaken had hij niet. Was Clark daar misschien nog mee bezig? Misschien constateerde hij dan wel, als hij over niet al te lang eens binnenliep, dat zijn leven toevallig in dat middelste bakje lag?

41

Het kwam er uiteindelijk op neer dat hij geen zin had om met de auto te gaan. Alleen al de gedachte aan de urenlange rit over de A5, en dan de A6, door heel Northamptonshire en heel Leicestershire tot halverwege Derbyshire verveelde hem. Je zat al uren vast in het verkeer voordat je de stadsgrenzen van Londen was gepasseerd, en op de weg naar het noorden was het ook vaak stapvoets rijden. Engeland, dat moest gezegd, stikte zo langzamerhand in zijn verkeer. Wat Engeland ontbeerde waren Autobahnen. Dat was het enige positieve dat wijlen Adolf Hitler kon worden nagegeven. Bezoekers die terugkeerden uit het nieuwe en in zijn normale staat teruggebrachte Duitsland mopperden over het achtergebleven wegennet in Groot-Brittannië. Je hoorde tegenwoordig steeds vaker uilskuikens in het café de beschaving van een land afmeten aan de kans die je kreeg om met 175 kilometer per uur over een betonnen supersnelweg te scheuren. Maar goed, dat waren de gevolgen van de naoorlogse tijden. Troy begon gewend te raken aan de modieuze herontdekking van het Vasteland – of Europa, zoals het dezer dagen werd genoemd – de kostbare zomervakantie naar het buitenland, waarvandaan de welgestelde Brit terugkeerde vol verhalen over die plek in Frankrijk waar ze Engels bier serveerden of een goeie kop thee – of, steeds vaker, op de tegenovergestelde toer, dat ze dingen hadden ontdekt die 'in het Verenigd Koninkrijk nu eenmaal niet te vinden waren', en nooit zouden worden, zolang we ons zo 'insulair' bleven opstellen. Troy herinnerde zich zijn eerste confrontatie met een knoflookpers, een fles Chianti en rood Toscaans aardewerk. En dat kleine blauwe boekje *Mediterraan Eten*, van Elizabeth David, volgepropt met 'calamari' – wat dat ook mochten zijn – en 'courgettes', in de Engelse volkstuintjes beter bekend in zijn opgeblazen vorm als 'prijskalebas' – dat heel wat op zijn geweten had. Dit alles maakte, hoe dan ook, deel uit van het grote Britse talent voor zelfkastijding.

Hij pakte het spoorboekje uit zijn bureaula om een geschikte trein op te zoeken. De oude Midlandlijn vanuit St Pancras. Hij hield van treinen, en Groot-Brittannië beschikte over een uitgebreid netwerk van lijnen die zo ongeveer alles verbonden met ongeveer alles. Deze treinen liepen, in tegenstelling tot die van Mussolini, zelden op tijd, maar brachten je naar alle hoekjes en gaatjes van het land, of dat hoekje nu Midsomer Norton was, in het diepst van Somerset, of het gaatje Monsal Dale, op het hoogst van Derbyshire. De spoorwegen waren als de ondergrondse, zoals hij die aan Chroesjtsjov had beschreven – krakkemikkig maar functioneel.

Belper? Waar kende hij die naam van? Belper. Hij vond het op de kaart van het spoorboekje. Het lag ongeveer vijftien kilometer ten noorden van Derby, een gat dat lag ingeklemd tussen een zijrivier van de Trent en de uitlopers van de Pennines. En het had daadwerkelijk een spoorwegstation.

42

De locomotief was een versleten exemplaar, met nog altijd de insignes van de oude London, Midland & Scottish Railway, die lang geleden al was genationaliseerd tot onderdeel van de British Railways. Troy was als kind een treinspotter geweest – er liepen op weg naar het noorden zoveel lijnen door Hertfordshire – maar was tegen de tijd dat dit type uitkwam de verrukkingen van de jeugd ontgroeid. Niettemin wist hij waarmee hij te maken had, ondanks alle smeer en verwaarlozing van de nieuwe orde. Het was, herinnerde hij zich, een Jubilee, klasse 4-6-0, vernoemd naar het zilveren jubileum van de voormalige koning in 1935. Niet zo groots als de Coronation en Princess Pacifics, niet zo krachtig, maar mooi gestroomlijnd, gaaf, en meestal rood, als de locomotief uit de kinderboeken – niet smerig zwart, zoals nu.

Het ritme van de stoom, het mechanische inademen en uitademen van het ijzeren beest, werkte altijd slaapverwekkend. Hij viel, toepasselijk genoeg, ergens in Bedfordshire in slaap. Toen hij wakker werd, was het donker, en pufte de trein door de vlakten van de Trent Valley. Hij had niet gemerkt dat ze door Leicester en Loughborough waren gekomen. Hij tuurde uit het raam naar een heldere hemel die werd verlicht door een bijna volmaakte halvemaan. Een station schoot voorbij – Long een of ander. Hij strekte zich uit tegen de versleten zitting van de LMS derdeklas treincoupé en viel weer in slaap.

Iemand stootte hem zachtjes aan. Hij opende zijn ogen. Het was halfduister in de coupé, donker buiten, en de trein stond stil. De iemand was een conducteur.

'Belper, was het toch, meneer? Moet u wel opletten, anders staat u straks in Manchester.'

Troy, nog half in dromenland, sprong uit de trein en kwam terecht in het land waar de wereld ophield. Far Twittering of Oyster Perch? De trein vertrok, met diepe ritmische zuchten, en verdween langzaam in de steenuitgraving naar het noorden. Toen het puf-sis en de lucht van rook en stoom optrokken, namen andere geluiden en geuren hun plaats in, en openden zich als bloemen in een trucfoto. Een licht vleugje van de nachtbloeiende violier, de zwakkere geur van laatbloeiende koolrozen, de krachtige aromaten van de nicotiana. Hij stond bij een goed onderhouden bloembed. In het midden van het veldje prijkten in grote, op het oog zojuist geschrobde witte stenen, aangevuld door een contour van scharlakenrode geraniums, de letters B-E-L-P-E-R. Hoog op een stenen muur stond een gaslamp op een ijzeren onderstuk zachtjes te sissen in de met geuren bezwangerde lucht. Aan de muur hingen manden met hangende waterkers en lobelia. Het geluid van de locomotief verstierf in de verte, en daarachter vandaan steeg een hees welluidend murmelen op, een veelheid aan diep kirrende stemgeluiden, dat van tijd tot tijd de stilte verbrak. De stilte. Dat was het opvallendste. Ergens in de verte klonk via een open raam het onontwarbare maar onmiskenbare geluid van een radio, afgestemd op de Home Service, maar los daarvan en van die vreemde murmelende klanken, hoorde Troy niets, geen auto, geen stem, niets. Een geurige stilte.

Hij keek om zich heen. Hij stond naast een afgebladderd rood gebouw van de spoorwegen, een beetje in de stijl van een Zwitsers chalet. Op de deur rechts van hem zat een geëmailleerd bordje met de woorden 'Ladies Only'. Links van hem stond een man in een kruiersuniform tenen manden met wedstrijdduiven op een kar te laden. De duiven koerden hem toe, en iedere keer als hij een mand optilde, klonk er even wat gefladder. Hij leek sprekend op Oliver Hardy. Datzelfde ronde gezicht, dezelfde gelaagde halskwabben tussen kin en kraag, dezelfde getrimde, ouderwetse snor – dezelfde enorme omvang.

'Pardon,' zei Troy. 'Er is hier zeker geen stationshotel?'

Troy verwachtte half dat hij rechtop ging staan, aan zijn das zou friemelen of zijn hoed tegen zijn borst drukken, en iets verlegen fluisteren, zijn hoofd van links naar rechts wiegend, en met getuite lippen. Maar hij zei niets, en ging gewoon verder met het laden van zijn murmelende bagage op de kar. Troy had spijt van het ingebouwde negatief in zijn vraag. Klere-Engelsen met hun stomme grammaticale gewoontes. Hij bedoelde gewoon: 'Waar is hier een hotel?'

Zonder naar Troy te kijken wees Hardy naar de smalle weg in de richting van het dorp.

'Daar?' vroeg Troy. Hij wist dat ze bestonden. Mensen die geen mond opendeden.

'Bovenaan de helling. Aan de andere kant van het plein. Keddleston,' zei Hardy met een verbazend hoge, zachte stem, amper harder dan een fluistertoon, nog altijd zonder een blik op Troy. Hij zette de laatste mand met een plof boven op de lading, liep naar de voorkant van de kar, en drukte op een knop. Er sloeg een elektrische motor aan, met een zoemgeluid zo hard als van een naaimachine, en de volle kar zette zich schommelend in beweging, achter Hardy aan, de helling op. Troy, in de war gebracht door zijn zwijgzaamheid, volgde de spoorwegkaravaan, op zoek naar de karavanserai, en liet dromerig de klanken van de duiven en de geur van de violieren over zich heen spoelen in de warme avondlucht. Arabische Nachten in de Pennines.

Dat duurde niet lang. De Keddleston bleek een krot. Een krot dat voor het laatst een verfkwast of een rol behangpapier had gezien ten tijde van koning Edward VII. Zijn kamer was klein en zijn bed zo smal als een doodskist. De vering, die al heel lang geleden zijn beste tijd had gehad, protesteerde het grootste deel van de nacht, en als dat niet het geval was, liet de man in de kamer naast hem, waarvan Troy voor zijn gevoel slechts gescheiden werd door twee lagen tegen elkaar aan geplakt behangpapier, geregeld winden, zo te horen in solidariteit met de gefolterde beddenveren.

Hij werd wakker, moe en met overal pijn, en bevond zich tegenover het enige meubelstuk in zijn kamer uit de twintigste eeuw. De utiliteitsmeubelen, het rationele gevolg van het 'kunst-en-vliegwerk'-motto uit de oorlog en ontworpen en gemaakt als noodoplossing, waren verbazingwekkend duurzaam gebleken. En er waren misschien zelfs wel mensen die de hoge effen triplex ladekast, die je in de huizen tot in alle uithoeken van het land aantrof, mooi vonden. Het was toverkunst in hout, de nood vertaald in deugd.

Hij waste en kleedde zich bij het geluid van bonkende waterleidingpijpen en oorverdovend geraas van doorgetrokken toiletten. Het warme water koelde af, en terwijl hij wachtte tot het dunne waterstraaltje weer op temperatuur kwam, dreunden voetstappen die de trap afdaalden zodanig langs zijn deur, dat de siervaas met kunstbloemen op de ladekast stond te rammelen.

Hij kwam als laatste beneden. Het eetzaaltje zat vol. Mannen met snorren. Mannen in bruine pakken, die elkaar allemaal leken te kennen, en verzonken zaten in vette eieren, vet spek, thee met vette melk, en gewiekste vakpraat. Een lucht van verschaalde tabak en haarolie trok langzaam voorbij aan het ergste wat een ontbijt kon uitwasemen. Een of twee van de bruine pakken zeiden 'Mogge' tegen Troy, en degene die het dichtst naast hem zat vroeg wat hij verkocht. Uit de trotse, met vaktaal doorspekte scherts maakte Troy op dat hij de dis deelde met pioniers uit de voorste gelederen van de handel in borstels en badkamerbenodigdheden.

Hij ging de straat op. Een warme nazomerdag. Het heldere licht van de laattijdige zonneschijn deed zijn best om de koude augustusmaand goed te maken. Hij keek om zich heen. Een drukke hoofdstraat, met banken en manufacturiers en bouwfondsen en slagers, plotsklaps ondergedompeld in een sliert van rook en stoom, toen een sneltrein naar het noorden door de doorsteek in het hartje van de stad raasde. Hij keek langs de geschilderde winkelgevels omhoog naar de stenen bovenverdiepingen, en het stadje schoot een eeuw of meer terug naar de eenvoudiger soliditeit van het oorspronkelijke victoriaans. Met daarboven allemaal roze, groene heuvels, die de stad aan drie kanten omsloten. Het was niet het landschap dat hij had gezien vanuit de trein, net voor hij voor het laatst in slaap viel. Dit was niet het verdronken land van de Midlands, dit was een uit keisteen opgetrokken, robuuste noordelijke stad, die opklom tegen de heuvelruggen van een bergvallei. Het landschap van, als hij zich dat nog goed herinnerde van zijn eindexamen aardrijkskunde, katoen en steenkool.

Het meisje dat hem een smerig ontbijt had geserveerd van iets gestolds met iets kouds, waarvan de grote hoeveelheid het enige aanbevelenswaardige was, had een ruw plattegrondje van het stadje voor hem getekend. Hij draaide dat de ene kant op, en de andere, in een poging het noorden te vinden, en liep de hoofdstraat in, richting de oostelijke heuvel, op zoek naar de Heage Road, het adres dat Mrs. Cockerell hem had gegeven. Sinds een saaie middag, een tijdje terug, in Westminster Abbey, had hij niet meer zoveel keisteen gezien. De hele stad leek er wel uit te zijn opgetrokken. De paar bakstenen bouwwerken leken later te zijn toegevoegd, als mislukt gebaar in de richting van de moderniteit. Het stadje maakte, als zovele in Groot-Brittannië, geen welvarende indruk. De tijd van soberheid was voorbij, maar de bepalende kenmerken ervan waren gebleven, als een hardnekkig spinnenweb. Een sfeer van armetierigheid, grenzend aan armoede.

Veel huizen waren morsig, met bladderende verf en rottend houtwerk, en de mensen orwelliaans, ze kwamen op Troy over als personages uit *The Road to Wigan Pier*. Bij het oplopen van de steile heuvel die omhoogliep vanuit het centrum kwam hij langs iets wat kennelijk een goedkoop logement was. Een broodmagere man stond buiten in de overblijfselen van een zware legerjas, de insignes van het regiment nog zichtbaar, de knopen dof en minstens tien jaar of langer niet meer opgepoetst, de handen aan de revers, de een op de ander, nog koud ondanks het warme ochtendlicht, en de lippen zachtjes in beweging. In het voorbijlopen hoorde Troy duidelijk de lettergrepen 'che, che, che... een gestamel dat tot niets leidde. Hij zou, ongeacht wat hij te zeggen had, nooit verder komen dan die eerste lettergreep, en de dodelijk vermoeide, naoorlogse, na-alles figuren die schuifelend en ruftend door de pokdalige bruine deur van het logement naar buiten scharrelden, wachtten ook niet tot hij klaar was. Ze schuifelden verder, heuvel op of heuvel af. Somber en stil. Naoorlogs, na-alles? Troy vroeg zich vaak af hoe die mannen zo geworden waren. Engeland leek na de oorlog, na iedere oorlog, de Eerste was niet anders geweest, te zijn ondergesneeuwd door kansarme slachtoffers. Maar het was toch niet mogelijk dat die grote tragedie voor al deze gevallen verantwoordelijk was? Achter, voorbij, het tastbare feit van de oorlog waren de enorme hoeveelheden ontastbare feiten van allerlei aard. Als kind dacht Troy altijd dat er een speciale plek was waar die mannen vandaan kwamen, zoiets als de fabriek van een waanzinnige geleerde, waar ouwe lappen werden omgevormd tot een man, het eiland van Dr. Moreau, waar de halfmensen half werden gemaakt. Hoe vaak was hij zo niet tegengekomen op de stoffige buitenwegen van Hertfordshire, hoe vaak had een pratende bundel ouwe lappen niet bij de keuken van zijn ouderlijk huis aangebeld, hopend op een kliekjesmaaltijd. De reden waarom de rijstebrijgrap van Jimmy Wheeler niet grappig was, was niet omdat hij te vaak was verteld. Hij was niet grappig, omdat het geen grap was.

Boven op de heuvel had hij uitzicht over de stad. Rechts van hem, met zijn gezicht naar het noorden, stond een enorme, zwartgeblakerde, bakstenen schoorsteen. Dus het was inderdaad een fabrieksstadje. En hij zou dus, als hij eerder was opgestaan, zonder twijfel stromen vrouwen uit de stenen huisjes in de stenen straten hebben zien vloeien, om zich te melden voor de ploeg van acht uur. Maar nu, ruim half tien, richting tien uur, bekeek hij de namen op de hekken van grote huizen in een straat van een ander soort. Heage Road was onmiskenbaar het dure deel van de stad, de huizen groter, beter onderhouden, verder van elkaar, minder uniform, zuchtend onder de gevels en kroonlijsten van voorbije architectuur. Hij vond Jasmine Dene, een op comfortabele afstand van de weg gelegen, grote zwartwitte bungalow in tudorstijl uit de jaren dertig, achter een dubbel toegangshek, met op iedere hekpaal een grote, vierkante, houten bak met hangbloemen. Hij opende een van de hekken, en scheidde daarmee de Jasmine van de Dene. De tuin was onberispelijk. Perfect op het kunstmatige af – vermalen turf in stroken, als de nerven in hout, een precieze scheidslijn, met borders met kaarsrechte rijen tuinplanten, grenzend aan het militaristische, grenzend aan het onaantrekkelijke door de precisie van hun symmetrie. De schepper van deze Britse slagorde stond gebogen over de messen van een omgekeerde grasmaaier. Een man van een jaar of zeventig, in een zwarte broek, zwart vest en een kraagloos, kleurig katoenen shirt. Hij keek op naar Troy van onder enorme grijze wenkbrauwen. Het leek Uncle Todger wel, in levenden lijve.

'Art lookin' fert missis?' vroeg hij.

Troy had geen idee wat hij zei. 'Ja' leek hem wel een goed antwoord om mee te beginnen, en als de man dan opeens met een abonnement op de *Reader's Digest* op de proppen kwam of een verzoek voor een bijdrage aan de Jehovah's getuigen, kon hij altijd nog overgaan op gebarentaal.

'Ja,' zei Troy.

'Tha'd best ring t'bell then, anntya?'

Het klonk niet als een vraag, maar uit de opgaande klank aan het eind van de zin maakte hij op dat het wel zou kunnen. Hij reageerde met een 'heel prima', wat altijd van pas kwam in tijden van twijfel. De man boog zich weer over zijn vastgelopen grasmaaier en Troy liep tussen twee halve tonnen door, in het alomtegenwoordige zwartwit, en tjokvol met primula's, en gaf een ruk aan een ijzeren belkoord.

Smart kan bedrieglijk zijn. Dit was niet de vrouw die hij in Portsmouth had gezien. Dit was een goedgeconserveerde vijftiger. Lang, slank en elegant, en zonder meteen te zeggen dat ze knap was, had ze een uitstraling, en gedroeg ze zich, en kleedde ze zich op een manier die het bijna ondenkbaar maakte dat ze dezelfde persoon was.

'Nou, nou, Mr. Troy, u bent er vroeg bij? Komt u binnen.'

Ze glimlachte, gooide de deur wijd open, en toen hij glimlachte, lichtten haar ogen op. Ze droeg een overall met veel ritssluitingen in gedekt blauw, voorheen zonder twijfel in het vuilgrijs uit oorlogstijd, strak aangegord rond haar slanke leest, en het blauw, dezelfde kleur als haar ogen, zat vol met wel honderd soorten kleurige vlekken. In haar linkerhand had ze twee verfkwasten, de ene met een lik zinkwit en de andere met een kleur die Troy zich uit zijn jeugd herinnerde als gebrande siena. In zijn geheugen hing nog altijd de onbeantwoorde vraag waarom er in een doos met waterverf dan niet ook rauwe siena zat. Ze trok de Liberty-sjaal van haar hoofd, en schudde haar haren los, die deels bruin, deels grijs en goed gekapt waren.

'U heeft ergens in Belper overnacht? Lieve hemel, dan bent u vast wel aan een behoorlijke kop koffie toe. Ik maak even de kwasten schoon, en zet dan een verse pot.'

Een lange gang leidde naar de achterkant van het huis. Mrs. Cockerell liep vooruit, zodat Troy in zijn eigen tempo kon volgen. Ze verdween als het witte konijn door een deuropening rechts. Troy hield even in bij de eerste deur, wetend dat ze ergens achter in het huis was. Dubbele deuren kwamen uit op een zitkamer aan de voorkant. Nieuwsgierigheid trok hem naar de drempel; discretie hield hem daar. Daar, in het felle oostelijke licht, dat disharmoniërend door de glas-in-loodramen van het originele nep-tudor brak, bevonden zich de artefacten en de iconen van de nieuwe tijd, het wezen van het evangelie volgens Cockerell. Asbakken op stelten. Een portret van een strenge Chinese vrouw met een groene huid. De vloerbedekking met schaatspatroon, de koffietafel met zijn gelaagde plastic bovenblad van doorzichtig plastic en inlegwerk van plastic zeeschelpen – de fabrieksversie van Moeder Natuurs insect-in-barnsteen –, de niet bij elkaar passende behangsoorten, waarbij twee tegenover elkaar gelegen wanden fletse strepen droegen en de andere twee donkere slierten en spiralen. En de gordijnen – gordijnen in mediterrane, zongebleekte tinten, met een keur aan afbeeldingen van de alomtegenwoordige Chianti-flessen, het symbool van alles wat we niet waren – een zonaanbiddend, zorgeloos, mañana-volk. Het was geen kamer waarin hij zich zou thuis voelen. De met knopjes versierde meubels van pvc, in studiostijl, zo elegant op hun zwarte, spits toelopende poten en kopergeschoende onderstukken, leken teer vergeleken bij de robuuste vertegenwoordigers van de nieuwe technologie – de televisiekast met dubbele deuren en de reusachtige multifunctionele radio-grammofooncombinatie, met een reeks romige, gebroken witte drukknoppen en een starre grijns als een gebit in een waterglas. Daarin kon je je niet thuisvoelen. De meubels zouden instorten onder je gewicht, waarna je werd verslonden door de machines.

'U heeft ook van Arnolds preek mogen genieten?'

Ze was zonder dat hij het merkte naast hem komen staan. Hij wilde zich verontschuldigen, maar zag daar opeens de noodzaak niet van in. Ze leunde tegen de deurpost en keek naar binnen.

'U weet wel. Het Eigentijdse Aanzien. En meer van dat soort geklets.'

Troy glimlachte.

'Ja, ik heb het hele verhaal gehoord.'

'Dat moet dan wel stomvervelend zijn geweest. Als ik hem had laten begaan, had hij het hele huis zo ingericht. Kom maar kijken. Ik heb één kamer voor mezelf gehouden, alleen voor mij. Arnie mag daar alleen binnen op voorwaarde dat hij overal afblijft.'

Rechts achter in het huis was een grote kamer die via openslaande deuren uitkwam op de tuin. Het was een middagkamer, gelegen op het zuiden en het westen, maar zelfs in het ochtendlicht was het duidelijk wat ze bedoelde. Geen greintje moderniteit was hier de drempel gepasseerd. De muren waren behangen met een patroon van Engelse wilde bloemen, met gedempte gelen en verschoten blauwen; er lag een glanzende parketvloer, met daarop een paar oude, versleten Perzische tapijtjes en een diepe, stevige edwardiaanse driedelige zitcombinatie, opnieuw bekleed in lichte kleuren; grote bloemen in Engelse landhuisstijl op maïsgeel sits. Een flinke wand vol slordige, goed gelezen boeken met geknakte ruggen. En twintig tot dertig aquarellen verspreid over de andere muren. Het was traditioneel, het was comfortabel, en er zat een persoonlijker sfeer in dan de andere kamer zelfs na vijftig jaar bewoning zou hebben.

Ze was alweer verdwenen, weg naar het fluiten van een ketel. Troy was geïnteresseerd in de schilderijen. De meeste, veronderstelde hij, waren van haar zelf. De pieken en dalen van Derbyshire, aquarellen in de *Early British*-stijl. Uit de mode tegenwoordig. Maar na er een stuk of wat te hebben gezien, kreeg hij de indruk dat ze de stijl had uitgewerkt, waardoor het puur landschappelijke had plaatsgemaakt voor een niet-sentimentele abstractie. Hij had een minuut of langer naar zo'n abstract staan kijken, tot de handtekening hem uit de droom hielp: 'Janet Cockerell. Combe Martin, Devon, 1948.' Wat hij voor een abstract had gehouden, was een zeegezicht, schitterend in het zilveren licht van North Devon, de bladmetalen zee, de roodgerimpelde, ijzeren rotsen van de kustlijn. Hij knipperde met zijn ogen en keek nog eens. Toen was het weer een abstract.

Hij staarde, jaloers op haar smaak, naar de schilderijen die geen eigen werk waren – een portret door Gwen John, een pseudo-religieuze scène, heel wel mogelijk een evangelisch verhaal, in de onmiskenbare, onweerstaanbare zware hand van Stanley Spencer – toen ze terugkwam.

'Zullen we in de tuin koffiedrinken? Ik denk dat we na al die regen weleens een mooie nazomer kunnen krijgen.'

Hij volgde haar door de openslaande terrasdeuren naar buiten. Dezelfde regels voor de scheiding van goederen leken ook voor de tuin van toepassing. Hier was niet de onberispelijke militaire indeling zoals aan de voorkant; hier ging het allemaal wat wilder toe. Kruiden en bloemen wedijverden met groenten in hetzelfde bed – een verwilderd bosje tijm, de knapperige, verdorde bloemen van de marjolein, tientallen uien, hun loof geknakt zodat ze tot wasdom konden komen, een woeste ongesnoeide laatbloeiende rode roos, bloemblaadjes rood als bloed, een wild groeiende kweepeer vol vruchten, grote hoeveelheden muurbloemen, ongemoeid gelaten, zodat ze zich ongestoord konden vermenigvuldigen.

Een schildersezel keek uit op het zuidwesten, over de rokende schoorstenen van de stad, via de leien daken, over het orwelliaanse doolhof van stenen straten. De eerste contouren van een afbeelding waren zichtbaar. Ze was kennelijk aan het werk geweest, een halfuur of zo voordat Troys bezoek haar had afgeleid. Ze zette het blad neer op een rieten tafel – een servies met een goedkoop en vrolijk

Suzy Cooper-patroon en een grote pot met gloeiendhete koffie. Troy nam de stoel die het verst van het huis stond, en merkte dat hij ongeveer op de rand van een steile rots zat, met uitzicht op de overwoekerde resten van een steengroeve. Hij trok de stoel instinctief een paar decimeter dichter naar het huis.

Ze zei niets tot hij een kop aromatische, sterke, zwarte koffie in zijn handen had.

'Ik weet dat dit allerlei paradoxale gevoelens bij u oproept, hoofdinspecteur, maar mijn man is niet dood.'

'Niet dood.'

'Niet dood. Op de vlucht.'

'Op de vlucht?'

'Ondergedoken.'

'Waarvoor?'

Ze zette haar kopje neer. Ze waren na een paar korte inleidende zetten klaarblijkelijk bij de kern van de zaak beland.

'Ik denk dat mijn man ver boven zijn stand leefde. Ik denk dat we veel te lang een luxe leven hebben geleid, en ik denk dat wat onze levensstijl financierde bezig was weg te vallen. Hij kreeg zijn trekken thuis en nam de benen.'

'En de dingen die hij in Portsmouth achterliet?'

'Allemaal gepland. Bedacht om ons te laten denken dat hij dood was.'

'Het lijk?'

'Toeval. Een buitengewoon toeval.'

'En de gedachte die bij het kabinet heerst dat uw man voor hen werkte?'

Ze haalde haar schouders op, zoals hij dat zelf waarschijnlijk ook zou hebben gedaan.

'Daar weet de rechterhand immers niet wat de linkerhand doet?'

Daar was Troy het mee eens. Dit was in feite de beste samenvatting die hij tot nog toe had gehoord over het uitlekken van het potje dat de overheid had gemaakt bij hun onbeholpen pogingen te verhullen wat er nu eigenlijk precies aan de hand was – een hoofredacteur waardig.

'Wat moet de overheid met iemand als mijn man? Hij was niet de beste kikvorsman van SOE (Special Operations Executive, vert.), zelfs niet in zijn hoogtijdagen. En dat was meer dan tien jaar geleden. Hij was een magere, slonzige man van tweeënvijftig, in slechte conditie, met een veel te grote voorliefde voor filtersigaretten en whisky. Hij was vijfendertig toen de oorlog uitbrak. Als hij niet toch al bij de marine had gezeten, was hij vanwege zijn leeftijd niet eens opgeroepen. Het idee dat ze hem uit zijn pensioen zouden hebben gehaald om nog een klus te doen is belachelijk.'

'Maar wat deed hij dan volgens u in Portsmouth?'

'Zijn verdwijning voorbereiden. Een paar valse sporen aanbrengen. Alleen waren het toevallig de spionnen, zijn oude makkers, die die sporen opmerkten en niet de gewone agenten, die ik toen nog moest inlichten over zijn verdwijning. Ik heb hem pas tien dagen nadat u hem had ontmoet als vermist opgegeven. Op dit moment zit hij ergens in het buitenland verbaasd te lezen dat hij een spion was, opgelucht dat hij zo de dans ontspringt en zijn schuldeisers van zich afschudt.'

'Hebben die contact met u opgenomen?'

'Nee.'

'Zet dat uw theorie dat het allemaal om geld draait niet op losse schroeven?'

'Nee. Mijn ogen bedriegen me niet. Misschien weten ze nog wel niet dat ze beduveld zijn. Zulke dingen kunnen lang duren. Maar ik weet dat we de laatste jaren een zeer luxe leventje hebben geleid. En ik weet dat we ons dat niet kunnen permitteren.'

'Hoe lang is dit volgens u al gaande?'

'Een jaar of vijf, zes. Sinds het Festival of Britain.'

Ze moest lachen om haar eigen nauwkeurigheid, keek in haar koffiekop en glimlachte ironisch.

'Hij kwam daarvandaan terug en zei: "Ik heb de toekomst gezien, en dat is het – dat is het in iedere maat en kleur die je maar wilt." Hij zei altijd dat de zaken fantastisch liepen. Met Labour eenmaal weg, bleef hij maar doordrammen over de economische groei. We hadden een zakenregering, zei hij. Hij betoogde dat op de golfbaan, in de Conservative Club en toen hij rondhing in het British Legion. Het verving het: "wat ik allemaal in de oorlog heb gedaan." Ik was blij dat ik niet meer naar zijn oorlog hoefde te luisteren, maar dacht dat het allemaal gezwets was. En vijf jaar later hadden we drie winkels – ik schreeuwde al als hij het woord "warenhuis" gebruikte – een pakhuis tjokvol met al die zooi waarvan hij dacht dat mensen die hebben wilden – maar in die dingen was hij beter thuis dan ik. We hadden een Rover en een Jaguar in de garage en hij kon het zich permitteren een MG in Portsmouth te hebben staan. Onze rekening-courant is absurd gezond en onze depositorekening propvol. Er klopt helemaal niets van. Daar kan hij nooit eerlijk aan zijn gekomen.'

Troy vond het vreemd dat schulden of fraude hem gedwongen zouden hebben te verdwijnen, terwijl zijn bankrekeningen gespekt waren. Ook vond hij het vreemd dat ze hem dit allemaal vertelde.

'Stel dat u gelijk heeft en dat hij nog leeft. Stel dat ik hem vind. Dan heeft u hem in feite erbij gelapt.'

'Hij heeft mij gedumpt. Hij kan me wat.'

'En de zaak?'

'Die liet ik ongemoeid. Ik ben een directeur. Het enige wat ik heb gedaan is wat cheques getekend voor de managers en het verder aan ze overgelaten. Als ik gelijk heb, en Arnold leeft nog, en u vindt hem, verkoop ik de zaak buiten hem om, betaal de mensen die hij bedonderd heeft, en laat hem barsten. Als u gelijk heeft, en hij is dood, vraag ik om een gerechtelijke verificatie van het testament. Ik vind alles best. Het geld heb ik niet nodig. Mijn vader heeft me een jaargeld nagelaten. Arnold had de boel helemaal niet hoeven op te lichten. We hadden meer dan genoeg aan wat we hadden. Maar hij had zijn eer. Het was tegen zijn principes om mijn geld te gebruiken. Een man die door zijn vrouw wordt onderhouden is geen man. Dat soort gedoe. Mannen en hun stompzinnige eer. Een van hun vele leugens. Iets wat ze hebben bedacht uit eigenbelang. Ik heb nooit zo veel opgehad met Arnolds eer.'

Troy moest denken aan een zin die Conrad in de mond had gelegd van zijn oude zeeman Marlow: 'Hij maakte zo'n ophef over het eerverlies, terwijl het alleen de schuld was die telde.' Ze had natuurlijk gelijk. Maar Troy zag toch maar af van een verwijzing naar het typische mannenboek *Lord Jim*.

'Zeg eens,' zei hij, van koers veranderend. 'Wie kwamen u opzoeken?'

'Ik begrijp u niet, Mr. Troy.'

'U deed aangifte dat uw man werd vermist... op de gangbare manier?'

'Ja. De plaatselijke inspecteur zocht me op. Harold Warriss. Een vriend van de familie, zou je kunnen zeggen. Ik ken – we kennen hem al jaren. Die gaf geen krimp. Zei dat Arnold wel weer zou komen opdagen.'

'En toen dat niet gebeurde? Toen de kranten bomvol spionnenverhalen kwamen te staan?'

'Niets. Helemaal niets. Ik bracht die verhalen niet in verband met mijn man.'

'En Warriss blijkbaar ook niet.'

'Nou, als het wel zo was, heeft het in ieder geval niet tot een tweede bezoek geleid.'

'En toen de premier de naam van uw man noemde?'

'O, de eerste minister heeft ouderwetse manieren.' Haar stem trilde van het sarcasme. 'Toen die eindelijk besloot om in een verklaring de naam van mijn man prijs te geven, iets waarover hij toch wekenlang moet hebben nagedacht, stuurde hij iemand naar me toe.

Ik wist van niets, tot ongeveer een week voordat Arnolds naam werd bekendgemaakt. Eerlijk, het was nooit in me opgekomen dat hij die anonieme spion uit Portsmouth kon zijn. Tot er op zekere dag, volkomen onverwachts, een man van Buitenlandse Zaken op mijn stoep stond. Daniel Keeffe, ongeveer uw leeftijd, neem ik aan. Knappe jongeman. Heel verlegen, heel nerveus, bood stamelend verontschuldigingen aan namens de regering. Tijdens een verklaring in het Lagerhuis, zei hij, de volgende week, zou Arnolds naam bekend worden gemaakt, en het was allemaal een afschuwelijke vergissing geweest.'

'Zei hij dat precies met die woorden?'

'Nee. Als ik me goed herinner waren zijn letterlijke woorden: "Het berust allemaal op een afschuwelijk misverstand. Het spijt me afschuwelijk. Ik had nooit gedacht dat hij dit zou doen."'

'"Ik", niet "we"?'

'Ja. Hij leek het allemaal erg persoonlijk op te vatten. Hij was erg van streek. Ik had hem vast meer dingen moeten vragen, maar dat deed ik niet. Ik geloofde niet dat Arnold de spion van Portsmouth was. En dat geloof ik nog steeds niet. En wat mij betreft wordt hij nog steeds vermist. Het komt de regering wel goed uit om te zeggen dat het Arnold is. Zijn ze van een hoop gedonder af, niet? Maar het is Arnold niet.'

'En de pers?'

'O, die heeft een paar dagen rond het huis gehangen. De "ouwe jongens"-toer van Arnold werkte eindelijk. Warriss zette een man in uniform bij het hek tot ze waren opgeduveld. Toen niets. Andere prioriteiten, neem ik aan. Wat is een dooie kikvorsman vergeleken bij Nasser?'

'Weet u,' zei Troy na een tijdje, 'de meeste mannen verdwijnen niet vanwege geld. Het gaat gewoonlijk om vrouwen.'

Ze lachte, een kort, bitter gesnuif.

'Hou toch op, Mr. Troy. U heeft mijn man gezien. Ziet u hem op vrijersvoeten?'

Dit vroeg om een standaardantwoord uit het Persoonlijk Handboek voor speurders, en Troy had dat paraat.

'Op ieder potje...' zei hij, met kromme tenen vanwege dit cliché.

'Neemt u maar van me aan, Mr. Troy, mijn man was niet geïnteresseerd in vrouwen, of in seks. Of in ieder geval niet in...'

Ze hield zich in. Liet het moment voorbijgaan door nog een kop koffie voor hem in te schenken. Maar hij kon dit niet laten gaan.

'Of in ieder geval niet in gewone seks?'

De pauze die volgde duurde zo lang, dat hij dacht dat ze geen antwoord zou geven, maar toen ademde ze diep in en keek hem aan.

'Nee. Niet in gewone seks. Hij was verzot op zijn kikvorspak. Hij wilde het met me doen als hij dat pak aanhad. Daar had ik geen zin in.'

'En u denkt niet dat hij iemand heeft gevonden die daar wel zin in had?'

'Nee. Dit is het soort seks dat hij bij de hoeren kon halen in alle steden waar hij kwam, van Manchester tot Stockholm. Hij was de afgelopen jaren lang genoeg onderweg om zeker de helft van de hoeren in Europa te kennen. Wat me niets zou verbazen. Maar het idee dat een andere vrouw hem die onzin zou bieden als onderdeel van een seksuele relatie – nee. Dat kan ik niet geloven. Mijn man kan zo'n relatie niet in stand houden. Dat zit niet in hem. Sinds ik hem niet in bed toeliet met zijn rubberen pak aan, heeft hij zich in de badkamer uitgekleed. Ik heb hem al tien jaar niet in zijn blootje gezien. Ik geloof niet dat hij zijn lijf aan een vrouw durft te tonen. Ik heb meer van die man op de snijtafel in Portsmouth gezien dan ik ooit van mijn man...'

Ze zweeg en snakte naar adem. Troy hoopte dat ze verderging; hij wilde haar niet met een vraag of een opmerking zijnerzijds een bepaalde kant op sturen.

'Die, die inspecteur Bonser. Wist u dat die me gevraagd heeft of ik... ik bedoel... hij dacht dat ik mijn man zou kunnen herkennen aan zijn... ding.'

Ze zweeg weer. Hij zei niets.

'Natuurlijk kon ik dat niet. Maar hij vroeg het toch. Daar ging het over toen u binnenliep. Hij wilde echt niet geloven dat een vrouw zoiets niet kon.'

Ze zette haar kopje met een klap op het schoteltje. Woede die in hoog tempo kwam opzetten om haar tegen tranen te behoeden. Ze leunde achterover, met haar gezicht omhoog, zodat het moment verstreek en daarmee de kans op tranen. Toen ze weer naar Troy keek, was ze bijna kalm, en was ze harder en grimmiger. Opeens bestond hij voor haar. Was ze zich bewust van haar toehoorder en van haar verhaal.

'Ik zou u dit alles misschien wel helemaal niet moeten vertellen.'

'Ik ben rechercheur, Mrs. Cockerell. Ik heb aanwijzingen nodig.'

'Ja – speurneuzen speuren. Maar wat ik in u bespeur, is het innerlijke grijnslachje van de man. Want u moet hier toch wel een beetje om lachen, niet, inspecteur?'

Verdraaide vrouw. Hij had niet gedacht dat ze zo scherpzinnig was. Grijnslachje? Natuurlijk had hij zo nu en dan weleens een lachje moeten onderdrukken.

'U hoeft zich niets te verwijten, Mr. Troy. Er valt vermoedelijk genoeg te lachen. Ik kan me voorstellen dat de naam Jasmine Dene voor een huis al een stevige aanval is op uw Londense nuchterheid. Mijn man wilde ons huis een andere naam geven, door onze namen samen te voegen, maar toen kreeg je "Jarno" of "Arnoja" Ik suggereerde dat "Uitgezwommen" misschien een goeie naam was voor een ex-kikvorsman, waarna hij het opgaf en we de naam lieten zoals die was toen we het kochten. Weinig gevoel voor humor, die man van mij.'

Troy had het gevoel dat hij de wind in de zeilen had gekregen. Niet met een reuzenklap, maar toch duidelijk merkbaar. Hij pakte de lijn en trok haar voorzichtig binnen.

'Was hij een kikvorsman toen u hem leerde kennen?'

'Ja. Ik leerde hem kennen in het voorjaar van 1940. De laatste weken van de schemeroorlog. We trouwden die zomer. Zoals iedereen, ten slotte. De zomer van de Battle of Britain en het instant-huwelijk.

Het grootste deel van de oorlog moest hij mannen die vijftien jaar jonger waren dan hij het vak van kikvorsman bijbrengen. Dat stak. Hij was dan ook altijd behoorlijk opgefokt als hij thuiskwam. "Jongens die mannenwerk moeten doen," zei hij altijd. Toen de oorlog heviger werd, ging hij in actieve dienst. Ik vermoed dat er bij Special Operations een tekort aan gekwalificeerde zwemmers was ontstaan en ze uit pure armoei Arnold uit de ijskast hebben gehaald – misschien waren al die jongens die hij had opgeleid wel dood rond die tijd? – en vanaf de zomer van 1943 tikte hij tegen de zijkant van zijn neus, gebruikte hij woorden als "geheim" en zanikte hij eindeloos door over werk van "nationaal belang", waarover hij niets kon zeggen. Hij heeft nooit beseft dat ik ook niets wilde weten. Hij had het vast heerlijk gevonden als ik had geprobeerd hem geheimen te ontfutselen.'

'Maar later heeft hij u toch wel verteld wat hij had gedaan?'

'Ja. Natuurlijk. Het klopte dan ook wel wat hij had gezegd. Het was "geheim". Hij verkende de Franse stranden om een juiste plek voor D-Day te vinden. Ik moet toegeven dat hij een paar echt gevaarlijke dingen heeft gedaan. Zo is hij een keer Brest binnengezwommen om magneetmijnen tegen de Duitse schepen te plaatsen, dat soort dingen. Maar hij was niets bijzonders, hij was er alleen zo buitensporig trots op. Ik weet niet wat de magische component was, maar die vijf jaar van ellende en ontbering lijkt ons allemaal te hebben bezield met een belachelijke nationale trots.'

Ze wachtte even. Keek vragend naar Troy. Vroeg zich af of en hoe hij zou reageren.

'Het spijt me, Mr. Troy. Ik ben niet onvaderlandslievend, of zo. Maar het is zo... tsja... "mannig", vindt u ook niet? U heeft de leeftijd, neem ik aan. En uw steentje bijgedragen aan de oorlog. Ik wilde u niet beledigen...'

Troy sneed haar de pas af.

'Ik heb niet in dienst gezeten, Mrs. Cockerell.'

Dat had ze niet verwacht. Er waren niet veel mannen van Troys leeftijd die niet op de een of andere manier bij de oorlog betrokken waren geweest. Het was de oorlog van zijn generatie.

'Ik zat bij de Women's Royal Navy Service,' zei ze plotseling.

Hij zei niets.

'De marva, in Bletchley Park. Cryptografie. En zo.'

Troy verbaasde zich in stilte. Haar achteloze 'en zo' was een van de best bewaarde oorlogsgeheimen geweest. In de jaren erna waren er zo nu en dan weleens wat dingen aan het licht gekomen, maar je kon rustig zeggen dat het ook een van de best bewaarde geheimen in vredestijd was.

'Mijn vader stierf in '43. Liet ons dit huis na. Arnold zwaaide vervroegd af. We werden hier geïnstalleerd voordat de resultaten van de verkiezingen van '45 bekend waren. Hij kwam op de reservelijst, maar als ze hem de keuze hadden gelaten, was hij volgens mij gebleven. Hij was tenslotte niet dienstplichtig, maar beroeps, ook al had zijn tijd er, als het geen oorlog was geweest, in '44 opgezeten. Maar kort na VE Day kreeg hij zijn ontslag. Het enige waarnaar ze keken was zijn leeftijd. Hij was eenenveertig. Het was eigenlijk wel een nette regeling, geloof ik. Eerst de getrouwde mannen eruit, van middelbare leeftijd, en met gezinnen. We hadden natuurlijk geen kinderen. We hadden het grootste deel van de oorlog gescheiden van elkaar doorgebracht. En daarna was het te laat.

We stonden eind juli in King Street en juichten toen Labour won. Zoals iedereen. De volgende morgen maakte Arnold zijn kikvorsuitrusting schoon en borg die, zag ik, op in de garage, in een stalen koffer. Die haalde hij vervolgens een paar keer per jaar tevoorschijn, maakte alles weer schoon, en borg het dan weer op. Hij zwom sinds die tijd alleen nog tijdens vakanties. We gingen meestal naar Woolacombe. Mijn keuze – het licht van North Devon is heel bijzonder, ik schilder het al jaren – maar als je wilde zwemmen was de zee warm en blauw. We gingen in de jaren veertig ieder jaar, maar ik heb hem nooit meer zien zwemmen dan de paar meter die iedere vakantieganger zwemt. Verder luierde hij wat op het strand en hing rond in bars, waar hij iedereen verveelde met zijn oorlog.

De laatste paar jaar zat ik alleen. Arnold was voortdurend op stap naar het buitenland – inkopen, verkopen, handeltjes en wandeltjes. God weet wat.'

Tijdens dit hele verhaal had ze iets opvallends gezegd. Troy vroeg zich af of hij haar daar weer naartoe kon krijgen.

'U zei dat hij zijn kikvorsuitrusting in de garage bewaarde?'

'Ja – in een koffer. Als ik hem gelaten had, had hij die waarschijnlijk als een gedenkteken aan de muur gehangen.'

'Staat die koffer er nog?'

Hij had blijkbaar iets onverwachts gezegd. Ze keek hem een ogenblik met wijd open ogen aan.

'Weet u? Daar heb ik helemaal niet naar gekeken.'

Ze liep over het grasveld voor hem uit, via een zijhek naar een dubbele garage – zo ongeveer het meest overweldigende statussymbool dat voor een huis in de buitenwijken denkbaar was. Het bezit van een auto was al heel wat, maar twee, of drie zoals bij hen het geval leek te zijn, was een vertoon van rijkdom dat je maar zelden tegenkwam.

Mrs. Cockerell wrikte een kromgetrokken houten deur open, waarachter een glanzende zwarte Rover 90 stond – de Rolls-Royce van de arme man, zoals die vaak werd genoemd. Achter in de garage stond een zware stalen kist. Ze lichtte het deksel op. Hij was leeg.

'Dat hoeft nog niets te zeggen, weet u.'

Troy zei niets.

'Als hij het allemaal zo zorgvuldig heeft gepland als ik denk, is dit ook weer een dwaalspoor.'

'Heeft de politie hier niet naar gevraagd? Of de man van BuZa?'

'Ik heb er niet aan gedacht die koffer te noemen.'

Ze haastte zich vanuit de duisternis van de garage naar het zonlicht buiten. Troy werd weer geconfronteerd met het omhoogstekende achterwerk van de tuinman, die opnieuw over de grasmaaier gebogen stond.

Ze sloeg haar armen over elkaar, duimen diep weggedrukt in het vlees, en probeerde haar gezicht in de plooi te houden ondanks de woede die ze kennelijk voelde.

'Ik weet wat u denkt. Maar geloof me, Arnold was slim. Hij dacht altijd vooruit. Dit is gewoon weer een van zijn streken. Los daarvan klopt er ook niets van. Nergens van. Weet u wat de kranten zeiden? Die zeiden dat hij experimentele apparatuur testte, voor de marine. Haalt je de koekoek! En als het wel zo was, waar had hij dan zijn eigen spullen voor nodig? En wat die jonge Keeffe zei sloeg ook nergens op. Als het allemaal een "misverstand" was, waar kwam dan die zogenaamde experimentele apparatuur vandaan? Uit de dump voor legerspullen? Mr. Troy, u ziet toch ook wel wat een puinzooi dit is? Ze stemmen zelfs hun verhaaltjes niet op elkaar af. Dankzij Arnold hebben ze nu een handige zondebok. Wat hem volgens mij ook nog eens niets kan schelen. Hij zal, waar hij ook zit, nog gestreeld zijn ook, dat hij de marine nog een keer van dienst heeft kunnen zijn. Ironisch, vindt u niet?'

De man met de grasmaaier bewoog zich langzaam over het gazon, en creëerde de gelijkmatige strepen, de groene visgraat, en vulde de lucht met de geur van pas gemaaid gras. Troy kreeg het gevoel dat het patroon in het gras het enige patroon was dat Mrs. Cockerell voor zichzelf wilde zien.

'Bekijkt u het nu even van mijn kant, Mrs. Cockerell, en doe alsof uw man wel dood is. En vraag uzelf dan eens af waarom u hem, ondanks alle bewijs toch zo nadrukkelijk wilt laten leven.'

'Ik neem aan dat bij het antwoord op deze vraag geen rekening gehouden mag worden met hartsaangelegenheden, of zelfs gevoelens van sentimentele aard, Mr. Troy?'

'Het mag wel.'

'Dan denk ik dat we elkaar eindelijk begrijpen. Ik wil graag dat hij leeft, ik wil dat hij leeft, en ik geloof dat hij leeft, omdat hij er anders, als hij dood is, te mooi naar mijn zin tussenuit is geknepen.'

Dat was een prachtige afsluiting. De kreet waarbij het doek viel en het publiek overeind kwam. Hij liep achter haar aan de bungalow binnen. Ze ging naar de achterkamer, haar kamer, klapte het blad van een schrijfbureau naar beneden en pakte een setje sleutels.

'Neemt u deze maar. De hoofdwinkel is op het ogenblik gesloten. De chef wilde met zomervakantie. Dus dat moest dan maar. Bekijkt u maar wat u wilt. Ik heb geen geheimen; dat is meer Arnolds specialiteit. Daar ergens is het antwoord op de manier waarop hij het heeft gedaan. Een hele klus, dat zal vast wel. Maar als u heeft ontdekt hoe hij het heeft gedaan, komen we misschien ook wel het geld op het spoor. Een snipperjacht. En aan het einde van dat spoor, zit hij dan.'

'Fraudezaken zijn niet bepaald mijn specialiteit, Mrs. Cockerell.'

'Maar u doet vast wel uw best.'

Het geluid kwam langzaam opzetten, een steeds verder aanzwellende, in kracht toenemende bezoeking vanuit de diepste ingewanden van de planeet, alsof die zijn verdoemenis om zich heen wilde verspreiden – totdat, op het hoogtepunt van de waanzin, een geluid als van een krijsende klaagvrouw door de open terrasdeuren naar binnen huilde en hem verkilde tot op het bot. Hij liep naar de deuren, keek uit over de tuin, badend in het ongerijmde zuidelijke zonlicht, en hoorde de onmiskenbare, maar haast vergeten klanken van een luchtalarm.

Ze was bij hem komen staan, schouder aan schouder in de deuropening, en keek langs hem heen.

'Wat is er aan de hand?'

Hij kon geen woord uitbrengen.

'O, de sirene! Trekt u zich daar maar niets van aan. Die gebruiken ze bij de fabriek, voor de wisseling van de ploegendienst.'

Ze draaide haar pols, keek op haar horloge, en hield hem dat voor.

'Kijk, het is twaalf uur. Op de kop af. Om vier uur gaat hij weer. Hij staat op het dak van Woolworth. Zo weet ten minste iedereen wanneer de moloch ze nodig heeft.'

De arrogantie. Hij kon het haast niet geloven. Het moderne equivalent van de porder, en om dat te bereiken bestendigden ze het meest angstaanjagende, meest suggestieve geluid dat Engeland kende. Dat het verleden naar het heden trok, en hem even terugbracht naar 1944. Naar donkere, koude nachten, de bevroren, braakliggende terreinen in East Londen. Duisternis, dood, het huilen van sirenes. Duisternis, dood, de aangebrande geur van cordiet. Hij kon die bijna ruiken.

'Mr. Troy. Voelt u zich wel goed? U ziet doodsbleek.'

Hij voelde zich niet goed. Hij kreeg geen adem en was kotsmisselijk.

'Ik heb dat geluid... lang niet meer gehoord.'

'Wij zijn eraan gewend geraakt.'

'Ja,' zei hij. 'Dat zal wel.'

Ze reikte hem de sleutels aan. Hij pakte ze.

'U houdt contact?' vroeg ze.

'Ja,' zei hij.

43

Kapitein-luitenant-ter-zee Cockerells belangrijkste handelscentrum, zijn 'hoofdkwartier,' stond aan de andere kant van het marktplein. Op een groot bord in blauw en wit, dat boven de winkelgevel hing, stond COCKERELL, in letters van veertig centimeter hoog. Er stond verder niets op – op afstand kon hij de slager zijn, de bakker, of de man die geelgroene boten verkocht. Op een bepaald moment in het recente verleden waren de twee winkels samengevoegd en vormden een grote ruimte, als in een loods, waarin de hoekige Scandinavische banken stonden opgesteld in groepjes van drie, als onvolledige vierkanten, met een koffietafel in het midden en op de hoeken futuristische, de technologie tartende lampen, niet meer dan smalle strips of spiralen van metaal, met gloeilampen erin. Die combinaties werden, had hij ergens gelezen, 'zithoeken' genoemd, een sociaal instrument bedoeld om je eigen knieschijven dichter bij de knieschijven van een, misschien wel eenzamer, ander te brengen. Een instrument bedoeld om de behendigheid te bevorderen, en je handig om te leren gaan met kopjes instantpoederkoffie, glazen lauwe witte wijn en schaaltjes vol nootjes en andere dingen. Een afstompend instrument, waarbij je naar warme oliebellen kijkt die stijgen en dalen in taps toelopende cilinders van verlichte met vloeistof gevulde tafellampen. Al met al maakte het de snob in Troy wakker.

Troy keek of hij iets zag dat op een kantoor leek. Op de begane grond was niets. Een steile wenteltrap leidde naar de eerste verdieping, en wentelde vervolgens naar de tweede. In de ruimte tussen die twee was een hokje van hout en glas, waarvan de wanden werden gevormd door een simpele afscheiding van het hoofdvertrek, en het plafond door de hoek van de omhooggaande trap. Een enkele gloeilamp, in een kap van matglas, hing gevaarlijk van het plafond aan een gedraaide, door stof omhulde draad, waardoor plekken zwart en rood rubber waren te zien. Troy klikte de koperen nippel van de muurschakelaar om, half verwachtend dat er vonken en vlammen door de bedrading zouden schieten. De ruimte werd zwakjes verlicht door veertig watt. Een benauwd, klein hok, dat eindigde in het niets waar de trap de vloer raakte, maar waarin Cockerell alles had opgeslagen wat hij nodig had. Het enige enigszins moderne voorwerp was een telefoon. De archiefkasten, het bureau, de rijen stoffige postvakjes maakten de indruk al minstens een halve eeuw niet meer te zijn aangeraakt. Een schuifluikje van hoogstens vijftien centimeter doorsnee zat op buikhoogte in de houten wand, waar in langvervlogen dagen een leger van winkelbedienden kwitanties en rekeningen moest hebben aangereikt aan de eenzame klerk in zijn hokje. De paardenharen vulling van de draaistoel puilde naar buiten en het rolluik van het cilinderbureau zat op driekwart hoogte vast, en geen mens ter wereld die daar nog beweging in kon krijgen. Het patroon van het verschoten behang op het aflopende plafond en een van de muren was nog herkenbaar. Troy wist nog van strooptochten uit zijn kindertijd naar de hoger gelegen verdiepingen van Mimram dat het victoriaans was, de diverse groen- en roodtinten lieten daarover geen misverstand bestaan, en het had de muren van Cockerells kantoor waarschijnlijk al meer dan zeventig jaar gesierd. Hij kon zich niet voorstellen dat Cockerell hier echt had gewerkt. Kon zich niet voorstellen dat de Johannes de Doper van Het Eigentijdse Aanzien naar tevredenheid kon leven en werken tussen deze zo onmiskenbare overblijfselen van het gehate verleden.

Een pijpenrek zat plompverloren tegen de muur boven het bureau gespijkerd. Drie pijpen, zwartgeblakerd en gevlekt, maar lang niet gebruikt, hingen kriskras door elkaar. Achter de deur stond een paraplubak met een aantal wandelstokken, wel tien of meer – eentje met een koperen eendenkop, eentje met knoesten, die iets Keltisch had, en een zitstok, met een versleten zitting van leer en zeildoek. Hij inspecteerde vluchtig een paar van de postvakjes – een catalogus met onderdelen voor petroleumstellen, van september 1922, een tiental oude nummers van *Health and Efficiency*, allemaal uit de jaren veertig, een oud handboek van de AA ('leuke logeerplekjes in de stilste uithoeken' en wat krabbelige wegenkaarten van Groot-Brittannië) – een paar exemplaren van *Fur and Feather Monthly*, al met al genoeg voor de wachtkamer van een tandarts – en het eerste teken van iets recents, *Parade*, februari 1956 – een gewaagd tijdschrift, met niets van het heilzame zelfbedrog van *H&E, vol* tieten en achterwerken. Waar hij allemaal niets aan had. Hij verplaatste zijn aandacht naar de rij stoffige boeken op het bureau. *Whitaker's Almanac 1951*, het deel Lith-Zyx van Webster's *Universal English Dictionary* en tientallen stukgelezen pockets. Voornamelijk werk van wijlen Peter Cheyney, een meester van raciaal en maatschappelijk snobisme, schepper van superieure, genadeloze, rokkenjagende Engelsen en goedgebekte, bargoens-bezeten, wapengeile, slagvaardige Amerikanen. De schurken kwamen onvermijdelijk uit een milieu van minderheden – joden, negers, iedereen uit Oost-Europa. Troy had als tiener een paar boeken van Cheyney gelezen en vond ze smakeloos. Cockerells huidige lectuur was interessanter. Die nieuwe man, die al danig van zich liet spreken – Ian Fleming. Cockerell bezat *Casino Royale*, *Moonraker* en *Live and Let Die*, allemaal met Flemings held James Bond, kapitein-luitenant-ter-zee James Bond, Royal Navy. Troy zag de connectie. Iedere fantast kon lezen over, en menigeen kon genieten van de vooroorlogse wereld van Peter Cheyney, waarin de Engelsman nog God was, die zich met Hare Majesteits paspoort in de hand roepend een weg baande tussen de brabbelende buitenlanders door, en in het Arabisch 'uit de weg' riep, maar deze man voelde zich vermoedelijk meer verwant met Bond. De kapitein-luitenant-ter-zee, de geheim agent, maatschappelijk superieur, seksueel trefzeker, emotioneel beschadigd – kwetsbaar genoeg om zelfs een onderkruiper als Cockerell iets van zijn vergankelijke identiteit te gunnen. En verder wist Fleming waarover hij sprak. Ex-Eton, goed bevriend met de minister-president, onderdeel van onze louche geheime dienst, tijdens de oorlog en vrijwel zeker ook daarna, een zoetvleiende charmeur van de vrouwen, elegant verbonden met het uiteinde van een lang sigarettenpijpje. Maar ook een loser, als je Rods parlementaire roddelpraat mocht geloven, omdat Hugh Gaitsken, volgens Rod, terwijl Fleming door middel van geflikflooi en gevlei zijn weg zocht door de bovenlagen van de maatschappij, onverstoorbaar en in het diepste geheim een affaire had met diens vrouw.

Het linkerdeel van het bureaublad bleek te rusten op een grote kast. Die was afgesloten met twee sloten, het ene veel nieuwer en steviger dan het andere. Troy ging snel door de bos sleutels die Mrs. Cockerell hem had gegeven en vond, na een paar keer proberen, het stel waarmee de kast kon worden geopend. Die was een toonbeeld van netheid vergeleken bij het vertrek waarin hij stond. Nette stapels dunne kartonnen mappen: bankafschriften bijeengehouden door veerklemmen, met een aanduiding van ieder kwartaal. De souches van zijn chequeboekjes. Een boekje met stortingsformulieren voor de Hereford and Worcester Joint Commercial Bank, Great Malvern Branch. Een bundel jaarafschriften van de Ancient Order of Derbyshire Foresters Savings Society, waar Cockerell een kleine hypotheek had, en een bundel kwartaalafschriften van een bank in Stockholm, waar Cockerell vermoedelijk het merendeel van de 'Eigentijdse' meubelen betrok die de verdieping beneden vulden. Troy was, wist hij, zeer onhandig met dit soort dingen. Dat was een van de redenen waarom hij, toen hij de kans kreeg, Clark had laten overplaatsen. Voor cijferwerk kon hij noch Jack ook maar een greintje geduld opbrengen.

In een poging het moment waarop hij de boeken van het bedrijf moest gaan onderzoeken nog wat voor zich uit te schuiven, rommelde Troy in wat postvakjes, zonder te weten wat hij zocht of dacht te vinden. Een begeleidende brief van een reisbureau, een zakagenda vol data en afspraken, een klein zwart boekje getiteld 'Dit Lezen voor Tips'? Het interessantste wat hij vond was een gescheurde ansichtkaart. Uit een Engels vakantieoord aan zee, met een van die lange, van pret verstoken pieren, uitgestrekt in de koude aflandige wateren van het Kanaal of de Noordzee, Southend of Skegness, of zoiets. De adreskant was intact – Mr. A. Cockerell en het adres van de winkel – maar er was niet veel over van de groet, en het poststempel was gevlekt. Hij bestudeerde de restanten van de boodschap een tijdje – een vrouwenhand, daar was hij zeker van – maar met 'ing', 'ou' of 'eine' kon hij niet veel. 'Eine' was wel interessant. Niet veel Engelse woorden eindigden daarop.

Nu kon hij het toch niet langer meer uitstellen. Hij schoof de splijtende paardenharen draaistoel dichterbij, blies vijf maanden stof van het bureau en dook in de weinig boeiende papieren die getuigenis aflegden van de goede bedrijfsvoering van een klein bedrijf. Waarom, vroeg hij zich af, lang genoeg voor een blik door de hoofdstraat en omhoog naar de opdoemende Pennines, waarom had Napoleon de Engelsen 'een volk van winkeliers' genoemd? Hij keek nog eens op zijn horloge. Hij had tijd verspild, het was over tweeën. Hij moest de tijd wel in de gaten houden. Als die verdomde sirene om vier uur weer begon te huilen, moest hij daar wel op voorbereid zijn. Hij wilde absoluut voorkomen dat hij er nog eens onverhoeds door werd overvallen.

Cockerell had redenen om op te scheppen. Zijn zaak deed het heel goed, veel beter dan je mocht verwachten, gegeven het feit dat die was gevestigd in het onmodieuze Midden-Engeland, ver van het modieuze Hart van Engeland. Zijn vrouw had redenen om wantrouwig te zijn. Hij had inderdaad een respectabele omzet. Maar meer dan dat kon Troy er niet van maken; het ontbrak hem aan de benodigde vakkennis. Hij hoopte haast dat Cockerell dood was, dat iemand hem had vermoord; dan was hij tenminste weer in zijn eigen domein. Met een moord wist je waar je aan toe was. Het had hem meer dan een uur gekost om tot deze conclusie te komen, hoe basaal ook. Hij keek op zijn horloge. Het was 15.58. Nog even. Hij keek nog eens de straat in. De gestage drukte van winkelend middagpubliek, huisvrouwen met uitpuilende tassen, het af en aan rijden van bestelwagens. Het werd hem nu duidelijk waarom Cockerell zijn kantoor op die plek had ingericht. Het was de ideale plaats voor een ledig mens om ledig te zijn. Je kon er urenlang verwijlen. De sirene begon te huilen. Troy zat het uit. Staarde naar de heuvels boven de stad en wachtte.

Het duurde even voor hij het geluid achter de sirene hoorde. Die was luid en eentonig nu, eerder dan verstorend, maar overstemde vrijwel geheel het krachtige bonken tegen de winkeldeur. Tegen de tijd dat het hem duidelijk werd waarom het ging, was de ergernis van de man aan de deur overgegaan in woede.

'En wie bent u nu weer?' vroeg hij, toen Troy de winkeldeur opende.

Dit was ook weer zo'n gluiperig type. Hij stond voor het opstapje, in een sjofel tweedjasje en grijze dubbelgekeperde wollen broek, met een veelvoud aan onbetamelijke vlekken, en een brandende sigarettenpeuk tussen de langste vingers van zijn rechterhand. Dit exemplaar had een steviger postuur dan Cockerell, langer en vleziger, maar maakte dezelfde schriele indruk, en deelde diens voorkeur voor een streepjesssnor. Maar de slonzigheid had van deze man een andere tol geëist. Hij was schriel met een bierbuik, schriel met diepbruine nicotinetanden, schriel met afgekloven vingernagels. Hij was rond de 1 meter 75. Troy schatte zijn leeftijd op een jaar of vijfenvijftig, maar hij zag er ouder uit.

Toen Troy hem zijn legitimatiebewijs liet zien en zijn vraag met dezelfde vraag beantwoordde, trok er een zichtbare huivering door de man heen.

'Ik zag het licht branden,' zei hij. 'Ik dacht dat het Janet – Mrs. Cockerell was.'

'Dat neem ik graag aan, maar u heeft mijn vraag niet beantwoord.'

'O, ik ben George Jessel. Ik kom voor de boeken.'

'U bent Cockerells boekhouder?'

'O, nee. Arnold deed zijn boekhouding zelf.'

'Zijn accountant?'

'Nee – dat deed hij ook zelf. Ik ben de registeraccountant.'

Hij rommelde in zijn jasje en haalde een gekreukt visitekaartje tevoorschijn: 'George G. Jessel – Beëdigd Accountant, Railway Cuttings 23, Belper.'

'Ik controleer twee keer per jaar de boeken. En ben nu te laat.'

De sigaret, die was opgebrand tot aan zijn gevlekte, koffiekleurige vingertoppen, werd snel tegen de punt van een verse geduwd, en weggegooid. Een driftig, diep inhaleren werd gevolgd door een driftige hoestbui. Hij kokhalsde en rochelde en spuugde een paar fluimen op de stoep, en klapte dubbel bij zijn pogingen weer lucht te krijgen.

Bij het overeind komen verscheen er het begin van een lachje op zijn gezicht.

'Veel te laat, eigenlijk. Kan ik wat u betreft de cijfers van het afgelopen halfjaar nu meenemen?'

Tijd om te zwijgen. Rekken maar, dacht Troy. Laat hem het gat maar vullen. Dus keek hij voor zich uit en zei niets.

'Ik heb het Janet – ik bedoel Mrs. Cockerell gevraagd – maar die zei dat ik haar met rust moest laten. Maar het moet wel gebeuren, toch?'

Troy zei niets. Jessel nam een stevige trek aan zijn sigaret.

'Vrouwen,' babbelde hij. 'U weet hoe die zijn.'

'Nee, dat weet ik niet. En nee, u kunt niets meenemen. Ik zal u laten weten wanneer u de boeken mag halen, maar ze behoren intussen bij het onderzoek. Kan ik u op dit adres bereiken?'

Hij hield het gekreukte kaartje omhoog.

'O ja, op weekdagen van negen tot half zes.'

'U hoort van me.'

Hij bleef nog even staan, nadat Troy de deur had dichtgedaan. Toen hij de straat uit liep, keek hij diverse keren achterom, en stak, nog geen vijftig meter verder, een volgende sigaret op met de peuk van de vorige, en hoestte opnieuw de longen uit zijn lijf.

Troy keek hem na vanuit het bovenraam. Het was even over vier. Als hij opschoot met de rest van de papieren, dacht Troy, kon hij Mr. Jessel nog net voor sluitingstijd op zijn kantoor opzoeken. Hij vermoedde dat Mr. Jessel zo'n bezoekje niet zo op prijs zou stellen. Te weten dat hij een levend mens kon gaan onderzoeken, in plaats van een reeks cijfers, gaf Troy weer nieuwe energie. Niets stimuleerde de geest zozeer als het vooruitzicht binnenkort weer een smeerlap bij zijn lurven te kunnen pakken.

Een uurtje later had hij zo ongeveer alles gelezen wat hij wilde. Ook hij had het onfrisse luchtje opgesnoven dat Janet Cockerell had gesignaleerd. Het klopte allemaal niet – of eigenlijk, o ironie, het klopte allemaal wel. Het luchtje hing overal om, onder, en aan het onwaarschijnlijke feit dat het zo geweldig in orde was.

Het stond nu wel vast dat hij nog een nacht moest doorbrengen in dit gat en genieten van de verrukkingen van de Keddleston. Hij ging nog eens langs de rij boeken en stopte, met een voorkeur voor wat hij kende tot wat hij niet kende, *Casino Royale*, de enige Fleming die hij had gelezen, in zijn jaszak. Die diende om een saaie nacht in een klein stadje door te komen.

Railway Cuttings lag ongeveer tegenover het station, een straatje van met roet besmeurde victoriaanse huisjes langs de rand van de diepe uitgraving voor de spoorrails door de stad. Het was niet meer dan tweeënhalve meter breed, en bestond aan één kant uit de dikke granieten stutmuur die de uitgraving afzette. De rails waren boven de lage muur zichtbaar en verdwenen glanzend in de oneindigheid, glimmend als roestvrij staal dat continu in gebruik was.

Nummer 23 was een soort vervallen pakhuis. Hoog tegen de muur tegenover de rails zag hij de verbleekte, spitse belettering van een oud bord voor een Zaadhandel en Kwekerij, maar laag, op ooghoogte, zaten twee kleine rechthoekige platen – nieuw en geschilderd: 'Belper Stedelijk Districtsbestuur Afvalverwerking'; oud en van koper: 'George G. Jessel, Beëdigd Accountant, 2e Verdieping'.

Er lag geen loper op de trap. Hier en daar plakten oude stukken linoleum op de uitgelopen treden. Vlokken oude gebroken witte muurverf dwarrelden van het plafond. De trapleuning was uitgesleten door het gebruik van vele handen. Boven waren twee deuren. Eentje halfopen, met de naam 'G. Jessel'. De andere gesloten, met het woord 'Privé'. Achter de eerste was een klein, vierkant kantoor, vol archiefkasten, met een klein bureau in het midden, dat bijna bezweek onder een enorme schrijfmachine onder een zwarte plastic hoes, waarvan de hendel als een spaan naar buiten stak. Hij keerde zich naar de andere deur, hoorde het geritsel van papieren en klopte bescheiden. De deur ging open. Jessels hoofd verscheen. Donkerbruine koeienogen die hem aanstaarden.

'U heeft het dus gevonden?'

'Ja, ik heb het gevonden.'

Jessel stapte terug en bracht hem naar een vertrek dat amper groter was dan Cockerells kantoor. Klein, driehoekig, maar precies tegenovergesteld. Een toonbeeld van netheid. Alles piekfijn in orde. Geen stofje te bekennen, alles op zijn plaats. Hoewel Jessel een sigaret tegen zijn onderlip geplakt had zitten, en hij de gewoonte had ontwikkeld te praten zonder die weg te halen, was de asbak schoon, alsof hij die met grote regelmaat leeggooide en afstofte. Troy keek ervan op, maar hij zag de logica erachter. Hij had een weerspiegeling van de man zelf verwacht, een man die, zo te zien, van zijn meest recente maaltijden getuigde via zijn overhemdsborst en revers, gevlekt van boordenknoopje tot gulpknopen. Maar dit vertrek weerspiegelde natuurlijk de geest van de man, de ordelijke indeling van de accountantsgeest.

Jessel trok een rechte stoel weg van zijn plaats tegen de muur en zette die voor Troy tegenover het bureau. Hij ging aan de andere kant zitten, achter de smalle strook van glanzend eikenhout en versleten rood leer – waarop een klein zilveren zakhorloge, een rij scherpgepunte potloden, een inktpot van geslepen glas, en twee Waterman-vulpennen met marmerpatroon als tinnen soldaatjes in slagorde lagen opgesteld.

Jessel opende zijn mond om iets te zeggen, maar het geraas van een trein door de uitgraving bracht hem op andere gedachten. Het vertrek schudde, de pennen en potloden maakten sprongetjes over het bureaublad, een wolk van stoom en rook rolde door het open raam naar binnen en Jessel pakte het zakhorloge en tikte op het glas.

'De 17.15 uit Derby. St Pancras naar Sheffield. Iedere dag op dezelfde tijd. Drie minuten later op zaterdagen, en nooit op zondag.'

'U heeft Mrs. Cockerell gezien, zegt u, en zij...'

'Nee,' viel Jessel hem in de rede. 'Ik heb haar niet gezien. Ik heb haar gesproken. Door de telefoon.'

'En ze laat u niet bij de boeken?'

Jessel maakte de sigaret los van zijn onderlip, de lip trok samen en gaf zijn spuugaanplaksel slechts met moeite prijs. Hoe vaak, dacht Troy, vilde de man zichzelf op deze manier? Jessel tipte een stukje tabak uit zijn mond – het echte spul, niet die filtertroep – trok aan de sigaret, slaagde erin niet te hoesten en tikte de as in de eerder zo smetteloze asbak.

'Goed. Ik neem haar niets kwalijk. Ze zegt dat Arnold het na terugkeer wel regelt, en dat het maar even moet blijven liggen. Ik denk dat ze graag gelooft dat hij weer terugkomt. Maar de cijfers stapelen zich op, zelfs zonder alle buitenlandse handel, en los daarvan, het is tegen de wet, niet?'

'Zeker,' zei Troy. 'En het is de wet die me hier brengt.'

Van de blik in zijn ogen wist Troy dat Jessel het op slag betreurde dat hij de wet erbij had gehaald.

'Arnolds dood.'

'Arnolds verdwijning.'

'Is hij dan niet dood?'

'Mrs. Cockerell wil niet bevestigen dat het lijk van hem is.'

Opnieuw een stevige trek aan de sigaret, een uitgeademde wolk van schadelijke, sterke tabaksrook.

'Als hij niet dood is, wat is er dan mis?'

'Geld,' zei Troy zonder verdere omhaal.

'Geld?'

'Veel geld.'

Jessel trok aan zijn sigaret tot hij zijn vingers brandde, stak een volgende op aan de peuk en probeerde zo veel mogelijk tijd te winnen.

'Niks verkeerd met geld,' blunderde hij, en Troy wist dat hij in de verdediging ging, wist diep in zijn politiehart dat Janet Cockerell het bij het juiste eind had. En in dat geval gunde hij de man geen rustig ogenblik meer.

'Hoe lang dekt u hem al?'

Jessel hoestte, kokhalsde, en leek erin te blijven. Troy keek onbewogen toe hoe zich onder de haarlijn zweetdruppeltjes vormden die langzaam over het rood wordende gezicht naar beneden liepen en werden opgenomen in de gerafelde kraag van het overhemd. Het was grote aanstellerij. Hij bleef grote hoeveelheden slijm ophoesten tot zijn ribben ervan kraakten – en het mocht allemaal niets baten.

Toen hij zijn hoofd weer boven het bureau uitstak, keek Troy hem aan.

'Heeft... heeft... acchhhrrrchhgerachhhch... heeft ze u dat verteld?'

'Doet u dat?'

'U moet niet alles geloven wat Janet Cockerell zegt. Het was nou niet bepaald een briljant huwelijk, wat die twee hadden, weet u? Ze kon Arnold al jarenlang niet meer luchten of zien.'

'Er gaat een geweldige hoeveelheid geld om in Cockerell Ltd. Een klein fortuin, voor drie winkels in Noord-Engeland.'

'Het is allemaal heel legitiem. U vergeet de buitenlandse handel.'

'Goederen die Engeland nooit binnenkomen, maar zichtbaar worden via zijn bankrekening in Stockholm?'

'Precies. Maar dankzij u klinkt het onfris. Wat het niet is. Het is allemaal eerlijk. Officieel aangegeven en belast. Volkomen legaal. Mannen als Arnold Cockerell – de ruggengraat van Groot-Brittannië. Met een open oog voor Europa. Pioniers.'

Hij begon te klinken als een van die verschrikkelijke uitzendingen in de Door de Regering Gevorderde Zendtijd voor Politieke Partijen, televisieprogramma's die hun weerga in sloomheid en saaiheid niet kenden. Een overblijfsel uit de oorlog, toen Churchill en Roosevelt het nodig hadden gevonden de mensen via de radio toe te spreken. In vredestijd was dat een anachronistisch gezanik. Een prominent politicus die het land toesprak, hoogdravend en pretentieus, en zijn teksten buitengewoon slecht voorlas van kaartjes. Tot overmaat van ramp sprak dan de andere kant, in het kader van het recht op antwoord, de volgende avond tot je er groen en geel van zag. Export was een van hun favoriete onderwerpen om Groot-Brittannië mee te vervelen.

Troy had niet veel aan te voeren. Jessel kon alles wat hij zei ontzenuwen. Maar waarom werd de man niet kwaad? Troy had hem ronduit van oplichterij beschuldigd, en nu zat hij daar kalmpjes Cockerell en zichzelf te verdedigen, terwijl een eerlijk man, vond Troy, hem de deur zou hebben gewezen en zou hebben gezegd dat hij pas kon terugkomen als hij een huiszoekingsbevel kon tonen.

'Ik heb Cockerells belastingaangiften niet tussen de papieren in de winkel kunnen vinden,' zei hij.

Jessels sigaret was uitgegaan. Tijdens zijn pogingen Troys beschuldigingen te weerleggen, had hij vergeten te roken. Hij doorzocht zijn zakken op lucifers.

Troy deed een gokje.

'Die heeft u, niet?'

Jessel hield net een vuurtje bij het dooie stompje. Zijn hand beefde hevig. Sigaret en vlam weigerden samen te komen. De lucifer brandde op tot zijn vingers. Hij vertrok zijn gezicht van pijn en stak een andere aan.

'Ik zou die graag zien.'

Dit was dan toch wel het ultieme moment waarop vertoornde burgers hem toeriepen terug te komen met een huiszoekingsbevel. Zelfs als ze niet eens wisten wat dat inhield – maar een beëdigd accountant toch wel? – hadden ze het toch vaak genoeg op de tv gezien. Dienders die de laan uit werden gestuurd door welgekozen bewoordingen op de juiste toon, alsof ze ongewenste huis-aan-huisverkopers waren. Net voordat hij opnieuw werd verzengd, slaagde Jessel erin op te steken. Noch het gebaar, noch de tabak schonk hem enige verlichting. Hij trilde en zweette meer dan ooit.

'Ik... eh... kan er op het ogenblik even niet bij. Mijn... eh, mijn secretaresse... gaat altijd om vijf uur naar huis.'

Dat was voor Troy geen probleem. Laat Jessel maar een nachtje zweten, vond hij. Die zou toch niet zo stom zijn om papieren te vernietigen die al officieel bestonden. En als hij dat toch deed, stond dat gelijk aan een bekentenis.

'Goed dan,' zei hij glimlachend tegen Jessel. 'Dan zie ik u morgenvroeg.'

Aan de uitdrukking op Jessels gezicht te zien, leek het wel of Troy een samenkomst in Timboektoe had voorgesteld. Maar hij verzamelde zijn krachten. Genoeg energie om de indruk te wekken dat alles in orde was. Hij haastte zich langs Troy, opende de deur voor hem, zette de stoel weer tegen de muur waar hij vandaan kwam, en sloeg, wat Troy merkwaardig pietluttig vond, met een luchtig handgebaar zijn zakdoek uit en begon de zitting af te stoffen, waarbij hij de bekleding van wasdoek nauwelijks raakte.

'Best,' zei hij, met de sigaret opnieuw flappend aan zijn onderlip. 'Morgenochtend, dus.'

44

Troy liep in de koelte van de avond de heuvel weer op, zijn aktetas bol van de papieren van Cockerell Ltd. Janet Cockerell was nog in de tuin, met wat extra likjes en klodders verf toegevoegd aan de bonte mengeling op haar overall en het schilderij bijna klaar. Maar de werkdag was voorbij. Ze zat met een glas witte wijn en staarde naar de roodverkleurende avondlucht. Ze haalde een tweede glas en de fles. Een goed gekoelde rijnwijn, bloemrijk en niet te zoet.

'Waarom heeft u niets over George Jessel gezegd?'

'Ik denk ook niet aan alles.'

'En ik geloof ook niet alles.'

Ze was slim genoeg om te begrijpen dat hij dacht dat ze loog.

'De echte reden is vermoedelijk dat ik liever helemaal niet aan hem denk. Een man als Jessel is dat niet waard. Het is een ellendeling. Ik mag hem niet, en ik mag Arnold ook niet erg als die twee samen zijn. Hij is de meest onsmakelijke van Arnolds trawanten.'

'Trawanten? Waarom trawanten? Waarom zegt u niet gewoon vrienden?'

'Ik heb het niet opgezocht in het woordenboek, maar het zou me niet verbazen als een van de betekenissen van "trawant" "ongure vriend" was.'

Hij moest eraan denken beledigd te zijn, als Rod in de toekomst weer eens over Driberg of Fermanagh sprak als 'een van je trawanten'.

'Of,' ging ze verder, 'dacht u meer in samenzweerderige zin?'

'Dat zou weleens kunnen.'

'Dan spijt het me dat ik hem niet heb genoemd. Maar nu u hem heeft gesproken, begrijpt u vermoedelijk wel wat ik bedoel. Als Arnold iets in zijn schild voerde, is George Jessel het soort knaap dat voor hem zou liegen alsof het gedrukt stond, omdat maatjes dat nu eenmaal voor elkaar doen, niet?'

'Ja, dat denk ik ook.'

'Gaat u hem nog een keer opzoeken?'

'O, ja. Ik laat hem vannacht marineren, en dan braad ik hem morgen.'

Terug in het vreugdeloze Keddleston spreidde hij Cockerells bescheiden uit over het bed en besloot dat hij geen zin had in die vreugdeloze lectuur. Hij nam vluchtig de belangrijkste berichten van de *Manchester Guardian* door. Las weer een lang stuk over de ontluikende crisis in Suez en viel in slaap zonder de Ian Fleming zelfs maar te hebben opengeslagen.

45

Hij ontbeet tussen de bruine pakken. Iets warms, iets smakeloos, weggespoeld met iets lauws. Hij gaf Jessel een klein halfuur om op orde te komen, voldoende tijd om diens onrustgevoelens een kans te geven, propte Cockerells papieren terug in zijn aktetas en beklom om klokslag tien uur de trap naar zijn kantoor. In het eerste vertrek stond de schrijfmachine onaangeraakt onder zijn plastic hoes. Hij had daar een jongedame verwacht die de administratie deed, of haar nagels.

De deur naar Jessels kantoor stond op een kier. Hij gaf die zonder kloppen een duwtje. Jessel lag onderuitgezakt in zijn stoel, hoofd naar achteren, ogen open, dood.

'Shit, shit, shit!' zei Troy.

Hij hield zijn vingertoppen tegen de zijkant van Jessels hals. Warm, maar absoluut dood. Hij stond bij het lijk, en draaide langzaam zijn hoofd om zo veel in zich op te nemen als maar mogelijk was. Hij had niet meer tijd dan er was tot de volgende persoon, wie dan ook, zich aandiende.

Hij hoorde een geritsel in het andere kantoor.

Shit, shit, shit.

Een jonge vrouw was bezig de hoes van de schrijfmachine te halen. Toen ze naar hem opkeek, zag hij dat een van haar wangen sterk was opgezwollen.

'Bent u Mr. Jessels secretaresse?'

Ze mmmde naar hem en knikte heftig.

'Bel de politie,' zei hij. 'Die van hier, niet het nationale alarmnummer.'

Ze verstarde. Keek hem angstig aan.

'Heeft u het nummer?'

Ze knikte opnieuw, bladerde in het telefoonboekje en draaide het nummer. Hij hoorde de telefoon overgaan. Ze wees op haar wang. Het politiebureau nam op.

'Awo,' zei ze. 'Powiesie?'

Het was even stil. Troy hoorde de stem aan de andere kant zeggen: 'Wat?'

'Powiesie. Isj Bwenda Bwock. De sjecretaresjuh van Geosj Jesjll.'
Ze stak de hoorn uit naar Troy.

'Ze vesjtaan muh nie. Wazz bij duh tannarz.'

Hij pakte hem over.

'Dit is hoofdinspecteur Troy van Scotland Yard. Kom meteen naar Railway Cuttings 23. Ik heb zojuist George Jessel dood aangetroffen.'

Er klonk een plof toen Brenda Brock in haar stoel viel. Troy knalde de telefoon op de haak, pakte haar hoofd en duwde dat tussen haar knieën. Godzijdank schreeuwde ze niet, dat was tenminste iets. Binnen een minuut zat ze weer rechtop, bleek en met een betraand gezicht, keek hem recht in zijn ogen en zei: 'Ech waah?'

'Ja,' zei hij. 'Echt waar.'

Hij liet haar zitten. Ging terug naar Jessels kantoor. De bovenste la aan Jessels kant van het bureau stond een paar centimeter open. Een stapel papieren keek hem uitnodigend aan. Hij haalde die tevoorschijn. Een dertigtal pagina's, bijeengeniet in twee stapeltjes – Cockerells belastingaangiften van de laatste vijf jaar. Hij had die dus toch willen laten zien. Hij propte ze in zijn binnenzak en keek om zich heen. Niets wees op geweld. Jessel was in elkaar gezakt, alsof hij opeens bij de schouders en de knieën was geknakt, als een marionet waarvan de touwtjes waren doorgeknipt. Er lagen vijf peuken in de asbak. Gezien de manier waarop de man kettingrookte, vertegenwoordigden die vermoedelijk het eerste halfuur van de werkdag. Hij kon zich wel voor zijn kop slaan. De arrogantie van 'ik laat hem vannacht marineren' drong nu pas tot hem door. Hij had zijn kans gehad, en die laten schieten. Het goedkope rechercheurstrucje om hem eerst een halfuurtje te laten wachten, voor hij op het toneel verscheen, alleen maar om hem de zenuwen op het lijf te jagen. Hij had een tweede kans gehad, en die laten schieten. Al met al had hij het zaakje goed verpest en kwam nu zo oog in oog te staan met de plaatselijke politie, tegenover wie hij net moest doen alsof hij het allemaal correct had afgehandeld. Dat was niet zo best.

Hij hoorde voetstappen op de trap, keek nog één keer rond door het vertrek en schoot terug naar het andere kantoortje.

Brenda Brock staarde naar buiten. Ze huilde geluidloos, haar mascara vloeide langzaam over haar gezwollen hamsterwangen.

Een stevig gebouwde man, met zijn regenjas en slappe deukhoed te dik gekleed voor het weer, verscheen in de deuropening.

'Warriss. Bureau-inspecteur,' zei hij bars, en wierp een verstoorde blik op Troy. 'En wie mag u dan wel wezen?'

Troy herhaalde zijn naam en rang en liet zijn legitimatiebewijs zien.

'Blijft u wel in de buurt,' zei Warriss. 'Ik wil u straks nog spreken, sir.'

De ondertoon in het 'sir' sprak van een mengsel van woede en minachting. Een jongere man, van achter in de twintig, verscheen op de overloop.

'Brigadier Godbehere van de recherche,' zei Warriss. 'Mijn plaatsdelictman. We hebben vandaag de grote jongens op bezoek, Raymond. Hoofdinspecteur Troy van de Yard, of je het gelooft of niet.'

Hij wendde zich tot Troy, duidelijk niet onder de indruk van diens rang.

'Is hij daar?'

'Ja,' zei Troy.

Warriss en Godbehere lieten hem bij Brenda. Vijf minuten later kwam Warriss alleen terug.

'U heeft niets aangeraakt?' vroeg hij.

'Natuurlijk niet,' loog Troy.

'En het meissie?'

'Is daar niet geweest.'

Nieuw gestommel op de trap kondigde een nieuwe grote man met een regenjas en een slappe deukhoed aan. Deze had een dokterstas in zijn hand. De politiearts, ongetwijfeld.

Hij knikte naar Troy, en groette Warriss met een simpel: 'Harold'.

'Daar, zeker? De man met de zeis heeft hem eindelijk te pakken? Arme drommel.'

Hij zocht stommelend zijn weg over de overloop.

Troy hoorde hem zeggen: 'Oké, Ray, beste jongen, wat hebben we hier? Ach lieve deugd, hemeltjelief!'

Troys ogen waren op de deur gericht, volgden de dokter, en in gedachten volgde hij de handelingen die deze nu uitvoerde. Warriss' stem schrikte hem op, bracht hem met een schok terug naar de werkelijkheid.

'Een paar vragen, Mr. Troy. Buiten, als dat kan.'

Hij liep voor hem uit de trap af Troy keek naar Brenda Brock. Mooie groene ogen keken hem smekend aan, maar hij kon haar niet helpen, wat de smeekbede ook was. Hij volgde Warriss. In de bocht van de trap passeerde hij een oudere vrouw in een gebloemde nylon overall die de vensterbank van de overloop afstofte.

Warriss wachtte buiten, en leunde met een elleboog op de stutmuur langs het spoor – een houding die te kennen gaf dat macht boven recht ging. Zo kreeg Troy de wind van voren van een man die in leeftijd zeker tien jaar zijn meerdere was, en in rang zijn mindere, en had geen poot om op te staan.

'Zeg eens,' begon Warriss, 'heeft u weleens van het woord protocol gehoord, of zijn al die jonge knakkers in Londen zulke onnozele slimmeriken?'

'Het spijt me...'

'Ja, dat mag ook wel. Hoe lang bent u al bezig in mijn gebied?'

'Pas sinds gistermorgen.'

'En wat was er voor de Yard zo interessant aan George Jessel dat die dat niet met de plaatselijke politie kon delen?'

'Niets. Jessel was niet het onderwerp van mijn onderzoek.'

Een licht van puur genoegen verscheen in Warriss' bloeddoorlopen ogen. De flits van de openbaring.

'Mijn God. Mijn God! U bent hier voor Arnold Cockerell, hè?'

'Ja.'

'U bent bij de Branch?'

'Nee. Ik leid Moordzaken.'

Warriss was niet onder de indruk.

'O, ja? Wie is er dan vermoord?'

'Cockerell.'

'Dat is nieuw voor mij. Mijn laatste informatie is dat de Russen hem hadden. We horen hier ook nog weleens wat, weet u. Het is hier niet alleen maar bokbier en windhonden.'

'Mij is gevraagd een onderzoek te doen naar de verdwijning en mogelijke dood van kapitein-luitenant-ter-zee Cockerell.'

'Juist ja,' zei Warriss nadenkend. 'En u vond niet dat uw eerste aanleghaven het plaatselijke politiebureau moest zijn?'

'Ik zei al dat het me speet.'

Opnieuw die flits in Warriss' ogen – diezelfde zelfvoldane tevredenheid over zijn inzichtelijke vermogens.

'Het kwam door haar, niet? De vrouw. Zij heeft u hiernaartoe gehaald, hè? De trut. Ze heeft me nooit vertrouwd. Ik behandel Arnold Cockerells verdwijning, niet die verdomde Yard!'

Hij tikte met een stompe wijsvinger tegen zijn borst. Zijn stemgeluid nam toe. Hij schreeuwde nu. Geen greintje, zelfs niet voor de vorm, van respect voor Troys rang.

'Het is mijn zaak, Mr. Troy! Die bij mijn bureau werd aangegeven, aan mij persoonlijk. Ik leid het onderzoek. Ik ken Cockerell al tien jaar of meer, verdomme. Hij was een vriend! Als u een onderzoek wilt doen in mijn gebied, gaat dat via mij!'

Een welkome sneltrein raasde door de doorgang, in zuidelijke richting, en hulde ze in rook en stoom. Bij het opklaren van de lucht, plaatste Troy de enige zet die hem nog restte. Hij keek Warriss recht in de ogen en zette zijn beste no-nonsensestem op.

'Hoe dan ook, er is nu een tweede zaak. Moord is mijn afdeling. De moord op George Jessel is mijn afdeling.'

Warriss lachte. Troy had een nieuwe tirade verwacht, maar de man lachte.

'Moord? George Jessel? Dat zullen we nog weleens zien.'

Hij wees naar de deur van het gebouw achter Troy. De politiedokter kwam naar buiten, zijn tas waaruit de rubberen slang van een stethoscoop bungelde, halfopen. Hij stak zijn hand uit naar Troy. Troy drukte die. Het eerste teken van enige beschaving dat Troy tot nog toe had gesignaleerd.

'Jewel,' zei de man. 'Joe Jewel. Regionaal politiearts.'

Voor Troy een woord kon zeggen, kwam Warriss tussenbeide.

'Zeg het maar niet, hoe leuk het ook lijkt. We hebben alle denkbare grappen over Jewel en Warriss al gehoord. Dus laat maar zitten.'

Je zou toch zeggen, dacht Troy, dat het hebben van dezelfde namen als het beroemdste stel komedianten van het variététheater een aansporing moest zijn om zich niet als een clown te gedragen. Maar hij hield zijn mond maar.

'Nou,' zei Warriss tegen Jewel. 'Heb ik gelijk?'

'O, ja. Zijn hart. Heeft het eindelijk begeven.'

'Dus je tekent?'

'O, ja. Een uitgemaakte zaak.'

De blik van Warriss naar Troy was bijna een grijns. Een stil, meesmuilend 'zie je wel'.

'Ik wil de goed geoliede machine van een efficiënt team niet verstoren,' zei Troy, 'maar als iemand dood wordt gevonden onder verdachte omstandigheden, is dat geen uitgemaakte zaak.'

Warriss had zijn onfeilbare sarcasme-detector blijkbaar nog niet aangezet en liet zijn wederhelft antwoorden.

'O, neemt u maar van mij aan van wel. Dat zit zo. Het vak van politiearts in deze uithoek is geen volledige dagtaak. Als er niet wordt gebeld, zijn er geen lijken. Het grootste deel van de tijd ben ik huisarts. En George was toevallig ook een patiënt van me. Hij was al vijfenveertig jaar kettingroker, dronk whisky of het water was, hij had een hart ongeveer zo sterk als een badspons en aderen zo hard als oude gomballen. Neemt u maar van mij aan dat dit een natuurlijke dood is. Hij stierf aan een zwaar, volkomen verwacht hartinfarct. En ik heb geen enkel probleem met het tekenen van de overlijdensakte.'

Bij Warriss was het muntje gevallen.

'Het enige wat verdacht is hier, is uw aanwezigheid. En u zei al dat Jessel geen onderdeel uitmaakte van uw onderzoek, dus dat is dan weer dat.'

'Ik wil een lijkschouwing en ik wil dat de zaak wordt gerapporteerd aan de rechter van instructie,' zei Troy zacht en nadrukkelijk. 'Als jullie nu niet uit eigen beweging doen wat er moet worden gedaan, bel ik mijn hoofdcommissaris in Londen en die van jullie hier en geef jullie allebei aan wegens belemmering van een onderzoek.'

Jewel keek naar Warriss. Warriss keek naar Jewel. Een ingestudeerde interactie voor twee.

'Jullie Londense zeikerds zijn allemaal hetzelfde,' snauwde Warriss. 'Jullie denken maar dat je hier kan komen binnenlopen en...'

'Nu meteen!'

Warriss tilde zijn elleboog van het muurtje. Even dacht Troy dat hij een klap zou krijgen. Toen kwam er een agent in uniform de straat binnenhollen.

'Langley Mill aan de telefoon, baas. Dringend.'

Warriss wiekte krachtig met zijn arm. Hij was niet van plan zijn meerdere te slaan. Maar hij had zo lang in deze arrogante houding gestaan dat zijn arm nu sliep. Maar zijn gezicht was rood, en zijn stem was schor. Als hem iets goeds was ingevallen, had hij Troy nu zeker een *bon mot* of een snedige beschimping toegeroepen.

'Lul,' riep hij bij gebrek aan beter. 'Je krijgt je rapport, maar als je morgen nog steeds in mijn gebied bent, meld je je op mijn bureau, en dat geldt voor iedere dag van je verblijf. Sir!'

Hij liep met dreunende stappen de straat uit. Jewel schokschouderde. Klipte de gesp van zijn tas dicht.

'Zit morgen in de post, jongeman. Maar je hebt het mis. Je zult het zien.'

Hij volgde Warriss. De poetsvrouw in de gebloemde overall verscheen op de drempel van nummer 23 en schudde haar gele stoffer uit. Troy liep naar haar toe.

'Pardon?'

'Hoezo, wat heb ik gedaan?'

'Ik wilde u alleen een paar vragen stellen.'

'Vraag maar raak, beste jongen.'

Troy kreeg steeds meer de indruk dat het verschil tussen de lokale manier van uitdrukken en de gangbare groter was dan hij had gedacht, maar hij hield manmoedig stand.

'Maakt u het hele gebouw schoon – alle kantoren?'

'Ja.'

'Het kantoor van Mr. Jessel?'

'O, ja. Een heel precieze man, Mr. Jessel. Iedere morgen om kwart voor negen.'

'Juist, ja,' zei Troy. 'En u heeft niemand zien binnenkomen tussen toen en tien uur?'

'Nee. Alleen Mr. Jessel. Die kwam pas om kwart over. Toen ben ik met koffiepauze gegaan. En heb een hapje gegeten. Was na een halfuurtje terug. En zag u binnenkomen. En nog geen vijf minuten daarna de jonge Brenda.'

'En u had Mr. Jessels kantoor schoongemaakt?'

'Zoals ik net al zei. Schoongemaakt en gepoetst, zoals iedere morgen op dezelfde tijd.'

Troy holde de trap op, en bad in stilte dat brigadier Godbehere meer hersens had dan zijn baas.

Hij vond hem op dezelfde stoel waarop hij de dag ervoor had gezeten, met zijn neus in de *Daily Mirror*. Hij was lang, slank, en maakte, toen hij opkeek bij Troys binnenkomst, een milde, intelligente indruk. Hij had het fatsoen gehad een laken over wijlen George Jessel te leggen.

'Ik vrees dat je me zal moeten helpen,' zei Troy.

Godbehere vouwde zijn krant dicht.
'Hoe komt het, sir, dat bij de klank van deze woorden de haren in mijn nek overeind gaan staan?'
'Het instinct van de politieman.'
'Ik moet hier wachten tot de lijkwagen komt. En als Brenda gekalmeerd is moet ik haar verklaring opnemen, en als u de wind van voren heeft gehad van de baas, moet ik die van u opnemen. Dat is wat ik moet doen. Dat weet u toch, sir?'
'Dat weet ik. Ik heb de wind al van voren gehad, en denk dat volgens de algemeen geldende beleefdheidsnormen Brenda nog wel een halfuur mag rouwen. Intussen wil ik dat jij dit vertrek gaat onderzoeken op vingerafdrukken.'
Godbehere stond op en pakte zijn tas met spulletjes.
'U brengt me voor het vuurpeloton.'
'Ik neem de schuld op me.'
'Reken maar,' zei Godbehere toonloos. 'En waar wilt u dat ik begin?'
'Bureaublad. Dat is vanochtend rond negen uur nog schoongemaakt.'
'Handig,' zei Godbehere en hij schoof zijn stoel weg om ruimte te maken in de benauwde omgeving waar hij zat.
'Wacht eens even,' zei Troy, en stopte hem met een hand op zijn arm. 'Heb je die stoel naar voren getrokken, om te kunnen zitten?
'Nee, die stond hier bij het bureau. Ik ben gewoon neergeploft.'
Troy zag in gedachten nog dat pietluttige gebaar. Het precies gelijkzetten van de stoel tegen de muur. De flappende zakdoek. Iets wat een gewoontegebaar was geworden. Zoiets zou Jessel, een pietluttig man, toch zonder twijfel na iedere bezoeker doen, dacht Troy. De stoel bijschuiven, en de stoel weer terugzetten. Hij keek naar het stuk bruinrode vloerbedekking bij de muur. Er zaten vier diepe moeten in de stof waar de poten van de stoel altijd stonden.
'Ik kan je nu al zeggen dat Jessel, ongeacht de doodsoorzaak, niet alleen is gestorven. Er was iemand hier. Iemand die precies op dezelfde plek zat als jij daarnet, toen ik binnenkwam. Onderzoek dus het hele spul, deurknop, stoelrug, alles.'
'U brengt me voor het vuurpeloton,' zei Godbehere opnieuw. Hij maakte zijn tas open en scheen zich niet te bekommeren over wat hem te wachten stond.

Troy knielde en keek op ooghoogte over het leren bovenblad van het bureau. Er stak iets uit, een vlek of een klodder, net iets rechts van het midden. Hij pakte zijn lefdoekje. Stak een hoekje van het Ierse linnen in de klodder en zag hoe een klein bruin vlekje een paar millimeter in het materiaal trok. Hij stond op en hield het doekje bij zijn neus. Olie. Beslist olie. En als dat twee weken rondlopen met die belachelijke Browning onder zijn oksel enig nut had gehad, was het dat hij nu wist hoe wapenolie rook.

Hij vouwde het zakdoekje zorgvuldig op en stopte het in zijn binnenzak, waar het terechtkwam bij de papieren die hij uit Jessels bureau had gepikt. Godbehere bracht wit poeder aan op de rand van het bureau en gaf meteen zijn mening.

'Hier zit iets. Geen twijfel mogelijk. Zou de werkster goed werk hebben geleverd?'

'Je hebt haar gezien. Ze maakte op mij de indruk dat ze zelfs een huishouden van Jan Steen moeiteloos aan zou kunnen. Die is voor geen kleintje vervaard.'

Troy keek naar de bepoeierde vegen. Dit was, net zoals geld, niet een van zijn sterke kanten. Dergelijke afdrukken zeiden hem ongeveer evenveel als een patroon in het behangpapier. Godbehere zag dat maar al te goed.

'Ik kan dit beter in mijn eentje doen, sir. Waarom gaat u niet doen wat u moet doen en komt u in de loop van de dag naar het bureau voor uw verklaring? Ik ben daar vandaag tot een uur of zes en begin morgen weer om half negen. Het bureau is in Matlock Road. Iedereen weet waar dat is.'

Troy vertrok om te gaan doen wat hij moest doen. Het probleem was alleen dat hij geen idee had wat dat was.

Hij stond aan het einde van Railway Cuttings over dit dilemma na te denken. Of hij stelde een groot vertrouwen in Godbehere, of hij stoomde onuitgenodigd binnen, en stelde zijn eigen onderzoek in, wetend dat de connectie met Cockerell, en Cockerells connectie met wat Stan zonder twijfel 'spionagegedoe' zou noemen groot genoeg waren om Onions kopschuw te maken. Waardoor Troy op eigen titel op ongeveer alle tenen van alle lokale politie mensen in de wijde omgeving zou gaan staan en de meest onpopulaire rechercheur van Engeland zou worden.

Er werd naar hem geclaxonneerd. Een eindje verderop in de

straat zag hij een lichtgekleurde Daimler of Jaguar geparkeerd staan. Het enige wat hij in de raampjes zag was de weerspiegeling van de straat, vol winkelende mensen. Toen ging het portier aan de bestuurderskant open en wenkte een gezette, uilachtige figuur hem toe.

'Instappen,' riep deze.

Het was George Brown. Opeens begreep hij het. Het Ergens-in-het-Noorden waarvoor Brown in het Lagerhuis zat was Belper. Dit was zijn kiesdistrict. Goeie god, dat had hij eerder moeten bedenken.

'Ik hoef je natuurlijk niet te vragen wat je hier doet, hè?' zei hij.

'Dat lijkt me niet zo moeilijk.'

'Er zijn sinds de industriële revolutie nog maar twee dingen waardoor Belper bekend is. Door mij, en die vervloekte Arnold Cockerell!'

'Kende je hem?'

'Iedereen kende hem. Plaatselijke bekendheid. Rotary Club. Kamer van Koophandel. Een paar jaar lang penningmeester van de Tory Party. Nam me altijd op de hak tijdens openbare bijeenkomsten. Maar echt kennen, nee. Maar als het je gaat om wat *couleur locale:* ik heb over vijf minuten met twee van mijn mensen afgesproken in de bar van de Legion. Waarom ga je niet mee?'

Brown sloeg bij de volgende kruising links af.

'Heeft iemand de verdwijning van Cockerell ooit aan je voorgelegd? Vanuit het electoraat, bedoel ik?'

'Zijn vrouw. Maar toen was het natuurlijk al wat je noemt een onderstroom in het Lagerhuis. Waar je broer bovenop zat. Ik heb het even genoemd. Hij zei: "Laat het maar aan mij over", wat ik maar al te graag deed. Ik had het toen al verbruid bij de Russen, wat Broeder Chroesjtsjov je wel zal hebben verteld. Het was in alle opzichten beter als Rod dit behandelde. Ik heb Cockerells vrouw verteld wat ik wist. En dat was niet veel.'

Brown aarzelde.

'Toch wil ik je dit even vragen. Je bent hier toch niet vanwege je broer, hè?'

'Nee. En ik denk dat hij je dat dan toch wel zou hebben gezegd.'

'Ik heb lange tenen,' zei Brown. 'Waarop het makkelijk trappen is.'

Hij sloeg opnieuw links af en bracht de auto tot stilstand voor een robuust, plomp staaltje van jaren twintig-architectuur. De Royal British Legion. Pleisterplaats van oude, en niet zo oude, militairen.

Troy kon zich niet herinneren ooit in een British Legion te zijn geweest. Hij had daar uiteindelijk ook het recht niet toe. Hij was niet alleen niet in dienst geweest, maar zou hebben gelogen, en bedrogen en naar Ierland zijn gevlucht, om de dienst te ontlopen. Daar was het nooit van gekomen – Onions had hem uit het leger gehouden op grond van onmisbaarheid. Brown was volgens hem ook niet in dienst geweest. Het was een raar gevoel; het plaatste hen buiten hun generatie. Brown was een jaar of twee, drie jonger dan Troy, en een van de rijzende sterren in zijn partij, als de ouwe jongens van vijftig en zo – Gaitskell, Rod – ze ooit de kans gaven hun vleugels te spreiden. De volgende verkiezingen waren over vier jaar en kwamen bij iedere crisis dichterbij. Gaitskell leek de gedoodverfde winnaar. Het zou nog heel lang duren voordat er voor de generatie van George Brown en Harold Wilson een opening kwam aan de top.

'Jij bent geen lid, hè?' vroeg Brown, terwijl hij de auto afsloot.

Troy schudde zijn hoofd.

'Dan moet Walter ons maar inschrijven. Ik ben ook geen lid, namelijk.'

Troy vroeg zich af of deze erkenning nog een diepere betekenis had. Ervoer een Britse man en met name een Brits politicus van hun leeftijd automatisch de scheidslijn tussen 'gevochten' en 'niet gevochten'? Was dat voor eeuwig bepalend, tekenend voor hun generatie? Erger nog, als je daar binnenkwam, in de Legion, waar hadden de mensen – de mannen, het waren altijd mannen – het dan eigenlijk over? Kon een club van veertigjarigen tot hun dood toe blijven doordrammen over 'mijn aandeel in de oorlog'? Ging dat door tot in de jaren tachtig, negentig, de volgende eeuw?

Brown stelde Troy voor aan Walter en Ted – twee mannen die van elkaar verschilden door een aantal kilo's in gewicht en een aantal jaren in leeftijd – maar ongeveer van dezelfde leeftijd als Brown en Troy. Ze zaten aan een klein rond tafeltje met een verfomfaaid exemplaar van de *Manchester Guardian* en twee halflege glazen bier. Ze drukten handen, en zeiden hallo, en maakten meer ruimte. De stevigste van de twee, Walter, kwam onmiskenbaar uit Lancaster, en de magere, Ted, even onmiskenbaar uit Yorkshire. Een echte smeltkroes, dat British Legion, dacht Troy.

'Wat drinken jullie?' vroeg de dunne man.

Brown vroeg om een glas van het lokale bier – een Mansfield

ale – en Troy volgde het advies van Driberg, die altijd zei dat de beste manier om het ijs te breken was om te drinken wat de werkman dronk.

Troy keek om zich heen. Het was een saaie tent. Het zat er dik in dat het een saaie tent was. Maar niet saaier dan de doorsnee Londense club die hij weleens had bezocht. Behoorlijk afschuwelijk, met dat gelakte houtwerk, maar niet meer of minder aangenaam dan de Garrick met al zijn geverniste portretten die door de jaren heen dof waren geworden – en niemand had hem gevraagd waarom hij geen das droeg. De nieuwe koningin prijkte trots aan haar eigen muur, een staatsfoto in rode mantel. De oorlog werd in het klein herdacht via de decoratieve afbeeldingen die overal aan de muren hingen, van het plaatselijke regiment – de Sherwood Foresters – en het 1ste Poolse Regiment Parachutisten. De illusie dat de oorlog Engelands oorlog was, vond weinig gehoor, en alleen idioten koesterden die. Het aantal Tsjechen en Polen – en Amerikanen – dat in die tijd in Engeland aanwezig was, getuigde wel van het tegendeel. Achterin zag hij een rij biljarttafels op groot formaat en het geroezemoes in de bar werd begeleid door het constante geklik van de ballen. Het geroezemoes. Hij spitste zijn oren, probeerde iets te verstaan van het ontoegankelijke dialect, en ontdekte tot zijn verbazing dat de oud-militairen spraken over het weer en voetbal en rugby en wat ze gisteravond op 'de buis' hadden gezien. Niemand had het over de oorlog.

Hij voelde Browns elleboog in zijn zij en zag dat die bezig was zijn pijp op te steken. De uitdrukking op het gezicht van de stevige man gaf aan dat hij zojuist een vraag had gesteld die Troy niet had gehoord.

'Ik vroeg net: ben jij misschien de broer van Rod Troy?'

'Ja, dat ben ik.'

'Die is hier een paar keer geweest om een praatje te houden. Zette zich in voor George in '50 en '51.'

Het bleef even stil, vermoedelijk om Troy een kans te geven, maar toen die niet reageerde, vervolgde de stevige man met 'Geschikte vent,' als een soort van afsluiting.

Op zijn best was Rod een overtuigd gelover in en bevorderaar van Liefde en Rechtvaardigheid en Democratie. Een man die leugens verafschuwde. Troy bewonderde dat, ook al was hij meestal degene die alledrie voor hem verpestte. Op zijn slechtst was Rod 'een geschikte vent'. Troy haatte de geschikte vent.

De dunne man kwam terug met een blad vol drankjes en de eerste rookwolk pijptabak golfde bij Brown vandaan.

'De hoofdinspecteur is hier vanwege Arnold Cockerell,' zei hij door de rook heen.

De twee mannen keken elkaar aan. Troy kreeg de indruk dat ze glimlachten. Hij hield zijn hart vast voor het tweede lokale duo-optreden van de dag, en hoopte vurig dat ze iets zinnigs te zeggen hadden.

Walter sprak als eerste. 'Dus het is niet Arnold, daar in Portsmouth? Ik moet bekennen dat ik nooit zo heb geloofd in zijn rol als superspion.'

Troy stelde de voor de hand liggende vraag. 'Dus je kende hem?'

'We kwamen hier ongeveer in dezelfde tijd. Ik leerde hem kennen toen ik in 1945 afzwaaide. Hij zat toen nog bij ons, natuurlijk.'

'Bij ons?' vroeg Troy.

'Partijlid,' zei Ted boven zijn glas uit.

'We zagen hem vaak,' vervolgde Walter. 'Hij zette zich erg in voor George.'

Troy keek naar Brown, die luidruchtig aan zijn pijp zat te sabbelen.

'Tot 1950, natuurlijk, toen ik opeens de vijand werd.'

'Nee,' zei Ted. 'In 1950 was hij er nog – hij ging weg tussen toen en de verkiezingen van 1951.'

'Kostte me bijna mijn zetel,' zei Brown, met de zelfgerichtheid van een politicus.

'Ik zag hem omslaan,' zei Walter. 'Zomaar opeens. Het was als de weg naar Damascus. Het was alsof zijn oude ideeën botsten met zijn succes.'

Troy wist van zijn vruchteloze gesprekken met Rod dat mensen die bij de politiek betrokken waren het niet konden bevatten dat andere mensen gewoon van mening konden veranderen. Niettemin bleef hij nu toch zitten met de vraag die hem op dit moment het meest bezighield, namelijk wat de kapitein-luitenant-ter-zee dan had bezield.

'Was dat rond de tijd van het Festival of Britain?' vroeg hij.

De twee mannen keken elkaar opnieuw aan. Zonder de lachjes, eerder verbaasd.

'Nou je het zegt,' zei Walter. 'Inderdaad.'

'De weg naar het Damascus van de moderne meubels,' zei Troy, in een vrije weergave van Janet Cockerell.

'Nee, nee,' zei Walter peinzend, zonder zijn bier aan te raken. 'Het was meer dan dat. Ik weet wat je bedoelt. De tent vol met Scandinavische troep voor hoge prijzen. Het was meer dan dat hij zijn draai vond in de zakenwereld, meer dan dat hij voor het eerst in zijn leven eens wat geld verdiende. Het was alsof iemand hem had opgepakt en door elkaar geschud.'

'Klets,' zei Ted. 'Heb jij soms een slok op? Het is heel eenvoudig, als je het mij vraagt. Het gewone verhaal, voor dit land. Groot-Brittannië Dit Is Uw Leven – geef een man een paar piek meer, en zijn eigenbelang steekt de kop op. Geef een man een zetje in het leven en hij bijt de hand die hem voedt. Dat is wat ons achtervolgt, als partij en als land – we fokken Tories. Let maar op. Volgend jaar, of het jaar daarna nemen wij het over, verbeteren dan de omstandigheden voor de gewone man – doen wat we beloofd hebben te doen – en bij de eerstvolgende verkiezing daarna laten de klootzakken ons in de steek, omdat die intussen wat te veel zijn gaan verdienen om dat toe te vertrouwen aan Labour. Dat is wat er met Cockerell gebeurde. Hij verdiende een leuke duit. En besloot daarna die in zijn zak te houden.'

'Schrijf maar op,' zei Brown. 'Dat kan Gaitskell mooi gebruiken bij zijn volgende mei-toespraak.'

Daar moesten ze allemaal om lachen. Troy produceerde een milde glimlach, en hoopte dat die overkwam als wrang in plaats van humorloos.

'Ik ken zijn vrouw vrij goed,' zei Walter. 'Zij betaalt nog altijd contributie. Komt niet naar vergaderingen of bijeenkomsten, maar is wel lid. Zei een paar jaar geleden nog – dat moet in '52 of '53 zijn geweest, toen hij penningmeester werd van de Tories hier – ze zei dat hij zo'n onzin uitsloeg, zei ze, dat ik niet kan geloven dat hij dat gelooft. En toen zei ze: "Ik weet niet wat er met hem aan de hand is. Hij gedraagt zich als een schooljongen, en zit besmuikt te grinniken alsof hij de boel in de maling neemt."'

Troy kon zich voorstellen hoe Janet Cockerell dat had gezegd. Hij kon zich voorstellen wat een hel het huiselijk leven van Mr. en Mrs. Cockerell moest zijn geweest, gedicteerd door een vervelende, door zichzelf geobsedeerde ouwehoer, en gelardeerd door de irritante, geforceerd vulgaire humor van zijn vrouw. En alsof dat nog niet erg genoeg was, stemde ze nog Labour ook. God, wat moet hem dat geërgerd hebben.

46

'Dood?' zei ze.

'Hart.'

'Dus het staat los van elkaar? U vermoedt geen...'

Ze zocht naar een woord of een uitdrukking. Haar blik zwierf over het gazon, schoot omhoog over het witte tekenpapier op de ezel, en terug naar Troy.

'... kwade opzet. Mijn God. Ik begin nu ook al het jargon over te nemen, hè?' Ze liet het 'kwade opzet' nog eens langs haar lippen rollen, alsof ze met deze uitdrukking speelde.

Janet Cockerell was behoorlijk eerlijk tegen hem geweest, vond hij. Maar dat betekende nog niet dat hij zich daarom moest laten verlokken eerlijk terug te zijn. Daar was het nu nog te vroeg voor. Ze had niets aan de waarheid, de waarheid zou haar geen goed doen.

'Nee,' loog hij. 'Die vermoed ik niet.'

47

De verhoorkamer van het politiebureau in Belper was erop ingericht om druk uit te oefenen via de kleuren van de verf. Als de boosdoener al niet meteen door hevige schuldgevoelens werd bevangen bij het binnenkomen van een vertrek waar het daglicht vrijwel geen kans kreeg vanwege het aangekoekte vuil op de ramen, dwongen de bakstenen muren, overgeschilderd in smerig bruin en nog smeriger beige, met een scheidingsrand op schouderhoogte, hem zonder twijfel tot een gebrabbelde bekentenis in de orde van een: 'Ik weet het, chef. Ik ben er gloeiend bij.' Zo sterk deden ze denken aan de kalmerende tinten van een goeie victoriaanse gevangenis. Het was zeker honderd kilometer naar Strangeways, maar slechts een kort sprongetje naar Brolacs verfstalenboekje 'Knappe Kleuren voor Oude Bajesklanten.'

Troy wachtte en zag hoe Godbehere haastig door een stapel papier bladerde en hem een standaardformulier toeschoof.

'Ik hoef uw verslag toch niet in politietaal te vertalen, sir?'

Troy sprak de politietaal vloeiend en had er een gruwelijke hekel aan. Die hoorde bij zwarte hoge schoenen en stomme helmen. Hij schreef in minder dan honderdvijftig woorden een verslag over zijn vondst van het lijk van George Jessel, tekende dat en schoof het terug.

'Wat heb je gevonden?' vroeg hij.

'Drie stel vingerafdrukken. Heel goeie. Ik stuur ze naar de Centrale Registratie en laat u weten wat eruit komt. Als de kust veilig is, bel ik u.'

'En verder?'

'Verder kon ik niet veel doen. Marktdag, weet u. Overal mensen. Ik heb de meest voor de hand liggende mensen gesproken. De man die bij het Keddleston kranten verkoopt. Altijd daar, opmerkzaam type, maar de enige vreemdeling die hij zag, was u. Hij kent alle reizende vertegenwoordigers van naam of gezicht, en dat waren allemaal vaste klanten. Ik denk, onder ons gezegd en gezwegen, dat hij een centje bijverdient door zo nu en dan een meid voor ze te regelen. Hij heeft er alleen maar baat bij zijn ogen goed open te houden. En ik heb met de vrouw gepraat die de manufacturenhandel aan de overkant van de straat runt. Niets. Niets wat het onthouden waard was.'

'We moeten een huis-aan-huis doen, in ieder geval in die straat, en pamfletten. En aanplakbiljetten in King Street. Dat weet je toch, hè?'

'Ik weet het. Maar dat kan ik niet doen. Als de baas hoort wat ik vandaag heb gedaan, hangt hij me al aan mijn tenen op in de bomen.'

Godbehere speelde met zijn ballpoint en keek Troy niet recht aan.

'U kunt het officieel maken. Over zijn hoofd gaan, maar we weten allebei donders goed wat er in dat medische rapport komt te staan, niet, sir? Of u kunt Mr. Warriss in vertrouwen nemen en hem vertellen wat u in de rand van dat zakdoekje heeft zitten. Maar dat doet u niet, hè, sir?'

'Nee, dat doe ik niet.'

'Bent u bang dat hij er een potje van maakt?'

'Misschien, maar het probleem is dat hij zijn mening al heeft gevormd. Zo moet je een onderzoek nooit beginnen. Als ik hem vertel wat het is, en het niet in zijn beeld past, begraaft hij het in een van die grote leegtes van zijn hoofd.'

'Gaat u mij vertellen wat het is?'

'Wapenolie. Smeervet voor een automaat.'

Godbehere zuchtte en mompelde: 'Verdorie. En u wilt nog steeds een huis-aan-huis?'

'Ja.'

'En pamfletten?'

'Ja.'

'Oké. Ik begrijp het. Maar als u wilt dat ik nog meer doe, moet u met inspecteur Warriss praten. En ik denk dat ik u ervoor moet waarschuwen dat hij iedereen op het bureau vertelt dat er op het ogenblik een minderwaardig sujet van de Yard onze rechten met voeten treedt – een echte klootzak, die het verschil niet ziet tussen een moord en een hartaanval.'

'Nou', zei Troy. 'Dan moest ik maar eens doorgaan met de "echte klootzak" uit te hangen, wat?'

48

Warriss liet hem uitspreken, en onderbrak hem niet. Troy vroeg om het huis-aan-huisonderzoek en om pamfletten te mogen aanplakken. Warriss knikte, en toen Troy klaar was zei hij alleen: 'Best. Wanneer vertrekt u weer?'

49

Hij vertrok met de volgende trein. Een halfuur zitten op een bank voor de wachtkamer in Zwitserse stijl aan het perron richting Londen. Hij keek hoe Oliver Hardy bezig was aan een bloembed, voorovergebogen voor zover zijn omvang het vooroverbuigen toeliet, met een plantenschopje in de hand en hoopjes onkruid die hij achter zich op het perron gooide. Hij zei geen woord tegen Troy – Troy kwam tot de slotsom dat hij tegen niemand iets zei, maar hij schepte er een groot genoegen in te kijken naar iemand die met zoveel plezier aan het werk was – en tien minuten voordat de trein kwam verdween Hardy de helling op en kwam terug op zijn elektrische kar met achter hem wederom een karavaan van koerende duiven.

Het was een uur of drie. De trein kreeg langzaam vaart, reed de doorsteek uit de uiterwaarden van de Derwent op, een tunnel van bijna een kilometer lang in, en de vlakte op die na enige kilometers herkenbaar werd als de English Midlands. Zoals wel vaker schoten Chroesjtsjovs woorden hem weer te binnen, niet zozeer vanwege hun schoonheid, maar meer door hun uitdrukkingskracht. Er zat niet veel schoons in 'Engeland kan de klere krijgen!', toch was het 'Engeland kan de klere krijgen' dat in hem opkwam, en als dit weergaf, als dit het gevoel was dat hij in Midden-Engeland had opgedaan, dan kon Midden-Engeland ook de klere krijgen.

50

'Waar heb jij gezeten?'

Hij voelde de droefgeestige ondertoon bij iedere lettergreep. Hij wilde er niet op ingaan. Hij wilde die niet overnemen – door die over te nemen, nam die misschien bezit van hem, en daar had hij geen behoefte aan.

'In het noorden van Engeland.'

'Weer een moord, zeker?'

'Zoiets.'

'Goh – ik had nooit gedacht dat jij zoiets als "zoiets" zou zeggen.'

'Het is onduidelijk. Misschien wel drie moorden.'

'Drie?'

'Eén zonder lijk.'

'Oké. Ik volg je.'

'Eén zonder gezicht. Of naam.'

'Ben er nog.'

'En één zonder middel.'

'Nou snap ik het niet meer.'

Hij vroeg zich af hoe hij het kon uitleggen. Ademde diep in, maar werd onderbroken.

'Nee, leg maar niet uit. Zeg maar liever wanneer je weer thuiskomt.'

'Geen idee. Het is nogal een klus.'

'Zal ik naar Londen komen?'

'Is dat niet een hele onderneming?'

'Jezus, Troy! Je klinkt al net zo als je zusters!'

Dat klopte. Het was precies het soort opmerking dat zij zouden maken.

'Zijn ze erg lastig?'

'Valt wel mee. Ze zeggen dingen als: "Dit is nu jouw huis, Larissa, jij bent nu de meesteres van Mimram." Alsof ze een scène van een van die klere-toneelstukken van de gezusters Brontë opvoeren. En – ze bedoelen het allemaal niet zo.'

Troy wist best dat ze het niet zo bedoelden.

'Ze zeiken alleen maar zo, omdat ze me op stang willen jagen. Wat kan mij het verdomme schelen wie de meesteres is van dat stomme Mimram. Weet je wat het probleem is? We hebben helemaal niets met elkaar gemeen. Behalve twee talen. Is het ooit weleens in je opgekomen dat het deze vrouwen in de bol is geslagen?'

'Natuurlijk. Het is ze in de bol geslagen.'

'Bijvoorbeeld: probeer ik een beetje beschaving op te doen, lees ik de boeken van je ouweheer en zo, en dan zitten ze te giechelen en zeggen dingen als: "O jeetje, Larissa begint zo langzamerhand een blauwkous te worden." Alsof zij in hun leven nog nooit een boek hebben gelezen, verdomme. En wat is in jezusnaam nou weer een blauwkous? Ik draag de hele week al een broek van jou. Ik heb niet eens blauwe kousen!'

Tosca kwam naar Londen, treurig, onvoorspelbaar, en onveranderlijk. Zijn werk nam hem volledig in beslag. Troy had weinig tijd voor haar, maar zij had ook zo weinig tijd voor hem. Zwijgzaam, met haar neus in een boek. Zich verontschuldigend voor haar zwijgzaamheid. Dan boos. Toen hij haar eenmaal had uitgelegd wat dat 'blauwkous' betekende, bleef haar dat dwarszitten. Boosheid kon hij wel aan.

Zoog die op als een spons. Treurnis niet, die ging langs hem heen. Hij constateerde die, maar deelde haar niet.

Iedere avond klom ze in zijn bed en zei: 'Afblijven' – en dat deed hij.

51

Kolankiewicz kon geweldig uit zijn slof schieten. Zo gebeurde het vaak dat je een volkomen normaal gesprek meende te hebben met het Poolse Beest, en dat hij dan opeens – paf, pieuw, kaboem – in een van die woedes ontstak die Troy omschreef als het beroepsrisico van het Pool zijn. Er was van alles wat Troy hem graag zou willen vragen, maar het risico was te groot. Het was maar beter om het bij de lopende zaken te houden en de explosieve vragen te bewaren voor later, als hij een veilig heenkomen kon zoeken.

Hij belde Pathologie. Kolankiewicz besteedde een groot deel van zijn tijd aan het heen en weer reizen tussen zijn nieuwe lab bij de Yard en het oude in Hendon. Misschien was hij wel in het gebouw. De telefoon werd beantwoord door een stem die hij niet kende – een van het tiental jonge mensen op deze afdeling, die de laatste tien jaar aanmerkelijk in omvang en belangrijkheid was gegroeid.

'Is Mr. Kolankiewicz in de buurt?' vroeg Troy.

'Hij is zich net aan het wassen na een karwei, sir. Over een paar minuten is hij wel klaar. Zal ik hem vragen of hij u belt?'

'Nee, ik kom wel naar hem toe.'

Hij vond Kolankiewicz in zijn raamloze, troosteloze kantoortje in het souterrain, met een thermosfles thee met melk, een rij donuts met jam en zijn exemplaar van de *News Chronicle*.

'Dat is lang geleden, wijspeuk,' zei hij.

Dat klopte. Ze hadden elkaar niet meer gezien sinds hun avond met Chroesjtsjov in de Bricklayer's Arms.

'Wil je een donut?' vroeg hij, met een mond vol rooie jamklodders.

'Nee, dank je. Ik dacht dat je hier misschien even naar wilde kijken.'

Hij legde zijn zakdoekje van Iers linnen op de openliggende krant.

'Wat wil je, moet ik nou je snotbollen gaan onderzoeken? Troy, je bent zo langzamerhand een nog groter zwijn dan ik.'

'Onmogelijk,' zei Troy. 'Jij bent de walgelijkste man ter wereld.'

Kolankiewicz straalde bij dit compliment, en was oprecht gevleid de algemene opvatting van zowel het voltallige Londense politiekorps als de bureaus van het merendeel van de omliggende gemeenten samengevat in één zin gepresenteerd te krijgen.

'Wat ik wil,' zei Troy, 'is je mening over de bruine vlek in de hoek'.

'Ah – bruine vlek! Troy, Troy, Troy. Bruine vlek – twee van de mooiste woorden in de Engelse taal. Hoe komt het dat een land dat een Shakespeare en een Brown heeft voortgebracht, geen sonnet kent over een bruine vlek? Geen lied over het beleven, geen lied over de onschuld die het mysterie van de bruine vlek omvat? Wij zijn oude vrienden, de bruine vlek en ik.'

Hij pakte het zakdoekje en snoof luidruchtig aan de hoek.

'Bijna geen geur, zei hij. 'Dit is een dag of twee oud?'

'Ja.'

'Geen probleem. Ik kan het reactiveren. Een vleugje van dit, een scheutje van dat en het brave bruine vlekje geeft al zijn vuiligheid prijs voor wie het maar wil ruiken.'

'Wanneer?'

'Morgen.'

Kolankiewicz hield het doekje weer tegen zijn neus en maakte weerzinwekkende geluiden, erger dan de ergste schooljongen met poliepen in een verkouden neus.

'En jij wilt het zeker onder ons houden, hè, wijspeuk?'

'Hoe wist je dat?'

'Ik ken je nou, wat, twintig jaar? Let eens op je eigen gewoonten, Troy. Iedereen heeft gewoonten. Onions peutert in zijn neus, Wildeve krabt altijd aan zijn kont – jij doet deuren zachtjes dicht, alsof je hoopt dat niemand je hoort als je geheimzinnig loopt te doen. Ik zag hoe je de deur dichtdeed toen je hier binnenkwam, en wist dat we weer een onderonsje zouden hebben en de Yard je de bout kon hachelen.'

Hij had het natuurlijk bij het rechte eind. De Yard hachelde hem inderdaad de bout.

52

Troy ging terug naar zijn eigen kantoor en belde een zekere Angus Pakenham, vele jaren zijn accountant, een beruchte droogstaande RAF-held met één been, en de man van zijn recente ex-vriendin, Anna.

'Wamoeie?' blafte die tegen Troy.

'Iets zakelijks, Angus.'

'Dat is je geraden, ook. Of dacht je dat ik van de lucht kon leven?'

'Denk je dat we elkaar later op de dag even kunnen zien? Misschien een praatje na het werk, aan het eind van de middag?'

'Ik zou niet weten waarom niet. Zie je om zes uur bij de pomp. En als je te laat bent, zakkenwasser, hobbel ik ervandoor zonder jou.'

De pomp was hun zeer incidentele, maar vaste ontmoetingsplek. Hij stond rijzig, zwart, elegant en sinds het verscheiden van de door een paard getrokken tweewielige huurrijtuigen met de koetsier achterop, overtollig – een sieraad, bij de kruising van Bedford Row en Jockey's Fields in Bloomsbury. Angus en zijn partners bezetten de twee bovenste verdiepingen van een tot woning verbouwd koetshuis in Jockey's Fields, uitkijkend op Gray's Inn. Angus was een been kwijtgeraakt toen hij bij een ontsnappingspoging van de muren van het kasteel Colditz was gesprongen. De rest van de oorlog had hij doorgebracht als krijgsgevangene, met een blikken been van de Duitsers, dat hem bij iedere volgende ontsnappingspoging werd afgenomen. Hij had zeventien keer geprobeerd te ontsnappen. Na zijn bevrijding had het Roehampton Hospital hem voorzien van een ultramodern been van rubber en plastic, waar hij gruwelijk de pest aan kreeg. Hij ging weer terug naar het handgemaakte blikken been dat de Duitsers hem hadden gegeven. Hij leed in de loop van zijn leven veel pijn – het ontbrekende been, zei hij, ging hevig tekeer – en wijdde een groot deel van zijn tijd aan de bestrijding ervan, door middel van een schier fataal mengsel van pillen en drank. Hij en Troy spraken af bij de pomp, omdat hij er niet tegen kon dat iemand op hem wachtte of toekeek als hij de drie trappen afkwam die van zijn kantoor naar de straat leidden. Hij hobbelde die in zijn eigen, moeizame tempo naar beneden, en vloekte onafgebroken. Tegen de tijd dat hij bij de pomp arriveerde, had hij gewoonlijk een rooie, maar opgeluchte kop, en was hij, afhankelijk van de wisselvalligheden van het been en zijn aangeboren stekelige aard, óf het aangenaamste gezelschap van de wereld, óf het onaangenaamste.

Troy zat te wachten op Angus. Die floot, toen hij de hoek van Jockey's Fields om kwam – met een rooie kop, maar fluitend – met een krans van kleine rossige krulletjes van onder zijn bolhoed uit, zijn aktetas onder een arm, het kunstbeen in krijtstreepje zwaaiend vanuit een onnatuurlijke hoek, maar in een stevig tempo.

'Goed, ouwe rukker. Zeg het maar. Wat gaat het worden? De "Vrouw van Lot" of de "Hoer van Babylon"?'

Troy had moeite zich te herinneren welke pubs dat ook weer waren. Angus had de meeste pubs die op hobbelafstand van zijn kantoor waren herdoopt. Ze hadden doodgewone namen, als de Gryphon of de Three Tuns, maar hij had ze naar eigen voorkeur herdoopt en, op de uitbater van de 'Twee Honden Aan de Gang' na (Angus beweerde dat hij daar op een dag twee copulerende honden op de stoep bij de voordeur had aangetroffen), vond iedereen dat eigenlijk wel best. Een bijkomend voordeel was ook dat zijn vrouw, als ze hem hoorde afspreken met een vriend, eigenlijk geen idee had waar hij nu echt naartoe ging.

'Wat dacht je van de "Frankensteins Broekklep"?' zei Troy, zonder een idee te hebben welke kroeg dat precies was.

'Heel goed,' antwoordde Angus en sloeg Jockey's Fields in noordelijke richting in, en Troy wist dat ze op weg waren naar de Seven Bells in Theobald's Road.

Angus trok met de kreet 'Pas op de mankepoot!' een spoor door de bezoekers van de pub. Troy had hem mensen zien meppen met zijn wandelstok op dagen dat de pijn hem tot het gebruik daarvan dwong en als hij een extra goeie bui had, baande hij zich met zijn ellebogen een weg door het drinkende publiek onder het uitroepen van: 'Onrein, onrein, melaatse in aantocht.' Hij plofte neer in een stoel en begon krachtig te wrijven op de plaats van zijn dij waar de stomp en het blikken been samenkwamen.

'Het is meestal op dit uur van de dag, als je dat verdomde ding zo'n negen tot tien uur aangegord hebt gehad, dat die godvergeten jeuk komt opzetten.'

Hij oehde en aahde van opluchting, en zag toen de uitpuilende aktetas die Troy op de stoel tussen hen in had gezet.

'Dat is het dus, hè? Je "praatje aan het eind van de middag"?' Nou, zo te zien is het wel wat meer dan dat, en gaat het je geld kosten. Maar...'

Hij zweeg even voor een laatste ingrijpende krabpartij aan zijn stomp, en slaakte toen een diepe zucht van tevredenheid.

'Dat is dan weer dat... Maar... voor we verdergaan is er één ding wat ik je wilde vragen. Heb jij mijn vrouw geneukt?'

'Nee,' loog Troy.

'Mooi. Ik ben blij dat je zo fatsoenlijk bent om te liegen. Want als je de flinke jongen had willen uithangen en me had verteld dat het allemaal niets te betekenen had, had ik mijn blikken been moeten afgespen om je daarmee verrot te slaan. En laat ik je dan voor alle duidelijkheid wel even zeggen, dat dat precies is wat ik zal doen, als ik je in de toekomst nog eens in de buurt van die jongedame aantref – op straat, en het interesseert me niets of ik mijn been daarmee verbuig en de paarden op hol slaan. Capisci?'

Troy knikte.

'Goed. Dan is dat ook weer klaar. Ga dan nu de drankjes maar halen en me vertellen wat je van me wilt.'

'Ik dacht dat je niet meer dronk.'

'Hoor eens, Troy. Wil je nou dat ik je in mekaar sla, of wil je je met je eigen verdomde zaken bemoeien en me vertellen wat je op je lever hebt? Een dubbele moutwhisky. Geen water. Geen ijs. Smerige Amerikaanse gewoonte.'

Troy hoopte dat Angus niet van plan was door te zakken. Hij had liever dat hij nuchter bleef – God wist hoe moeilijk de man was in nuchtere toestand, maar als hij had gedronken was hij onuitstaanbaar – en hij wilde dat Anna's optimisme werd beloond. Hij wist dat het de maandenlange boemelpartijen van Angus waren geweest – toen zijn zaak naar de knoppen ging en hij zo hitsig was als een rups – die Anna en hem tot elkaar hadden gebracht, hen over die wankele lijn hadden getrokken die hen al meer dan vijftien jaar verbond en scheidde als geliefden en niet-geliefden. Daarnaast kon hij Anna er nu niet ook nog weer bij hebben. Hij speelde vals. Zette een kleine moutwhisky voor Angus neer en een centimeter gemberbier op de bodem van een glas voor zichzelf, in de hoop dat Angus zou denken dat hij ook whisky dronk.

Angus hield zijn glas tegen het licht. Voordat Troy hem kon weerhouden riep hij door de bar de waard toe.

'Herbert! Krentenkakker! Noem je dit een dubbele? Je moet eens naar de ogendokter!'

Herbert kwam op hem toe gelopen, een kleine dikke man met een grijs stoppelveld op zijn hoofd en het opgeblazen gezicht van een ex-bokser.

'Wat zei je?'

'Ik zei,' Angus kwam moeizaam overeind en stak met zijn 1 meter 85 een kop boven de waard uit. 'Ik zei dat je een krentenkakker was. En naar de ogendokter moest. Goedschiks of kwaadschiks.'

Een korte dikke vinger kwam tegen zijn borstbeen en Troy zag hoe de kleine man hem stevig op zijn stoel terugduwde.

'Krentenkakker? Nou moet je eens goed naar me luisteren, jij grote held. Meneer de decoratiedrager, meneer de ik-vloog-een-Hurricane, meneer de Battle of Britain. Je maakt het ons knap moeilijk. Je maakt het iedere waard tussen hier en de rivier knap moeilijk. En iedereen pruimt dat. Jij deed je plicht, je verdiende je onderscheidingen en we bewonderen je daarvoor. Er zijn geloof ik zelfs een paar idioten die je wel aardig vinden. Jij bent ons stukje geschiedenis. Colditz ten voeten uit, waarvan eentje van blik. Jij bent onze enige klant die er geen been in zag. Maar krentenkakker? Kleine glaasjes? Nou ga je te ver, Angus. Ik was de Kampioen Middengewicht onder 21 van Hoxton en Shoreditch. Ik hield het, toen ik nog jong was, vijf ronden vol tegen Mickey McGuire. Ik maak van jou in een handomdraai rijstebrij!'

Angus vertrok geen spier. Zijn gezicht was onbeweeglijk.

'Mooi gezegd, Herbert. Mogen de hoofdinspecteur en ik je een plengoffer aanbieden?'

'Erg aardig van je, Angus, maar ik heb nog nooit een neut gedronken met de kit, en dat wou ik maar zo laten.'

Hij knikte beleefd naar Troy.

'Niet persoonlijk bedoeld.'

'Geen probleem,' zei Troy. Hij wist wat er volgens die mysterieuze kroeggebruiken van je werd verwacht.

Het leek nu een goed moment om de aktetas te openen en het papier te laten spreken. Troy had het nooit kunnen begrijpen, maar wist dat accountants net zo door hun werk konden worden meegesleept als hij door het zijne.

Angus nam een slokje whisky en zei: 'Wat is het probleem, ouwe jongen?'

Troy gaf hem de verkorte versie van de zaak van kapitein-luitenant-ter-zee Cockerell, en ging zo snel als hij kon naar de mogelijke financiële onregelmatigheden en de hypothese van de vrouw.

'Tja,' zei Angus na een tijdje. 'Wie leeft er niet boven zijn stand? Hoort bij deze tijd, niet? Ik weet dat jij zwemt in het spul, maar ik ben meestal platzak.'

'Maar zij niet, althans niet op papier.'

'Zaken gaan goed?'

'Te goed.'

'Cijfers kloppen niet?'

'Jawel... maar het bevalt me niet. Ik bedoel het zo. Als jij wilt knoeien, wie heb je daar dan voor nodig?'

'Een boekhouder.'

'Cockerell deed de boeken zelf.'

'Een accountant.'

'Ook zelf.'

'Dan moet hij toch altijd nog verdomd goed met cijfers kunnen omgaan, om de registeraccountant een rad voor ogen te kunnen draaien. Wat veel mensen doen, vergis je niet, anders bestond er geen afdeling fraudebestrijding.'

'Wat me bij de zaak George Jessel brengt.'

'Wie is dat nou weer?

'Cockerells beëdigd accountant – trawant – en recent bewoner van het lijkenhuis. Zijn dood kwam op een zeer geschikt moment.'

'Moord?'

'Ik kan het niet bewijzen, maar ik denk van wel.'

'Je denkt dat deze knaap en die eerste knaap samen aan iets werkten? Maar aan wat? Verliezen verdoezelen? Geknoei in de boeken? Schulden wegschrijven?'

'Dat weet ik niet, daar heb ik nou juist jou voor nodig. Ergens klopt er iets niet. Maar ik heb geen idee wat.'

Angus bladerde door de stapel papieren. 'Ik zei je al, dit gaat je geld kosten.'

'Best, stuur maar een rekening.'

'En ik moet een machtigingsbrief van je hebben.'

'Heb ik hier voor je.'

Troy reikte in zijn binnenzak en gaf Angus een enveloppe en de sleutels van Cockerells winkel.

'Je hebt daar alles. Een kopie van de aantekeningen die ik daar heb gemaakt. Bankafschriften, belastingaangiften, het hele spul. En als je erheen moet: het adres van de vrouw, het adres van de accountant. Sleutels van de winkel. Bel de vrouw. Ze is pienter, en vastbesloten haar man te pakken op wat dan ook. En blijf uit de buurt van de smerissen, als je kunt, en als je niet kunt, zit daar een jonge brigadier met de naam Godbehere, die wel betrouwbaar lijkt. De plaatselijke inspecteur is dat niet, maar die was ook een trawant van Cockerell.'

Er school veel diepgang achter al dat getier, wist Troy. Anna had in die voortrazende, expanderende en schijnbaar eindeloze tijd tussen D-Day en de Duitse overgave vaak verteld over dat RAF-stuk waarop ze halsoverkop verliefd was geworden en die haar had meegesleept in een nu-doen-want-morgen-zijn-we-misschien-wel-dood-huwelijk. Hij was knap, wat je nu niet meer van hem kon zeggen, maar ze viel vooral voor zijn manier van uitdrukken en zijn ideeën. Wat zij zijn 'intellectuele gefleem' noemde. Het kwam nog maar zelden voor dat het strijdlustige masker van Angus' door drank rood aangelopen gezicht, diens dronken kop, week, maar een opmerking van Troy van daarnet, had iets in zijn innerlijk wakker gemaakt, wat hem het uiterlijke, zijn woede, deed vergeten.

'Roept een hoop op, hè, dat begrip "trawanten"? Heb je er weleens bij stilgestaan dat het eigenlijk een ander woord is voor een sociaal verschijnsel? Een doctrine – "het trawantendom"? Een geheel en al doelmatige set van bon mots. Aan zijn trawanten leer je iemand kennen, trawanten in hoge kringen, een trawant in nood, is een trawant voor het leven, van je trawanten moet je het hebben. Stemt tot nadenken, vind je niet?'

Hij stak zijn glas in de lucht en knikte naar de bar.

'Wordt de ondergang van dit land, weet je. Het trawantendom, de vriendjes van vriendjes, de knikjes, de knipoogjes, de speciale handdrukken, de clubjes. Ik dacht eerst dat het na de oorlog anders zou zijn. Ik dacht eigenlijk dat alles na de oorlog anders zou zijn. Ik dacht zelfs dat zes jaar socialisme iets zou veranderen. Maar dat was niet zo. Het is hier nog precies zoals het voor de oorlog was.'

Herbert zette een nieuw glas whisky voor Angus neer, zonder een woord te zeggen. Dit keer een volle dubbele. Angus dronk daar de helft van en pakte het thema weer op.

'En teren erin weg. Wat zei Feste, of een van die andere downs van Shakespeare ook weer – "Gij zijt gelijk de mispel, rot voor hij rijp is." Dat is Groot-Brittannië – we rotten bij het bot, lang voor we dood of democratisch zijn. Het trawantendom heeft een hoop op zijn geweten. Ik ben uiteindelijk tot de slotsom gekomen dat de oorlog maar voor één verandering heeft gezorgd.'

'En dat is?'

'Dat die mijn been heeft afgehakt, verdomme!'

Troy zei niets.

'En nu blijft er voor ons maar één ding over. Zat worden en wachten op het einde van deze klotenwereld. Hiroshima, Nagasaki, het atol Bikini, en het vervloekte Windscale. De glazen whisky hoog en geen melk meer voor de kinderen. Het groene, groene gras van Engeland is niet groen meer, het glinstert met zijn duizend schakeringen als een regenboog van strontium. We groepen samen in de paarse regen, lammeren voor de atoomslachtbank. Dingen die kapotgingen zijn weer slecht aan mekaar geplakt door een jaloers kind gewapend met een tube plasticlijm. Welk ruig beest sjokt tweekoppig en met drie ballen, gezwollen spieren en een verwelkt geslacht naar de smeulende resten van Bethlehem om onwettig te worden geaborteerd?'

Hij dook even op, stak zijn voelhoorns uit voor een reactie.

'Je hebt zeker geen zin om door te halen, Freddie? Een kroegentocht. Wat kroegbazen op stang jagen. Ik heb een lopende rekening in iedere pub van hier tot aan de Theems, zoals de ouwe Herbert zo terecht opmerkte. Nog één rondje langs de Groot-Britse Rarekiek? Er zit een vent in de Tiet en Beschuitbol die zijn glazen oog uit zijn kop haalt en in zijn bier gooit – of in die van jou, als je niet uitkijkt. En die knaap in de Big en de Bedstijl heeft een ijzeren plaat in zijn kop. Werd neergeschoten met een Spitfire – ken hem van 1940, om precies te zijn – en de kwakzalvers stopten die ijzeren plaat in zijn kanis. Hij heeft een magneet aangebracht met een van die sneeuwstormdingen – je weet wel, zo'n glazen bal. Iedere keer als je schudt, vallen er sneeuwvlokken op een houten hut in Zwitserland of zoiets. En die laat hij altijd zitten – zelfs als hij zijn hoed op heeft. Iedere keer als die slampamper zijn hoofd beweegt, waait er een sneeuwstorm over de Alpen. En er zit een vent in het Duivels Oorkussen die met scheten het volkslied kan blazen...'

'En er zit een vent in deze pub die weleens zijn been afgespt en er dan mee klappert als het kakement van een ezel. Angus, ik heb hier geen tijd voor!'

Sterker nog, Troy wilde niet meegetrokken worden in de wereld van Angus. Het leek hem een ultieme kwelling om gedwongen te worden diens zwartgalligheid te delen. Een nacht uit met Angus was als een wandeling door een moeras in de onterechte veronderstelling dat je niet zou worden opgezogen. Onlangs had hij bedacht dat een vereiste om je middelbare jaren te overleven niet alleen een kwestie was van volwassen worden, wat alle mannen in hun verlengde jongelingsjaren voor zich uit schoven. Je moest ook een bepaalde manier van kijken en van gedragen, en zelfs van verkeerd ingeschatte handelingen zien te vermijden, want die zogen je op – hij wist er geen beter woord voor. Angus in de vernieling moest beleefd worden vermeden, Johnny Fermanagh in de vernieling vroeg om een gepantserd hart.

'En jij ook niet,' voegde hij hieraan toe.

Angus ging met zijn duimnagel langs de stapel papier en maakte een geluid als een gever die een spel kaarten schudde.

'Morgen,' zei hij. 'Morgen duik ik hier in.'

Hij zweeg. Staarde in de verte,

'Of overmorgen.'

Toen hield hij zijn glas omhoog, en riep 'Herbert, beste man.' En Troy gaf het verder op.

53

Special Branch was een broeinest van verhaspelde geheimedienstroddel. Als de Geheime Staat een organisme was, waren MI5 en MI6 de twee kleine hersenen, en de Branch de armen en benen. Armwerk – verdraaien en breken – en beenwerk – schoppen en breken – was hun taak in het Verenigd Koninkrijk. Troy kreeg geen poot bij ze aan de grond. Ze zouden hem niet eens te woord staan. Ze koesterden een diepe minachting voor hem. Hij betwijfelde of zijn korte oponthoud onder inspecteur Cobb daar veel aan had veranderd. Hij vroeg Jack of die daar zijn licht eens op wilde steken.

'Met jou praten ze wel,' zei hij. 'Zoek eens uit wat je te weten kunt komen over Daniel Keeffe. Iets bij MI6. Weet niet wat.'

Er stonden twee D. Keeffes in het telefoonboek. Keeffe, D.J.P. in Drayton Gardens SW 10, en Keeffe, D.S. in Notting Hill W2. Troy deed het in alfabetische volgorde. Keeffe, D.J.P. ging eindeloos over, maar nam niet op. Hij draaide Keeffe, D.S. Daar werd opgenomen na de vijfde bel, en een vrouwenstem zei 'Ja', kortaf en halfluid, alsof hij haar had gewekt.

'Mrs. Keeffe?'

'Wie wil dat weten?'

'Mijn naam is Troy. Ik ben hoofdinspecteur bij de recherche van Scotland Yard...'

Ze hing op. Dit was vrijwel zeker de juiste Keeffe. Tien minuten later liep Jack zijn kantoor binnen, haalde een kop koffie uit Clarks machine, schoof een stoel bij en bevestigde wat ze al hadden vermoed.

'Er doet een verhaal de ronde over Keeffe,' zei hij. 'Ik heb met een paar zwaargewichten geluncht in de kantine. Volgens zeggen liep een zekere Gorman, een bijzonder onaangenaam type van Special, een grote klootzak, ex-militaire politie, een sergeant, te pochen dat hij Keeffe had geroosterd in zijn eigen appartement. Hem het vuur aan de schenen had gelegd en de tent overhoop had gehaald. Mijn bron citeerde Gorman met: "We hebben die kleine gore smous binnenstebuiten gekeerd."'

'Godallemachtig,' zei Troy. 'Waar zochten ze naar?'

'Niets speciaals. Het ging om het roosteren, zoals dat heet.'

'Straf?'

'Ik zou niet weten hoe ik het anders moest noemen. Als MI5 en MI6 de Branch sturen om dingen binnen eigen kringen te regelen, hebben we het toch over bedreigingen of strafmaatregelen. Het gaat volgens mij niet om het inwinnen van informatie, daar hebben ze tenslotte hun eigen mensen voor. Ik denk dat ze Gorman hebben gestuurd om de boel kort en klein te slaan, en we weten allemaal hoe goed ze dat kunnen, nietwaar? Gorman nam twee agenten mee, en ze hebben zijn huis inderdaad ondersteboven gehaald. Volgens de man die me dit vertelde, had Keeffe een porseleinverzameling, Meissen, Limoges, dat soort dingen. Ze hebben alles kapotgegooid. En aangezien er niets werd gezegd over een arrestatie, of zelfs de mogelijkheid daarvan, concludeer ik daaruit dat dit de Branch is geweest in zijn meest pure vorm – intimidatie, gewoon voor de lol.'

'Ik geloof dat ik net met zijn vrouw heb gesproken. Toen ik zei wie ik was, hing ze op.'

'Dat begrijp ik best. En zou je me dan nu eens willen vertellen wie hij is?'

'Ik denk dat hij de man is die kapitein-luitenant-ter-zee Cockerell heeft opgedragen om de Ordzhonikidze te bespioneren. Hij is in ieder geval de man die BuZa naar Cockerells vrouw heeft gestuurd om het allemaal uit te leggen, nadat het kabinet had besloten open kaart te spelen.'

Jack keek hem eventjes uitdrukkingsloos aan.

'Open kaart? Dat zou mijn woordkeuze niet zijn geweest.'

'Oké.'

Jacks gezichtsuitdrukking veranderde niet. Troy vroeg zich af of er misschien iets van zijn lunch in zijn mondhoeken was blijven hangen.

'Je gaat nou toch niet weer achter MI5 en MI6 aan, hè?'

'Weer?'

'Je weet verdomd goed wat ik bedoel.'

'Nee, ik ga niet weer achter ze aan. Ik wil het alleen weten.'

'Wat wil je alleen weten?'

'Wat er met Cockerell is gebeurd.'

'Je bedoelt, wie hem heeft vermoord?'

'Ik wil alleen zeker weten dat hij niet binnen ons instructiepakket valt.'

'En als dat zo is, laten we het er verder bij?'

Troy zei niets.

'Freddie?'

'Natuurlijk,' zei Troy.

'Hoe komt het toch dat ik je niet helemaal geloof?'

Troy werkte zich door de stapel papieren op zijn bureau heen, en maakte de middag vrij. Rond drieën liep hij vanuit het Undergroundstation Notting Hill naar Kensington Gardens. Hij sloeg links af Linden Gardens in, een lusvormige doodlopende straat, met afwisselend riante appartementen en twee-onder-een-kapwoningen. Hij stond op de stoep tegenover nummer 202 en vroeg zich af wat hij moest zeggen om te voorkomen dat hij de woedebui over zich heen kreeg die de Branch verdiende. De deur van het huis ging open en er verscheen een kleine vrouw met een regenjas met ceintuur, hoofddoek en zonnebril. Het was een redelijk warme laatzomerse dag. De ongeschikte kleding kwam op Troy over als een primitief soort vermomming. Audrey Hepburn of Diana Dors, die onopvallend probeerden te winkelen in Regent Street, maar er wel voor zorgden dat iedereen zei: 'Kijk, een filmster in vermomming'. Ze liep richting Bayswater Road en stopte bij een geparkeerde Morris Minor.

'Mrs. Keeffe!' riep Troy haar toe, en ze stopte het friemelen met haar sleutels, draaide zich om, en trok haar bril naar het puntje van haar neus, om hem beter te kunnen aankijken.

'Bent u degene die mij heeft gebeld?'

'Ja. Mrs. Keeffe – ik ben niet Special Branch.'

'En ik ben niet Mrs. Keeffe.

'Sorry, dat begrijp ik niet.'

'Ik ben Deborah Keeffe. Daniel was mijn broer.'

'Was?'

Nu nam ze haar bril af, vouwde die samen, en stak hem in haar jaszak. Haar ogen waren rood, de leden gezwollen. Ze zag eruit alsof ze al een paar dagen niet had geslapen.

'Nee,' zei ze. 'U kunt niet van de Branch zijn, anders had u het wel geweten. Mijn broer heeft vijf dagen terug een overdosis genomen. Hij is dood, Mr. – sorry, ik ben uw naam vergeten.'

'Troy.'

'Ik had u volgens mij al eens gezien. Anders was ik wel doorgelopen, toen u mijn naam riep. In het Lagerhuis. U bent de broer van Rod Troy, niet?'

'Ja.'

'Ik ben de Assistent Bibliothecaris van het Huis, afdeling Natuurwetenschappen en Techniek. U herinnert zich mij vast niet. Waarom zou u, als de leden me al niet kennen? Ik veronderstel dat u de Keeffes uit het telefoonboek heeft geprobeerd, niet? Ik weet niet waarom u Daniel had willen spreken, maar hij woonde in Drayton Gardens. Ik zei al, als u van de Branch was, had u dat geweten.'

'Ik ben van de afdeling Moordzaken, Miss Keeffe.'

'Wie is er dan vermoord?'

Troy kreeg steeds meer moeite met het beantwoorden van deze simpele vraag. Hij gaf het antwoord dat hij gewoonlijk gaf, ook al druiste dat in tegen zijn overtuiging.

'Kapitein-luitenant-ter-zee Cockerell.'

'Wel, wel, wel, eindelijk heeft die zijn trekken thuis gekregen.'

Ze haalde haar zonnebril weer voor de dag en zette die op.

'De laatste paar dagen ben ik in Drayton Gardens geweest. Opruimen, uitruimen, u weet wel. Ik was er nu ook op weg naartoe, maar het zal wel zo ongeveer de laatste plaats zijn waar we kunnen praten, neem ik aan. Waarom vergeten we de auto niet gewoon, en nemen we de ondergrondse. Buiten het spitsuur om heb ik me daar altijd al behoorlijk op mezelf gevoeld. Ik denk niet dat iemand ons daar zal afluisteren.'

Ze liepen de weg terug die hij was gekomen van Notting Hill Gate en namen een trein van de Circle Line, met de klok mee, de lange route rond naar Chelsea, via het noorden langs Bayswater en het oosten via Baker Street.

Miss Keeffe zei niets, tot ze zaten. Ze stak de zonnebril weer in haar zak en trok de doek van haar hoofd. Er kwamen zwarte krullen vrij die ze uit haar gezicht streek. Troy schatte haar op een jaar of dertig. Klein en joods, breed bij de jukbeenderen, haar ogen zo donker als de zijne, haar huid bleek, haast wit in contrast, behalve waar slapeloosheid en verdriet die rood en rauw hadden gemaakt. Het was een vertrouwd gezicht. In de eerste veertig jaar van de eeuw had Engeland veel immigranten ontvangen. Ze was Lets, of Litouws, vermoedde hij, een afstammeling van vluchtelingen uit landen die niet meer bestonden. Een beetje zo iemand als hij. Dat wist zij ook.

'U bent Russisch, niet? U en uw broer. Zonen van Alex Troy.'

'Uit Tula,' zei hij, zoals altijd.

'Mijn moeder kwam uit Vilnius. Haar ouders namen haar mee in 1899. Russisch sprekenden, joden, twee keer buitenstaanders. Probeerden de pogrom te ontlopen. Ze stapten op een schip naar Ellis Island. Dat aanlegde in Tilbury. Ze gingen van boord, zochten naar het Vrijheidsbeeld, gingen ervan uit dat ze het niet konden zien vanwege de mist, lieten zich registreren en woonden hier bijna een week lang in de veronderstelling dat ze in New York waren. Mijn vader kwam van Cork. Die leed niet aan waanvoorstellingen. Had ook niets met het geloof. Een vreemd huwelijk, maar het werkte. Halfkatholiek, halfjoods, een garantie voor neuroses, dacht u ook niet?'

Troy zag de opening.

'Was uw broer neurotisch?'

'Ja. En daarom heeft hij zelfmoord gepleegd. Uiteindelijk. Een stabieler man had de verwarring vermoedelijk heelhuids doorstaan, een zekerder man had die misschien niet als zo levensbedreigend ervaren. Alleen een dwaas zou die ooit hebben afgedaan als onbeduidend. Hij had er geen zelfmoord voor hoeven plegen. Maar het zat altijd al in hem.'

'Ik neem aan dat uw broer Cockerells superieur was tijdens de oorlog?'

'Ja. Hij zat bij de marine. Werd kapitein-luitenant-ter-zee. Eén streepje hoger dan Cockerell. Vanaf dat ogenblik begon de gebruikelijke flauwekul over de reservelijst en een positie bij Buitenlandse Zaken, en werd zijn rang een soort versiering, die verhulde welke positie hij werkelijk had.'

'En hij kreeg de schuld van wat Cockerell deed?'

'Ze gaven hem de schuld, verhoorden hem, straften en vernederden hem. Eind juni postten ze hem in Reykjavik. Kan het nog vernederender? Een goeie staat van dienst tijdens de oorlog. De beloftevolle jongeling op het departement, met een leidende rol bij sovjetaangelegenheden, omdat hij de taal al van jongs af aan sprak, nog geen veertig – en ze posten hem met een baan van niks in een plaats van niks. Alles wat hij nu nog hoefde te doen, was vissersboten tellen en spieken hoeveel kabeljauw en heilbot die aan land brachten. Het was erger dan hem te ontslaan. Ik heb Daniels betrokkenheid bij zijn werk nooit prettig gevonden. Tijdens de oorlog had het wel iets. In vredestijd niet. Vraag me niet waarom. Misschien omdat in de oorlog alles voor een gemeenschappelijk doel was. Het weefsel van de oude Britse vooroordelen werd zodanig uitgerekt dat er gaten in vielen, als in netkousen, gaten waar mannen als Daniel doorheen konden. Outsiders werden insiders. Hij dacht dat het zo zou blijven. Stomme idioot. Hij loog tegen zichzelf en hij loog tegen mij. Hij wilde erbij horen.

De avond voor hij vertrok kwam hij me opzoeken, al half in de olie. Hij dronk in mijn zitkamer een fles gin leeg en snotterde maar door over die baan van hem. Ik zei dat hij daar weg moest. Dat kon niet, zei hij. Als ze je eenmaal hadden binnengehaald, zat je voor eeuwig aan ze vast. Het zou allemaal wel overwaaien. Hij had niets misdaan. En op een gegeven moment drong dat wel tot ze door. En toen vertelde hij me het hele verhaal. Hoe Cockerell hem na meer dan tien jaar was komen opzoeken. Daniel was zijn directe chef geweest, zijn "case officer" of hoe die lui van de geheime dienst dat ook noemden, tijdens de oorlog. Hij had hem op pensioen gesteld, omdat hij er duidelijk aan toe was. Cockerell zei dat hij nog één klus wilde, voor hij zijn zwemvliezen aan de wilgen hing. Zei Daniel dat hij de Ordzhonikidze onder handen kon nemen, kwam met een of ander bizar plan om de romp van het schip te onderzoeken. "Waarom zouden we dat willen?" vroeg Daniel hem. En Cockerell zeurde maar door over Russische geheimen en dat dit een unieke kans was. Daniel zei nee. Zei hem dat hij beslist geen toestemming kreeg voor een dergelijk onbesuisd plan. Maar hij had wel te doen met die ouwe dwaas. Nam hem mee voor een borrel in zijn club. Maar zelfs dat was uitsloverij. Opscheppen dat hij een club had om iemand mee naartoe te nemen.

En toen barstte de zeepbel. De geruchten over Cockerell begonnen de ronde te doen. De kranten kregen er lucht van. Bezoekerslijsten werden gecontroleerd. Iedereen moest zijn agenda laten zien, en daar had je het. Net toen de premier probeerde alles te ontkennen, ontdekte men in Daniels agenda een afspraak met Cockerell. Het logboek van de portier vermeldde een bezoek van kapitein-luitenant-ter-zee Cockerell aan kapitein-luitenant-ter-zee Keeffe in maart. Te veel geheim agenten hadden Cockerell met Daniel in diens club gezien, drinkend als oude kameraden. En niemand geloofde een woord van Daniels versie. Dat hij Cockerell met een paar flinke borrels achter de kiezen op een trein had gezet naar een uithoek van Derbyshire, na hem te hebben gezegd dat hij Chroesjtsjov kon vergeten en van zijn pensioen moest gaan genieten.

Hij bracht twee dagen door in het gezelschap van iemand die hij de "Soft Man" noemde – hij zag er vijf jaar ouder uit toen hij weer boven water kwam. Toen kwam de Branch langs. Smakte alles kapot wat voor hem belangrijk was. En toen de laatste vernedering. Drie weken voor Daniel naar Reykjavik vertrok, besloot de premier open kaart te spelen en werd Daniel naar Derbyshire gestuurd om de weduwe te ondervragen. En volgens mij is "ondervragen" nieuwspraak voor "de mond te snoeren". Ik weet niet wat hij tegen haar heeft gezegd. Hij zei haast nooit iets, behalve als hij dronken was. Wat hij tegen die tijd elke dag was, hoor. Hij vertrok dronken naar Reykjavik, hij belde me dronken. En hij stierf dronken. Tot zijn strot vol gin en slaappillen.

Ik was op mijn werk, toen ik het hoorde. Mijn kamer ligt vlak naast de leeszaal. Een vent genaamd Woodbridge, Tim Woodbridge, kwam me opzoeken. Parlementair ministersassistent bij Buitenlandse Zaken, parlementslid voor een gebied dat ik inmiddels alweer vergeten ben. Niet iemand die ik kende. Ik werk voornamelijk voor de oppositie. Het kabinet heeft de resumés die wij kunnen maken niet nodig, zij worden op hun wenken bediend door het ambtelijk apparaat. Dus Woodbridge stelde zich voor, zei dat hij slecht nieuws voor me had, en begon zijn "we zijn allemaal diep getroffen"-gewauwel. Ik onderbrak hem en zei dat als Daniel dood was, hij dat gewoon moest zeggen. Het moest Daniel zijn. Mijn ouders waren al lang dood, en we waren geen van beiden getrouwd.

Bleven hij en ik over. Daarnaast was het echt iets voor hem, om iets stoms te doen. Goed, Woodbridge gunde me wat traantjes, en toen het ernaar uitzag dat ik de zaak weer onder controle had, kwam hij met de ware reden van zijn bezoek op de proppen. Alle bezittingen van Daniel die iets van doen hadden met zijn werk, moesten worden geretourneerd aan de geheime dienst, en ik was nog altijd gehouden aan de officiële geheimhoudingsplicht. Geen woord tegen wie dan ook, en mijn toekomst bij het Huis was verzekerd. Of anders kon ik die wel vergeten. Dit alles werd gebracht in de vriendelijkste bewoordingen, weet u, en niets concreets over waar het nu eigenlijk om ging – alleen dingen als "recente gebeurtenissen waarbij uw broer betrokken kan zijn geweest". Niets over spionnen of kikvorsmannen of Chroesjtsjov. En intussen zei die schoft de hele tijd "kindje". Ik kon net zo lang vrij nemen van mijn werk als ik wilde, het enige wat ze van me vroegen was dat ik mijn mond hield. Ik had het gevoel dat hij de hele tijd zat te veinzen. Veinsde dat ik een van hen was, veinsde dat ik geen vrouw was, veinsde dat ik iets te betekenen had, veinsde dat ik bij "de club" hoorde, veinsde dat ik het spelletje meespeelde, veinsde, goddomme, dat ik niet joods was!'

'Maar waarom vertelt u me dit dan allemaal?'

'Omdat ik niet bij de club hoor. Omdat geloof, leeftijd en geslacht me daarvan uitsluiten. Omdat ik hun spelletje niet meespeel. Ik houd van mijn baan. Ik heb hard moeten werken om daar te komen. Een studiebeurs voor Girton toen ik zeventien was. Een masterstitel van de London School of Economics tegen de tijd dat ik eenentwintig werd. Bibliothecaris van het Lagerhuis op mijn zesentwintigste. Maar ze kunnen me er niet mee chanteren. Ze kunnen me er niet mee om de kop slaan. Ik weet niet wat ik zou hebben gedaan. Daniels appartement is vrijwel leeg, en ik heb niets gevonden wat ook maar ergens op wijst. Maar ik weet wat ik weet. En als u niet was langsgekomen, had ik wel iemand anders gevonden. De een of andere Ivanhoe ter redding van Rebecca. Als dat eens zou kunnen. Ik zou het iemand hebben verteld. God weet misschien uw broer wel. Ik heb voor hem weleens wat werk gedaan. Hij weet tenminste wie ik ben.'

'Niet doen.'

'Wat?'

'U moet niets zeggen tegen hem.'

Ze haalde haar schouders op. 'Wat u wilt. Ik zou trouwens niet eens weten wat een beroep op Westminster uithaalt.'

Ze zweeg. Troy kon haar gedachten bijna horen werken.

'Zeg eens, herinnert u zich dat stuk in *The Economist* van vorig jaar, in de tijd dat het Huis debatteerde over Burgess en MacLean?'

'Welk stuk?'

'Ik geloof dat die man Fairlie heette. Hij zei zoiets als "de gevestigde orde, die de gelederen sloot" om ze te beschermen. Zegt u dat wat?'

Het zei hem niets. Troy herinnerde zich nog wel vagelijk hoe de arme ouwe Harold Philby tijdens een persconferentie in zijn appartement, in het bijzijn van mensen als Alan Whicker, alle insinuaties in de media weerlegde, en zich tegen de hardnekkige geruchten probeerde te verdedigen.

'Vaagjes.'

'Het had een separate discussie tot gevolg. Zo'n culturele opwinding die zich zo nu en dan manifesteert als een land en een cultuur zich weer eens aan zichzelf gaan toetsen. Precies wat we nu ook aan het doen zijn. Dat herdefiniëren. En dat lukt niet zo best, eigenlijk. En ook al hebben we geen Fourth of July, of brengen we geen saluut aan de vlag, en kennen we het begrip on-Brits niet op de manier van on-Amerikaans, en staat niemand meer op in de bioscoop als het volkslied wordt gespeeld, dan betekent dat nog niet dat we geen identiteit hebben, een besef van onszelf. Fairlie had dat goed begrepen. Het idee van een Gevestigde Orde – een laag binnen de Britse samenleving die altijd voor zichzelf zorgt. Geen klasse, of hiërarchie, en veel moeilijker te definiëren. Een laag is het beste woord dat ik kan bedenken. Het gaat over ergens bij horen. Ik hoor nergens bij. Mijn broer hoorde nergens bij, en hij stierf aan het verlangen ergens bij te horen. Hij kon niet leven met de beschuldiging van verraad. Maar hij heeft nooit begrepen dat wie nergens bij hoort, ook niets kan verraden. Begrijpt u wat ik bedoel?'

Troy begreep heel goed wat ze bedoelde. Het leek even of hij met zijn vader zat te discussiëren. Het was zijn soort argument. Het was zijn soort structuur. Maar het punt waarom het ging, zat bij haar verkeerd-om.

'Natuurlijk,' zei hij. 'Maar het punt van Burgess en MacLean is dat ergens bij horen verraad onmogelijk maakt. Als je ergens bij hoort, kun je geen verraad plegen. De gevestigde orde, hoe je die ook omschrijft, is geen land, is geen *patria*. Verraad die, en het land zal je verstoten of je vervolgen. Deze Gevestigde Orde, die laag, zoals u die noemt, zal dat nooit doen. Het is in dat stelsel van dingen heel goed mogelijk te verraden, erbij te horen en niet te aanvaarden dat je verraden hebt. Het is heel goed mogelijk dat Burgess het lidmaatschap van zijn herenclub aanhield, voor het geval hij dat ooit nog eens nodig zou hebben.'

Hij dacht aan Patum Pepperium, het Genot der Heren, en die heer in Moskou, extravagant tot het einde, die naar zijn eigen gevoel nog altijd deel uitmaakte van wat hij had verraden, nog altijd verraad wilde met Genot, en een persconferentie hield om dat verraad te rechtvaardigen met een schooldas van Eton om zijn nek.

'Wat,' antwoordde Miss Keeffe, 'een paradox zou moeten zijn, maar het niet is, hè?'

Ze stak haar handen op, de vingertoppen tegen elkaar, de palmen los, de gewelfribben en steunberen van een symbolische fantasiekathedraal.

'De Gevestigde Orde sluit zijn gelederen ter afscherming en houdt zo de zaken onder controle, zowel wat de insiders als de outsiders betreft. Zelfs als je in Moskou woont, blijf je insider. Maar God helpe de stumpers die tussen de hekken komen als die gelederen worden gesloten.'

Ze bracht haar handpalmen tegen elkaar, de zachte klap van vlees op vlees.

'Pats. Dat is wat er met Daniel Keeffe is gebeurd. Pats.'

Troy kreeg de indruk dat ze elkaar uitstekend aanvoelden. Het gebeurde niet vaak dat hij iemand sprak die zijn eigen vooroordelen zo goed verwoordde. Maar met welk doel?

'Wat wilt u dat ik doe?' vroeg hij.

Ze keek verbaasd. Keek hem aan met een vragende blik in haar ogen.

'Willen? Waarom zou ik iets van u willen? U kwam naar mij, Mr. Troy. Doet u maar wat u moet doen. Ik heb uw moord niet voor u opgelost. En ook niets toegevoegd aan de naamafroeping van de doden. Mijn broer was een slachtoffer, de perfecte zondebok, daar zult u het wel mee eens zijn, maar hij is niet vermoord, en ik heb er niets aan, te doen alsof hij anders gestorven zou zijn dan door eigen hand.'

Bij het terugkijken op deze hele treurige warboel, bleef hij altijd hangen op dit punt, kwam hij iedere keer weer tot de slotsom dat dit de enige persoon was die ondanks de pijn en de woede haar hoofd koel had gehouden, dat dit de enige persoon was tijdens de hele affaire die niets van hem had gewild.

'Laat ik het dan anders zeggen. Wat gaat u nu verder doen?'

'Ik haal de rest van de spullen weg uit Drayton Gardens. Dan ga ik weer naar mijn werk. Als ik, als gevolg van wat ik u heb verteld, door Woodbridge of een van de Gentlemen word beschuldigd, zal ik het niet ontkennen. Ik ga ook niet weg. Ze zullen me moeten ontslaan. Ik heb mijn hele leven naar de Engelse pijpen gedanst, evenals mijn broer, we hebben ons gedragen zoals dat van ons werd verwacht, maar ik ga niet voor ze liegen, Mr. Troy.'

Dit was natuurlijk waarin ze van elkaar verschilden. Hij had al vanaf zijn jeugd, vanaf dat hij had leren praten, de onvermijdelijkheid van het liegen leren accepteren. Het was bijna een manier van leven.

Troy keek naar buiten, naar het naambord van het station, de tekstregel door een cirkel die iedere halte van de London Underground markeerde. Hij had nergens meer op gelet toen Miss Keeffe was gaan praten, ze konden wat hem betreft overal zijn tussen Notting Hill en Charing Cross, maar nu was ze overduidelijk uitgesproken. Ze vertrokken net uit Moorgate. De volgende stop zou Liverpool Street zijn. Hij groette haar en stapte daar uit. Tegenover de bar op het perron waar Chroesjtsjov en hij hadden gezeten. Die was nu gesloten en vergrendeld, anders had hij een pilsje genomen en een tijdje nagedacht. Dus keek hij maar naar de tunnel, ademde diep in, en probeerde of hij de wanhoop ook kon ruiken, zich afvragend hoe die dan ruiken moest, en waarom die eigenlijk naar iets moest ruiken. Hij rook niets – alleen gebakken spek.

54

Warriss genoot van het gesprek.

'Myocardinfarct. Zal ik het misschien even voor u spellen, sir?'

'Nee,' zei Troy 'Stuur me maar gewoon een afschrift van het verslag. En vertel me of er nog dingen zijn die ik nu moet weten.'

'Geen merktekens. Geen kneuzingen, geen snijwonden. Niets. Uw gevraag en uw pamfletten hebben mij mijn tijd gekost. Er is geen enkele aanwijzing dat Jessel door iets anders is gestorven dan door een hartaanval veroorzaakt door jaren van drank en sigaretten en angina. Wat dokter Jewel betreft zegt de overlijdensakte: "natuurlijke dood". Tenzij u andere informatie heeft, natuurlijk.'

Dat was een schimpscheut. De man lachte hem uit. Troy gooide de haak erop. Tien minuten later ging de telefoon opnieuw.

'Mr. Troy? Ray Godbehere hier.'

'Je inspecteur heeft me net voor paal gezet.'

'Dat weet ik, sir. Daarom kan ik u nu bellen. Hij is net gaan lunchen, lachend als een hyena.'

'Ik ben nog altijd de grootste kloothommel van Belper, hè?'

'Dat hoort u mij niet zeggen, sir. Ik heb de drie sets vingerafdrukken gecheckt, die ik van het bureaublad had gehaald. Een daarvan is van de inspecteur. Ik weet dat, omdat we om misverstanden te voorkomen al onze eigen afdrukken hebben opgeslagen. Stom van hem om een plaats delict te besmetten, maar voor hem is het uiteindelijk geen plaats delict, wel, sir? De tweede set is van alleen een linkerhand. Er loopt een duidelijk litteken over de breedte van de wijsvinger. U heeft toch niet toevallig een litteken op uw linker wijsvinger, hoofdinspecteur?'

Verdomme. Hij moet op een gegeven moment op het bureau hebben geleund, hoewel hij zich daar niets van kon herinneren.

'Jawel. Ik moet tot mijn spijt bekennen dat ik dat ben. En de derde?'

'Ook alleen maar een linkerhand. Vingertoppen op diverse punten en de hele handpalm langs de rand. Alsof iemand met een groot deel van zijn gewicht op die hand heeft geleund. Ik heb nergens een gelijksoortige afdruk kunnen vinden. Ik heb Brenda en de werkster buiten beschouwing gelaten – het is de hand van een man, een grote man. Wijlen Mr. Jessel is het niet. Bij Centrale Registratie is ook niets. Op één punt overlapt uw afdruk die van de onbekende, dus het ziet ernaar uit dat u gelijk heeft. Dat er tussen u en de werkster iemand binnen is geweest.'

'Die op zijn linkerhand leunde, terwijl hij met zijn rechterhand Jessel een pistool onder zijn neus hield. Hij schoof de slede naar achteren, boog naar voren en verloor een drup olie aan Jessels kant van het bureau.'

'En Jessel stierf ter plaatse. Is dat waar u naartoe wilt, sir?'

'Dat denk ik wel, ja. Ik denk dat iemand hem de doodsschrik op het lijf wilde jagen en daar wonderwel in is geslaagd.'

'Wonderwel?'

'Ze hadden hem toch moeilijk overhoop kunnen schieten en daarna de benen nemen. De hartaanval kwam wonderwel uit.'

'Heeft u iemand op het oog?'

'Heb je een vingerafdruk van Cockerell?'

'Nee, sir. En ik weet ook niet waar ik die vandaan moet halen. Volgens de kranten was hij zonder handen aangespoeld.'

'Probeer het portier van zijn auto eens.'

'Bedoelt u dat ik daarnaartoe moet gaan en Mrs. Cockerell dat moet vragen?'

'Ja. Dat lukt toch wel?'

'Ja, dat lukt wel. Maar laat ik het zo zeggen. Ik heb de laatste dagen veel draafwerk gedaan. Ik heb voor de inspecteur pamfletten uitgereikt. Ik heb aan heel wat deuren gebeld. Niemand heeft iemand gezien. Dat is de waarheid, maar ik kan u nu wel zeggen dat als er iemand is die zich hier niet ongezien kan vertonen, dat wel Arnold Cockerell is. Hij is de enige die niet onopgemerkt de stad kan binnenlopen, zijn accountant vermoorden en op de volgende bus naar Shottle stappen.'

Die laatste zin was vermoedelijk een plaatselijke metafoor voor een verdwijntruc, dacht Troy. Maar er zat natuurlijk wel wat in. Het paste alleen niet in het patroon dat Troy zag. Hij kon zich steeds meer vinden in Janet Cockerells opvatting over het geheel. De man was verdwenen. En het heerlijke van verdwijnen was, dat je van tijd tot tijd eens kon terugkomen.

'Ja, sorry. Je hebt waarschijnlijk gelijk. We moeten Mrs. Cockerell maar even met rust laten. Hoeveel hiervan weet Warriss?'

'Niet meer dan de laatste keer dat u elkaar heeft gezien.'

'Heel goed. Ik ben je zeer dankbaar.'

'Ja, maar als hij erachter komt...'

'Kom jij voor het vuurpeloton – ik weet het.'

'Erger nog, sir, dan moet u een andere baan voor me zoeken.'

Troy begreep de hint. Nou, wat hem betrof was Godbehere een stuk snuggerder dan een flink deel van de sufkoppen waarmee hij op de Yard van doen had. Misschien wel te snugger. Natuurlijk dacht Troy niet dat Cockerell een pistool op George Jessel had gericht en hem de doodsschrik had aangejaagd, maar het zou zo verdraaide mooi uitkomen als het wel zo was. En ondanks het feit dat hij dit niet echt dacht, wilde het deel van zijn geest dat intuïtief overstag ging en dicht langs de verraderlijke winden van de verbeelding zeilde, toch niet geheel de theorie laten varen dat het wel had gekúnd.

55

Hij had behoefte aan vastigheid. Hij had behoefte aan Kolankiewicz en Kolankiewicz was een dag later dan hij had beloofd. Hij pakte het verslag van Cockerells lijkschouwing van zijn bureau en begaf zich naar het hol van de Poolse Leeuw.

'Ik heb het druk. De doden gunnen me geen rust.'

Hij stond op en sloot de deur achter Troy.

'Je vergeet je privacy,' zei hij, toen hij geen reactie kreeg. 'Maar ik heb wat je zocht.'

Hij trok de bovenste la van zijn bureau open en legde de resten van Troys zakdoekje voor hem neer.

'Je hebt een van mijn mooiste Iers linnen lefdoekjes verknipt!'

'Ik heb er één hoekje afgeknipt. Zeur toch niet altijd zo verschrikkelijk. Wil je het nou weten, of niet? Ik kan nog met genoeg andere agenten spelen.'

'Oké. Laat maar horen.'

'Het is, zoals je al vermoedde, wapenolie. Of, in zoverre een substantie de naam meekrijgt van het doel waarvoor die dient, olie die wapenolie wordt als je hem gebruikt bij het oliën van een wapen.'

Dit was de professionele Kolankiewicz ten voeten uit. De taalbeheersing die hij ontbeerde bij een informeel gesprek, kreeg een uiterst nauwkeurige wetenschappelijke toepassing die dat schitterend versluierde.

'Wat betekent dat in gewone mensentaal?'

'Het is wat ik zou gebruiken voor een automaat, als ik er een had. Veel mensen doen dat, maar gebruiken het ook voor andere dingen. Ik heb afgelopen weekend diezelfde olie gebruikt om mijn grasmaaier te smeren. Maar zolang je me niet zegt dat je een onderzoek uitvoert naar een man die werd overreden door een grasmaaier in Hampstead Garden Suburb – waarbij ik dan zou pleiten voor uitlokking en zeggen dat ik altijd al de pest had aan de buurman en de rotzak had vermoord tijdens een vlaag van horticulturele waanzin – gaan we uit van een vuurwapen. Olie met een lage viscositeit en een hoog grafietgehalte. Kleeft niet. Trekt geen vuil aan, blokkeert de slede niet, maar is niet vast. Hij loopt, en je moet het wapen vaker oliën dan met een olie van een hogere viscositeit. Er vormen zich druppels, je bederft je pak. Op den duur.'

'En?'

'En wat?'

'En wat kun je daaruit opmaken?'

'Geen doorsnee boef, geen gladde jongen weet dat soort dingen. Die stoppen hetzelfde in hun wapen als in hun fiets, als ze er tenminste überhaupt aan denken om die te smeren. Een man die zijn wapen op deze manier verzorgt, heeft verstand van die dingen. Een ex-militair…'

'We zijn een land van ex-militairen.'

'Van wie de meesten nog nooit een automatisch pistool hebben gezien. Er is een wereld van verschil tussen het mechaniek van een Lee Enfield-geweer met grendel, en een handwapen van Colt of Browning. Ik heb het over een officier, of een beroeps, iemand die niet het risico neemt dat het wapen op het verkeerde moment blokkeert.'

'En dat maak je allemaal op uit een druppel olie?'

'Je hebt me nog nooit een korrel zand gebracht. Dan zul je pas staan te kijken.'

'Je verpest je pak. Op den duur.' Troy dacht aan het overhemd dat hij nooit meer schoon kreeg, na Portsmouth. Verpest door een paar druppels olie. Een hartvormige vlek. Gek dat hij daar nu aan moest denken, gezien de situatie waarin hij zich nu bevond.

'Kun je vanochtend naar Portsmouth komen?'

'Ik denk van wel. Waarom?'

'De politie daar heeft een lijk in de vriezer. Arnold Cockerell.'

'De spion?'

'Ja. Hij moet weer op de snijtafel. Ik wil een second opinion.'

'Je wilt dat ik een collega beledig? Een andere lijkensnijder op zijn tenen ga staan?'

'Ken je de man daar?'

'Natuurlijk niet. Maar is hij daardoor dan geen collega?'

Troy legde het verslag van de lijkschouwing voor Kolankiewicz neer.

'Lees maar. Ik heb meer nodig.'

Kolankiewicz schoof het terug. 'Heb jij het gelezen?'

Troy duwde het terug naar Kolankiewicz. 'Natuurlijk heb ik het gelezen.'

Hij had het in zijn uit-bakje gevonden. Dat betekende dat hij het had gelezen. Natuurlijk had hij het gelezen. Maar hij had het niet helemaal gelezen, en het kwam niet in hem op dat hij het niet helemaal had gelezen. De beelden van die romp stonden immers in zijn geheugen gegrift?

Kolankiewicz wierp hem een merkwaardige blik toe. Bespeurde hij iets van bezorgdheid in die varkensoogjes?

'Je kent me, Troy. Ik ben nu eenmaal niet het vaderlijke type. Maar nu vraag ik je toch, wil je nu werkelijk die lange snuit van je in MI5 en MI6 gaan steken? Weer die toestanden met de kat en de vos? Uit hoeveel ziekenhuizen heb ik je nu al opgehaald? Hoeveel hechtingen heb ik de afgelopen twintig jaar nu al in je aangebracht? Jij, mijn beste klant. Ik moest maar een snijtafel voor je vrijhouden.'

Het was Japie Krekels stem die in zijn oor tjirpte. Die er absoluut niets toe deed. De vos en de kat hadden hem al toegezongen. Hij danste over het keienstraatje met hun verleidelijke lied in zijn oren. Hi diddle di dee.

'Ik kan al niet meer terug,' zei hij toonloos.

'Dan reserveer ik mijn recht om de Poolse wijspeuk te zijn en op een gegeven moment "Zie je wel" te kunnen zeggen.'

'Best,' zei Troy. 'Dat zeg je al zolang ik je ken. Je laat het zonder twijfel uithakken in mijn grafsteen. Ik zie je in de loop van de middag in het mortuarium.'

56

Het was raar weer. De verzopen augustusmaand beloofde nu een heel fraaie nazomer. De dienstdoende idioot bij de zuiddeur van de Yard had daar een theorie over, maar Troy luisterde niet. Hij deed zijn jasje uit, veegde de voorruit van de Bentley schoon tot hij de weerspiegeling van de zon en de vliedende wolken zag, en besloot dat het een perfecte dag was om naar de kust te rijden. De lucht was Wedgwood, de wolken dansten voorbij als suikerspinnen en de zon was eigeel. Hij zou de autoradio afstemmen op het Third Programme en genieten van een paar uur vrijheid en evenwichtigheid voor hij voor de zoveelste keer weer te maken kreeg met Kolankiewicz en een lijk, agressiviteit en dood. Hij was op zoek naar de juiste golflengte, toen Wildeve de poort naar de Embankment binnenliep, jasje over zijn schouder, hemdsmouwen opgerold, uitbundig gapend.

'Ga je ergens naartoe?'

'Portsmouth. Een lijkschouwing.'

'Cockerell? Keeffe?'

'Cockerell.'

'Mag ik mee?'

'Ik dacht dat je de hele week in de rechtbank moest zijn.'

'Onze Mr. Bayliss heeft zojuist schuld bekend.'

Deze overwinning deed hem zoveel plezier, dat hij grinnikte als een schooljongen.

'Oké. Stap maar in.'

Net toen Troy de Bentley naar de Embankment en over de Westminster Bridge reed, sloeg de Big Ben de klok van twaalf. Jack zakte onderuit in zijn stoel en sloot zijn ogen.

'Ga je me vertellen wat je plannen zijn?' vroeg hij.

'Nee,' zei Troy.

'Mooi. Ik ben kapot. Maak me maar wakker als we er zijn.'

Troy zette de radio zachtjes aan, en kwam terecht bij de inleidende klanken van een lunchconcert. Een symfonie van Haydn. Het werd leuk om te raden welke.

57

Kolankiewicz wees naar Wildeve.

'Waarom heb je hem meegenomen?'

Troy moest even denken.

'Voor de gezelligheid onderweg.'

'Nou geweldig. Hij valt flauw. Hij geeft over. Ach, ach!'

'Dit kan nooit zo'n vieze klus zijn. Alle lichaamsvochten zullen na vijf maanden toch wel verdwenen zijn?'

'Niet vies? Troy, heb je die knakker gezien? Het is één grote troep. Als ze eropuit zijn geweest hem onherkenbaar te maken, zijn ze daar uitstekend in geslaagd.'

'Dat is nou precies wat ik bedoel.'

'Hè?'

'Het is te mooi om waar te zijn. Het klopt allemaal een beetje te goed.'

'Klopt een beetje te goed? Hoor eens, wijspeuk, als Wildeve dit ziet, wordt die groen om de neus!'

Hij liep naar de ontleedkamer. Een moderne ruimte, een en al formica en wasbare oppervlakken, buisverlichting en plastic lijstwerk. Zo bijdetijds, op zijn eigen manier, als Cockerells woonkamer. Het onbekende, genummerde lijk, met het label 'Cockerell?' lag op de roestvrijstalen 'snijtafel', een verzonken spoelbak van twee meter lengte, met een spinnenweb van straalsgewijs uitlopende goten, voor de afvoer van bloed en erger dingen, veel erger dingen. Het lijk, witter dan wit, leek voor Troy in haast niets meer op iets wat ooit had geleefd. Het was netter dan vorige keer. Eerder steriel dan dood. Een impressie in was van delen van een man, dichtgenaaid met zwart garen. En het rook naar niets. In het vertrek hing de vage chemische lucht van formaldehyde die onvermijdelijk is in de ontleedkamer van een lijkenhuis, maar de geur van dood en bederf, van open ingewanden, weggelopen stront en opdrogend bloed, ontbrak. De maanden in de vriezer hadden die gereduceerd tot een vrijwel klinische, en het levenloze tot het nooit-menselijke. Het lijk was gereinigd, en maakte, in tegenstelling met de vorige keer dat hij het zag, niet de indruk dat het net was schoongemaakt terwijl het zeewier nog tussen de tenen zat. Het hoofd en het gezicht vormden een zwart gat, omgeven door een rand van wit bot. Door de afwezigheid van zijn handen had hij iets van een dwerg, een pop van een man. En er liep een opstaande naad over de borst en de buik, als het ruwe stiksel dat de uiteinden van een zak samenhield. Het deed Troy denken aan de jute lijkzak waarin Edmond Dantès uit het Château d'If was gegooid, en hij zag in zijn verbeelding de hand met het mes omhoogkomen om de stiksels door te snijden en uit te breken naar de vrijheid en de hergeboorte, en een nieuw leven als de Graaf van Monte Christo. Een passend beeld, dacht hij, voor de sluwe kapitein-luitenant-ter-zee Cockerell. Zwierf die nu op dit moment rond als de Graaf van Jasmine Dene, op de loop voor zijn crediteuren en ontrouw aan zijn vrouw?

Op een lage kast tegen de wand stonden wat glazen potten, de ingelegde resten van de vitale organen van het lijk: de maag, de twaalfvingerige darm, de karteldarm, de lever en dergelijke. Ingelegd, ze hadden niet meer die frisse, rozige kleur, de glans van bijna-levenskracht, het blozende levenslicht – maar waren nu van een soort grijsbruin. Desondanks werd Jack nu toch groen.

'Weg!' blafte Kolankiewicz.

'Nee,' protesteerde Jack zwakjes. 'Ik wil het weten.'

'Als je kotst, maak ik je af!'

'Ik kots niet. Ik ga hier gewoon zitten. Rustigjes.'

Hij pakte een stoel van zeildoek en metalen buizen van een stapel en ging bij de muur zitten, hoofd naar achteren, zijn ogen dicht, zijn gezicht onnatuurlijk bleek.

Kolankiewicz schoof de lus van zijn rubberen schort over zijn hoofd, rolde zijn mouwen op en ging zich wassen.

'Hij is zo weer in orde,' loog Troy, en dacht aan alle keren dat hij bij een plaats delict had gewacht omdat Jack onopvallend achter de bosjes stond over te geven.

'Dat hoop ik dan maar, wijspeuk. En zeg me nou maar waarnaar je op zoek bent.'

'Ik ben naar niets op zoek.'

'Hou nou toch op.'

'Echt, ik wil het alleen weten.'

'Weten? Dat zei onze kotskampioen net ook. Hoezo "weten"?'

Kolankiewicz had gelijk. Jack had niet gezegd 'zien', maar 'weten.' Hij had beslist gezegd 'weten' Een vreemde woordkeus, vond Troy. Even vreemd als zijn plotselinge aanwezigheid bij dit alles.

'Gewoon weten. Niets vreemds aan. Wie is deze man? Dat moet ik weten.'

Kolankiewicz trok met knallende geluiden zijn rubberen handschoenen aan en werkte zijn vingers naar de uiteinden toe.

'Je bedoelt dat je geen nieuw bewijsmateriaal hebt?'

'Nee, dat heb ik niet.'

'Je bent bezig mijn reputatie te verwoesten, weet je. Hier sta ik, de man van de oppermachtige Yard, zonder de minste of geringste aanleiding de klus over te doen van de mensen hier. Een beetje bewijs was wel opportuun geweest. Mijn enige aanwijzing is dat jij vermoedt dat het niet Cockerell is, hè?'

'Nee, dat zeg ik niet. Ik weet niet wie het is.'

Dit was kletskoek, en Troy wist dat Kolankiewicz daar niet in trapte. Kolankiewicz keek hem aan en trok de bos grijs haar die doorging voor wenkbrauwen hoog op.

'Maar je weet vrijwel zeker dat hij het niet ís?'

'Nee.'

'Troy, je bent een eerste klas zeikerd, zoals altijd. Oké, oké.'

Ze stonden tegenover elkaar aan weerszijden van de haast lichtgevende witte massa van het lijk. Kolankiewicz tikte tegen de microfoon die een paar decimeter boven zijn hoofd hing. Troy had zoiets nog niet eerder gezien. De Yard, in de voorste gelederen van de opsporingswetenschappen, bediende zich nog van stenografen die met hun stenoblokken op krukken zaten. Hij keek om zich heen. Daar, achter een glazen paneel in de muur, zat een jongeman, uitgerust met een van die nieuwe magnetische bandrecorders van Grundig. Hij gaf Kolankiewicz een teken dat alles in orde was en keek toen weer naar zijn wijzertjes en knopjes.

'Waarom nemen we niet alles wat het eerste rapport heeft en checken dat stuk voor stuk?' zei Troy.

'Best,' zei Kolankiewicz. 'Wie is eerst?'

'We nemen het hoofd eerst.'

'Nee, nu moet jij zeggen: "Dat weet ik niet." Dan zeg ik: ik weet niet wie tweedst is. Wie is eerst.'

'Wat?'

'Nee. Wat is drie. Wie is eerst.'

'Hè?'

'Laat maar zitten. Je bent soms zo verdomd Engels, dat ik haast niet kan geloven dat je echt bent.'

Troy sloeg de eerste pagina van het autopsierapport op. Kolankiewicz liet Abbott en Costello verder voor wie ze waren en stak een rubber vinger in de schedel.

'Voor zover ik me herinner was de doodsoorzaak een klap tegen het hoofd, die de bovenkant van de ruggenwervel verbrijzelde en de hersenstam verwoestte. Geen water in de longen. Ergo, hij was dood voor hij in het water belandde.'

'Ja,' zei Troy.

'Maar er is maar heel weinig over van het achterhoofd. Beschrijft onze man de wond van de klap?'

'Nee. Hij geeft alleen de klap tegen het hoofd als mogelijke oorzaak. Zegt iets over de versplinterde schedel. Kan veroorzaakt zijn door schroefbladen.'

'Dat klopt. Een plak eraf als van een gekookt ei. Maar achter die snee zit een compressie van schedel en weefsel die ik persoonlijk niet zou willen toeschrijven aan dezelfde actie die de schedel spleet. Een opgaande beweging sneed zijn hoofd door, kwam binnen via het gezicht, dus geen gezicht meer, en verliet de schedel aan de achterkant, maar deze compressie zit binnenin. Door een klap van achteren. Wat zegt onze man nu?'

'Niets.'

'Oké. Het is niet zo overzichtelijk. Het grootste deel van de wond zelf is weg. En het kan zijn dat die inderdaad door een schroefblad werd veroorzaakt. Maar dingen wervelen nu eenmaal rond, en hakken continu van alle kanten op je in. Het is alleen mijn eigen opinie maar. Maar als de klap die hem doodde van het schroefblad kwam, moet hij toch nog hebben geleefd toen hij werd geraakt. Maar we weten dat hij dood was. Dus wat heeft hem dan wel gedood? Een eerdere klap? Dus moeten we op zoek naar sporen van een eerdere klap.'

'Klinkt mij heel logisch in de oren.'

'In de rechtszaal kom ik er niet ver mee, maar...'

'Ik heb een grote hekel aan zinnen die zo beginnen.'

'Maar – ik denk dat hij één keer van achteren op zijn hoofd werd geslagen met een rond voorwerp.'

'Rond? Wat is er met onze oude vriend "stomp" gebeurd?'

'Die is eerst. Nee – ik zou zeggen rond. Ik bedoel rond. Alsof hij is neergeknuppeld. Goed en hard. Maar ik zei het al, omdat het merendeel van de wond verdwenen is, en de schedel er van alle kanten van langs heeft gehad, valt er weinig te bewijzen. Wat nu, zei Pichegru?'

Boven een lijk gebogen, in een paar bewegingen van Abbott en Costello naar Napoleon. Troy bewonderde Kolankiewicz' koelbloedigheid. Die had zich op deze manier al grappen makend door ontelbare autopsies gewerkt.

'Zijn vrouw had het over een moedervlek.'

Kolankiewicz draaide het hoofd om. Het afgesneden deel lag nu boven en leek bijzonder veel op een open oester, vond Troy.

'Hier zit nergens een moedervlek. Er is een stukje hals weg aan de rechterkant, maar op het overige deel zit geen moedervlek. Duik eens in mijn tas. En geef me mijn vergrootglas.'

Troy gaf hem een enorm groot glas, van het soort waarmee Sherlock Holmes altijd werd afgebeeld op de sensationele omslagen van pockets, en zag hoe zijn varkensoogje werd opgeblazen tot een bruine maan.

'Weer, precies op de rand van resterend weefsel, een glanzend plekje.'

'Glanzend?

'Als vers littekenweefsel. Klein. Een paar millimeter maar.'

'Wat betekent dat?

'Dit zal je ook wel niet leuk vinden. Ook dit is niet bewijsbaar, zo dicht bij een verwonding die de helft van zijn hoofd en delen van zijn nek meenam, maar het komt op mij over als plastische chirurgie. Als je man een moedervlek had, heeft hij die misschien laten weghalen. Was het een beetje een ijdeltuit?'

'Ja.'

'Goed, dan gaan we verder.'

Ze werkten het lijk af van de nek tot de voeten. Kolankiewicz maakte de borstkas weer open en tuurde fronsend door zijn vergrootglas naar de organen in de weckflessen. Af en toe las Troy een stukje voor uit het rapport en zei Kolankiewicz 'Klopt', en af en toe hoorde Troy Jack zacht zuchten in de hoek. 'Klopt' werd irritant. Tegen de tijd dat ze de tenen bereikten, via handen, knieën en seksuele organen, waren de humeuren geprikkeld.

'Er moet toch iets zijn.'

'Hoe bedoel je, er moet toch iets zijn? Je denkt geloof ik dat ik er maar stukken aan kan plakken alsof het een pop is, verdomme. Vingers waar geen vingers zitten. Een gezicht waar geen gezicht is. Waar denk je dat we mee bezig zijn? Jan Klaassen en Katrijn? Ezeltje Prik?'

'Ik bedoelde alleen maar...'

'Ik weet wat je bedoelde. Wat ik niet weet, is wat je wilt. Wil je nou dat het Cockerell is, of niet? Ik weet niet wat je wilt. Ik weet niet waarom je me hiernaartoe hebt gesleept, maar vraag me niet bewijsmateriaal te verzinnen waar dat niet is. De man hier heeft uitstekend werk verricht. Als ik zeg dat hij het bij het juiste eind had, had hij het bij het juiste eind.'

'Hij heeft een en ander gemist.'

'Nee – hij heeft alleen niet willen speculeren bij twee punten die haast niet eens meetbaar zijn. Je bent nijdig op hem, je bent nijdig op mij, omdat je wilt dat we het lijk een naam geven. Je wilt dat het Cockerell is, of niet Cockerell is. Dat kan ik niet zeggen. Dus vraag het me dan ook niet.'

'Ons hele werk bestaat uit giswerk. Zullen we nu weer verdergaan?'

Kolankiewicz leunde naar voren. Mierikswortel en rosbief in zijn adem. Ze keken elkaar over het lijk heen aan.

'Verder gaan? Troy. We zijn bij de voeten. Na de voeten is hij op. Hoeveel mannen ken jij die verdergaan dan hun voeten? Met de voeten raken we de wereld, na de voeten komt alleen Moeder Aarde.'

'Ik bedoel alleen maar...'

Kolankiewicz ontstak nu in grote woede. Hij griste het rapport uit Troys hand en zwaaide ermee in zijn gezicht.

'Wat wil je nou dat ik zeg, klootzak? Ik weet nu zo langzamerhand niet meer wat ik moet zeggen. Dat het Cockerell is, of dat het Cockerell niet is? Krijg de klere, Troy. Ik weet niet wat je van me verwacht. Je manipuleert me van top tot teen. Ik ga voor jou boven op de tenen van de mensen hier staan. Ik maak vijanden, sneller dan Hitler op een joodse bruiloft. Ik zeg je dat de man goed werk heeft geleverd!'

Hij hield op met zwaaien en begon door het rapport te bladeren, sloeg de pagina's om tot hij vond wat hij zocht en tikte daar met zijn korte, rubberen handschoenvinger op.

'Ik zeg je, Troy, meer aanwijzingen zijn er niet. De man is goed. Wij bekvechten alleen over denkbeeldige dingen. De hele rambam staat erin. Alle stukjes en beetjes, de snijwonden in handen en voeten, de inhoud van de longen, de vreselijke conditie van de lever, tot en met de inhoud van de man zijn maag en ingewanden. Verdomme Troy, hij noteerde zelfs wat de man als laatste had gegeten.'

Hij gooide zijn hoofd achterover, rolde met zijn ogen en wuifde met zijn handen door de lucht in gemaakte afschuw.

'Ach, ach! Hoe weerzinwekkend. Godallemachtig, wat voor soort man eet een mengsel van vis en eieren en rijst als ontbijt!'

Troy pakte Kolankiewicz bij de lussen van zijn schort en tilde hem op tot ooghoogte, trok hem over het lijk, net niet neus aan neus, en zei zacht, amper hoorbaar na het geraas van Kolankiewicz: 'Een bepaald soort Engelsman doet dat. Het is een lekkernij uit India. En het heet kedgeree. En ik heb Cockerell daarvan een bordvol zien verstouwen, voor hij aan de toast en de marmelade begon.'

Kolankiewicz glimlachte onbeholpen, voor zover dat mogelijk was hangend tussen de lussen, voetjes van de vloer, en haalde zijn schouders op – handpalmen omhoog, in akkoord met de geboden oplossing.

'Kedgeree, falderie...'

'Ja?'

'Dan is hij het,' zei Kolankiewicz kalm.

Troy zette hem neer. Hoorde de klik toen zijn hielen de grond raakten.

'Ja,' zei hij, 'dan is hij het.'

Hij draaide zich om naar Jack.

'Hij is het.'

Jack verroerde zich niet, zijn wangen kregen langzaam weer kleur.

'Kunnen we nu weg?' vroeg hij.

58

Kolankiewicz liep niet lang te mokken. Terug op het parkeerterrein, waardigheid en hoed geretourneerd, propte hij zijn *News Chronicle* in zijn zak en nam een minzame klus-geklaard-houding aan. Het was een moment waarop Troy had gewacht, en als hij hem nu een uitbrander gaf, zou dat niet meteen gevolgen hebben.

'Ik had eens even met je willen praten,' zei Troy. 'Over die avond in Stepney, met Chroesjtsjov, weet je wel?'

'Nee, nee,' zei Kolankiewicz snel. 'Dat hoeft niet. Ik begrijp best waarom je dat deed. Toen ook. Dat hoeft niet uitgelegd. Aangezien jij noch ik de moed of de moraliteit hebben om de man een kogel door zijn hoofd te jagen, was een beetje opvoeding wellicht het beste wat je voor hem kon doen. En voor jezelf, en de wereld. Ik hoop alleen dat je een lange lepel had.'

Hij grinnikte bij deze uitdrukking boosaardig naar Troy.

'Nee,' zei Troy, voorzichtig zijn woorden kiezend. 'Dat bedoelde ik eigenlijk niet. Ik wilde je vragen waarover jullie hebben gepraat.'

'Polen, natuurlijk! Hij zei me dat hij zich een dag kon voorstellen dat de Russische soldaat niet paraat hoefde te staan aan de Russische grens, dat hij een tijd zag komen waarin Polen zijn eigen verkiezingen uitriep, zijn eigen regering koos. En hij zag dat, omdat hij er niet aan twijfelde dat ze een communistische regering zouden kiezen. Het was de onvermijdelijke loop van de geschiedenis.'

'Aha. En wat zei jij toen?'

'O – ik zei de rotzak dat hij loog of het gedrukt stond.'

In zijn verbeelding zag Troy hoe Chroesjtsjov met een rooie kop overeind kwam, precies op het moment dat Eric de kroegbaas met de handbel binnenliep en riep 'Moeten jullie zo langzamerhand niet eens op huis aan?' Zo te zien waren nu zowel hij als Kolankiewicz gered door de bel. Het was verbazingwekkend hoe snel Chroesjtsjov zich had hersteld van wat zonder twijfel de ergste belediging voor hem moest zijn geweest sinds de dood van Stalin. Tussen Stepney en het Claridge-hotel was zijn wrevel soepel overgegaan in minzaamheid en uiteindelijk in uitgesproken spraakzaamheid.

'Zullen we gaan?'

Het was Jack, die Troy uit zijn dromen haalde.

'Ja, natuurlijk.'

Troy wendde zich tot Kolankiewicz.

'Rij je mee terug naar Londen?'

'Nee,' antwoordde die, en trok aan de rand van zijn hoed. 'Voor gunsten als deze, voor zakkenwassers als jullie, eis ik de afkoopsom van een eersteklas treinkaartje, dat die dikzak op jullie kantoor me heeft verschaft. Terwijl jullie je moeizaam terugworstelen langs overvolle wegen, nuttig ik de high tea van de British Railways, met kleverige cakejes en wat hulp van mijn heupfles, en maak ik de kruiswoordpuzzel in deze ochtendkrant af. Wat van grote rechtvaardigheid getuigt. Tot kijk, smerissen.'

'Fijne man,' zei Wildeve.

59

Wildeve reed. De koning te rijk dat hij aan het stuur van een Bentley zat. Hij reed heel wat beter dan Troy. Troy zat flink onderuitgezakt in de stoel naast hem, half gehypnotiseerd door het ritmische flitsen van het zonlicht door de bomen, een en ander te overdenken. Ze waren al bij Petersfield voor de stukjes van de puzzel op hun plaats lagen, maar zelfs toen vormden die nog geen plaatje waar hij wat mee aan kon.

'Als dat Cockerell is...' begon hij.

'Wat? Wat bedoel je nou weer met "als"? Je hebt net tegen Kolankiewicz gezegd dat het ontegenzeggelijk Cockerell is!'

'Natuurlijk is het Cockerell, maar..'

Troy kwam niet verder. Wildeve zwiepte de auto van de weg, terwijl ze nog bijna negentig reden, en bracht die met gierende banden tot stilstand op het voorterrein van een wegrestaurant.

'Ik! Maar! Jezus, Freddie, waarom doe je nou toch zo? Het is Cockerell. Meer kun je er niet van maken, en hou het daar nu bij, verdomme!'

'Maar...' worstelde Troy zielig.

Wildeve rukte de sleuteltjes uit het contact, zwiepte het autoportier achter zich dicht en liep met grote stappen over het voorterrein het café-restaurant binnen. Troy kon niet veel anders dan achter hem aan gaan. In de auto blijven zitten mokken was zo puberachtig, dat hij Jack nog zou hebben gevolgd tot in de poorten van de hel.

Hij vond hem in het houten gebouwtje aan een vettig tafeltje met een formica bovenblad, en twee koppen smerig uitziende thee voor zich. De hele tent rook naar sigaretten en ontbijtspek en eieren. Potige vrachtwagenchauffeurs in blauwe overalls en wollen mutsen met pompons keken op van deze twee fijne meneren met donkere pakken, zijden dassen en glimmende schoenen. Toen Troy als reactie op de onuitgesproken uitnodiging wat ongemakkelijk ging zitten, schoof Jack de aangekoekte flessen ketchup en bruine saus weg uit het midden, en maakte de weg vrij voor de confrontatie die Troy al had voelen aankomen.

'Zeg het maar, Jack,' zei hij, en dronk van het onwelriekend vocht.

'Ik snap jou niet. Ik snap je gewoon niet. Het is toch duidelijk wat er aan de gang is?'

'Natuurlijk. Allemaal geheimzinnig spionagegedoe. Dat wisten we al vanaf de eerste dag.'

'Goed. Dan zijn we het daarover tenminste eens. Maar het is vanwege dit spionagegedoe dat we er nu uit moeten stappen. Het enige waar het Cockerells vrouw om ging, was te weten of dat lijk nu van hem was of niet. De regering had al gezegd van wel, maar niemand kon het haar kwalijk nemen dat ze zo lang mogelijk bleef hopen dat haar rondzwervende manlief nog in leven was.'

'Er steekt wel meer achter.'

'Er steekt oneindig veel meer achter. Maar dat gaat ons verder niet aan.'

'Jack, ben je nou niet een klein beetje benieuwd? Iemand slaat hem zijn hersenen in en gooit hem in het water. Als hij niet in de schroef van een schip terecht was gekomen, hadden we vanaf de dag dat hij was aangespoeld geweten dat hij het was. Maar het was een troep. Gegeven het feit dat het een troep was, waarom wilde de plaatselijke politie dan zo graag dat het Cockerell was? Eerst scheuren ze een pagina uit het register van de King Henry, alsof ze willen verhullen dat het Cockerell was, daarna dwingen ze die arme vrouw haast te verklaren dat het haar man is, terwijl ze daar helemaal niet zeker van is. Vind je dat niet een tikje merkwaardig?'

'Je snapt er niks van, hè Freddie? Ik zal het je uitleggen. Herinner je je nog wat Onions in 1944 tegen ons heeft gezegd? Die zei dat wij een langzame marteldood zouden sterven, als hij ons ooit nog eens met onze neus in een spionagezaak betrapte!'

Troy nam weer een slokje thee. Jack was nog altijd boos, en raakte zijn thee niet aan.

'Wat Stan eigenlijk zei, Jack, was, dat als zich weer een dergelijke situatie voordeed, hij daar van het begin af aan bij betrokken wilde worden. Hij zei niet dat we ons werk niet konden doen.'

'En jij gaat hem nu alles vertellen?'

Natuurlijk ging Troy Onions niet alles vertellen. Wildeve had hem nu in het nauw gedreven. Liegen had geen zin.

'Nog niet meteen.'

'Nog niet meteen, of alleen wanneer het je uitkomt?'

'Komt eigenlijk op hetzelfde neer.'

'Dus je gaat hier op eigen houtje mee verder, terwijl je donders goed weet dat je bij de volgende stap achter de een of andere KGB-spion aan moet, zonder dat Stan daarvan op de hoogte is.'

'Ik had nog niet over een volgende stap nagedacht, maar als je het zo stelt...'

'Ik weet niet hoe ik het anders moet stellen. De man is dood. Aangespoeld in zijn kikvorskloffie op nog geen drie kilometer afstand van de aanlegplaats waarvan zelfs de regering toegaf dat hij daar het Russische schip aan het bespioneren was. Achter wie dacht je dan dat je nu aan moest? En hoever dacht je daarbij te zullen komen?'

Troy haalde zijn schouders op. Wildeve dacht zo veel sneller dan hij. Maar Wildeve wist ook maar half wat hij wist.

'Ik zal je zeggen wat de volgende stap is. We laten het hierbij. Jij brengt verslag uit bij de weduwe, geeft haar het slechte nieuws, condoleert haar, en keert terug naar het echte moordwerk. Als je dat niet doet...'

Troy opende zijn mond om wat te zeggen. Wildeves hand schoot omhoog, vlak en onverbiddelijk voor zijn gezicht, als de verkeersagent die het machtige gebrul van het Londense verkeer stopzet.

'Kop dicht! Als je dat niet doet, als ik hoor dat je doorgaat met het onderzoek naar de dood van kapitein-luitenant-ter-zee Cockerell, in welke richting ook, of vanuit welke invalshoek dan ook, dan verlink ik je, Freddie. Dan verlink ik je en vertel Stan alles. Heb je me begrepen?'

Troy begreep het heel goed.

Ze reden in stilte terug naar Londen. Hij kon uiteindelijk helemaal niet bedenken in welke richting hij de zaak kon of wilde doorzetten, en al helemaal niet uit welke hoek zo'n verse impuls of nieuw initiatief zou moeten komen. Het gaf echt niet dat Jack zich zo hard had opgesteld. Door Cockerell te identificeren was de zaak verder afgedaan. De enige interessante Cockerell was die welke niet aan de kust van Hampshire was aangespoeld, de dolende echtgenoot die Troy in gedachten in de armen van de een of andere vriendin zag liggen, de dolende echtgenoot van wie zijn vrouw dacht dat hij op de loop was voor zijn crediteuren, en aangezien de man op de snijtafel kapitein-luitenant-ter-zee Cockerell was, bestonden die andere niet. Voor het eerst in dagen hoorde hij de vos en de kat niet meer. Hun lied was verstomd en hun poten waren verstard.

60

Hij was aan het begin van de avond thuis. De septemberavonden waren nog niet herfstig, maar ook niet meer zomers, in zoverre dat de lengte ervan niet meer vanzelf sprak. Tosca zat in de huiskamer in haar tweedelige Chanel-pakje, hetzelfde dat ze droeg toen hij haar in Amsterdam opzocht. Hij was het gaan zien als haar uitgaanstenue.

Ze blies een bel van haar kauwgom en liet die met haar voortanden barsten.

'Mooi,' zei ze. 'Je bent precies op tijd om me mee uit eten te nemen.'

Hij had geen plannen gemaakt, wist niet eens of hij haar wel thuis zou treffen – de laatste tijd had ze vaak willekeurig en in haar eentje door de stad gezworven. Troy had geconcludeerd dat ze oude plekjes van vroeger bezocht, herinneringen ophaalde, Londen herontdekte.

'Oké,' zei hij. 'Waar gaan we heen? Sjiek of Soho?'

'Soho.'

'Gennaro, de huzaar, of wil je muziek?'

'Kweenie.'

Ze besloten tot Wheeler in Old Compton Street. Troy was niet zo gek op dat restaurant en hun voorkeur voor de Engelse keuken, maar zij beweerde daar nooit te zijn geweest, en zelfs nooit de oesters te hebben gegeten, waarvoor Wheeler bekendstond. Hij betwijfelde of het notoire mythische effect van oesters zijn stemming veel goed zou doen.

Hij keek hoe ze gezichten zat te trekken en vroeg zich af of je de zoute structuur van oesters lekker moest leren vinden of dat het meer de nieuwe kleren van de keizer waren, en hij vertelde haar van zijn trip naar Portsmouth. Hoe erg hij het vond een zaak te moeten opgeven.

'Moord is niet meer wat het geweest is,' zei Tosca.

'Dat moet je me dan eens uitleggen.'

'Het stond in een van je boeken die ik aan het lezen ben – *Shooting an Elephant* van ene Orwell. Een essay, getiteld "De aftakeling van de Engelse moord". Over het feit dat de moorden van voor de oorlog – daar gaan we weer, met die uitdrukking – voor die *godvergeten* oorlog meer iets van familieruzies hadden. Maar dat dezer dagen de willekeur overheerste, met als gevolg dat het werk van de politieman steeds gecompliceerder wordt. Hij gaf de schuld aan de Amerikanen, als ik het me goed herinner.'

Troy moest opeens denken aan Neville Heath, een meervoudige moordenaar in het eerste jaar van de vrede, die moord had 'gespeeld' alsof het een spelletje was tussen hemzelf en de politie.

'Hij heeft gelijk,' zei Troy. 'Niet met die Amerikanen, maar met de manier waarop dingen zijn veranderd. Als je vroeger een ondiep graf vond, en het lijk van een vrouw, ging je op zoek naar een voortvluchtige echtgenoot of minnaar. Nu weet ik niet waarnaar ik moet zoeken. En heb ook geen idee naar wie. Moord is, zoals je het zo bondig wist uit te drukken, niet meer wat het geweest is.'

Toen ze Wheeler uit liepen, sloeg Troy automatisch rechts af, richting Charing Cross Road.

'Nee,' zei Tosca. 'De lange route.'

Dus liepen ze westwaarts, verder Soho in.

Bij het langslopen van koffiebar 2i hoorden ze een zoemgeluid. Een stevig versterkte gitaar-en-drumband speelde voor een groep jongelui in slobbertruien, onder wie Troy zijn neefje Alex herkende.

Tosca hield in, Troy niet.

'Is dit niet het spul dat jij laatst speelde?' vroeg ze.

'Nee,' antwoordde hij. 'Dit is de gekooktemelkversie.'

Ze moest hollen om hem in te halen. Ze sloegen Wardour Street in, naar Shaftesbury Avenue. Ze keek om zich heen en bestudeerde iedereen en alles waar ze langskwamen. Ze staken de avenue over bij het gebombardeerde geraamte van het Queen's Theatre – gebombardeerd, herinnerde Troy zich, tijdens een opvoering van *Rebecca* – en ze belandden vanwege plotseling optrekkend verkeer op het betonnen eilandje in het midden, op steenworp afstand van Piccadilly Circus. De gedachte die haar duidelijk de hele avond al bezighield kwam naar boven.

'Ik herken dit land helemaal niet meer.'

'Ik wel. Het is het land zoals het was. Na de oorlog brachten we ons bonnetje terug naar de lommerd en haalden het weer op. Stoffig en muf en mottig, maar wezenlijk intact.'

'Wat – alsof Engeland een soort ouwe rammelkast op blokken was, waar je alleen maar een paar wielen onder moest zetten, de tank van moest vullen, wat punten moest doorsmeren en de startknop indrukken?'

'Zoiets ja. Zo heeft mijn moeders auto de oorlog doorstaan. En de gevestigde gewoontes van dit land eigenlijk ook.'

'Ik leerde Engeland pas kennen in 1942. In het begin was ik geïmponeerd, het belegerde Londen had iets bijzonders, alsof we allemaal iets gemeen hadden, iets wat ons verbond, maar ik merkte al vrij snel dat het vroeger wel anders was. Een van de mensen met wie ik vroeger werkte, was een luitenant uit Arlington, zo'n sjiek mokkel had je nog nooit meegemaakt – tweede luitenant Zadora Pulaski, dochter van een Republikeinse senator, die vond dat het voor de opvoeding van zijn kleine meid geen kwaad kon als ze een tijdje in Engeland zat. Zij zat hier van 1935 tot 1937, en zei altijd tegen me: "Schat, je weet niet wat je meemaakt in dat land. Als je vindt dat ze nu opgefokt zijn, dan had je ze voor de oorlog eens moeten zien. Toen kon er helemaal niks." Bij het uitspreken van die laatste zin trok ze dan een gezicht of ze op een pepertje had gebeten.

Ik kwam tot de conclusie dat de verduistering het beste symbool was voor Engeland tijdens de oorlog. Onder de dekmantel van de duisternis werden alle oude regels en beperkingen gewoon genegeerd. Zoals de bekakt pratende dame in de trein die de inhoud van haar lunchpakket met je deelt, of de vent die je op straat hebt opgepikt en die niet bang is met je te neuken. En toen gingen de lichten weer aan. Grote schrik en afschuw. Iedereen poetste zijn manieren op en trok zijn broek weer aan. En wat is Engeland nu? Een plek waar ze je eerder laten creperen dan een hap vreten met je delen, en waar de mannen te bang zijn voor vrouwen om te durven zeggen dat ze die wel leuk vinden, laat staan met ze willen neuken.'

De ironie van die laatste opmerking ontging haar. Troy knipperde haast met zijn ogen, zo hard als die aankwam, maar Tosca ratelde door alsof er niets aan de hand was.

'En de uiteindelijke vraag is natuurlijk: wat heeft de oorlog veranderd?'

'Ik heb een vriend, een ex-piloot van de RAF, die het standpunt inneemt dat de oorlog niets heeft veranderd. Absoluut niets. Helemaal, volkomen niets.'

'Hij heeft gelijk.'

'Het slopen van onze steden, vernietigen van onze betalingsbalans, onderuithalen van onze buitenlandse betrekkingen, uitputten van onze goudreserves, tenietdoen van het Britse Empire, en het ons voor altijd schatplichtig maken aan de almachtige dollar telt allemaal niet mee, hè?'

'Nee, in deze vergelijking niet. Kijk nou eens naar Duitsland, goddomme. Dat de oorlog verloor. In 1947 exporteerden ze alweer Volkswagens. Weet je wat Duitsland heeft, wat jullie niet hebben? Het Marshallplan? Dat ze geboren technici zijn? Dat ze alleen maar het puin hoefden te ruimen om opnieuw te kunnen beginnen? Al die flauwekulargumenten waar de Engelse kranten mee vol staan? Gelul. Het is veel eenvoudiger. Niemand praat er over de oorlog.'

'En terecht,' zei Troy tegen een doof oor.

'De Britten? Schei toch uit, Troy. Die houden nooit op over die oorlog. Ze zijn er iedere minuut van de hele godvergeten dag mee bezig. Is er bijvoorbeeld ook maar één bioscoop in Londen die niet de een of andere oorlogsfilm draait?'

Het klopte wel, wat ze zei. De oorlog was van onvoorstelbaar groot belang voor de Engelsen. 'Het hoogtepunt van hun leven' was ook een blok aan hun been. Er bleef toch altijd nog een hang naar het simpele heldendom. Nog maar een paar jaar terug vonden er nationale feestelijkheden van ongekende omvang plaats, toen HMS Amethyst het spervuur van de Chinese kanonnen trotseerde en de blokkade van de Yangtse doorbrak, waarbij de scheepskat het leven liet tijdens het vijandelijke vuur. Het dier kreeg het 'Victoria Cross voor Katten' toegekend en werd met militaire eer begraven. Troy wist nog steeds niet of dit nu aandoenlijk was, of geschift.

'Ik vond Londen leuk. Ik vond de onofficiële vrijheden van de oorlog leuk. Maar de tijden veranderen, de wereld gaat door. Engeland niet. Dat viel terug, omdat het zich bleef vastklampen aan die oorlog. Die een maatstaf is geworden. Men herinnert zich alle narigheid en blijft daarin ronddraaien. En de goeie dingen, zoals de barrières die wegvielen, en hoe jullie klassebewuste klootzakken allemaal één lijn trokken... dat is allemaal vergeten. Jullie wisten toen dat je allemaal in hetzelfde schip zat, nu vinden jullie dat je niet eens op dezelfde rivier bent. Het is een naar, klam, theezuipend landje. Waar ik het niet meer leuk vind. Engeland – waar het stinkt naar ouwe tabak, natte gabardine en mannen die nooit die verschrikkelijke pakken van ze laten stomen en harige neusgaten hebben. Leg nooit je hoofd in de schoot van een Engelsman. Je stikt er in een moerasdamp van verschraalde pis en ranzig verlangen.

Er is één ding mis met Engeland, en mis op grote schaal. Het lijkt wel, los van het feit dat ze nooit ophouden erover te praten, of de oorlog aan ze is voorbijgegaan!'

Het bleef lang stil. Voor het eerst werd Troy zich bewust van de hachelijke positie waarin ze verkeerden, met een topdrukte aan verkeer dat aan beide kanten aan ze voorbij schoot, omdat de theaters in hun omgeving bezig waren leeg te lopen. Achtergelaten op een verkeerseiland op honderd meter van het hart van het imperium dat we niet langer wilden.

'En hoe voel jij je nu bij dat alles?'

'Als een Amerikaan. Lach maar niet, maar na alles wat ik heb doorgemaakt, krijg ik langzamerhand het gevoel dat ik misschien toch wel een Amerikaan ben.'

'Weet je wat ik dan ben? Een Amerikaanse oorlogsbruid. Mooie titel voor een film. *I was a Male GI Bride*.'

'Jij een oorlogsbruid? Allemachtig, Troy, beseften ze nou maar eens dat dit hele kloteneiland een oorlogsbruid was!'

Shaftesbury Avenue over, via het korte stuk van Wardour Street Coventry Street in. Bij het oversteken van Leicester Square viel Tosca's blik op het enorme verlichte reclamebord van de Odeon. Troy had gehoopt dat te vermijden. Kenneth More, Muriel Pavlow en Anton Diffring in *Reach For the Sky*. Het verhaal van Douglas Baker, een oorlogsvlieger met nog minder benen dan Angus Pakenham.

'O, tjezus, Troy. Kijk nou toch. Had ik het daar nou net niet over? Weer zo'n verdomde oorlogsfilm. Ik bedoel... ik bedoel, dat is waar ik *Gejaagd door de wind* heb gezien. Vijf keer, in 1943.'

De bruine ogen keken hem aan.

'En nog twee keer in 1944.'

Troy overwoog te zeggen dat *Gejaagd door de wind* ook een verdomde oorlogsfilm was, maar haar verdriet bij het zien van weer zo'n club dappere Britten in verzet tegen de sinistere dreiging van Mr. Diffring, een eenmans repertoire van gekaplaarsde fascisten met vierkante kaken, was zo overduidelijk echt. Ze duwde haar voorhoofd tegen zijn borst en hij merkte dat ze zachtjes snikte, dat ze huilde om Rhett en Scarlett en ook om zichzelf.

Hij boog zijn hoofd om in haar oor te fluisteren.

'Da da daa daaa. Da da daa daaa.'

Haar hoofd kwam omhoog, haar ogen lachend door de tranen heen.

Troy bracht, rustig doorneuriënd, zijn armen in positie en laveerde haar voeten in het rond.

'Kom op,' zei hij. 'Het is een wals. Je weet wel. Een, twee, drie, een, twee, drie. Da da daa daaa.'

'Doe niet zo stom. We kunnen niet...'

'Ja, we kunnen wel. We doen het al.'

Hij walste haar het plein over naar Irving Street, da-da-dadaaënd in haar oor tot ze begon te giechelen, en de tranen stopten en haar glimlach zich in zijn ziel kerfde. Ze danste – ze dansten – veel soepeler dan hij ooit had gedacht. Hij danste haast nooit. Een getrouwde vrouw als minnares, tot voor kort, hield in dat hun omgang een hoop stiekem gedoe was. Anna en hij hadden nooit gedanst, hadden zich zelden in het openbaar vertoond. De klanken van Tara's thema zwollen aan, en hij zag over Tosca's schouder hoe een clubje dronkelappen het lied overnam, verbazend toonvast, en ze walsten naar een geïmproviseerd brouwerij-koor, en haar gegiechel ging over in grote uithalen en ze kon niet meer dansen van het lachen.

Ze stopten. Ze sloeg haar armen om zijn nek en drukte hem tegen zich aan en verstarde toen er om hen heen een applaus opklonk in de avondlucht. Troy keek om zich heen en zag een tikje gegeneerd dat ze het middelpunt vormden van een erkentelijk publiek, een tiental Londenaren voor wie *Gejaagd door de wind* ook meer waard was dan tien oorlogsfilms, en de echte herinnering aan hoe we waren veel dierbaarder dan die op celluloid.

Hij pakte haar hand en ze holden naar Charing Cross Road, door de steeg tussen de theaters en thuis.

Ze tuimelden in zijn bed. Voor het eerst dat ze niet naar verschillende bedden gingen, waarna zij dan op een onmogelijk uur in het zijne kroop om het goed te maken. Troy deed het licht uit en stak zijn handen naar haar uit. Ze had hem al haar rug toe gekeerd. Hij legde een hand op haar achterste. Het was de kont van weleer. Al het gewicht dat ze in Moskou was kwijtgeraakt, was weer terug. Het was dezelfde ronde kont die zijn vingertoppen en handpalmen kenden. In welke zenuwknoop van zijn lichaam zat die herinnering opgeborgen? Welk neuron sloeg de indruk van een kont op? Dat verstrooide en onbetrouwbare orgaan, de hersenen, kon het toch niet zijn?

Hij hield vol, zijn vingers glijdend langs de naad van haar billen en verder, zijn erectie tegen haar aan, en dieper, tussen haar benen. En hij kreeg het gevoel dat ze hem zou laten begaan. Toen pakte haar hand de zijne en legde die terug op zijn eigen dij. Daarna pakte diezelfde hand zijn pik en pompte hem zacht en snel naar een natte vloed in haar lendenstreek.

Hij hoorde aan haar manier van inademen dat ze iets ging zeggen. Verstrikt in de modderpoel tussen genot en de zekerheid dat ze hem op haar manier toch weer met een kluitje in het riet had gestuurd, hunkerde hij naar de zoetheid en nietigheid van zoete nietsigheid. Wat ze nu ook ging zeggen, laat het een wissewasje zijn, als onbetekenende liefkozing, lieve God.

'Weet je,' zei ze, en ze draaide zich om, en drukte haar hoofd tegen zijn borst, zodat haar stem werd gedempt door zijn lijf. 'Ik wil niet meer in deze stad wonen. Zou je het erg vinden als ik morgen terugging naar Mimram? Het nog eens ging proberen?'

61

Tosca lag op haar buik in de lakens met haar hoofd op zijn ribbenkast, en één hand plat op zijn buik. Troy wist niet of ze in deze vreemde houding in slaap was gevallen of dat ze hiermee een neutrale positie innam. De gedemilitariseerde zone, de 38ste breedtegraad van het bed.

De telefoon rinkelde. Of om precies te zijn, de telefoon ratelde en zoemde zacht. Hij had de bellen al een hele tijd geleden verwijderd, zodat het ding niet meer klonk als een brandweerauto die door zijn slaapkamer scheurde.

Een gedempte stem achter hem.

'Niet opnemen.'

Hij reikte naar de hoorn. Tosca stak een vinger in zijn navel en duwde.

'Niet opnemen.'

'Ik moet wel. Op dit uur van de nacht moet het wel werk zijn.'

'Het is middernacht geweest. Ik voel me lekker. Ik ben bijna gelukkig. Met één voet op de weg naar het paradijs. Laat Jack de klere krijgen.'

'Dat kan niet.'

Hij nam de hoorn van de haak. Knop A ratelde in zijn oor.

'Overhaast je vooral niet, zakkenwasser!'

'Angus?'

'Nee, de aartsbisschop van Canterbury, verdomme, die je belt om te zeggen dat masturbatie een zonde is, dus ophouden daarmee, en je bed uit.'

'Ben je dronken?'

'Als een kanon.'

Een echoënd gefluit van stoom vulde de achtergrond. Een bedroefd metalen beest ergens over de schouder.

'Waar ben je?'

'St Pancras. Ben net terug van Derbyshire. Kloterit duurde vier uur. Maar goed dat de bar een hoop van die kleine flesjes had. Ik heb British Railways plat gedronken. Ze moesten in Ketteridge aanvullen, alleen voor mij. Ik kom nu meteen naar je toe.'

Hij was Angus vergeten. Hij had hem helemaal uit zijn hoofd gezet.

'Nee, nee Angus. Dat hoeft niet. Ik had het verkeerd. Cockerell is echt dood. Hij bespioneerde dat schip inderdaad.'

'Nee, dat had je niet.'

'Hè?'

'Je had het niet verkeerd. Ik kom zodra ik een taxi heb gevonden.'

Hij hing op.

Tosca rolde van hem af. Gaf hem een zet met haar achterste, en nog een zet, en nog een, tot hij eruit moest of eruit viel.

'Ik ben zo terug.'

'Maakt niks uit.'

'Ik stuur hem weer weg en kom terug naar bed.'

'Maakt niks uit, dus doe geen moeite.'

Hij trok zijn kamerjas aan en ging naar de keuken en naar de ketel. Hij moest een paar koppen koffie in Angus gieten, hem bedanken, zeggen dat zijn trip tevergeefs was geweest, en hem naar huis sturen, naar Anna.

Tien minuten later dacht hij een stem te horen in de steeg. De een of andere idioot, die liep te zingen.

'Leentje Lotje Lopen.'

Of zoiets.

'Leentje Lotje Lopen.'

De stem stopte bij zijn deur en riep: 'Troy!'

Troy opende de deur. Angus stond in de steeg. Hij zag eruit alsof hij van een vrachtwagen was gevallen, van onder tot boven onder de vlekken, zijn das op half zeven, de helft van zijn gulpknopen los, en hij zwaaide licht, als een populier in de zomerwind.

'Leentje leerde Lotje lopen in de lange Lindelaan.'

'Kom binnen en hou je kop.'

Angus viel in een leunstoel, zijn vingers nog om het handvat van zijn aktetas. Zijn mond viel open en zijn ogen dicht. Het was verleidelijk. Troy kon hem daar laten tot de volgende ochtend. Maar hij schudde hem wakker en duwde hem een kop zwarte koffie in zijn handen.

'Probeer je me te ontnuchteren? Spelbreker.'

'Ja. En dan moet je naar huis, naar je vrouw.'

'Niet voor je hebt gehoord wat ik te zeggen heb.'

Angus stond op, trok zijn jasje uit, wreef met zijn handen zijn gezicht en maakte blubberige geluiden, en sloeg toen de gloeiendhete koffie in één teug achterover.

'Als ik ga zitten, verzeil ik in een mum van tijd in dromenland. Moet in beweging blijven. Moet in beweging blijven.'

Hij leunde te zwaar op zijn blikken been en Troy zag zijn gezicht vertrekken. Hij bleef bij de piano staan en leunde met zijn achterwerk tegen de klep.

'De essentie is, dat je gelijk had. Hij is een oplichter. Er is een reusachtige knoeierij gaande.'

'Ik zei je al, Angus. Hij is dood.'

'Dat maakt geen donder uit. Je hebt me daarnaartoe gestuurd omdat je lont rook. En ik zeg je nu dat het een compleet kruitvat is.'

Troy ging zitten in de hoop dat Angus zijn voorbeeld zou volgen, maar die bleef zwaaiend met zijn blikken been door de kamer scharrelen en tegen de meubelen botsen. Hij rekte zich uit en probeerde wat bruikbaarder in de omgang te worden en een klein beetje te ontnuchteren. Hij hield zijn handen weer tegen zijn gezicht, slaakte een enorme, gedempte kreet 'Worraworraworra' en stak van wal met zijn accountantsverhaal.

'Cockerell was inderdaad een oplichter. En Jessel zat in het complot. En er ging een enorme hoeveelheid geld om. Ik heb de boeken van de laatste zeven jaar doorgenomen. Ik heb alle belastingaangiften gelezen. Ik ben in al die verschrikkelijke winkels geweest. Ik heb met zijn bankdirecteur gepraat. En ik heb, zoals je zult horen, zijn hypotheekbank stevig onder handen genomen. Troy, er werd via die boeken een klein fortuin verwerkt. Die winkels kunnen nog geen vijftien procent omzetten van wat hij declareert. En wat de buitenlandse handel betreft had hij wel vijf, zes man personeel nodig gehad om al die transacties die hij claimt, het kopen hier, het verkopen daar, te verwerken. De waarheid is, dat hij zijn zaak en zijn boeken gebruikt om geld wit te wassen.'

'Witwassen?'

'Wassen. Geld komt vies binnen, dat is illegaal, en gaat er aan de andere kant schoon weer uit, dat is legaal.'

'Waarom pakt niemand hem dan aan?'

'O, maar dat is het mooie ervan. Hoe worden de meeste knoeiers gepakt? Ze leven te rijk, declareren te weinig, verbergen te veel, en onze oude makkers bij de belastingdienst krijgen ze te pakken. De meeste zwendelaars worden door de jongens van de inkomstenbelasting gesnapt, lang voordat de fraudebestrijding ze in de gaten krijgt. Cockerell heeft over alles wat ooit zijn bedrijf passeerde, belasting betaald. Zijn boeken zijn een meesterlijk stuk verzinwerk, maar zijn belastingaangiften zijn tot op de cent nauwkeurig. Want, waar kijken ze naar, bij de belastingdienst? Die zijn op zoek naar mensen die te weinig aangeven van hun werk of hun bedrijf, en hebben geen tijd zich bezig te houden met mensen die misschien wel te veel aangeven. Waarom zouden ze? Zij profiteren van Cockerells eerlijke betalingen over zijn oneerlijke verdiensten. Dat duurt niet eeuwig. Dat verzeker ik je. De georganiseerde misdaad in de Verenigde Staten heeft het witwassen van geld tot een kunstvorm verheven – je weet hoe de FBI Capone in zijn kraag greep, niet voor moord of het illegaal stoken van drank, maar voor belastingontduiking. De belastinginspectie hier krijgt op een gegeven moment met dezelfde problemen te maken als die in de Verenigde Staten. Maar intussen heeft jouw kapitein-luitenant-ter-zee Cockerell een fraaie zwendel op poten gezet die prima werkt.'

'Het klinkt me nogal primitief in de oren, bijna stom.'

'Primitief misschien, maar wel heel fraai. Niet waterdicht, maar wel ingenieus. Je neemt om de Kamer van Koophandel te sussen een omkoopbare accountant, en je betaalt het volle pond over al je zwendeltjes. Het is simpel, Freddie, maar het is niet stom. Hij had er nog jaren mee kunnen doorgaan. Maar – hij begon onvoorzichtig te worden. Heeft zijn vrouw je zijn auto laten zien?'

'Ja.'

'Hoeveel denk je dat zo'n auto kost? Nou weet ik dat je een Bentley rijdt, ouwe rukker, maar onderschat de Jaguar niet. Nou, raad eens?'

'Zes- of zevenhonderd?'

'Eerder duizend. En hij had ook nog een Rover. En hij betaalde contant. Bijna twee jaar salaris voor de doorsnee werknemer. Contant.'

'Hoe weet je dat?'

'Ben naar de garage in Derby geweest, waar hij ze had gekocht. De eigenaar daarvan was, in tegenstelling tot de meeste mensen, maar al te graag bereid om over kapitein-luitenant-ter-zee Cockerell te praten. Een van zijn beste klanten. Ieder jaar nieuwe auto's. Van de bovenste plank. Walnoten en lederen interieurs, ingebouwde radio's, noem maar op. En de laatste twee jaar betaalde hij contant. En dat vind ik nou echt stom. Terwijl hij zo netjes en eerlijk met al zijn schertscijferwerk was geweest, dat niemand er ooit aan zou twijfelen. Wie weet, misschien wilde hij wel stoer doen met een pak geld. Maar het was stom, want als ik dat niet had geweten, had ik die eikel misschien wel het voordeel van de twijfel gegund; had ik misschien wel gedacht dat handel op deze schaal kon worden uitgevoerd door één hard werkende vent en een paar winkelbedienden. Maar ik zeg nu dat het mijn professionele, zij het bezopen, overtuiging is, dat de meeste van Cockerells buitenlandse transacties nep zijn, dat veel van het geld dat hij uitgeeft in Engeland niets van doen heeft met zijn zaak, met afgeleverde goederen of verleende diensten. Dat het een soort provisie moet zijn, en dat, als hij geld vanuit het buitenland naar Engeland bracht om dure auto's van te kopen, hij dat waarschijnlijk ook op grotere schaal heeft gedaan, en dat het ook via diverse kanalen moet zijn verdwenen. Bovendien heb ik het vermoeden dat er in het buitenland andere bankrekeningen moeten zijn waar wij en de belastingdienst niets vanaf weten. Het waarom van deze zwendel weet ik niet, maar het hoe wel. De zwendel is amateuristisch, en simpel, maar hij werkt – en hij is groot. Hij begon in 1951, toen Cockerell zijn Zweedse onderneming opstartte. Die groeide geleidelijk aan in 1952 en 1953, en rond 1954 zette hij een klein fortuin om. Iedereen die met een kritisch oog naar zijn cijfers keek en ook zijn omstandigheden kende, zou zich hebben afgevraagd waarom hij geen beter leven leidde dan hij deed. De vrouw zei dat ze "het ervan namen" – met wat hij verdiende, zou ik me in moutwhisky baden. Zou ik mijn sokken met de hand laten maken in Jermyn Street. Liet ik mijn blikken been met goud beslaan. Ergens in 1951 is er iets gebeurd dat het leven van deze eikel volkomen heeft veranderd. De zaken liepen van middelmatig tot redelijk. Meer niet. Toen kwam iemand met een droom van een voorstel. En vanaf dat moment is het geld van alle kanten binnen blijven stromen.'

Angus overdonderde Troy nu een beetje. Die probeerde wat houvast te krijgen.

'Hoe kunnen mensen op die manier met geld lopen zeulen? Dat is toch smokkel, niet? Geldsmokkel?'

'Verkeerde richting, beste jongen. Met de staat waarin het pond verkeert, maken onze mensen zich meer zorgen over het geld dat het land uitgaat. Neem contanten mee het land uit, en je bent de sigaar. En ze hebben het zo druk mensen op te sporen die proberen contanten het land uit te dragen, dat het volgens mij niet bij ze opkomt, gegeven de slechte wisselkoersen, dat iemand geld het land zou willen binnensmokkelen. Hij had natuurlijk pech kunnen hebben. Ze hadden hem zijn bagage kunnen laten openmaken op zoek naar een paar aanstekers of een fles geur en hem dan betrapt hebben met tienduizend in contanten, maar de goden waren hem welgezind. Ik noem dat een aanvaardbaar risico.'

'De banken – vond zijn bankdirecteur het dan niet verdacht?'

'Waarom dacht je dat hij zijn bankzaken in Great Malvern deed? Omdat de man daar geen idee van de werkelijke omvang van zijn zaken in Derbyshire had. Een man uit zijn eigen omgeving had daar wel anders tegenaan gekeken. Daarnaast is het een stompzinnige klootzak. Dat weet ik, omdat ik een uur met hem aan de telefoon heb gezeten.'

Angus ging zitten. Het been kon het niet meer aan, maar zijn ogen stonden helder, en in zijn stem was een ondertoon van cijfermatig genot doorgebroken. Hij pakte een stapel papieren uit zijn tas en wuifde daarmee naar Troy.

'Bankafschriften. Papieren van de hypotheekbank. Een hypotheek. De bouwstenen van het leven zoals we die kennen. De koolstof, de amine, het deoxyribonucleïnezuur van ons sociale bestaan.'

'Ja.'

'In jouw aantekeningen staat dat de schoonvader het huis voor de Cockerells kocht. Waarom een hypotheek? Ik belde het stuk onbenul in Great Malvern en die bevestigde, nadat ik hem ervan had overtuigd dat ik het recht had hem dat te vragen, dat een van de automatische afschrijvingen op Cockerells bankafschriften een maandelijkse hypotheekbetaling was. Maar – die was pas opgenomen in 1952 – en het huis was, zoals je weet, geërfd in 1943 – en was afbetaald in december van het vorig jaar. Volgens mij had Cockerell, met al het geld dat hij overal had rondzweven, dat alleen maar gedaan voor de belasting. En weer deed Mr. Zwendel alles volgens het boekje. Dus belde ik de Ancient Order of Derbyshire Foresters (Vereniging van oud-boswachters, vert.) en wist, voor ze dichtklapten, de een of andere arme vrouw daar te ontfutselen dat die hypotheek niet op die bungalow in Belper rustte. Freddie, die stinkerd heeft ergens nog een tweede huis. Een soort schuilplaats, of zoiets.'

'Waar?'

'Ik zeg net dat ik dat niet weet. Er kwam de een of andere officiële pief, misschien wel de Ancient Forester zelf, aan de lijn, die zei dat ik me met mijn eigen zaken moest bemoeien. Maar als je mij vraagt, is een schuilplaats de eerste vereiste van een verdwijntruc.'

'Hij is dood, Angus.'

'Weet je dat zeker?'

'Ja. Ik heb een tweede lijkschouwing georganiseerd, en hem uiteindelijk zelf geïdentificeerd.'

'En wie zit er dan in die schuilplaats?'

'Wist ik het maar.'

62

Hij kieperde Angus in een taxi en liep zachtjes op zijn tenen de trap op. Tosca lag opgerold midden in zijn bed. Hij had min of meer verwacht dat ze hem wel gesmeerd zou zijn naar dat van haarzelf. Hij ging naast haar liggen en luisterde naar haar regelmatige ademhaling. Hij kuste haar schouderblad en het ritme veranderde niet. Hij sloeg een arm om haar heen en hield zijn vingers tegen haar linkertepel. Ze haalde de hand weg, hield die tegen haar lippen en kuste die, en liet hem daarna vallen, aan zijn kant van het bed.

63

In de ochtend reed Troy met haar mee in de ondergrondse naar King's Cross. Hij kon zich niet herinneren dat ze ooit samen in de ondergrondse hadden gezeten. In een geheugenflits hoorde hij haar weer zeggen – het was in de oorlog – dat ze liever in de openlucht stierf dan zich schuil te houden onder de grond. 'Het stinkt daar, weet je dat? Het stinkt daar echt.'

'Je hoeft niet te wachten. Ik kan niet tegen al dat wuiven en kussen. Ik heb *Brief Encounter* te vaak gezien.'

Dus stonden ze tussen de loodsen en keten die van het stationsplein een barakkenwijk maakten, voor het bagagedepot.

'Kom je het weekend naar huis?'

'Ja.'

'En Rod en je zussen?'

'Die gebruiken het huis zoals het ze uitkomt. Rod heeft het eerlijk gezegd nodig voor zijn werk. Maar het is mijn huis, en ik kan ze er allemaal uitgooien.'

'Dat hoeft niet. Ik kan het wel aan. Ik heb alleen nooit een familie gehad. Het was altijd alleen mam en ik.'

Troy was geschokt. Hij had er nooit een seconde bij stilgestaan dat zij ook familie had.

'Waar is je moeder?'

'Wist ik het maar. Ze is nog helemaal niet zo oud, weet je. Drie- of vierenzestig.'

Hij zag in haar ooghoeken de tranen opwellen die algauw een stroompje vormden op haar wangen.

'Ze zal wel denken dat ik dood ben. Ik bedoel, ze zullen haar toch wel hebben verteld dat ik dood ben, niet?'

'Ik ben bang van wel. Ik heb je zelf dood gemeld bij het Amerikaanse leger.'

Hij zweeg even. Het leek onvermijdelijk, hij moest het wel zeggen.

'Ik dácht dat je dood was.'

Dit eenmaal gezegd, kreeg het iets van een beschuldiging.

Onder de glazen overkapping huilde een locomotief, lang en diep – een ijzeren beest dat pijn leed. Ze gaf hem een kus op zijn wang en holde weg. Het leek Troy alsof het hollen nooit meer ophield.

64

De Ancient Forester was inderdaad oud. Een aarzelende stem. Een onverzettelijk type.

'U zegt dat u een rechercheur van Scotland Yard bent. Hoe weet ik of u een rechercheur van Scotland Yard bent?'

'Omdat ik het zeg' zou waarschijnlijk niet overtuigen. En een opmerking over de belemmering van een ambtenaar in de uitoefening van zijn functie ook niet, dacht Troy.

'Dat is heel eenvoudig,' zei hij. 'Dan belt u me terug. U weet het nummer van Scotland Yard toch?'

'Maar,' zei de Ancient, 'dan moet ik voor het gesprek betalen.'

'Dan stuur ik u een postkwitantie,' zei Troy.

Meestal werkte dat wel. Hij wachtte vijf minuten, en de vijf minuten werden een kwartier. Hij dacht net dat hij de enige persoon in het Verenigd Koninkrijk had gevonden die het nummer Whitehall 1212 niet kende en stak zijn hand uit naar de telefoon om de oude sukkel weer te bellen, toen die overging.

'Spreek ik met hoofdinspecteur Foy van Scotland Yard?'

'Troy. De naam is Troy.'

'O, ik sprak zojuist met hoofdinspecteur Foy.'

'Dat was ik.'

Stilte. Troy deed wat hoofdrekenwerk om te zien hoe lang het zou duren om naar Chesterfield te gaan en het adres van hem los te peuteren.

'Cockerell, zei u?'

'Ja.'

'We hebben weleens met Mr. Cockerell te maken gehad.'

'Ja.'

'Maar nu niet meer.'

'Wat u had, was een hypotheek die door hem was afgesloten in september 1952, of daaromtrent, en die werd afbetaald in december 1955.'

Troy hoorde het geluid van de Ancient die in papieren rommelde. De zware ademhaling van een man met een begin van longemfyseem.

'Dat klopt wel, geloof ik.'

'Wat ik moet weten, is waar het pand waar Cockerell een hypotheek op had staat.'

Opnieuw het langzame, haast eindeloze geritsel van papieren. Een inademen en uitademen dat klonk alsof hij door een wringer werd gehaald. De twee korte, ongelijksoortige lettergrepen.

'Bri-ton.'

Bri-ton? Bri-ton? Lieve hemel, de ouwe sul zei Brighton. Troys hart maakte een sprongetje. De sensatie van de jacht, de bedwelmende achtervolging van de behendige crimineel, de onverdroten ijver van de goeie rechercheur.

'Ja,' zei hij. 'Maar waar in Brighton?'

'Wat zegt u nu?'

'Waar in Brighton?'

Troy beet op zijn onderlip. Zijn neiging tot onderbreken zou alleen maar averechts werken. Hij hield zich in en wachtte.

'Chatsworth Place...'

'Jaaaa.'

'Chatsworth Place, nummer 2, Cavendish Hill, Bri-ton.'

De gedempte stem in zijn hoofd juichte en zong. Om zeker te zijn las Troy het adres nog eens terug, waarbij de Ancient 'Ja' zei bij iedere pauze. Na de laatste pauze had Troy een 'dank-u-wel-u-hoeft-ons-niet-te-bellen-als-wij-u-niet-bellen' op zijn lippen, toen de oude man met zijn grote verrassing op de proppen kwam.

'Eigendom van Mrs. M. Kerr.'

'Wat?'

'Hier staat... Kerr. M. (Mrs.).'

'Bedoelt u dat het huis niet van Cockerell was?'

Weer een lange pauze waarin de Ancient moeizaam adem vergaarde.

'Blijkbaar niet.'

'Maar hij betaalde wel de hypotheek.'

'Regelmatig. En hij betaalde die helemaal af.'

'Is dat niet wat vreemd?'

'Een beetje ongebruikelijk, misschien. Maar zolang wij over alle papieren beschikken, wat hier het geval was – we hebben ze nog altijd – is alles in orde.'

In het geval van kapitein-luitenant-ter-zee Cockerell was bijzonder weinig in orde. Een uitdrukking die Troy nooit zou gebruiken voor zover het Cockerell betrof.

'Wie is Kerr. M. (Mrs.)?'

'Dat kan ik u zo niet zeggen. Zonder eerst de papieren zelf door te nemen, bedoel ik. Ik heb u nu alleen maar doorgegeven wat er in ons systeem zit. En nu wat die postkwitantie betreft...'

65

Troy had nooit in Brighton gewerkt. Zijn beeld van de plaats was meer gekleurd door Graham Greene en Richard Attenborough dan door ervaring. De trein ernaartoe zat vol vakantiegangers. Hij stond de hele weg in de gang – het ratelen van de draaibare onderstellen op de rails werd eentonig, iedere stoot op de lasplaten in het spoor vormde de woorden 'Kolley Kibb-er Kolley Kibb-er' in zijn hoofd, alsof de trein tegen hem praatte. Dat waren geen woorden die hij wilde horen. Hij begon het te betreuren dat zijn incidentele aversie voor de auto hem had doen besluiten tot de vermeende geneugten van het reizen per trein.

Het duurde even voor hij Cavendish Hill vond. Voornamelijk omdat hij de plattegrond op zijn kop hield. Pas toen hij zich realiseerde dat het Engelse Kanaal niet in het noorden kon liggen, draaide hij om in Kemptown en zette hij koers naar waar Brighton haast ongemerkt overgaat in Hove.

De Hill liep op zo'n vijfhonderd meter ten westen van de West Pier vanaf de zeekant steil omhoog. En na ongeveer vijfhonderd meter de heuvel op sloeg Chatsworth Place af, parallel met de kust. Hij had, besefte hij, iets verwacht als een straatje met tot woonhuizen omgebouwde stallen, of zo. Het adres duidde op een zekere beslotenheid – wat klopte – en duidde ook op een mindere grootsheid dan Cavendish Hill – wat niet klopte. Het was een smaller huis, maar een stuk hoger, en lopend naar nummer 2 zag hij overduidelijk dat dit was samengevoegd met nummer 3 – aan de andere kant van de straat stonden geen huizen – tot een ruim pand met dubbele gevel, met een indrukwekkend uitzicht over de stad naar de zee. Kapitein-luitenant-ter-zee Cockerell had zijn zaakjes goed voor elkaar – als het tenminste zijn zaakjes waren.

Hij stak zijn hand uit naar de deurbel en zag toen dat de voordeur op een kier stond. Achterdocht en pure nieuwsgierigheid vochten om voorrang – het werd gelijkspel. Hij duwde de deur verder open en ging naar binnen. Het was er bijna stil; alleen het gerommel van water door de leidingen echode door het huis, maar verder was er eigenlijk niets anders te horen dan het knarsen van zijn eigen voetstappen. De achterdocht boekte winst op punten.

Hij ging rechtsom en bevond zich in een verblindend moderne keuken die in alle opzichten het stempel Cockerell droeg. Niet langer meer de wanorde van kleine houten tafeltjes, de warwinkel van allerlei schots en scheve plankjes op oude ijzeren steunen, de provisiekasten met metaalgaas om de zomervliegen weg te houden. Dit was naadloos, zo naadloos als Brighton overliep in Hove, naadloos in ivoorkleurige kunststof, hier en daar gespikkeld met kleine spatjes blauw en rood. Het kwam op Troy over als een verwaterde versie van mediterraan aardewerk. Wel heel speciaal was de manier waarop het gasfornuis en de koelkast waren weggewerkt alsof de keuken om ze heen was gebouwd. Waar was de loze ruimte waarin je een houten lepel of je halve avondmaal verloor? Dit was Cockerells wereld, de wereld van Mrs. 1960, en Mrs. Wereldtentoonstelling. Wie zou het zeggen, maar misschien ontvouwde zich, als hij een van de ingebouwde kasten opende – ja, ingebouwd, dat was het woord – een dubbelbed of een opvouwbad voor zijn ogen. Het zou in ieder geval een volledig functionerend roosterspit zijn, compleet met een kip aan de spies, dat ging draaien als het zich aan de kijker vertoonde.

Hij zette een voet op de trap. Bij de eerste kraak verstijfde hij ter plekke, maar toen het huis niet reageerde liep hij snel verder, en de zitkamer binnen op de eerste verdieping. Hij zag bij het binnenkomen al meteen dat er nog iemand anders moest zijn. Hij had daarover al lopen dubben vanaf het moment dat Angus hem vertelde dat Cockerell een tweede huis bezat. Dat kon toch niet alleen voor hemzelf zijn, om zijn slechte huwelijk te ontlopen. Het lag voor de hand dat het een liefdesnest was. Een leuk plekje om samen te komen met je vriendin. Maar hij kon zich de man nauwelijks voorstellen met een vriendin, en dit was geen leuk plekje. Dit was een reuze plek. En hier in deze ruime, luchtige kamer, met de zee uitgestrekt voor de ramen van het plafond tot de grond als een privévergezicht, waren de sporen van de andere vrouw. Deze kamer was Cockerell-achtig, maar zijn absurde bekeerzucht voor het nieuwe was naar de kroon gestoken, subtiel beïnvloed door de smaak van iemand anders. De zware glazen tafel op gedraaide gietijzeren poten kon best van hem zijn, maar de vol gehangen muur met tweehonderd jaar zeegezichten, in iedere discipline, van houtskool via gouache en aquarel tot zwaar verkleurde en donker geworden olieverfschilderijen zeker niet. Dit moest door toedoen van de vrouw zijn. Cockerells eerste huis had wel aangetoond dat zijn smaak de *Groene Vrouw* van Tretchikoff niet te boven ging. Deze woonkamermuur was adembenemend mooi, schokkend origineel – Troy had nooit durven dromen dat je schilderijen zo dicht bij elkaar kon hangen en toch behouden wat ze te vertellen hadden – en hij zag daarin de betekenis van de vriendin. Jasmine Dene was een oorlogsgebied, verdeeld in wat van hem was, en wat van haar, met een streep ertussen, als in Korea of Jeruzalem. Deze kamer was een ontmoetingsplaats en het resultaat van twee denkwijzen, twee soorten gevoelswaarden. Ja – Cockerell had ontegenzeggelijk een vriendin.

Hij ging zachtjes een verdieping hoger. Slaapkamers. Voor en achter, en allemaal, zo te zien, niet in gebruik. Voldoende ruimte voor vier of vijf logés in het weekend. Het trappenhuis werd nauwer; hij klom door naar de bovenste verdieping, er konden alleen maar zolders boven zitten. In de bocht werd het nog nauwer, liep door tot onder de dakspanten en vormde een kleine overloop met een stel smalle dubbele deuren waar hij nu voor stond. Deze nodigden evenzeer uit tot nieuwsgierigheid als de voordeur had gedaan. Op een kiertje, vroegen ze om te worden opengeduwd. Hij duwde. Hij was terug in het land van Cockerell, waar alles spiksplinternieuw was, maar buitengewoon luxueus. De soberheid van het Scandinavische design dusdanig versoberd dat die was ontaard in een soort Hollywood-stijl van verstikkend comfort.

Hij hoorde niets. Het geluid van stromend water was gestopt. Aan de andere kant van het vertrek zaten twee deuren die vermoedelijk naar een badkamer en een kleedkamer leidden, en de voormuur van het vertrek bestond uit grote glazen schuifdeuren, die uitgaven op een klein terras. Hij liep op zijn tenen over het hoogpolige tapijt – wat zinloos was, omdat je er nog geen militaire legerkistjes op zou hebben gehoord – en deed de deur naar het terras open. Een zachte avondbries nam bezit van het gordijn en slingerde dat heen en weer. Hij keek naar het uitzicht. Het begin van een rode gloed in het westen glinsterde als een diamant in de zee. Hij keek naar het bed. Een gelukkig man kon vanuit dit bed de zon zien opkomen of ondergaan in het Kanaal. Een nog gelukkiger man kon er het liefdesspel spelen terwijl een zeebries zijn lagere delen koesterde. Toen zag hij de foto's. Een zestal boven elkaar naast de deurpost. Godallemachtig. Cockerell moest die zelf hebben ontwikkeld, misschien wel in een donkere kamer in zijn kelder. Elke zichzelf respecterende drogist zou onmiddellijk de zedenpolitie hebben gebeld bij het aantreffen van zulke foto's in een Brownie 127.

Een vrouw, met de rug naar de camera, boog zich voorover, benen recht, gezicht buiten zicht – zodat de lengte van de 25 x 20-afdruk bestond uit een omgekeerde V van haar benen met een vol, goed belicht uitzicht op haar seksuele delen. De foto eronder toonde dezelfde vrouw – hij nam tenminste aan dat het dezelfde vrouw was – met de benen wijd, achteroverleunend over een Bentwood-stoel, het gezicht weer verborgen, maar met een even gedetailleerd uitzicht op haar voorkant – met een klein bundellichtje gericht op haar naad om haar halo van blondachtig schaamhaar op te lichten met een onnatuurlijke glans. Hij was nu zeker van zins ook de rest te bekijken. Uit pure zenuwachtigheid keek hij eerst steels over zijn schouder, zoals een man die bij de tijdschriftenverkoper *Health & Efficiency* doorbladert.

In de deuropening van de badkamer stond een vrouw van vijfentwintig of daaromtrent, gehuld in een nevelsluier van stoom en talkpoeder. Het enige wat ze droeg was een handdoek, en die zat om haar hoofd. Doorgaans zou Troy niet hoog opgeven van een pistool als modeaccessoire, maar als het wapen op je borst was gericht, compenseerde dat de naaktheid behoorlijk goed, door die wat minder fascinerend te maken. Langzaam stak hij zijn handen omhoog en probeerde hij te glimlachen.

'Je hebt te veel Raymond Chandler gelezen,' zei hij.

'Hè?'

'Laat bij twijfel...?'

'Schiet nou maar op!'

'Laat bij twijfel een man door de deuropening komen met een pistool in zijn hand.'

'Als je denkt dat ik een man ben,' zei ze, 'moet je een brilletje kopen. En wie ben jij dan wel?'

'Ik ben een politieman.'

'Aha?'

'Ik kan het bewijzen.'

Voorzichtig bracht hij zijn linkerhand naar de voorkant van zijn jasje.

'Ik heb een legitimatiebewijs. Dat ga ik nu heel langzaam tevoorschijn halen.'

Hij stak het omhoog, vastgeklemd tussen wijsvinger en middelvinger, als een sigaret.

'Gooi het maar deze kant op.'

Hij gooide de kaart voor haar voeten. Die landde geluidloos op het tapijt en een van zijn eigen visitekaartjes, met zijn rang en zijn adres in Londen, viel uit het hoesje. Ze knielde, hield het wapen op zijn borst gericht en pakte ze haastig op. Toen legde ze het pistool op een kastje bij de muur, wierp hem het legitimatiebewijs weer toe, griste de handdoek van haar hoofd en wikkelde die om zich heen en stak, als laatste gebaar, zijn visitekaartje boven in de handdoek, een subtiele parodie van een hoer die een briefje van tien shilling wegstopt in haar decolleté.

'Is dit niet het moment om te zeggen dat het niet geladen was?' zei hij.

Ze plofte neer in een leunstoel en pakte een sigarettendoos van een bijzettafeltje.

'O, hij is wel degelijk geladen. Luister, er staat een fles cognac in het nachtkastje. Waarom schenk je niet voor ons allebei een glas in? Daar zijn we volgens mij wel aan toe.'

Ze stak met een enorme, onhandige, groenstenen tafelaansteker haar sigaret op, een belachelijke kingsize met een filtertip en een paar gouden bandjes. Hij deed wat hem was gezegd, en was benieuwd hoe het verderging.

'Waar bleef je zolang?' vroeg ze zo direct, dat het hem van zijn stuk bracht.

'Hoe... eh... hoe bedoel je.'

Hij liep voorzichtig naar haar toe, voelde hoe zijn voeten haast tot zijn enkels wegzakten in het tapijt, gaf haar een glas en ging, gewaagd vond hij, op de rand van het bed zitten.

'Hij is nu bijna vijf maanden dood. Jullie hebben blijkbaar geen haast.'

'Ik heb pas zeer onlangs geconstateerd dat kapitein-luitenant-terzee Cockerell dood is.'

'O? Werkelijk? Dat wist ik al achtenveertig uur nadat hij niet was komen opdagen.'

'Nou dan heb ik zeker op een dwaalspoor gezeten.'

'En wat wil je dan weten?'

'Dat weet ik niet,' zei hij. 'Wat weet jij?'

'Ik? Ik weet alles. Daar kom je toch voor?'

'Ja,' zei hij. 'Daar kom ik voor.'

66

Troy wachtte tot ze was aangekleed. Zij – Kerr M. (Mrs.). Hij had geen idee wie ze was, behalve de haast statistische vermelding in de archieven van een bouwfonds. Mary? Marilyn? En was er een Mr. Kerr? Wie dat kon zijn, liet zich wel raden. Hij nam een slokje cognac. Een goed merk, daar was hij zeker van, maar voor hem smaakten ze allemaal een beetje naar zeep.

De vrouw verscheen in een eenvoudige jurk voor de avond. Eenvoudig en onbeschaamd, de lichtzinnige versie van het kleine zwarte jurkje in hitsig rood. Mouwloos, zeer laag uitgesneden in de rug, de zedigheid nog net intact aan de voorkant. Het haar zat hoog opgestoken op het hoofd en ze friemelde met de vingertoppen van beide handen om een oorbel op zijn plaats te krijgen. Door dat gebaar moest hij meteen aan Tosca denken, hoe die, met haar kleinzerigheid op het gebied van bodypiercing, haar sieraden met schroefjes bevestigde, kleine juweeltjes, of melkachtige parels aan zilveren draadjes.

'Ik weet niet hoe je heet,' zei hij.

'Daar heb je me ook niet naar gevraagd. Maar ik heet Madeleine, Madeleine Kerr.'

Haar handen gingen naar het andere oor, hetzelfde elegante gebaar, met dezelfde subtiele techniek, om een gouden blad aan de oorlel te hangen.

'Jij heet Fred? Ik ken niet veel Freds. Mag ik je Troy noemen?'

'Dat doen de meeste mensen.'

'O, en Arnold, kapitein-luitenant-ter-zee Cockerell. Hier heet hij Ronald Kerr. Ronnie, voor jou en mij.'

Troy keek een beetje verward. Hij vond dat een naam ergens op moest slaan. Haar gezichtsuitdrukking vertelde hem dat die vanzelfsprekend was.

'Je snapt het geloof ik niet, hè?'

'Nee, ik ben bang van niet.'

'Ronald is een anagram van Arnold. En Kerr is van Cock – *Kerr* – Ell. Snappu?'

Het was zo simpel, dat hij bijna moest blozen van zijn eigen domheid.

'En voor je ernaar vraagt, Ronnie was, wat hij ook was, geen bigamist. De Mr. en Mrs. was allemaal nep. Dat maakte het juist zo leuk. Zullen we gaan?'

'Waar naartoe?' vroeg hij zwakjes.

'Eten. Als jij de diender gaat uithangen en me duizend vragen gaat stellen, kun je me toch ten minste wel mee uit eten nemen. Ik heb tenslotte al vijf maanden alleen moeten eten.'

'Eén ding voor we weggaan,' zei hij.

'Ja.'

'Het pistool.'

'Ja.'

'Ik vind dat je dat maar aan mij moet geven.'

'Ronnie heeft het me gegeven. Ter bescherming, zei hij.'

'Voor mij zal je het niet nodig hebben. En ik kan je niet laten rondlopen met een pistool in je tas.'

'Hoe weet je dat ik het in mijn tas heb?'

'Neem dat maar van me aan. Ik ben rechercheur.'

Ze deed haar tas open, haalde er het pistool uit en gaf hem dat. Toen gooide ze de tas op het bed, alsof het verbergen en meeslepen van een pistool het enige doel ervan was geweest.

Troy woog het in zijn hand. Een bos veren had meer om het lijf. Het was een kleine, gouden .22 automaat. Wat Chandler een dameswapen zou hebben genoemd. Had veel weg van dat van Tosca, dat hij in de Ierse zee had gegooid.

Ze liep voor hem uit de trap af, Chatsworth Place in en Cavendish Hill af. Bij het ronden van de eerste hoek gaf ze hem een arm.

'We gaan naar het Wellesley Hotel. Die hebben een dakrestaurant met een fantastisch uitzicht. Bij de opening heette het La Manche, maar iedereen noemde het The Munch (De Knabbel – vert.), wat een beetje ordinair klonk, dus hebben ze het veranderd in Clair de Lune. Een veel betere naam. Zeker op een avond als deze.'

Ze keek omhoog naar de snel donker wordende, geheel wolkeloze lucht.

'Heel wat Lune en behoorlijk Clair, vind je ook niet?'

Hij wierp een vluchtige blik op de glanzende volle maan en keek naar haar. Ze was een fractie langer dan hij, zelfs op platte hakken. Voor ze haar gezicht had opgemaakt, had ze er prachtig uitgezien. Nu was de schoonheid op een wat onnauwkeurige manier aangebracht, alsof ze een vleugje raffinement had toegevoegd. Het had op zich wel effect, maar overtuigde hem toch niet helemaal. Er was het onvermijdelijke element van het meisje gekleed als vrouw, van het meisje in de vrouw, dat was begonnen bij het opsteken van haar eerste sigaret, en dat ze nastreefde via haar make-up en vervatte in haar kleding. Haar arm door de zijne suggereerde spontane vriendschap. Hij kende de vrouw nog geen veertig minuten. Hij had haar naakt gezien, hij had haar voor de camera zien poseren – zij was toch de vrouw op de foto's? – in posities die hij nog nooit een vrouw had zien aannemen, en nu wandelden ze arm in arm alsof ze oude vrienden waren. Of nieuwe minnaars. Hij maakte zijn arm los van de hare. Zij liep te babbelen over de schoonheid van de volle maan, en leek het niet te merken. Toen ze klaar was, sloot ze gewoon de ruimte die tussen hen was ontstaan en stak ze haar arm weer door de zijne.

De oberkelner van het Wellesley begroette haar als een verloren zuster. Madame-de haar tot ze erbij neerviel. Bracht hen naar een tafeltje op het terras. Toen de klanken van zijn leren zolen waren weggestorven, was er alleen nog het gemurmel van de ruimte binnen en het diepere, ritmische murmelen van de zee beneden hen.

'Ik hoop ernstig,' zei Madeleine, 'dat je geen AVG'tje bent, met rozijnenpudding toe.'

'Een Aardappelen-Vlees-Groenteman? Nee, en van rozijnenpudding hou ik niet.'

'Mooi – dan bestel ik voor ons allebei.'

Ze stak een arm in de lucht. Een kelner haastte zich naar haar toe.

'We willen de *lotte*, nieuwe aardappeltjes, *mangetout*, groene salade, gevolgd door *crème caramel*, en ik denk de Château Lattre de Tassigny 1947.'

'Geen aperitief, Madame Kerr?'

'Nee, breng de rode wijn maar meteen.'

Troy bewonderde haar bravoure. Hij betaalde, maar zij maakte de dienst uit en liet daar geen misverstand over bestaan.

'Rode wijn bij vis?' vroeg hij.

'Geloof jij nou echt in al die onzin? Denk je niet dat het allemaal bij dat afschuwelijke Engelse snobisme hoort, de gesel van de klasse? Vrijheid betekent toch zeker dat je kan hebben wat je wilt, wanneer je dat wilt?'

Dat was een verrassende uitlating. Hij had zijn vader rode wijn van topkwaliteit zien drinken uit een theekopje, hem Pouilly-Fuissé zien drinken bij rosbief, hem kaas zien eten met jam, hem aan het kerstdiner gezien in zijn kamerjas. Ze had natuurlijk gelijk. Zijn ouwe heer had een groot deel van Troys jeugd geprobeerd hetzelfde aan te tonen. 'Hoe denk je dat de Engelsen de halve aardbol onder de duim hebben gekregen, mijn jongen? Je weet wel. Die rooie stukken op de landkaart waar die eikels zo buitensporig trots op zijn? Met een leger? Tot 1915 was er geen dienstplicht, en ook geen groot beroepsleger, evenmin als nu. Met hun marine? Nou, daar beheers je de wereldzeeën wel mee, maar je schiet er niet veel mee op in de heuvels van noordelijk India of de diepste jungles van Birma en Malakka. Nee – Brittannia overheerst door haar ambtenarij. Het is een imperium van bureaucraten, assistent-districtbestuurders, van pennenlikkers en regelgevers. En de regelaars zijn zo geregeld, dat ze uiteindelijk evenveel regels maken voor zichzelf als voor alle anderen. Dientengevolge zal de Engelsman, kleingeestig en klassegebonden als die is, als je hem de vrijheid geeft te hebben wat hij wil, zich eerst afvragen wat de regels hem toestaan te hebben.'

'Nee,' zei hij. 'Ik geloof van niet.'

De wijnkelner verscheen met twee flessen rode wijn en haalde zijn kurkentrekker tevoorschijn.

'Nee,' zei Troy. 'We hebben maar één...'
Madeleines hand maande hem tot stilte.
'Hij kent me. Hij weet wat ik gewoonlijk drink, hè, Jean-Paul?'
Ze lachte de kelner toe. Hij lachte beleefd terug, ontkurkte de tweede fles en liet het verder aan hen over. Ze schonk in. Sloeg bijna de helft van haar glas in één slok naar binnen en keek naar Troy.
'En,' zei ze.
'En?' zei hij.
'Wat wil je weten?'
'Nou – dat is eigenlijk heel simpel. Waar was Cockerell mee bezig, en voor wie?'
Ze zette haar glas neer, om een gebaar te maken.
'Nee. Niet nu. Niet vanavond. Dit is geen simpele vraag, en dat weet jij ook. Morgen gaan we naar Londen. Jij geeft me een paar uur voor mezelf, dan komen we bij elkaar en beantwoord ik al je vragen. Maar ik moet eerst een paar dingen doen. Vraag me iets anders. Wat je maar wilt.'
Troy was in verwarring gebracht. Hij was ervan uitgegaan dat dit hele gedoe met een vooropgezet doel was. Nu had hij niet zomaar een onschuldige vraag op de greep.
'Hoe heb je hem leren kennen? Hier in Brighton?'
'Nee. Brighton had er niets mee te maken – althans toen niet.'
Ze nam een grote slok wijn en hielp hem niet verder.
Oké. Andere vraag.
'Kom jij uit deze buurt?'
Hij huiverde inwendig. Dit was een zin uit een slechte versierbabbel.
'Nee, ik kom uit Heikneuterland. Mijn vader, God vervloeke hem, is huisarts in Berkshire. Ik heb gestudeerd in Bristol. Mijn vader had liever gezien dat ik een handelsdiploma in steno en typen had gehaald, de ambtenarij was ingegaan en als echtgenoot een diplomaat aan de haak had geslagen. Maar helaas. Ik schudde het stof van Berkshire uit mijn kleren en ging naar Londen. Daar heb ik Ronnie ontmoet.'
Ze had haar eerste glas leeg – hij had het zijne nog niet eens aangeraakt – en reikte naar de fles.
'Ik leerde hem kennen in de Ambassade.'
In Troys hoofd begonnen alarmbellen te rinkelen.

'Ambassade? Welke ambassade? De Russische ambassade?'

'Nee – malle – de Ambassade Club in Bond Street. Vier jaar terug. De week dat de koning stierf. Ik was in de steek gelaten. Een bekakte nietsnut van de Grenadier Guards – Billy of Bobby of zoiets – die al boven zijn theewater was toen hij me kwam halen. Zat de hele weg in de taxi whisky te drinken uit zijn heupfles, verdween tien minuten na aankomst in de plee, en heeft sindsdien nooit meer iets van zich laten horen. En ik zat voor paal aan ons tafeltje, geen sigaretten, geen geld. Toen kwam daar opeens dat parmantige kereltje naar me toe en vroeg me ten dans. Dat was Ronnie. Hij bewoog zo mooi, zo zeker, zo licht op zijn voetjes. En zag er ook nog goed uit. Ik viel altijd al op oudere mannen. Ik was vijfentwintig, hij moest rond de vijftig zijn geweest. Net het goeie verschil, vind je ook niet?'

Troy vond niets. Maar de vraag vroeg ook niet om een antwoord, zo te zien. Hij had zich dan wel in allerlei bochten moeten wringen om de vrouw aan het praten te krijgen, maar dat liep nu verder prima.

'De volgende dans zaten we uit. Hij bood me een martinicocktail aan. Ik snakte intussen naar een sigaret, en hij haalde er twee uit zijn sigarettenkoker en stak die in zijn mond, net als Humphrey Bogart. Stak ze allebei aan en gaf er een aan mij. Ik vond dat zo welgemanierd. Zo romantisch.'

Troy wist niet precies meer hoe hij het had. Niet alleen geloofde hij niet dat deze vrouw bijna dertig was, maar hij zag ook niet hoe één gebaar in één adem kon worden omschreven als welgemanierd en romantisch tegelijk. Romantiek, dacht hij, stoorde zich meestal niet aan goede manieren. En de stem. Ergens klopte er iets niet. Er klonk een mooi soort loomheid in door, maar er zat ook iets achter verborgen – een vleugje van een vroeger accent?

'De volgende dans was langzaam en rustig, en ik voelde zijn hand naar mijn billen glijden. Dus ik deed wat een net meisje doet. Ik trok hem twee keer weg en gunde hem de derde keer zijn overwinninkje. En hij zei – en keek me recht in mijn ogen – hij had zulke prachtige lichtblauwe ogen – en hij zei: "Je hebt geen slipje aan, hè?" En natuurlijk had ik dat niet.

We brachten de nacht samen door. Ik had dat fraaie flatje net achter Kings Road in Chelsea – maar ik had ook twee huisgenoten. Dus nam Ronnie een kamer in het Imperial. Mr. en Mrs. Kerr. Het was goddelijk. Hij verwende me door en door met allerlei kleine luxe dingetjes. Ik mocht roomservice bellen en alles vragen wat ik wilde.'

Troy begreep er steeds minder van. Hij begon zich te realiseren dat ze praatte als in een advertentietekst. Het leek geen woordenschat met een echte weerklank, maar meer een aangeleerde zinsvorming van oppervlakkigheden. Een vernislaagje over wat ze voelde, als ze al iets voelde, over wat ze was, wat toch iets moest zijn. Het Imperial was geen hotel dat hij zou kiezen om indruk te maken op een nieuwe minnares. Het was vroeger misschien wel een luxueuze tent geweest, maar de laatste keer dat hij daar iemand had bezocht, vond hij het er maar een armzalige bedoening, en had het duidelijk zijn beste tijd gehad. Een man met het geld van Cockerell, en hij wist van de bankafschriften dat die niet platzak was, ook niet in 1952, had zich de Dorchester in Park Lane kunnen veroorloven, of de Claridge, in het hart van Mayfair, en had niet getaald naar het Imperial, weggestopt in een hoekje achter het British Museum.

'Daarna zag ik hem iedere keer als hij naar Londen kwam.'

'Hoe vaak was dat?'

'Iedere veertien dagen, dacht ik. Toen, op een dag, een paar maanden later, belde hij me voor de tweede keer in een week. Zei dat hij weer in Londen was en vroeg of ik naar Victoria kon komen. Ik moest alles laten voor wat het was en hollen.'

'Alles?'

'Hè?'

'Had je een baan?'

'Eh – ja. Natuurlijk had ik een baan.'

'En wat voor baan was dat?'

'Ik werkte voor een wetenschapsman.'

'Een wetenschapsman?'

Ze dronk demonstratief haar glas wijn leeg en stak dat naar hem uit om het weer te vullen. Als het was bedoeld om hem van zijn stuk te brengen, was dat bijna gelukt. Hij had te veel in het gezelschap van vrouwen als zijn zusters verkeerd, die – evenals Madeleine tot nog toe – de formaliteit van het wachten op de man allang hadden opgegeven, en hij vroeg zich eventjes af wat ze met dit gebaar bedoelde. Hij schonk haar bij en keerde terug naar het onderwerp.

'Wat voor soort wetenschapsman?'

'Een techneut. Je weet wel, supergeheim allemaal. Ik was zijn persoonlijke assistent.'

'Privé en persoonlijk?'

'Luister – wil je nou horen hoe ik Ronnie heb leren kennen, of niet?'

Troy knikte. Hij miste niets. Ze gaf toch geen antwoord. Er was geen antwoord.

'Goed – luister je? – we gingen naar Brighton. Nogal een verrassing, mag ik wel zeggen. Ik was daar weleens geweest, voor de oorlog, toen ik nog klein was. Ik ben altijd dol op Brighton geweest. Ik weet niet hoe Ronnie dat wist. Tot op de dag van vandaag zou ik niet weten wanneer ik hem dat ooit had gezegd. Het is... het is... zo exotisch. Vind je niet?'

Exotisch? Het was nooit bij hem opgekomen om dat woord voor welke plaats dan ook op een van de Britse eilanden te gebruiken. Ze kon toch niet het aanzien van de stad bedoelen? Het was de mens die een omgeving exotisch maakte. Hij dacht aan de plekken waar hij van hield: het uitzicht van zijn eigen veranda, wilgen, varkens en vleermuizen, maar dat was niet exotisch; de gebeeldhouwde pracht van de Ben Bulben, de meest indrukwekkende berg ten westen van de Alpen, maar die was ook niet exotisch. Exotisch was volgens het cliché mysterieus, schemerig, bedwelmend van de kruiden – kaneel en sandelhout – wat deed denken aan een markt in Tanger, in wel duizend tinten bruin, waar iedere verdwaalde rode of gele vlek meetelde. Dat was niet Brighton. Brighton was het rood en geel van ondeugende prentbriefkaarten en het bruin van lauw bier. Het was een graadje beter dan Blackpool of Skegness, maar het was geen Biarritz of Monte Carlo. Als je op een warme zomeravond langs het Prince Regent Pavillion liep, wist je, ook als je je ogen een beetje dichtkneep, dat het de Taj Mahal niet was. Waar had die vrouw het toch over?

'We lunchten en wandelden over het strand. Hij vertelde me alles over zichzelf. Een paar dingen wist ik wel, natuurlijk. Maar na acht weken samen waren er ook nog dingen die ik niet wist. Maar die dag vertelde hij me alles. En aan het eind zei hij me dat zijn vrouw niet van hem wilde scheiden.'

'Je wist dat hij getrouwd was?'

Ze zuchtte theatraal.

'Je hoeft maar naar een man te kijken, om te weten of hij getrouwd is.'

Nou, kijk dan maar, dacht Troy. Toe maar. Maar hij zei niets.

'Ik zei dat me dat niets kon schelen. Toen zei hij, laten we dan nog even een stukje gaan lopen, voor de zon verdwijnt. En toen hij dat zei, wist ik dat er nog iets was... iets wat hij me niet vertelde. Alsof er een verrassing in de lucht hing. Maar ik hou van verrassingen.'

Ze wees over het balkon naar het Kanaal, glinsterend in het licht van een zilveren maan, en naar de West Pier die uitstak in het water.

'Daar stonden we. Precies op de punt. Moet aan het einde van de zomer zijn geweest. Laat in de middag, begin van de avond, maar nog niet donker. We stonden aan het eind. En Ronnie zei tegen me: "Haal je tieten tevoorschijn. Ik wil je tieten zien." Dus ik trok mijn jasje uit en ik trok mijn bloes uit en stond daar, uitkijkend over zee. "Draai je om," zei hij. "Ik wil dat je naar me kijkt." Tja, ik wist dat we niet de enigen waren op de pier. We waren heel wat mensen tegengekomen, op weg naar de punt. Maar ik draaide me om, en daar zat dat paar van middelbare leeftijd, met een hond. En ik hoorde iets van die vrouw, als "Krijg nou wat. Kom mee, George." En ze sleurde die arme ouwe rakker met zich mee. Hij liep de hele weg zijwaarts, als een krab, zo erg moest hij naar me kijken. Er was nog één andere persoon over. Een heel oude vrouw met een plastic regenjas, die haar breiwerk opborg. "Leun achterover tegen de reling," zei Ronnie. "Wapperen. Ik wil dat je met ze wappert." Dat deed ik dus. En de oude vrouw kwam naar me toe, en zei: "Leuke tietjes, kindje. Zulke heb ik ook gehad. Pas maar op dat je geen kou vat." Toen wendde ze zich naar Ronnie en zei: "Fraaie tietjes, vind je ook niet, schat?" En ze schuifelde weg.'

Dit was niet dezelfde man. Dit kon niet dezelfde man zijn. Dit was niet Arnold Cockerell. En toch wel. Was dit de magische werking die uitging van een naamsverandering? Een simpel verschuiven van woorden, maar met een transformatie als gevolg? Van Cockerell naar Kerr. Van gluiperd naar salonheld. Van gefrustreerd mannetje dat somber in vieze blaadjes gluurt naar viezerik met een absurde verbeelding. Een man met stijl, en met voldoende elan voor provocerend seksueel gedrag.

Madeleine vertoonde genoeg fijngevoeligheid om een pauze in te lassen toen de kelner de vis voor ze neerzette, maar de voortgang van het verhaal leed daar nauwelijks onder.

'Ik schoot mijn bloes weer aan en hij leidde me naar boven, Cavendish Hill op. "Een kleine verrassing", zei hij. Maar zo klein was die niet. Het was Chatsworth Place 2. "Is dit van jou?" vroeg ik, toen hij me rondleidde. "Nee," zei hij. "Van jou." En toen bracht hij me weer helemaal van mijn stuk. Ging met me naar het huis ernaast, nummer 3, en zei: "Dit is ook van jou. Spreid je vleugels, mijn liefste." Het was de manier waarop hij dat zei. "Spreid je vleugels, mijn liefste." Dus dat deed ik. Ik ging terug naar Londen. Vertelde de meisjes dat ik verhuisde. Zegde mijn werk met een termijn van een week op en verhuisde naar Brighton. De aannemer is de hele herfst bezig geweest. Ronnie liet me doen wat ik wilde. Een muur hier, een deur daar. En ik liet hem natuurlijk doen wat hij wilde.'

Ze wreef met haar wijsvinger over de rand van het glas en zoog er toen op, waarbij ze hem met trage gebaren op en neer bewoog. Intussen glimlachte ze en keek Troy ondeugend aan.

'Ronnie was nooit de avond vergeten dat we elkaar hadden leren kennen. Hij zei dat hij wist dat ik de vrouw voor hem was, zodra hij ontdekte dat ik geen slipje aanhad. Dus – droeg ik nooit meer ondergoed, als we ergens naartoe gingen. Ronnie heeft in een groot deel van de restaurants van Brighton mijn gleufje gestreeld of me gevingerneukt.'

Hij had het woord 'vingerneuken' nooit eerder gehoord. De betekenis was overduidelijk. Het bestaan ervan heel logisch. Het was het soort woord – als ze het kende – dat zijn vrouw zou gebruiken. Maar hij had nooit van zo'n woord gedroomd, evenmin dat de inhoud ervan, zo kunstig vervat in één enkel woord – het was toch één enkel woord? – over de lippen zou komen van een kleinburgerlijke Engelse vrouw.

'Zeg eens,' zei hij. 'Heeft hij je ooit...'

'Jaaaaaaa?'

'Heeft hij je ooit... eh... gevraagd een...'

'Rubber pak te dragen?'

'Nou, nee... eigenlijk had ik je willen vragen... of hij je gevraagd heeft of hij een rubberpak mocht dragen? Zijn kikvorsmannenpak, om precies te zijn.'

'O, we hadden er allebei een aan. We hadden rubberpakken voor mannetjes en voor vrouwtjes. Je weet wel – met gaten op alle goeie plekken.'

Ze keek naar beneden, een snel, ongelooflijk koket neerslaan van de ogen naar de liezen, toen duwde ze met haar handen haar borsten samen tot die een kloof vormden met een indrukwekkende inkijk, pakte haar vork en vervolgde haar maaltijd, alsof alles wat ze de afgelopen minuten had gezegd en gedaan niet geheel en al ongehoord was.

En haar glas was ook weer leeg. Ze waren met de tweede fles bezig. Hij wachtte niet op het wachtwoord. Hij schonk haar bij en schikte zich in de wetenschap dat ze bezig was zich in hoog tempo te laten vollopen.

67

Het was hoog water. De zachte avondbries koelde af bij het aanbreken van de nacht. Ze schopte haar schoenen uit en gooide ze in het zand.

'Kom je ook?'

'Zwemmen?' Hij klonk verbaasd.

'Pootjebaden, suffie. Of dacht je dat ik mijn kleren uittrok en het water inging?'

'Het zou me niets verbazen,' zei hij.

'Eén punt voor jou!'

Troy keek hoe ze naar zee liep, en ging staan waar het water niet verder dan tot haar enkels kwam en het over haar voeten spoelde. Hij hoorde haar verrukte kreetjes, toen het koude water haar tenen raakte.

Net onder de zeewering lag een eenzame ligstoel, een verloren lam, gemist door de ligstoelenherder. Hij zette die op, ging zitten, en zag haar dieper de zee in waden, tot het water opkroop tot de zoom van haar jurkje. En daarboven. Als ze zo doorging, raakte ze doorweekt.

Hij voelde, realiseerde hij zich, het begin van een aarzelende bewondering voor Cockerell. Die had wat hij wilde: de klassieke, maar vaak onmogelijke droom van een dubbelleven. En het werkte. Of het had bijna vier jaar lang gewerkt. Janet Cockerell had hem ontegenzeggelijk iets te bieden, anders had hij haar al jaren geleden laten zitten, en hij hechtte geen enkel geloof aan de opmerking van Cockerell tegen Madeleine van: 'Mijn vrouw gaat niet akkoord met een scheiding.' Janet Cockerell had die mogelijkheid nooit geopperd. Nee, wat hij onder meer over Cockerell dacht, was dat de man genoot van zijn dubbelleven, en zonder de echtgenote was dat een enkel leven geweest. Leuk – hij keek naar Madeleine in het maanlicht, zo ongeveer tot haar heupen in het water, armen gestrekt als een crucifix, een woordeloos lied op de lippen, mooi, bizar en dronken – heel leuk, maar wel een enkel leven. Hij kon zich Cockerells gedachten voorstellen als die tijdens een van die moeizame kiftpartijen van het huwelijk zat te denken aan de laatste keer dat hij zijn vriendin in het openbaar had gevingerneukt. De wraak van de gluiperd. Het was bijkans perfect. 'Wat je wilt, als je het wilt.' Heartbreak Hotel met roomservice.

Madeleine sprong van de ene voet op de andere, spatte onstuimig en riep iets.

'Au, au, au, au!'

Troy kwam overeind en ving haar op aan de waterkant.

'Godverdorie nog aan toe. Welke klootzak...'

Ze leunde zwaar op zijn arm en boog haar linkerbeen naar achteren.

'Welke klootzak laat er nou stukken glas op het strand liggen?'

Hij liet haar zitten, waar het zand droger was, en bekeek haar voetzolen.

'Geen glas,' zei hij. 'Een schelp.'

'Doet net zo'n pijn.'

'Zit behoorlijk diep.'

'Wel, haal hem er dan uit, verdomme!'

Hij kon de scherf niet te pakken krijgen. Daar had hij een pincet voor nodig. Hij sloot zijn tanden rond het afgebroken stuk schelp, trok, en spuugde een brok schelp uit van zeker een centimeter.

Ze zuchtte van opluchting. Hij had haar voet nog steeds vast. Voordat hij die kon loslaten, zei ze: 'Meer. Een klein beetje meer.'

Troy zei niets.

Ze duwde zichzelf overeind, haar armen recht naar achteren, haar handen plat op het zand.

'Klein beetje meer. Kan geen kwaad, echt niet.'

Hij wist dat hij werd uitgedaagd. De kreet van het schoolplein van 'pak me dan asje kan' Hij zoog aan de wond, zout en zand vermengden zich met de smaak van bloed, en ze kermde zachtjes en trok haar armen terug en ging languit liggen. Nu was bloed het enige wat hij nog proefde. Hij liet haar los en vroeg zich af wat er nu van hem werd verwacht. Ze ging rechtop zitten, legde haar vingertoppen tegen zijn lippen en las zijn gedachten, tot de laatste lettergreep.

'Het vrouwelijk dilemma door de eeuwen heen. Slik je het in, of spuug je het uit.'

Ze kuste de rug van haar hand, kneep zijn lippen samen en hij slikte van de weeromstuit.

Ze haalde haar hand weg, met een tevreden glimlach op haar gezicht.

'Zie je nou. Ik zei wel dat het geen kwaad kon.'

68

'Ik wou je iets laten zien.'

Ze deed haar jurk uit. Scharlakenrood boven het middel, zwart waar het water was opgetrokken. Troy zag tot zijn opluchting dat dit een van de gelegenheden was waarbij ze besloten had wel ondergoed te dragen. Ze stapte blootsvoets door het vertrek en liet een zwak spoortje van bloed achter op het tapijt.

Ze opende een deur in de grote kleedkamer. Daar, naast elkaar aan de stang, hingen de twee rubberen pakken. Precies zoals zij ze had beschreven. Voor hem, compleet met de zwemvliezen voor de kikvorsman, en voor haar.

Madeleine haalde dat van haar van de hanger en hield het voor hem op. Twee grote gaten in de borstkas waar bij het dragen de borsten doorheen zouden steken. Troy hield zijn blik naar boven gericht en probeerde niet te kijken naar de weinig verhullende veranderingen die aan de onderhelft van het kostuum waren aangebracht. Het had veel weg van een mal voor een vrouw, vond hij – met genoeg gips kon je er een gipsen vrouw mee maken. Je eigen Venus van Milo voor in de tuin. Leuk naast de vijver met goudvissen. En hij vond het huiveringwekkend afstotelijk.

'Ik kan dat van mij aanschieten,' zei Madeleine. 'Jij hoeft dat van Ronnie niet aan. Zou je trouwens toch niet passen. Maar ik kan het mijne dragen.'

'Ik doe niet mee,' zei hij.

'Wees een kerel.'

'Ik zou niet kunnen,' zei hij, en zocht wanhopig naar een excuus. Welk excuus dan ook. 'Je hebt veel te veel gedronken. Dan zou ik misbruik van je maken.'

Ze giechelde. Het giechelen werd lachen. Het lachen werd de ruwe spot die hij kon verwachten.

'Je wou toch niet zeggen dat je nog nooit hebt geslapen met een vrouw die te veel gedronken had?'

Dat had Troy inderdaad niet. Hij had de laatste tijd met geen enkele vrouw geslapen. Dronken of nuchter. Ze danste met haar lippen langs zijn jukbeen, bleef bij zijn oorlel hangen, en knabbelde daar voorzichtig aan met haar tanden.

'Ik kan het niet,' zei hij. 'Echt niet.'

Ze fluisterde in zijn oor. De warmte van haar adem zinderde door een groot aantal van zijn aderen, koerste naar zijn lendenen om daar onrust te veroorzaken op plaatsen die hij liever met rust gelaten zag.

'Heeft iemand je ooit weleens gezegd dat je een beetje een spelbreker bent?'

De meeste vrouwen in zijn leven hadden hem dat gezegd.

Pak me dan asje kan.

69

Hij werd wakker, alleen en kuis, in een van de vele logeerkamers in Madeleine Kerrs woning. Hij had slecht geslapen, had zwaar gedroomd en was vaak wakker geweest. Het kwam door haar ogen. Hij voelde zich rot. Weer dat geluid van stromend water. Het achtervolgde hem tot beneden, de begane grond, en de keuken in, waar hij op zoek ging naar een ontbijt. Het ontbijt speelde geen grote rol in het huishouden van de Kerrs, of in ieder geval niet in dat van de vrouw – het beeld van de kedgeree bunkerende Cockerell alias Kerr stond Troy voor eeuwig in het geheugen gegrift – en het enige wat hij kon vinden was een pak Ryvita en een pot 'instant'-koffie. Instantkoffie was, behalve een uitstekend voorbeeld van een innerlijke tegenspraak en een goeie kandidaat voor de herziene uitgave van Fowlers *English Usage*, een noviteit van de nieuwe wereld, de naoorlogse wereld, die direct werd geaccepteerd, evenals de ballpoint en de plastic regenjas – en hij smaakte dan ook navenant smerig. Het spul dreef op de bodem van het kopje, licht als stof, en met een poederachtig luchtje, en bij het opgieten met kokend water kwam er een sterk, kunstmatig aroma vrij. Het smaakte als de cafécrème uit een doos met smerige chocolaatjes, een bonbon die het dichtst in de buurt kwam van wat je een koffiesmaak zou kunnen noemen, en die werd gemaakt uit een mengsel van karamel en schuurpoeder. Troy kreeg een beeld voor ogen. Hij zag het lint om de bonbondoos, de aanwijzingen over de inhoud van iedere bruine klont, hoe je de vulling kon herkennen aan de vorm, kersenbonbon en hazelnoot, en die ene die niemand ooit wilde – de cafécrème. Die was een beetje geleiachtig en plakte met een stroperige kleverigheid tegen het omhulsel en de tanden. Hij dronk een halve kop, bij een Ryvita met een kloddertje sinaasappelmarmelade, en goot de rest door de gootsteen. Toen hij de kraan dichtdraaide, merkte hij opeens hoe stil het was. Het geluid van stromend water door de leidingen was gestopt. Ze moest zijn uitgedoucht.

'Ben je klaar?'

Bij het horen van haar stemgeluid draaide Troy zich om. Madeleine stond in de deuropening, gekleed en opgemaakt, met een laatste blik op haar kunstzinnige verrichtingen in het spiegeltje van haar poederdoos. Ze klapte dat dicht en bekeek hem van top tot teen. Overhemd uit zijn broek en geen schoenen of sokken. Nog lang niet klaar.

'Ik bewaar opmerkingen als "Je ziet er niet uit, 's ochtends" gewoonlijk voor wat intiemere relaties. Maar je ziet er werkelijk niet uit, 's ochtends. Doe je schoenen aan, Troy, we moeten een trein halen.'

Hij knoopte zijn schoenveters dicht in de taxi op weg naar het station. Ze had hem bijna letterlijk op het verkeerde been gezet en hij keek vreemd op van deze nieuwe organisatievrouw waarmee ze hem confronteerde, en van de haast die ze hadden, en hij vroeg zich af waarom ze zo volkomen vrij van de kater leek te zijn die ze nadrukkelijk verdiende. Als hij bijna twee flessen rode wijn dronk, moest hij daar dagen onder lijden.

De taxi stopte onder de glazen luifel van het station. Hij betaalde en ze gingen voor het grote houten bord met eindbestemmingen staan, voor de treinen naar Londen.

'We hebben de Belle gemist,' zei Madeleine. 'Als je klaar was geweest, hadden we kippers en koffie kunnen hebben, en waren we nu halverwege Londen geweest. Maar als we Eerste reizen, overleven we het nog wel.'

Eerste – Onions kreeg een beroerte als Troy eersteklas treinkaartjes kocht op kosten van Scotland Yard. Maar het werd Eerste. Hij zag aan de uitdrukking op haar gezicht dat ze niet minder gewend was en ook niet met minder akkoord zou gaan. Cockerell had haar verwend – maar hoe rijk, hoe inventief had ze hem niet verwend en bevredigd.

Troy hield niet zo van het reizen in de eersteklas. Je kwam er zo moeilijk met mensen in contact. Hoewel er tijden waren dat hij graag met iemand in contact kwam, was het bij hem toch vooral de professionele nieuwsgierigheid die telde. Het Britse publiek als menselijk naslagwerk. Je wist nooit wie er met je ging praten. Met name in de eerste jaren na de oorlog, toen de benzine nog op de bon was, had vrijwel niemand een auto, en hing er nog wat van de bonhomie uit de oorlogstijd in de lucht. Hij herinnerde zich een trip naar Manchester, vanuit Euston, waar hij tegenover een dikbuikige man met een RAF-snor zat, die hem uitvoerig had ingelicht over de lengte van zijn kunstdarm, en hoeveel precies hij van zijn ingewanden in een Duits veldhospitaal had achtergelaten toen de Wellington waarin hij de copiloot was, was neergeschoten boven de Pruisische vlakten. En op de terugreis een jongetje van zeven, dat met zijn vader een dagje mee mocht naar Londen, en wiens vroegrijpe visie op de hoofdstad gebaseerd leek op sensationele lectuur. Hij wilde dolgraag naar Whitechapel en Jack the Ripper, en zag enorm uit naar Baker Street 221B en Sherlock Holmes. Troy dacht hem een groot plezier te doen door te zeggen dat hij rechercheur was, maar het kind dacht dat hij voor de gek werd gehouden.

'Troy?'

Hij knipperde met zijn ogen. Hij was een heel eind weg geweest.

'Zat je te dagdromen? Hoorde je me niet? Ik zei dat ik dolgraag koffie wilde.'

Hij bekeek haar met een wazige blik. Ze was bekoorlijk, fraai in haar strakke, tweedelige pakje – rood weer, ze was dol op rood, gaf ze daarmee aan dat ze gevaarlijk was? – met een mouwloze, hooggesloten zijden bloes in wit. Ze trok het jasje uit, legde dat op de plaats naast zich en pakte haar poederdoos uit haar handtas. Haar armen waren slank en gebruind en het aanzien waard. Hij keek met een kinderlijke fascinatie toe hoe ze opnieuw, en zonder enige reden, in het spiegeltje haar reflectie bestudeerde, haar lippen tuitte, een wenkbrauw beroerde, maar niets deed wat haar voorkomen veranderde.

'Nou?' zei ze over het spiegeltje heen, met groen flitsende ogen.

'Waar zitten we?'

'Vlak bij Three Bridges.'

'Dan kan de kelner toch elk moment hier zijn?'

Hij had niet veel zin om in beweging te komen.

'Of niet,' zei ze. 'Troy, wees eens lief en haal wat koffie. Ik zit te snakken.'

Ze blies hem van haar glanzend rode lippen een namaakkus toe, klapte de poederdoos dicht en liet die in de zak van haar rode jasje glijden.

Hij liep een paar schuddende rijtuigen door naar de restauratiewagen. De beheerder zei dat hij over tien minuten langskwam. Troy deed een knieval en kreeg de man zo ver dat hij een blad met twee koppen meegaf. Tijdens het inschenken van de koffie kwam de trein tot stilstand en Troy zag door het raam het bord van Three Bridges. Hij pakte het blad en de trein kwam met alle precisie van een verkeerde timing weer op gang en al spoedig op snelheid. Hij vervloekte Madeleine Kerr de hele weg terug door twee ratelende rijtuigen heen, en toen hij zijn hand op de deur van de derde legde, sloegen de remmen van de trein aan, waardoor hij achterover in het gangpad viel en de koffie over zijn verkreukelde pak stroomde.

Hij had nog nooit eerder met een trein gereisd waarin iemand aan de noodrem trok, maar hij twijfelde er niet aan dat dit nu het geval was. Achter hem ontstond consternatie, van opgewonden stemmen en een huilend kind, en voor hem heerste stilte. Hij liep het laatste rijtuig in en stapte het compartiment van Madeleine binnen. Haar hoofd hing tegen het raam, en schudde heen en weer boven haar linkerschouder, terwijl de trein stuiterende bewegingen maakte als een overspannen veer. Hij had wel meer gebroken nekken gezien, en hij twijfelde er niet aan dat ze dood was. Hij hield zijn vingers tegen de zijkant van haar keel. Er was geen hartslag. Haar ogen waren gesloten, haar handen lagen in haar schoot, en haar handtas was verdwenen. Hij gaf zich over aan de stilte van het moment, de laterale kracht van de schok, de absurde poets van de natuur die haar mooi had gelaten in de dood, tot de trein hevig stootte en de deur aan zijn kant openklapte. Nu wist hij het.

Hij sprong op het spoor en kwam verkeerd terecht. Zijn hele gewicht op zijn linkerenkel, en het been gleed onder hem vandaan met een felle pijnscheut. Hij kwam moeizaam overeind en zag een figuur langs het spoor hollen, terug richting station. Troy zette een stap en voelde hoe zijn linkerbeen hem naar beneden trok. De man verdween achter een betonnen loods. Troy zette nog een stap, en nog een, en deed wat hij kon om wat vaart te krijgen. De man schoot van achter de loods vandaan. Troy zag alleen maar een vluchtige blauwige veeg, maar wist toen het zinkende gevoel zijn maag had bereikt, dat de donkere vlek aan het uiteinde van een gestrekte arm een wapen was, dat op hem was gericht. Het wapen flitste en blies hem groen en blies hem rood en blies hem zwart – een dromeloze hel in.

70

Hoe vaak had hij nu al niet zo gelegen? Ontwakend, naar de aarde razend vanuit een tijdloze, woordeloze hel, proberend het ziekenhuis te herkennen aan het schilderwerk, wetend dat hij weer was ingemaakt, en wachtend op de golf van bewustwording die het allemaal weer bij hem terugbracht, en hem vertelde wie, en wanneer, en alles behalve het waar. Een verpleegster vertelde hem dat. Een knappe jonge vrouw in het uniform van een onderzuster, en nog haast voor de woorden haar lippen verlieten, herkende hij de karakteristieke ceintuurgesp en de unieke configuratie van gesteven linnen die doorging voor een kap.

'U bent in het Charing Cross, Mr. Troy.'

'Ik zie het.'

'Kent u me nog?'

Troy keek zo goed als zijn horizontale positie en zwemmende gezichtsvermogen dat toelieten.

'Ik was eerstejaars in het Middlesex in 1951 toen u Edward Langdon-Davies had opgepakt.'

De golf van herinnering – het verleden levendiger dan het heden. Troy had Langdon-Davies die winter opgepakt. In de boeien geslagen, opgesloten, veroordeeld, opgehangen. En Langdon-Davies had hem met een pook te pakken genomen en zijn sleutelbeen gebroken. Jack had hem in een politieauto gepropt en naar de dichtstbijzijnde eerste hulp gebracht, het Middlesex. Deze jonge vrouw had toegekeken hoe de dokter de botten met een ziekmakende schok van pijn op hun plaats rukte, bond toen zijn arm in een mitella en zei dat hij een maand lang rustig aan moest doen.

'U begint er een gewoonte van te maken,' zei ze glimlachend, zonder te weten hoe dicht ze bij de waarheid kwam.

'Hoe lang ben ik hier al?'

'Sinds gisteren. U was naar de Mid-Sussex gebracht. De röntgenfoto's waren goed, dus mocht uw broer u met een ambulance naar Londen laten brengen. U bent een paar keer bijgekomen, maar daarvan zult u zich wel niets meer herinneren.'

Ze voelde zijn pols, nam zijn temperatuur op en haastte zich weer weg. Troy voelde aan de rechterkant van zijn hoofd. Een verband, met daaronder een dikke laag watten. Geen pijn, en toen hij eenmaal overeind zat geen dubbel zien of misselijkheid. Misschien was hij weer onder een moord uit gekomen. De uitdrukking rolde rond in zijn hoofd. Langdon-Davies was niet onder moord uit gekomen. Troy vond niet dat hij de doodstraf had verdiend. Langdon-Davies was, evenals Cockerell en Angus Pakenham en zoveel mensen wier leven hij de laatste tijd was komen binnenmarcheren, een onmiskenbaar oorlogsslachtoffer. Een geboren militair, een officier tot in zijn nicotinebruine vingertoppen. Na de oorlog was hij niets meer waard. Geen noemenswaardig vak of beroep, behalve doden en misleiden. Hij was, wist Troy, half gek. Een reeks mislukte zakelijke waagstukken, waarbij een commando-opleiding niet van nut bleek, en waarvan de meeste bleken te zijn uitgedraaid op plaatselijke equivalenten van het Ground Nut-scheme, of een eigentijdse versie van het kippenfokken – waarbij beide kandidaat stonden in de volkstaal te worden opgenomen als symbool voor mislukking en stommiteit – had hem tot oplichterij gedreven (fraude en vervalsing, de eerloze kunst van de valse cheque); opererend op basis van zijn rang (majoor) en zijn accent (Algemeen

Beschaafd Engels), en had hij, na de laatste streek van dat soort, zijn vrouw vermoord. Volgens zijn verhaal aan Troy kregen ze hevige ruzie, waarbij ze tegen hem schreeuwde en hem uitschold voor alles wat slecht en lelijk was, en probeerde hij zo kalm mogelijk te blijven, omdat het niet gepast was je te vergrijpen aan het 'schone geslacht'. Hij had haar de rug toe gedraaid in de veronderstelling dat de ruzie voorbij was, en zij had van achteren op hem in geslagen, en in een reflex, zoals hij zou blijven doen tot de dag dat ze hem meenamen en ophingen, had hij haar, zelfs zonder te kijken, met zijn elleboog in de keel gestoten en bij het omdraaien met zijn andere hand haar hoofd naar achteren geduwd en haar nek geknakt. Niets anders, zei hij met een schittering in zijn ogen, dan het schoolvoorbeeld van de genadeslag voor een aanvaller-van-achteren, niet geleerd op de sportvelden van Eton, maar op het exercitieterrein van Aldershot.

Moord kreeg altijd al veel aandacht. Maar Langdon-Davies op de vlucht, als de Onzichtbare Man levend van diefstal en inbraak, zodat uit angst voor een 'moordenaar' in heel Groot-Brittannië de deuren werden vergrendeld en de ramen geblindeerd, had het niveau bereikt van een nationale obsessie, die in de verbeelding van het volk een Dick Barton naar de kroon stak. Hij werd de lievelingsschurk van de pers, een moordenaar op de vlucht, die werd gesignaleerd van Dundee tot Barnstaple, en allemaal op dezelfde dag. Het verschijnsel 'moordenaar', dat was ontstaan dankzij de mythe en de populaire journalistiek, en niet beantwoordde aan het beeld van het ontspoorde individu. Troy vond niet dat hij moest hangen. Hij mocht de man zelfs wel, dat moet gezegd. Maar de wet, die zijn waanzin niet zag voor wat die was, kende geen andere straf. Hij werd gehangen. Gehangen voor het vergrijp dat hij niet kon vergeten wat hij tijdens de oorlog had geleerd. Hij had gesproken, o, wat had hij gesproken, een bekentenis die bijna zo lang was als een roman. Welk verhaal zou Arnold Cockerell vertellen, als Troy de doden aan het praten kon krijgen? Maar Cockerell had gepraat, hem het oninteressante verhaal van de meubelman verteld. Wat hem verder niet veel zei. Het was gewoon het facet van een leven.

Afhankelijk van welke kant je het opdraaide, kwamen er een ander facet, een ander verhaal, een andere betekenis aan de orde.

'Ik wil het hele verhaal,' zei Jack.

Later op de dag, rond vieren of vijven, zijn horloge was weg, dus wist hij het niet precies, verscheen Jack aan zijn bed, onverbiddelijk en bleek. Hij gooide een politiefoto van 25 x 20 centimeter van Madeleine Kerr op zijn beddensprei.

'Ik wil het hele verhaal, en als ik de indruk krijg dat je iets achterhoudt, laat ik je zakken, Freddie, zowaar als ik hier sta.'

Hij draaide de rechte stoel om, die voor de bezoekers, en ging daar stijfjes op zitten, armen over elkaar, zijn hoed op de rand van het bed, als een soort slaperig beest. Het was niets voor Jack om een hoed te dragen. Het was symbolisch, de machtsovername in uiterlijk van de oude anti-intellectuelen met bolhoeden en zwarte hoge schoenen, waaruit de 'Yard' bestond toen zij daar voor de oorlog in dienst kwamen – een ras van slome duikelaars, belemmerd en gemotiveerd door de constante vernederingen van de klasseverschillen – waarop Onions een geduchte uitzondering was gebleken.

'Waar moet ik beginnen?'

'Neem maar aan dat ik weet hoe ze heet – Madeleine Kerr – en neem maar aan dat ik de foto's overal in haar huis herken als van Cockerell. Begin daar maar.'

Troy vertelde het hem. Alles, vanaf het telefoontje van Angus tot zijn sprong op het spoor, midden in Sussex, en het pad van een kogel, en de blauwige veeg.

Jack onderbrak hem maar zelden. Hij maakte geen notities, beroemde zich op zijn geheugen en stelde weinig vragen.

'En wat heb jij?' vroeg Troy.

Jack stond op en rekte zich uit, liep een paar passen door het vertrek, leunde met zijn handpalmen op de vensterbank, keek naar het afnemende zonlicht.

'Hij heeft haar nek gebroken als een tak. Geen teken van een worsteling. Ze was meteen dood. We vonden haar handtas in de bosjes. Binnenstebuiten, overal spulletjes. Onmogelijk te zeggen wat hij heeft gezocht, of wat er ontbrak. Haar rijbewijs en een paar brieven vertelden ons wie ze was. Maar goed ook. Jij was buiten westen.'

Troy vroeg zich af wat voor soort blik Jack hem toewierp. Verwijt?

'Haar huis was doorzocht.'

'Ondersteboven gehaald?'

'Nee. Professioneel. Alles op zijn plaats. Maar toch doorzocht. Je kent het gevoel. Je hebt het zelf weleens gezien. En ik weet nog steeds niet wat hij zocht.'

Troy ook niet. Jack ging op de koude radiator zitten. Troy draaide zijn hoofd om zijn gezicht te kunnen zien en voelde hoe de bult onder het verband tegen de rand van zijn bed kwam. Hij zag er waarschijnlijk niet uit.

'Waar was je mee bezig?'

'Hè?'

'Waarom nam je haar mee naar Londen? Ze had een retourtje op zak. Dat en de poederdoos. Wat deden jullie samen in die trein?'

'Ik heb geen idee.'

Jack liet zich van de radiator glijden, zette een paar stappen de kamer in en Troy hoorde de diepe zucht die voorafging aan woede. Wat was hij toch dom. Jack, die lusteloze Jack, die door het vertrek danste als een kat op een heet zinken dak, niet in staat om langer dan een minuut stil te staan. Het was zijn manier om de situatie de baas te blijven. Hij was razend woest op Troy en Troy had dat niet in de gaten gehad. Hij trok zich zo hoog mogelijk op in zijn lakens en kussens, om Jack in de ogen te kijken en tot hem door te kunnen dringen.

'Ik bedoelde,' begon hij slapjes, 'dat ze me niet zei waarom. Alleen dat er dingen waren die ze me pas zou vertellen als we in Londen waren.'

'Zoals?'

'Cockerell – waar die mee bezig was.'

'Je wou zeggen dat je een hele avond alleen met haar samen was en je dat niet uit haar kon krijgen?'

'Ja.'

'Freddie, ben je met die vrouw naar bed geweest?'

Het had iets van een motie van wantrouwen, een van de pijnlijkste momenten in al die jaren dat ze elkaar kenden.

'Nee, Jack.'

'Een hele avond waarin je haar alles kon vragen, en dan heeft zij je uiteindelijk bij de...'

'Jack! Ik heb niet met haar geneukt!'

Jack pakte de stoel, trok die dichter naar Troy en leunde naar voren.

'Besef je eigenlijk wel wat je hebt gedaan? Dit is niet het moment om me voor te liegen!'

'Ik lieg niet. En wat ik deed, was een moord onderzoeken.'

'Freddie, tot je naar Brighton ging was er geen moord.'

'Jawel. Cockerell was vermoord. Jessel was vermoord.'

'Ik heb het sectierapport op je bureau gezien. Jessel is overleden aan hartfalen.'

'Hartfalen dat werd geprovoceerd door het zwaaien met een wapen in zijn gezicht!'

Jack zakte achteruit, bijna omvallend van de schok.

'Wat?'

'Ik heb wapenolie op zijn bureau gevonden. Een druppeltje zo groot als een speldenknop, maar onmiskenbaar wapenolie. De een of andere zak zag er blijkbaar heil in Jessel de doodschrik aan te jagen met een wapen in zijn gezicht.'

'Waarom staat dat nergens op papier?'

'Jack – doe me een lol zeg…'

'Ik herhaal. Weet je wel wat je hebt gedaan?'

Troy gaf geen antwoord.

'Je hebt me volkomen in de zeik laten zitten. Je hebt een beerput opengetrokken.'

'Bonser. We moeten met Bonser praten. Iemand heeft hem opgedragen die dag naar de King Henry te gaan. We moeten met Bonser praten.'

'We?'

Troy zei niets. Hij wist wat er kwam.

'We. Freddie, er is geen "we". Jij bent van de zaak gehaald.'

'Heb je Onions ingelicht?'

'Dacht je dan dat ik blufte?'

'Wat is er afgesproken?'

'Jij bent met ziekteverlof. Je blijft weg van de Yard. Als de dokters je genezen verklaren, hangt je terugkeer af van de omstandigheden. Als ik het vermoeden krijg dat jij je weer met deze zaak gaat bemoeien, wordt je ziekteverlof verlengd.'

'Jack,' zei hij zacht. 'Dat is een reusachtige stinkstreek.'

'Klopt. Maar een die je misschien in leven houdt. En bij de spionnen vandaan. Onions wil je niet bij die hufters in de buurt hebben.'

Dit was slecht nieuws. En hoe stelde Jack zich dan de volgende stap voor?

'Jack, je wou toch niet zeggen dat je de jongens van de geheime dienst wil gaan aanpakken? Dat is zo'n beetje het laatste wat we moeten doen.'

Jack pakte zijn hoed van het bed. Als dat gebaar bedoeld was als afsluiting van hun gesprek, was dat tevergeefs. Troy zat rechtop in zijn bed.

'Jack! je luistert niet naar me!'

Dat klopte, Jack was onderweg naar de deur.

'Je kunt dit niet met ze opnemen. Begrijp je dat niet?'

Jack had de deur open, de helft van zijn lichaam was er al achter verdwenen.

'Ze stoppen het definitief in de ijskast!'

Troy merkte dat hij schreeuwde met alle kracht die hij nog in zijn longen had. Zijn borst deed pijn en zijn hoofd tolde. Jack sloot de deur en leunde ertegen, zijn handpalmen plat tegen het hout.

'Ze nemen ons de zaak uit handen. En doen daarna niets meer.'

'Leg maar uit,' zei Jack.

'Is het weleens in je opgekomen dat we niet weten welke...' Troy zocht naar het goeie woord, maar slaagde daar niet in... 'welke... kant Cockerell heeft vermoord?'

'Ik kan je niet volgen.'

'Ik bedoel dat we niet weten voor wie Cockerell werkte. Hij was niet officieel. We kunnen dit niet gaan onderzoeken en dan medewerking verwachten van MI5 of MI6. Nu de premier open kaart heeft gespeeld, willen ze het allemaal zo gauw mogelijk onder de zoden hebben. Als dat betekent dat de moord op een onschuldige vrouw daardoor niet kan worden onderzocht, dan wordt die niet onderzocht.'

Jack wist dat hij gelijk had. Troy kon het in zijn ogen zien. En weer zat hij Jack op zijn huid met onweerlegbare en onverteerbare logica.

'Dus zit ik nu met een zaak die nergens toe leidt?'

'Werk eromheen. Volg de geur, doe een tijdje alsof er geen geheime dienst aan te pas komt. Alsof het om een gewone moord gaat. Kijk hoever je komt. We kunnen alleen naar MI5 of MI6 wanneer we een zaak in aanmaak hebben. Als we dat al doen.'

'Gewone moord? Weet je dat niemand in de trein weet hoe de man die Madeleine Kerrs nek brak eruitziet? Ik heb genoeg details om een klein leger te beschrijven, maar die zijn zo in tegenspraak met elkaar dat je er nooit iemand van kan maken. Groot, klein, dik, dun. De enige duidelijke beschrijvingen die ik heb zijn van jou. Een hele rits mensen is bereid voor de rechter te verschijnen en jou aan te wijzen als de man die Madeleine Kerrs nek heeft gebroken, maar er is niemand die de echte moordenaar kan aanwijzen. Niemand heeft hem door het station zien komen. Niemand in Brighton kan zich een specifiek iemand voor de geest halen die op die trein is gestapt. En jij wilt dat ik "eromheen" werk?'

'Ja. En houd haar naam en de mijne buiten de kranten.'

'Nou,' zei Jack. 'Het is leuk te weten dat ik nog iets goed kan doen.'

En de klap waarmee hij de deur dichtsloeg leek zijn razernij, weerkaatsend tegen de muren, eindeloos te blijven echoën. Maar Jack was nog niet het ergste. Het ergste moest nog komen.

71

De volgende dag was de dag van zijn ontslag uit het ziekenhuis. Hij had zijn pyjama in zijn aktetas gepropt en worstelde met de mouwen van zijn jasje. Hij werd opeens duizelig, viel tegen de zijkant van het bed, één arm in, één arm uit, en het jasje bleef halverwege zijn rug steken. Een hand schoot hem te hulp. Hij keek op. Anna Pakenham, streng, zonder glimlach, stond over hem heen gebogen en hielp zijn armen door het kortstondige doolhof van zijn mouwen.

'Wat doe jij nou hier?'

'Geen zorgen, ik ben goed volk.'

Ze wist van geen wijken. Ze wilde hem naar huis rijden. Hij protesteerde zwakjes dat het nog geen vijfhonderd meter was. Maar hij voelde aan het tollen van zijn hoofd dat hij, als hij op eigen gelegenheid ging, waarschijnlijk op zijn buik in de goot van de Strand zou belanden.

In zijn woonkamer verwijderde zij het verband, en controleerde de wond.

'Keurig,' zei ze. 'Het wordt een litteken, maar de huidflap groeit wel weer aan. Je krijgt geen kale strook. Het lijkt er van alle kanten op dat de kogel op je dikke kop is afgeketst. Ik hoef je zeker niet te vertellen hoeveel geluk je hebt gehad.'

'Het verhaal van mijn leven.'

'Het geluk raakt een keer op, Troy. Heb je ooit weleens een bokser gesproken die zijn tijd heeft gehad? Een van mijn patiënten is

Mickey McGuire. Brits, en Empire Licht Zwaargewicht Kampioen van voor de oorlog, in zeker twee partijen, voor hij definitief onderuitging. Hij is tot pap gebeukt in zijn tijd – en nu kan hij je nauwelijks vertellen hoe laat het is, of welke dag.'

'Ik begrijp wat je bedoelt.'

'Nee, dat doe je niet. Je hoort me wel, maar het interesseert je geen barst. En dan nu naar belangrijker dingen dan of jij leeft of sterft. Wat ik wil weten is – heb jij Angus betrokken bij iets waar hij last mee krijgt?'

'Nee,' zei hij. 'Angus doet niet meer mee.'

Anna klikte haar dokterstas dicht, kuste hem op de wang, zei dat hij een hufter was en deed de voordeur open. Hij was halverwege de keuken om de ketel op te zetten, toen hij haar stem hoorde, en daarna die van zijn broer die antwoord gaf. Ze stonden op de drempel over hem te praten. Hij zette de ketel toch maar op. Hij wist niet of hij een van zijn broers preken kon uitzitten zonder intussen iets omhanden te hebben.

Toen hij terugkwam had Rod zijn jasje op de bank gegooid en stond met een rood gezicht zijn das los te trekken, op zoek naar zijn boordenknoopje. Troy stak het theeblad voor zich uit.

'Ik wil er niet omheen draaien, Freddie...'

Hij gromde vanwege de benauwenis bij zijn keel en zuchtte toen het knoopje opensprong.

'Niet om eh... de dinges heen draaien – waar ben je mee bezig?'

Hij ademde diep in en keek Troy recht aan.

'Nou?'

'Ik doe mijn werk, Rod. Meer niet.'

'Je liegt!'

Troy haalde naar hem uit. Zijn gebalde vuist gleed, toen die een stap opzij zette om de klap te ontwijken, onverrichter zake langs Rods arm af. Hij schoot door zijn eigen gewicht naar voren, waardoor het theeblad door de lucht vloog. Rod greep hem met een soepel gebaar om zijn middel en gooide hem op de bank. Hij was een hoofd groter dan Troy en een tiental kilo's zwaarder, hij tilde hem zonder moeite op en liet hem toen los.

'Doe niet zo stom! Denk je dat ik niet weet wanneer je liegt? Je bent je hele leven al een eersteklas leugenaar geweest!'

Troy lag in elkaar gedoken. Rod boog zich laag over hem heen.

Gedurende een fractie van een seconde dacht Troy dat hij hem een klap wilde geven, en toen Rod zich over hem heen boog, benen wijd, hoofd laag, stond hij op het punt hem tegen zijn ballen te schoppen. Maar Rod zocht naar zijn jasje, dat half onder Troy begraven lag. Hij haalde iets uit zijn zak en ging weer rechtop staan.

'Je doet gewoon je werk, hè?' zei hij, en gooide een klein glanzend voorwerp in Troys schoot. Het was Madeleine Kerrs pistool.

'Gewoon je werk? Freddie, je hebt enorm geboft dat Jack dit niet vond. Enorm geboft dat de politie daar bij het doorzoeken van je zakken als eerste je legitimatiebewijs vond en toen niet verder zocht. Ik vond dit toen de dokters me naar dat ziekenhuis in Sussex lieten komen. Waarom heb je een pistool? Waarom lieg je tegen me?'

'Ik verwijs de geachte afgevaardigde naar mijn vorige antwoord.'

Ook toen hij het zei, klonk het goedkoop en kinderachtig. Een lange neus maken naar de grote broer.

Rod stond op en begon de brokstukken van het theeservies op te rapen.

Hij kon nooit lang boos blijven, zelfs als hij er zijn voordeel mee kon doen. De scherpte verdween uit zijn stem, een bedroefde, bezorgde, irritant menselijke bariton nam het over.

'Ik zal je zeggen wat ik denk. Ik denk dat je ze najaagt uit schuldgevoel. Die kletsverhalen over de ouweheer. Je jaagt op geheim agenten omdat je ergens diep vanbinnen gelooft dat de ouweheer een geheim agent was, en dit jouw manier is van schuld afkopen.'

'Schuld?' zei Troy, die zijn woede vermengde met hatelijkheid. 'Ik weet niet wat dat is.'

'Denk je nou echt dat ik geloof dat jouw onderzoek naar Arnold Cockerell toeval is?'

'Heeft Jack je ingelicht?'

'Natuurlijk.'

'Heeft hij je ook verteld dat ik de laatste was die Cockerell in leven heeft gezien?'

Rod stond met de theepot in de ene hand en de tuit in de andere.

'Nee. Is dat zo?'

'Ja. Pech gehad, eigenlijk. Ik was toevallig in het goeie hotel tijdens de verkeerde nacht.'

'Het laatste wat ik hoorde, was dat Cockerells vrouw het lijk niet kon identificeren.'

'Dat hoeft ook niet meer. Dat heb ik gedaan.'

'Is hij het?'

'Ja.'

Rod gooide de scherven op het blad en plofte in een leunstoel.

'Zo. Dat is dan dat.'

'Dat? Je bedoelt: klaar? Natuurlijk is het niet klaar. Wat denk je nou, dat je Eden eindelijk bij de kloten hebt? Je wist, lang voordat het kabinet dat had opgebiecht, dat het Cockerell was! Maar daarmee is het nog niet klaar. Rod, jij wist het, maar Eden niet. Geen van die eikels daar. Cockerell was een einzelgänger. Eden kwam daar waarschijnlijk pas achter na jou. Jouw theorie van de grote samenzwering blijkt, zoals zo vaak het geval is, uiteindelijk niets anders te zijn dan een grote knoeiboel.'

'Ik ontken niet dat ik vanaf het begin af aan van Cockerells naam op de hoogte ben geweest...'

'Zelfs op de dag dat we zijn doorgezakt in het Lagerhuis?'

'Ja. Zelfs toen. Maar ik begrijp nog steeds niet hoe je kan zeggen dat Eden er niet van wist.'

'De oorlogsleus van in diskrediet gebrachte leiders door de eeuwen heen. "Niemand heeft me dat gezegd." Ik weet niet wat er is gebeurd, maar ik weet dat de SIS (Secret Intelligence Service) erdoor werd verrast. En ik denk dat Eden zich rot geschrokken is.'

Rod leunde achterover. Staarde naar een plek ergens boven Troys hoofd, sloeg toen zijn ogen neer, om Troy aan te kijken.

'Nog altijd geen excuus, vind je wel?'

'Nee. Het is hun vak om het te weten. Maar de bal komt daardoor wel in een rechte hoek bij mij terecht.'

'Hoe dan wel?'

'Het is moord. Het zijn drie moorden, om precies te zijn. Ik weet niet wie Cockerell heeft omgelegd, maar het is denkbaar dat het dezelfde persoon was die George Jessel en Madeleine Kerr heeft vermoord. En er is niets klaar, omdat het nog niet klaar is, omdat het moord is – en moord mijn pakkie-an is.'

'Verdomme,' zei Rod. 'Verdomme, verdomme, verdomme.'

'Cockerell was een oplichter. Wat voor soort, weet ik niet. Maar hij knoeide met duizenden via zijn handel. Hij was geen geraffineerde spion, hij was een doodgewone oplichter.'

'Die ook spioneerde? Waarom was hij daar anders? Ik snap het niet meer.'

En Troy wilde het voortouw niet nemen. Er waren dingen die hij Rod zou vertellen en dingen die hij hem liever niet wilde vertellen. Het was allemaal een kwestie van formuleren. Het werd tijd van tactiek te veranderen of hij werd klemgezet.

'Zeg eens. Wat is eigenlijk een spion?' zei hij.

'Wel een beetje filosofisch, hè?'

'Laat me nou maar even. Wat is een spion... van nature?'

Rod dacht hierover na. Sloot zijn vingers in elkaar, strekte zijn armen en luisterde naar het kraken van zijn gewrichten.

'Ik weet dat het een cliché is, maar het zijn hoeren, niet? Eigenlijk is een spion een hoer.'

'En wat is de aard van een hoer? Het privilege, als je wilt.'

'Ah, nu snap ik het. Je doelt op dat oude verhaal over die vent op de conferentie van de Conservatieven, Baldwin, of iemand die veel op hem leek, die de pers omschreef als iets met veel macht zonder verantwoordelijkheid, wat "door de eeuwen heen altijd het privilege van de hoer was geweest, hah hah". Toen draaide Devonshire zich naar MacMillan en zei: "Verdikkeme, daar gaat de stem van die slet!"'

'Dat bedoelde ik. De hoer heeft de macht zonder de verantwoordelijkheid. De spion heeft de verantwoordelijkheid zonder de macht.'

'Nu ben ik het spoor bijster.'

'Wat heeft de spion in principe te bieden? Welk product vormt de basis van zijn bestaan?'

'Informatie.'

'Kennis.'

'Als je wilt.'

'Draagbaar bezit zou Dickens het noemen. Kennis die hij kan meenemen, verhandelen of afleveren, maar waarmee hij niets kan doen.'

'En wat wou je daarmee zeggen?'

'Kennis is geen macht. Bacon had maar half gelijk. Kennis is alleen macht als je er iets mee kunt doen.'

'En als dat niet kan?'

'Als dat niet kan, is het ballast. Het lot van de spion is kennis in onvermogen.'

'De last van het weten, hè?'

'Zoiets, ja.'

'En hoe weet jij dat allemaal?'

Een eerlijk antwoord was misschien om te zeggen 'omdat ik er een heb getrouwd', maar Tosca zou te veel afleiden van waar het nu om ging. Het was niet haar aard waarop hij doelde, maar die van Rod en hemzelf.

'Een paar weken geleden heb jij me voor een spion uitgemaakt.'

Rod opende zijn mond. Troy wist dat zijn onuitsprekelijke fatsoen hem ertoe zou brengen zich te verontschuldigen voor alles wat waar was. Hij stak zijn hand op om hem het zwijgen op te leggen.

'Natuurlijk was ik een spion. Ik kan dat toch ook nauwelijks ontkennen. Maar wat ben jij?'

'Dat ga jij me vertellen. Ik kan je niet tegenhouden. En ik begin het zo langzamerhand te betreuren dat je de theepot hebt stukgegooid.'

'Een spion is iemand die in het bezit is van informatie waar hij geen recht op heeft en die hij niet kan gebruiken. Jij kreeg een goeie tip over Cockerell, maar je kon niet naar voren treden en hem bij naam noemen.'

'Daar ging het in eerste instantie ook niet om. Het punt was niet Cockerell of wie Cockerell had vermoord. Het was de schending van vertrouwen door het kabinet.'

'Precies. Je ging achter de Conservatieven aan vanwege Cockerell, waarbij het niet om Cockerell ging. Je hebt een overwinning behaald, maar de storm die je hebt aangewakkerd, gaat niet liggen. Het is moord. En dat is het altijd geweest.'

'Hij gaat niet liggen, omdat jij hem oprakelt.'

Troy liet die gaan.

'Dezelfde werkwijze is van toepassing op Suez. Je weet wat die eikels van plan zijn, dankzij de CIA. Maar je kunt er niet voor uitkomen en het zeggen. De informatie wurgt je. Kennis zonder macht. Je kunt Eden niet tegenhouden zonder je bron prijs te geven. Ik ga nog verder – je gáát Eden ook niet tegenhouden. Je houdt hem niet tegen, omdat je wilt dat hij de boel verkloot, zodat jouw partij zich dan kan aandienen als de redders.'

Rod zuchtte diep. Er zou geen boze uitbarsting volgen. Dit was het teken en dat kwam min of meer spontaan.

'Freddie, geloof me, ik zou er alles voor over hebben om deze oorlog te voorkomen. Maar ik kan het niet. Ik niet, de hemel niet, en de hel niet. Het enige wat ik kan doen, is de hufters vanaf de zijlijn bestoken, ervoor zorgen dat mijn eigen partij het er zonder kleerscheuren afbrengt en in een positie verkeert om de draad weer op te pakken.'

Troy duwde zichzelf naar de rand van de bank. Rod leunde naar voren, ellebogen op de knieën, vingertoppen onder zijn kin. De broers zaten bijna met de neuzen tegen elkaar.

'Maar doet het weten geen pijn?' fluisterde hij.

'Niet de term die ik gisteren zou hebben gebruikt, en zelfs vijf minuten geleden nog niet. Maar ja, dat is precies het goeie woord.'

Troy stond op. Liep licht zwaaiend naar de keuken. Haalde de reservepot tevoorschijn. Rod had nu zijn thee wel verdiend. Hij hoorde hem, boven het suizen van de ketel uit, herhaaldelijk zuchten. Hij wist dat hij hem stevig had geraakt, harder dan een fysieke klap had gekund. Hij zette een tweede blad voor Rod neer en schonk voor beiden in. Het zachte oriëntaalse vleugje Earl Grey dat naar de neusgaten trok, verschafte de vluchtige illusie dat ze goede, solide Engelsen waren, die in theetijdharmonie verkeerden met de geschiedenis.

Rod glimlachte, en zei: 'Laten we proberen dit servies heel te houden, oké?'

Ze dronken in stilte. Troy kon Rod volkomen doorgronden. Het schuldpatroon dat zich diep uitvrat in het zachte, meegevende weefsel van zijn goele inborst. Hij staarde naar het plafond, zuchtte een paar keer en leek naar de een of andere conclusie toe te werken.

'Weet je, ik kan het niet eens tegen Gaitskell zeggen. Ik bedoel eigenlijk, ik heb het Gaitskell nog niet verteld. Jij bent in feite de enige die ervan afweet. Het is als een granaat in je vuist. Ik proef de metalen pen in mijn mond. Tanden op elkaar, vuist gebald.'

Hij zweeg aarzelend. Troy voelde dat er een onthulling op komst was.

'Weet je nog dat Ike me belde?'

'Hoe zou ik dat ooit kunnen vergeten.' Rod vroeg niet wat Troy daarmee bedoelde.

'Ik vertelde je dat hij Edens toespraak voor de nationale televisie had gehoord. Dat was eigenlijk niet waarom hij belde. Hij had Hughs antwoord eerlijk gezegd ook gehoord. Hij belde niet omdat hij Edens oorlog stapelgek vindt – dat spreekt vanzelf – maar omdat hij bang is dat Hugh en de Labour Party hem weleens zouden kunnen steunen. Ike belt me bijna iedere zaterdag vanaf de negentiende hole, verdomme. "De enige telefoon in Amerika die niet wordt afgetapt!" – en hij lacht niet, als hij dat zegt. Het afgelopen weekend begon hij bijna te schreeuwen. Hij maakt zich echt zorgen dat het land zich achter Eden opstelt.'

'Daar kan ik wel inkomen.'

Rod keek hem scherp aan, maar hapte niet. De moeite om te zeggen wat hij kwijt wilde kostte hem al zijn energie.

'Vorige maand hadden we de premier van Malta op bezoek. Hugh en ik hebben hem ook privé gesproken. Hij vertelde ons dat de Royal Navy bij Malta een oorlogsvloot aan het verzamelen is. En dat daar maar één reden voor kon zijn. En Hugh zegt, verdomd als het niet waar is, "Ik geloof u niet!" Wat denkt hij dan dat daar aan de gang is? Een zeilwedstrijd? Ik kan het hem niet zeggen. Ik weet niet hoe ik het hem moet zeggen.'

Rod begon te hakkelen. Het leek alsof hij bezig was een gedicht voor te dragen dat hem inwendig verscheurde. Bij iedere poging om zich preciezer uit te drukken werden de pauzes langer en irritanter.

'Dit wordt een nationale gekte – De laatste stuiptrekking van het Empire – We zullen een generatie lang gedoemd zijn – De hele wereld kijkt ons met de nek aan – We krijgen de grootste run op het pond in jaren – Het geld zal niets meer waard zijn – Onze goudreserves verdwijnen als sneeuw voor de zon – En ik weet niet hoe ik het hem moet zeggen...'

Troy kreeg het gevoel dat er aan de laatste pauze geen eind kwam. Hij hoorde Rod ademen, hij hoorde de taxi's claxonneren in St Martin's Lane, hij hoorde een Londense duif koeren op zijn vensterbank. Hij hoorde het bloed bonken in de wond aan de zijkant van zijn hoofd.

Opeens besloot Rod zijn betoog met een zet van overdonderende snelheid.

'Weet je, ik kan niet tegenhouden wat er te gebeuren staat – maar jij kan wel ophouden met het onderzoek naar Cockerell.'

'Nee, dat kan ik niet.'

'Het is nu Jacks onderzoek.'

'Je kent me nu al je hele leven. Denk je nou echt dat dat me weerhoudt?'

'Laat het los, Freddie. We zijn er allebei tot over onze oren bij betrokken. Dat is wat je me met grote moeite duidelijk hebt gemaakt.'

'Ik weet het, maar vraag je je dan niet af waar dit allemaal toe leidt? Schuld of geen schuld. Vader of geen vader. Wil je niet weten tot in welke hoeken die spionnenjacht ons voert?'

Rod moest hier even over denken.

'Hoeken. Hoeken? Niet het woord dat ik had gekozen. Diepten, misschien.'

Hij dronk van zijn thee en overpeinsde het nieuwe woord.

'Ja – diepten. Die hoeken interesseren me niet zo. Waar zouden kamers, kartonnen dozen en Pythagoras zijn zonder hoeken. Diepten. Het zijn de diepten die me zorgen baren.'

Hij dronk zijn kopje leeg. Zette het met een doordringende klap terug op het schoteltje. Hij keek op zijn horloge.

'Ik moet hollen. Ik word verwacht in het Lagerhuis.'

Daar keek Troy van op. Het Lagerhuis was in september altijd op reces.

'Hè?'

'Heb ik dat niet gezegd? Toen jij in hoger sferen verkeerde, hebben we het parlement teruggeroepen. Je weet wel, het grote experiment – democratie, en dat soort dingen.'

Dat was een familie-uitdrukking, de et cetera van 'dat soort dingen' – hun vaders manier van praten. Die schiep er genoegen in zijn kinderen op te voeden via zinspreuken en allerlei achtergrondverhalen, en deed dat gewoonlijk tijdens andere bezigheden, zoals schrijven of eten, zodat de ander altijd de indruk kreeg dat de kennis die hij overdroeg geheel toevallig werd overgebracht, als de nevenbezigheid van een ontspannen, drukbezette geest. Troy onderging 'dit soort dingen' het meest van allemaal, omdat hij als jongste en meest ziekelijke van het stel zo vaak thuis en zo vaak 'in de buurt' was.

'De geschiedenis, mijn kleine Englander, kan worden verdeeld in twee categorieën. De activiteiten van de geschiedenis zijn of een slecht iets of een noodzakelijk iets. Neem de Revolutie. Onze Revolutie. Een noodzakelijk iets. Neem de huidige staat van Moedertje Rusland – de geleerden zijn het er nog niet over eens. Maar die wordt een noodzakelijk iets of die wordt een slecht iets. Een goed iets bestaat niet. Neem de Amerikaanse Revolutie. Een noodzakelijk iets. Neem hun president – Mr. Hoover – een slecht iets. Neem hun huidige staat. Een noodzakelijk iets? Democratie en dat soort dingen? Misschien, maar niet een goed iets.'

Een paar jaar later staken een schoolmeester en een journalist de hoofden bij elkaar en schreven een erg leuke parodie op de geschiedenis van Engeland, een fantastische giller voor scholieren met goeie koningen en slechte koningen en goeie dingen en slechte dingen. Ze noemden het boek *1066 en Dat Soort Dingen*. Troy had zich vaak afgevraagd of ze op een gegeven moment zijn ouweheer hadden ontmoet tijdens een van diens praatgrage buien en het allemaal verkeerd hadden opgevat.

Het 'democratie en dat soort dingen' van Rod kon je niet zomaar afdoen – die uitdrukking was te beladen en bevatte te veel twijfel.

72

Hij had gelogen tegen Rod. Terugkijkend op het gesprek waren het eerder onnauwkeurigheden geweest dan expliciete onwaarheden. Het hing er eigenlijk van af hoe Rod zijn opmerking over de doodgewone oplichter en de geraffineerde spion opvatte. Troy had alle nadruk op de zelfstandige naamwoorden gelegd, wetende dat hij Rod daarmee zou afleiden van waar de nadruk eigenlijk lag, op de bijvoeglijke naamwoorden. Hij voelde aan zijn water dat Cockerell een spion was – alleen geen 'geraffineerde' spion. Misschien was hij zelfs wel een ongewone oplichter. Hoe meer hij over de man te weten kwam, hoe anders die bleek te zijn dan hij leek. Maar Troy had Rod zonder meer en bewust de indruk gegeven dat Cockerell geen spion was. Hoe minder Rod wist, hoe beter.

Hoe minder Tosca wist, hoe beter. Hij kon het niet opbrengen haar alles uit te leggen, hij kon haar niet onder ogen komen met zijn hoofd in een miezerige tulband.

Hij belde haar op.

'Morgen is het zaterdag. Kom je naar huis?'

Het was maar goed dat ze het zei – hij had geen idee wat voor dag het was. 'Nee, 'zei hij. 'Ik moet dit weekend werken, vrees ik.'

'Volgend weekend dan?'

'Ja,' loog hij. 'Hoe... is het verder... kun je het wel aan?'

Hij hoorde de vraag neervallen, als brekend aardewerk.

'Gaat wel. Wou dat je hier was. Sta je van te kijken, zeker? Een van de vrouwen blijkt menselijke trekjes te vertonen.'

'Welke?'

'Lucinda.'

Dat verbaasde hem niet.

'En de Dikzak zegt dat je niet moet vergeten dat het varken binnenkort iets moet doen.'

'Biggen.'

'Biggen?'

'Het varken is zwanger.'

Toen zei ze: 'Is dat het enige wat we elkaar te vertellen hebben? Het varken is zwanger? Het kutvarken is zwanger!'

Hij had zich nooit zo erg getrouwd gevoeld. Maar nu al helemaal niet. Ze was nu een week weg, ongeveer? Hij wist het niet precies. Een droomloze hel was een tijdloze hel. Hij begon zich af te vragen waarom hij helder kon denken, welke drijfkracht hem in staat stelde zinnen te vormen en taal uit te spreken. Een droomloze hel was een woordeloze hel. Mimram en Tosca leken beelden uit een ander leven. Hij zag zichzelf in de spiegel. Nam het verband weg en gooide het in de prullenbak. Hij zag er nog beroerder uit dan zij, de dag dat hij haar in Amsterdam aantrof.

Jack belde. Zijn stem vlak en emotieloos. Een beleefdheidstelefoontje.

'Ik heb Bonser gesproken. Die zegt dat hij uit eigen initiatief heeft gehandeld. De pagina's uit Quigleys boek heeft gescheurd, omdat hij dacht dat dat van hem werd verwacht. Gaf toe dat hij fout zat. Heeft me zelfs die pagina's gegeven.'

'Hij liegt,' zei Troy.

Jack ontplofte.

'Natuurlijk liegt hij, verdomme! Dacht je dat ik dat niet wist!?!'

'Jack, ik zei alleen maar...'

Maar Jack had al opgehangen.

Hij zat aan de piano en speelde het grootste deel van de avond *Estampes* van Debussy, keer op keer. Deze muziek paste bij de nacht en paste bij zijn stemming. Week en vloeiend. Het regende weer eens. De aarde beefde en schudde van de donder, als de woede van

Zeus, de regen striemde in vlagen neer en de bliksem flitste door de lucht met een geluid als van scheurend canvas. Toen hij genoeg kreeg van Debussy schakelde hij over naar Bach, die dol makende 'stukken die in een ander vertrek moeten worden gespeeld', de *Goldbergvariaties*. Er was maar één woord voor de *Goldbergvariaties*. Flits. Hij genoot van de overschakelingen van de eerste naar de laatste, en vooral van die tussen de eerste en de tweede variatie. En hij had het gevoel dat hij de snelle stukken goed aankon. Het waren de langzame stukken die hem moeite kostten. En waar hij doorheen bonkte als een man met tien duimen, terwijl hij eigenlijk drie handen nodig had. Het probleem lag in de staccatokant van het werk. Puntig – ja, staccato – maar tegelijkertijd vloeiend. Met tik, tik, bonk redde je het niet.

Maar het tik, tik, tik kwam niet van het klavier. Terwijl de resonantie van de donder overging in een klagend gerommel, stopte hij en hoorde hij, opnieuw, het duidelijke kloppen van een hand op de deur. Hij pakte het kleine gouden automatische pistool van het bovenblad van de piano en schoof de slede naar achteren, hoorde de metalen plof toen de patroon in de kamer viel. Hij betwijfelde ernstig of zo'n klein wapen door tweehonderd jaar oud eikenhout van vier centimeter dikte kon vuren, maar hield het wapen met de linkerhand op borsthoogte bij de deur, terwijl hij met zijn rechterhand naar de deurknop reikte. Hij trok de deur open. Door de vijf centimeter brede kier zag hij, vlak voor het stoepje, een verfomfaaide figuur in de steeg staan. De regen sloeg zo hard naar beneden, dat die weer opstuitte van de flagstones, waardoor de indruk ontstond dat hier de een of andere ongelukkige noordelijke Aphrodite stond, verrezen uit het schuim, omhuld door de mist – en bevend als een espenblad. Toen een bliksemschicht de lucht boven hem aan flarden scheurde, lichtte ze glashelder op. Het was Madeleine Kerr, in een doorweekt T-shirt en een doorweekte spijkerbroek.

'Je zult het wel koud hebben,' zei hij, en gooide de deur wijd open.

Ze stapte over de drempel, en veegde het water uit haar gezicht, en hij holde naar de badkamer voor een handdoek.

Ze stond te druipen op de mat. Hij schopte de deur dicht en gaf haar de handdoek.

'Weet je wie ik ben?' vroeg ze.

'Ja,' zei hij.

'Je lijkt niet erg verbaasd.'

'Ik heb mijn hele leven met tweelingen te maken gehad. Het verbaast me niet dat de ene persoon sprekend kan lijken op de andere. Behalve dat het nooit helemaal sprekend is.'

Deze vrouw had hetzelfde blonde haar, dezelfde lichtgroene ogen, maar was op de een of andere manier die hij niet kon omschrijven knapper dan haar tweelingzus, een opmerkelijk mooie vrouw. Misschien dat het natte, verloren beeld dat ze opriep misleidend werkte. Maar het verschil dat hij zag, besefte hij, zat in het ontbreken van de decadentie. De te grote wereldwijsheid.

Ze wreef haar haar op een onsystematische manier droog.

'Heeft Madeleine je over me verteld?'

'Ze heeft nooit een woord over je gezegd.'

Hij knielde bij de haard, draaide het gas aan en hield er een lucifer bij. Hij kwam met een plofje tot leven. Roze, en menselijk, en vriendelijk.

'Ga hier maar zitten en zorg dat je droog wordt. Dan maak ik wat thee.'

Zijn handen beefden in de theebus, lieten de ketel bij het vullen kletteren tegen de kraan. Maar dat was, had hij altijd gedacht, nu juist het doel van de Engelse theeceremonie geweest. Het tijd winnen vanwege nerveuze handen en een onzekere houding.

Toen de thee klaar was en zijn handen niet meer trilden, droeg hij het blad de huiskamer binnen. De vrouw zat ineengedoken op het kleedje bij de haard en was bezig onder de grote badhanddoek haar kleren uit te trekken. Haar broek en T-shirt lagen te stomen over de rugleuning van een stoel. Ze reikte onder de handdoek, duwde haar bekken naar voren en gooide haar slip op de stoel. Een gênante beweging – voor iedere vrouw in het bijzijn van een volmaakte vreemde. Maar ze lachte hem liefjes toe, zonder een spoor van koketterie. Hij zette het blad neer en nam plaats op het puntje van de stoel bij de haard. Ze schoof dichter naar de haard toe, ging op haar hurken zitten, trok in een korte flits van handen en borsten de handdoek van zich af en hield die als een gordijn voor zich, terwijl ze met de bovenste rand haar gezicht afdroogde. De handdoek ging weer om haar heen, ze trok de haarspeld uit de knot op haar achterhoofd en veertig centimeter nat, blond haar golfde over haar rug.

'Ik ben haar zuster,' zei ze.

'Dat weet ik.'

'Shirley. Shirley Foxx. Met twee xx-en.'

'Troy,' zei hij. 'Met van alle letters één.'

Ze glimlachte. Pakte haar theekop.

'Madeleines echte naam was Stella. De naam Madeleine Kerr was een bedenksel. Twee van haar favoriete actrices in één. Madeleine Carroll en Deborah Kerr. Ze was dol op Deborah Kerr.'

Ze zweeg, dronk van haar thee.

'Het moet voor de politie wel raar zijn geweest om iemand te moeten opsporen van wie de echte naam niet bekend was. Maar ze hebben me gevonden. Ik ben haar komen identificeren.'

Hij hoorde de noordelijke klanken in haar stem. Dat was ook het spoortje van het accent dat hij in Madeleine Kerrs stem had gehoord, besefte hij nu. Derbyshire. Jezus, wat had die vrouw tegen hem gelogen.

Ze pakte haar handtas. Spitte die om en haalde een kleine, ivoorkleurige poederdoos tevoorschijn. Dezelfde die hij Madeleine Kerr had zien gebruiken in de trein uit Brighton.

'Toen het allemaal voorbij was, zei die jonge politieman van Scotland Yard, die knappe...'

'Inspecteur Wildeve,' zei Troy.

'Ja, die. Die zei dat ik Stella's eigendommen – zo noemde hij die geloof ik – haar eigendommen kon meenemen, en daar zat deze bij.'

Ze klapte de poederdoos open. Keek naar zichzelf in het spiegeltje en toen naar Troy.

'Aan het eind van de oorlog, toen we nog klein waren, elf of twaalf, kregen we allebei zo'n ding van een tante. Iets geweldigs, omdat alles op de bon was. Hoewel mam zei dat we nog veel te jong waren om poeder op onze gezichten te smeren en pap tegen het dak vloog bij de gedachte dat zijn meisjes make-up zouden dragen. We hebben ze toen maar jarenlang bewaard. Ongebruikt. Ze werden onze geheime plek. Omdat, moet je weten, als je...'

Ze drukte tegen de zijkant van de poederdoos en het spiegeltje schoot op een veer naar voren. Ze draaide de doos om, zodat hij het kon zien. In de ruimte achter het spiegeltje zat het visitekaartje dat hij aan Madeleine Kerr had gegeven. En daaronder, met plakband tegen het roestvrij staal geplakt, zat een klein plat sleuteltje.

'Het was onze geheime bergplaats. Waar we onze geheimen bewaarden. Een plek waar we dingen stopten voor onszelf en voor elkaar. Zo wist ik het. Ze had jouw kaartje daar gestopt, zodat ik het kon vinden. Ze had de sleutel daar gestopt, zodat ik die aan jou kon geven.'

Troy trok de sleutel los van het plakband. Aan de ene kant stond een bewerkte K, aan de andere kant stond een net zo bewerkte M, van het lettertype Kelmscott of zoiets, en onder de K stond een nummer gegraveerd, zo klein dat het alleen met een vergrootglas kon worden gelezen. Jack had gezegd dat de moordenaar de handtas had meegenomen, die binnenstebuiten had gekeerd in de bosjes en hem daarna had laten liggen. De poederdoos had hij Madeleine in de zak van haar jasje zien stoppen. Daar moest hij hebben gezeten toen de plaatselijke politie het lijk onderzocht. De moordenaar kon hem niet hebben gevonden.

'Heb je,' zei hij, 'heb je dit aan de inspecteur, Mr. Wildeve, laten zien?'

Ze schudde haar hoofd. Geen spoortje van schuld of twijfel.

'Dit is alleen voor jouw ogen bedoeld,' zei ze.

Troy vond dat ze wel heel veel vertrouwen in hem stelde op basis van een enkel gebaar. Maar hij was dan ook het jongste kind van vier, terechtgekomen aan de andere kant van een grote familie als een verkeerd gebruikt voorzetsel aan het einde van een zin. Hij had geen ervaring met de innige verbondenheid, de overeenkomsten tussen tweelingen. En Rod volgens hem ook niet. Ze waren mannen van middelbare leeftijd, nu, die streefden naar dat schijntje vertrouwen dat ze als kinderen niet hadden gedeeld, voortdurend balancerend op de rand van elkaars bange gevoelens en Troys uitvluchten – maar de zusters, in de privacy van hun tweelingschap hadden een gemeenschappelijke taal, een eigen taal, die abracadabra was voor alle anderen, een wederzijds vertrouwen, een groot *contra mundum* – het had hem nooit moeten verbazen dat ze samenspanden bij het manipuleren van lichtgelovige echtgenoten om hun overspeligheid te maskeren – en misschien was het vertrouwen dat deze jonge vrouw in hem stelde slechts de overdracht van het vertrouwen dat ze in haar zuster had. Troy moest op zijn tellen passen. Hij wist dat hij Madeleine Kerr naar haar dood had geleid, wist heel goed dat degene die haar had vermoord haar alleen maar had gevonden omdat hij hem daarheen had geleid. Het was een van de stomste dingen die hij ooit had gedaan. Hij kon dit nooit aan Jack vertellen, hoewel Jack hier zeker wel achter zou komen, en hij moest voorkomen dat deze vrouw ging beseffen hoe misplaatst haar vertrouwen in hem was.

'Weet je waarvan deze sleutel is?' vroeg ze.

'Ja. Hij is van een kluis bij een bank op Hanover Square.'

'Wat, zoals de District of the National Provincial?'

'Niet helemaal – een privébank, die Mullins Kelleher heet.'

Ze leek onder de indruk van het gemak waarmee hij dit opsomde.

'Ik neem aan dat het bij je werk hoort om dit soort dingen te weten?'

'Nee, maar het is toevallig ook mijn bank.'

'Ik weet dat het belangrijk is, maar ik weet alleen niet waarom.'

Troy wel. Het was zonder twijfel de reden waarom Madeleine zo nodig eerst naar Londen wilde voor ze verder met hem praatte. Wat in die kluis zat, speelde een cruciale rol bij wat ze hem had willen zeggen. Hij legde de sleutel op de schoorsteenmantel met een gebaar alsof die hem nauwelijks iets kon schelen. Het lichte gekletter van metaal op hout sneed door zijn nonchalance als een fluistering door St Paul's.

'Wil je iets eten?' vroeg hij. 'Ik kan redelijk koken.'

'En ik kan redelijk eten.'

Hij ging naar de keuken. Maar de kast was leeg. Hij vond een groot blik witte bonen van Heinz op de plank, en een pot kleverige pindakaas in de ijskast, en er lag een hard, oud geworden kapje witbrood in de broodtrommel – de nalatenschap van Tosca. Bij het doorsnuffelen van de laden vond hij ook een Marsreep van een niet nader vast te stellen datum. Hij had in geen dagen boodschappen gedaan, hij had in geen dagen gegeten, maar geleefd van tussendoortjes tot hij de limiet van het vrijgezellenbestaan had bereikt, het laatste blik bonen op de plank.

Het was kindereten, geserveerd naar beste kunnen. Bonen op toast met pindakaas, het beste servies en familiezilver, begeleid door alle soorten tafelzuur met gedeponeerd handelsmerk die er in de wereld bestonden: Pan Yan, Major Grey's, Branston, piccalilly, bekroond met het pièce de résistance, zijn zusters eigengemaakte chutney van groene tomaten – gevolgd door een halve Marsreep per persoon en een keuze uit Lapsang of Darjeeling.

'Niet lachen,' zei hij.

En als hij dat niet had gezegd, had ze dat vermoedelijk ook niet gedaan – met haar goeie manieren sterker dan haar gevoel voor het ongerijmde. En toen ze uitgepraat was, at ze met graagte en zei: 'Ik heb geen Marsreep meer gedeeld sinds het einde van de rantsoenering.'

'Je was vast wel gewend om dingen te delen.'

'Als tweelingen, bedoel je? Natuurlijk, we deelden alles. Tot...'

De zin verzandde. Maar het was duidelijk. Het ontbrekende woord was Cockerell.

'Wanneer hebben ze elkaar leren kennen?'

Deze aansporing werkte. Ze schoof haar bord weg, maakte een propje van de Marswikkel, schudde haar haar los, ging wat dichter bij de haard zitten en staarde in het vuur.

'Moeilijk te zeggen. Ik kan me eigenlijk geen tijd herinneren dat Arnold geen rol speelde in onze stad. Vanaf het moment dat hij daar kwam wonen, is hij altijd een soort lokale grote meneer geweest. Dat moet een jaar of tien hebben geduurd, of meer. Mijn ouders hebben hun driedelige zitcombinatie bij hem gekocht. Op afbetaling, fabriekswerk. Dat was in 1947 of 1948. Stella en ik waren thuis toen hij de meubelen afleverde. Wij waren dertien, of veertien, denk ik. Zelfs Arnold Cockerell flirtte niet met een veertienjarige. Niet waar onze vader bij was, in ieder geval.'

'Was dat een moeilijke man?'

'Dat is voorzichtig uitgedrukt. Een man uit Ulster. Presbyteriaan. Het geloof verdween, de strengheid bleef Wij waren pientere meiden. We kregen allebei een beurs voor een middelbare opleiding. Als pa zijn zin had gekregen, hadden we op ons vijftiende de school verlaten, werk gezocht, geld verdiend en voor ons levensonderhoud betaald tot de een of andere man hem van ons had verlost. Maar ma was anders. Door en door Derbyshire – ouderwetse Labour. Scholing was alles; de enige uitweg is de weg omhoog. Dus deden we beiden eindexamen in acht vakken, en slaagden voor allemaal. Daarna gingen we naar de handelshogeschool in Nottingham – steno, typen, Frans en Duits. Verder reikte de blik niet.'

Ze keek van het vuur naar Troy. Zocht naar een reactie in zijn gezicht.

'Stelt niet zo veel voor, hè? Te weten hoe je één stapje verder kunt komen dan je ouders betekent nog niet dat je dan weet wat je waard bent in het leven. Het betekent niet dat je dan denkt dat je alles kunt doen wat je wilt, of alles kunt zijn wat je wilt, maar alleen... dat je het ietsje beter voor elkaar hebt.'

Foxx legde een hand achter in haar nek, draaide haar hoofd een tikje en duwde het laatste natte haar richting vuur. Ze pakte haar handtas, haalde een borstel tevoorschijn en begon haar haar met lange, afgepaste slagen te borstelen.

'Toen ging hij dood. Van zijn voetstuk gestoten door een hartaanval op zijn tweeënveertigste. We waren net van school. In de zomer van 1951. Sweet seventeen. Stella werkte voor Cockerell, ik op het kantoor van de Coöp.'

De uitdrukking op Troys gezicht loog er niet om.

'Ze heeft jou een ander verhaal verteld, hè? Een heel ander verhaal.'

'Ja,' zei hij. 'Een volmaakt ander verhaal.'

'Pappie was dierenarts in Devon? Of was het predikant in Shropshire?'

'Huisarts in Berkshire, geloof ik.'

'Dat is een nieuwe. Die had ik nog niet eerder gehoord. Stella was een echte jokkebrok, weet je.'

'Daar begin ik nu achter te komen.'

'Dat vind ik wel iets hebben. Als de fictie mooier is dan het leven dat je leidt...'

'Ga verder, alsjeblieft.'

'Pa stierf. Dat greep mam enorm aan. Hij was een uitgesproken hufter, maar betekende alles voor haar, en zonder hem was het leven niets meer waard. Ze werd ziek en bedlegerig. In de herfst van het jaar daarop kondigde Stella haar vertrek aan. Ze vertelde mij de waarheid, dat Cockerell haar had ondergebracht in een eigen onderkomen – een liefdesnest zou de *News of the World* het hebben genoemd – en ze vertelde alle anderen dat ze een administratieve baan in Londen had gevonden. Dat verbaasde me niet. Ze had Cockerell al zo'n beetje vanaf de eerste dag zijn gang laten gaan. Ze deden het meestal na het werk, met de lichten uit op de tapijtmonsters. Of, als hij een overmoedige bui had, tijdens het lunchuur in de achterkamer.'

'Goeie genade,' zei Troy bijna onwillekeurig. 'Wist zijn vrouw dat?'

'Ik betwijfel het. Maar ik heb Mrs. Cockerell nooit ontmoet. Ik ken haar alleen van gezicht. Wat niet moeilijk is in een stadje van die omvang. Maar ik heb haar nooit gesproken, en Stella zei dat ze nooit in de winkel kwam. Als Mrs. Cockerell iets vermoedde, had ze me de laatste vier jaar zeker één keer in de week op straat kunnen aanspreken. Maar dat heeft ze nooit gedaan. Nooit een woord of een blik. Ik zei tegen Stella dat ze gek was, maar ze luisterde niet. Ik zei haar dat ze me mooi liet zitten, met slechts één inkomen en een ziekelijke moeder om voor te zorgen. Ze huilde en jammerde en betuigde haar spijt, maar het kon haar volgens mij geen barst schelen. In oktober verhuisde ze naar Brighton. Ik verliet de Coöp en ging naar de fabriek. Je verdiende meer geld aan het weefgetouw dan achter de schrijfmachine, en dat hadden we nodig.'

'Heb je haar in Brighton opgezocht?'

'Nee, we zagen elkaar altijd in Londen.'

'Heb je enig idee waar ze mee bezig was?'

'Waar ze mee bezig was? Nee, ik wist niet waar ze mee bezig was. Maar dat is een suggestieve vraag, toch? En door een suggestieve vraag te beantwoorden geef ik toe dat ik dacht dat ze met iets bezig was, niet?'

Ze trok zo snel tegen hem van leer als de Queen's Counsel zijn getuige neersabelde in het getuigenbankje.

'Ja, daar komt het wel op neer.'

'Laat ik jou dan eens een suggestieve vraag stellen.'

'Ga je gang.'

Ze keek hem strak aan.

'Heeft mijn zuster geprobeerd je te versieren?'

'Waarom denk je dat?'

'Wel, ik ken mijn zusje. En jij bent haar...' Ze aarzelde even, wikkelde een vinger in een lange sliert haar. '... haar type. Ik kan het geloof ik niet beter zeggen.'

'Type?'

'Nou... Je klinkt een beetje als Robert Donat. Je weet wel, die vent in *The Thirty-Nine Steps*. Die de hele nacht met de handboeien aan Madeleine Carroll vastzit. En je bent het evenbeeld van James Mason. Weet je nog – *Odd Man Out, The Wicked Lady*. En zij was smoorverliefd op hem.'

'Vreemd,' zei Troy. 'Vreemd dat ze een type heeft en dan zo heel anders kiest. Als je mij vraagt was Cockerell veel meer het Edward Everett Horton-type.'

Foxx glimlachte, lachte zacht, maar liet zich niet afleiden door deze invalshoek.

'Maar ze heeft wel geprobeerd je te versieren, hè?'

'Ja.'

'En?'

'En, niets.'

'Wat? Viel je dan niet op mijn zuster?'

'Natuurlijk viel ik op je zuster. Maar ze was dronken – als een kanon, om precies te zijn.'

'En jij had dienst.'

'Dank voor je begrip.'

'Maar nu heb je geen dienst.'

Hij zei niets.

Foxx wond haar beide handen in het haar. Overwoog het op te steken. Of het ontbrak haar aan elk gevoel van zekerheid – het haar ging in het tijdsverloop van een halfuur omhoog, naar beneden, over de linkerschouder, over de rechter, en werd op een gegeven moment tussen haar neus en bovenlip geklemd, als een valse snor – ze speelde er onafgebroken mee – of ze was zich zo weinig van zichzelf bewust, dat Troy haar daar alleen maar om kon benijden.

Ze liet het haar vallen, ze liet de handdoek vallen en sloot haar handen rond de achterkant van zijn nek. Het leek lang geleden dat hij voor het laatst was gekust, en zeker zo hartstochtelijk als nu. Ze hield haar hoofd naar achteren, legde een vinger op de hoek van zijn mond, volgde met haar nagel de lijnen van zijn lippen.

'We gaan naar boven,' zei ze. 'Ik wil je neuken tot je erbij neervalt.'

73

Het ochtendgloren was het deel van de dag waaraan hij het meest de pest had. Het had niets van de afglijdende, wegdwalende, hartverwarmende gloed van de schemering – de horizontale zucht. Het blonk en het verhardde en het onthulde. De dag 'brak' aan, zoals eeuwenlang al terecht werd gezegd. Hij bleek tussen het wrakgoed naast een jonge blonde vrouw te liggen van buitensporige schoonheid. Haar voorhoofd lag ter hoogte van zijn borst. Ze bewoog zich toen hij tussen de lakens vandaan gleed, rolde zonder wakker te worden op haar andere zij, trok bij het omdraaien de dekens weg, waardoor de gebogen lijn van haar rug en de stijgende welvingen van haar achterste zichtbaar werden van onder het laatste stukje laken. Hij sloop naar beneden, naar de keuken, met de tegels koud onder zijn voeten, en de geur van de regen nog in de lucht. Hij vond een halve fles mineraalwater zonder koolzuur in de koelkast en stond, terwijl hij daarvan dronk, met zijn rug tegen de deur.

Hij was naar alle waarschijnlijkheid betoverd – hij was in alle zekerheid verward en verbijsterd – wie weet was hij zelfs behekst. Maar één ding stond als een paal boven water: voordat de dag voorbij was, werd hij weer... wild.

Hij zakte op de grond, met de fles water nog in zijn hand. Hoe koud de tegels onder zijn voeten ook waren, ze waren nog kouder onder zijn billen en ballen. Hij dronk de fles leeg, zag hoe die wegrolde naar de donkere ruimte onder het aanrecht, en ging toen op zijn zij liggen, languit op de vloer.

Pak die gedachte nu. Of raak hem kwijt.

Hij was eenenveertig.

Hij was net verleid door een vrouw die half zo oud was als hij.

Het voelde wild.

Nog wilder.

Awop
bop
alubop
alop
bam
boom.

En weer wild.

74

In de morgen reed Troy haar naar het station – St Pancras, weer. Hij stopte na de oprit de Bentley bij de rode bakstenen boog die onder het hotel in spitsboogstijl door naar de door roet geblakerde glazen loods voor locomotieven leidde.

Met haar hand aan het portier, één voet op de grond en met een woedend claxonnerende taxichauffeur achter ze, draaide Foxx zich naar hem om en zei: 'Je houdt me op de hoogte. Ja? Het slipt er niet tussendoor, je houdt me op de hoogte?'

'Alles wat ik ontdek, laat ik je weten.'

Haar spieren spanden zich, evenals haar greep op het portier, heel licht. Toen ontspande ze zich weer, en keek ze hem weer aan.

'Je bent getrouwd, hè?'

'Waarom denk je dat?'

'De meeste mannen zijn getrouwd. Met een vrouw of met hun werk.'

'En ik?'

'Met allebei,' zei ze.

75

Dickie Mullins was de stilste van de vier. En tegelijk de meest en de minst fantasierijke van het kwartet uit de schooljaren: Charlie, Gus, Troy en Dickie. Een geboren boekenwurm, met niets van de durf van Gus of Charlie, en niets van de intense, obsessieve zelfbeschouwing van Troy. Hij had altijd de weg van de minste weerstand bewandeld. Naar de universiteit op zijn achttiende, een jaar naar Harvard, en naar het familiebedrijf op zijn tweeëntwintigste.

Het familiebedrijf was een van Londens oudste privébanken, met maar één kantoor, zo klein dat je het makkelijk over het hoofd zag, of voor een gewoon huis hield, op Hanover Square, op steenworp afstand van Regent Street.

De bank interesseerde hem niets, wist Troy. Hij was er gaan werken om aan zijn familieverplichtingen te voldoen – de weg van de minste weerstand. En dat had hem eindeloos veel tijd verschaft voor zijn echte liefde – militaire geschiedenis – op welk terrein hij de laatste tien jaar een gezaghebbend verslag had geproduceerd over de Iberische Veldtocht en een goed besproken biografie van Maarschalk Ney – ononderbroken tijd, behalve door een ongebruikelijk bezoek van een van zijn te goed bij kas zittende cliënten. Het zei wel iets over de zwendel van Cockerell dat hij zich voor zijn maîtresse een rekening bij Mullins Kelleher kon permitteren, want anders had Madeleine nooit de beschikking over die kluis gehad.

Troy zag Dickie veel te weinig, maar dat was helemaal aan hemzelf te wijten.

'Freddie, wat een verrassing. Wat brengt je hier?'

Dickie verrees met uitgestoken hand van achter een stapel boeken vandaan.

'Het is zakelijk, Dickie.'

'Verdorie – moet ik weer de bankdirecteur uithangen? Wat is er aan de hand? Hebben je zusters het familiefortuin opgesoupeerd?'

Troy pakte de politiefoto van Madeleine Kerr uit zijn aktetas en legde die op het open boek op Dickies bureau.

'O shit,' zei Dickie. 'O shit. Die is dood, hè? Zo heb ik er een hoop gezien toen ik bij de luchtbescherming zat, tijdens de oorlog. Geen krasje te zien, maar zo dood als een pier van de ontploffingen.'

Troy legde het platte sleuteltje van Mullins Kelleher op de foto.

Dickie staarde even naar deze twee voorwerpen, reikte toen achter zich en legde er een *Evening Standard* van vier dagen geleden naast.

'MOORD OP DE BRIGHTONLIJN.'

'Dat is d'r, hè Freddie? Zij was die vrouw zonder naam die dood werd gevonden in de trein uit Brighton. En jij bent de politieman zonder naam die gewond raakte bij de achtervolging van de moordenaar, niet?'

'Ik vrees van wel, Dickie. Ik moet weten wat er in die kluis zit. Ik veronderstel dat die op naam van Madeleine staat?'

'Dat klopt. Mrs. Madeleine Kerr. Heb Mr. Kerr nooit ontmoet. Ik neem aan dat je geen huiszoekingsbevel hebt?'

'Nog niet in dit stadium.'

'En wel in een ander stadium?'

Troy haalde zijn schouders op. 'Ik heb toestemming van Madeleines naaste familie.'

'Op schrift?'

Troy schudde zijn hoofd.

'Dan heb je nog de gerechtelijke verificatie van het testament. Zoiets duurt verdomd veel langer dan vier dagen.'

'Ze is dood, Dickie. En ik heb de sleutel.'

'Verdomme. Verdomme. Verdomme.'

'Het Oude Makkersverbond?'

Dickie kwam van achter zijn bureau en de kleine berg boeken gestommeld, trok zijn zwarte jasje aan en probeerde eruit te zien als een bankier.

'Ik moet het tweede sleuteltje halen, kom mee.'

Troy volgde hem twee verdiepingen naar beneden, naar de ondergrondse bankkluizen, via een dikke stalen buitendeur en een plaatgazen binnendeur naar een ruimte met wel duizend kleine deurtjes.

Dickie stak zijn sleutel halverwege de muur naar binnen en gaf Troy een teken. Ze draaiden beiden hun sleutels tegelijkertijd om en het kleine deurtje schoof opzij, zodat de hendel van een lange, smalle stalen lade vrijkwam.

Troy klapte het deksel open. Binnenin lag een enveloppe met daarop alleen de naam 'Shirley'.

Hij scheurde die open. Een enkel vel kleinfoliopapier. Een enkel vel met pure abracadabra. Een numerieke soep. En onderaan zaten met doorzichtig plakband vijf sleuteltjes geplakt, van het soort waarmee hij zojuist de kluis had geopend.

'Is er iets mis, Freddie?' vroeg Dickie.

Troy vouwde het papier op.

'Ik zal het moeten meenemen.'

'Lieve hemel, je vraagt wel veel.'

'Zeg eens,' zei Troy. 'Had Madeleine veel geld op haar rekening staan?'

'Nou vraag je me te veel. Dat mag ik je echt niet zeggen.'

'Tot hoever reikt het Oude Makkersverbond?'

'Niet zo ver. Anders word je mijn dood. Over oude makkers gesproken, zie je Charlie nog weleens?'

'Nee,' zei Troy.

Troy had Charlie proberen te bellen, niet zo lang na zijn terugkeer uit Wenen. Dat was nieuws toen. Nieuws dat hij met zijn oudste vriend had willen delen. Het was geen nieuws nu, en hij wilde het met niemand delen. Bij het naar boven lopen stelde Dickie alle 'is er nog wat bijzonders?'-vragen en Troy antwoordde daar inconsequent op dat 'er eigenlijk niets te melden viel'. Hij liet Dickie een beetje in de kou staan, en dat wist hij.

76

Troy parkeerde de auto bij de ondergrondse van St James's Park en liep het station binnen voor een telefooncel. Hij belde zijn eigen nummer bij de Yard. Als hij Jack kreeg, drukte hij gewoon op knop B om zijn geld terug te krijgen, en probeerde hij het later nog eens. Maar Clark nam op.

'Ben je alleen?'

'Ja, sir. Mr. Wildeve is op de rechtbank vandaag, de Old Bailey.'

'Weet jij iets van codes?'

'U bedoelt gecodeerde boodschappen en zo?'

'Ja.'

'Daar ben ik in opgeleid, sir. Inlichtingendienst van het leger, cursus cryptografie in Camberley, in 1947. En zo nu en dan wat bijscholing tijdens mijn verblijf in Duitsland.'

En, dacht Troy, twintig jaar kruiswoordpuzzels oplossen in *The Times*.

'Oké, ik kom eraan.'

Tien minuten later legde hij het document dat hij had meegenomen uit Mullins Kelleher voor Clark neer.

Clark keek er even naar, en zei: 'Fluitje van een cent. Simpele substitutie. Een cijfer voor een letter. Het enige wat je moet weten is op welke hoogte van het alfabet ze zijn begonnen. Niemand is zo stom te werken met A-1, B-2. Ik bedoel niemand ouder dan twaalf. Het enige wat ik nodig heb, is wat tijd zonder onderbroken te worden.'

Hij knikte met zijn hoofd in de richting van Wildeves bureau.

'Als u begrijpt wat ik bedoel.'

'Zeker,' zei Troy.

Toen besefte hij dat Clark meer bedoelde, met die opmerking.

'Waarom gaat u niet naar huis een boek lezen, sir?'

Clark trok de bovenla van zijn bureau, dat van Troy, open.

'U kunt lenen wat u wilt.'

Geen slecht idee, dacht Troy. Hij pakte Lolita van de stapel af en schoof dat in zijn jaszak. Hij belde kort naar Nikolaj, nam afscheid van Clark en reed naar Knightsbridge. Jack zou er alleen achter komen dat hij op de Yard was geweest, als een van de agenten bij de deur daar iets over zei. En dat lag niet erg voor de hand, dacht hij, omdat niemand van hen wist dat hij eigenlijk met ziekteverlof was.

Nikolaj stond buiten voor het Imperial College op hem te wachten. Hij was mager en grijs, en oogde kleiner dan ooit – zo zonder hoed en jas in de zomerzon. Zijn ruimzittende dubbelrijs jasje stond open en de wapperende flappen benadrukten de broosheid van zijn postuur. Zonder de winterse last van zijn astrakanjas was hij van alle volume ontdaan, en aardig op weg, volgens Troy, om een verschrompeld oud mannetje te worden.

'Je politieneus werkt weer als nooit tevoren, jongeman. Mijn maag begint te rommelen en zegt me dat ik het niet red tot de lunch, en dan bel jij en nodigt me uit voor een vroege lunch. Laat die belachelijke auto van je daar maar staan, dan lopen we Exhibition Road af in dankbare nagedachtenis aan prins Albert.'

Hij zette een ouderwetse zonnebril op, met glazen zo mat en dof als een schoolbord, en liep de weg op in zuidelijke richting. Troy verbaasde zich over zijn tempo. Was dit de schuifelpas van een oude man? De prestaties van prins Albert kregen weinig aandacht van Nikolaj. Hij vroeg naar wetenswaardigheden over de familie, en toen Troy die niet scheen te hebben, kwam hij met die van zichzelf.

'Wat is er met je zuster aan de hand?' vroeg hij.

'Welke?'

'Sasja.'

'Weet ik niet. Ik heb haar al zo lang niet gezien.'

'Ze gaat op en neer, op en neer. Wispelturig is niet het goeie woord. De ene keer is ze uitgelaten, de andere keer diepbedroefd.'

Troy kende haar eigenlijk niet anders dan zo, en hij begreep niet waar Nikolaj op doelde.

'Wie weet. Ze is zesenveertig. Zou ze misschien...?'

'Ach. Dat weet ik niet hoor. Ik ben fysicus. Van biologie weet ik niks.'

Ze staken bij het Victoria & Albert Museum Cromwell Road over. Nikolaj wees op de kleine verkeersheuvel, met de dikke vloer van donkergroen glas – een dakraam voor de donkere, akelige tunnel eronder.

'Weet je nog,' zei hij, 'van toen je een klein jongetje was? Hoe we vanuit het ondergrondsestation de tunnel doorliepen, de trap op, en dan hier naar buiten kwamen? Jij dacht dat het een soort toverij was, om vanuit het niets opeens midden in het verkeer te staan.'

Het was een van die opborrelende herinneringen die zo karakteristiek waren geweest voor zijn grootvader, en nu, met het stijgen der jaren, steeds typerender werden voor Nikolaj. Troy zag nu waar ze naartoe gingen. Het Poolse koffiehuis aan het eind van de weg. Het lag daar handig op een paar honderd meter van Nikolajs kantoor, en bood een redelijk alternatief voor het Russisch dat hij nergens kwijt kon. Hij sprak redelijk Pools, en kon daar kiezen uit tientallen smerig zoete plakkerige soorten cake. Troy had daar vaak met hem gegeten, hoewel hij niet veel op had met de Poolse keuken, en betwijfelde of de talloze Poolse ballingen die daar kwamen veel op hadden met een oude man die hun taal sprak met een duidelijk Russisch accent.

Ze verorberden slurpend een bloederige borsjt, waarna Nikolaj in zijn merkwaardige Pools pirozhki bestelde. Pasteitjes. Met zalm en zure room. Gevulde pasteitjes – Пирожки. Pirozhki – het codewoord dat Chroesjtsjovs man op de ambassade hem had gegeven.

'Zeg eens,' zei Troy. 'Waarom zou iemand de Ordzhonikidze willen bespioneren?'

'Wie is "iemand", als ik vragen mag?'

'De Britten. En dat zeg ik dan voorzichtig.'

Nikolaj beet in zijn pirozhki, smakte en haalde zijn schouders op. 'Ik zou het niet weten.'

'Zou je iets toeschietelijker willen zijn? Of moet ik wachten tot je het hele menu achter de kiezen hebt?'

'De Britten – of als ik zo vrij mag zijn: "we" – hebben geen reden de Ordzhonikidze te bespioneren, omdat we alles van dat schip weten wat het weten waard is, en dat al sinds 1953. Het is eenzelfde soort kruiser als de Sverdlov. De Sverdlov voer in dat jaar van de Oostzee naar Odessa. En ging voor anker bij Spithead, als gebaar van de sovjet voor de kroning. We inspecteerden het schip opnieuw vanaf Malta, en vorig jaar nog eens toen het een bezoek bracht aan Portsmouth. Er is niets wat we niet weten. De Ordzhonikidze is identiek. Typisch voor zijn soort. Zo varen er nog wel tien. Als je wilt, kan ik je zo een plattegrond van het schip laten zien.'

'Wist je dat Chroesjtsjov het te koop heeft aangeboden aan de Royal Navy, toen we in Greenwich waren?'

'Een grapje, zeker?'

'Natuurlijk was het een grapje, maar zijn grapjes zijn nooit ongefundeerd. Toen hij zei dat het schip verouderd was, meende hij dat. En als dat zo is, waarom zou iemand het dan willen bespioneren?'

'Ik weet het niet. Chroesjtsjov liet de hele weg vanaf Baltisk een Britse marineofficier met ze meereizen. Als ik de praatjes van MI5 mag geloven, pochten de Russen zelfs dat ze die dronken hebben gevoerd op Chroesjtsjovs verjaardag, en hem zonder enige beperkingen hebben laten rondlopen. In het weekend dat ze hier waren, hebben ze het schip zelfs opengesteld voor toeristen. Ze hebben geen geheimen. We weten dat ze geen geheimen hebben. Zij weten dat wij weten dat ze geen geheimen hebben.'

'Maar Cockerell heeft het schip bespioneerd.'

'Dat zeggen ze, ja. Weet je overigens wel zeker dat het Cockerell was?'

'Ik heb het lijk zelf geïdentificeerd.'

Nikolaj haalde opnieuw zijn schouders op.

'Hebben ze je zijn uitrusting laten zien?'

'Zijn uitrusting?'

'Zijn kikvorsmannenuitrusting. Die was, als ik juist ben geïnformeerd, al tien jaar verouderd. Zulke dingen werden al sinds de oorlog niet meer uitgereikt aan kikvorsmannen van de marine. En hadden dus niets van doen met de nieuwe spullen die hij zogenaamd aan het testen was. Niets van al die moderne snufjes.'

'Zoals?'

'Een zuurstofsysteem via een gesloten circuit.'

'Wat is dat?'

'Het is zoiets als de condensator op een stoommachine. En laat geen spoor van belletjes achter. Waardoor een kikvorsman praktisch onvindbaar wordt. Niemand kan hem meer zien.'

'Wel, hij is door iemand gezien. Anders zaten we hier niet zo te praten. Nee, ze hebben me niets laten zien. Maar het klopt allemaal wel. De man zelf is tien jaar te oud voor de klus. Tien jaar geen conditie meer. En stom genoeg om met een volle maag onder water te gaan zwemmen. Alles is verkeerd. Een soort van "Alice in Wonderland"-spionage, vind je niet? Een "Looking Glass"-oorlog.'

'Dat kun je wel zeggen. Doe je mee met de kwarktaart?'

Troy begreep niet hoe de man zo mager kon zijn. Hij at altijd voor twee. Misschien was dat de paradox van het wegkwijnen. Nikolaj was veel jonger dan zijn vader, maar moest nu toch wel vijf- of zesenzeventig zijn. Hoe lang ging hij nog door met zijn theoretische manoeuvres? Niet dat Troy niet blij was dat hij nog niet opgaf.

'Vind je niet dat het meer iets van een kwajongensstreek heeft? Een stelletje amateurs, in plaats van de geheime dienst?'

'Ja, dat vind ik ook, maar de kranten en mijn bronnen spreken dat tegen. Het is officieel. En vergeet niet dat het kabinet het boetekleed heeft aangetrokken.'

'Dat is nog het vreemdst van alles. Waarom deden ze dat? Waarom het niet gewoon ontkend? Tot het lijk aanspoelde, was het gewoon het normale Russische gebral. En zelfs met het lijk kwam je er nog wel onderuit.'

'Dat ben ik niet met je eens. Te veel persmensen wisten ervan. Ze wisten dat Cockerell werd vermist. Het trekken van de goeie en verkeerde conclusies lag voor de hand. En als het lijk niet van Cockerell was, waar is Cockerell dan?'

'De pers had, op grond van de lijst van verboden onderwerpen, de mond gesnoerd kunnen worden.'

'Ja, maar dan was er je broer nog. Rod heeft de regering bijna in zijn eentje tot hun bekentenis gedwongen. Sir Norman Spofford heeft in feite – weet je wie ik bedoel...?'

'Nee.'

'We zitten hier in zijn kiesdistrict. Ik spreek hem weleens. Hij is een van die conservatievere Lagerhuisleden op de achterste banken, maar een notoir tegenstander van Eden – Spofford vertelde me dat het vrijwel zeker geheel en al aan Rod te wijten is dat Eden met de billen bloot ging. En Rod hoeft zich niet aan lijsten van verboden onderwerpen te houden. Het was vrijwel onmogelijk hem de mond te snoeren. Opbiechten was waarschijnlijk de enige manier om hem stil te krijgen. Het laten rondzingen van de geruchten en de ontkenning daarvan, is de beste voeding voor geruchten, en was vermoedelijk de slechtste oplossing geweest. Iemand daar had besloten er een eind aan te breien door toe te geven, en de zaak daardoor onder controle te houden – schadebeperking zoals Newspeak dat noemt. Ik persoonlijk denk dat het de grootste leugen was van allemaal. Maar hij was aannemelijk. Terwijl de theorie dat Cockerell op eigen titel werkte, dat niet was. Begrijp ik hieruit dat iemand dit inmiddels heeft bevestigd, dat kapitein-luitenant-ter-zee Cockerell als solitair heeft gehandeld?'

'Ja,' zei Troy.

'Mooi. Iemand die je kunt vertrouwen? Nee. Zeg maar niets. Ik wil het niet weten. We zijn er al te veel bij betrokken. Het is bijna een familieaangelegenheid. Rod heeft de boel goed opgejut. Het moet me overigens wel van het hart dat als bekend raakt dat jij de laatste bent die Cockerell in leven heeft gezien, iemand weleens twee en twee bij elkaar kan gaan optellen, jouw aandeel in het verhaal en dat van Rod, en daar dan vijf van gaat maken.'

Nikolaj stortte zich vol overgave op een stevige kwarkpunt. Troy dronk Russische thee, en dacht, zoals iedere keer als hij zich overgaf aan de traditie, dat hij die veel liever met melk had, en dat de Engelsen, wat je ze verder ook zou kunnen verwijten – en dat was nogal wat – toch het enige volk ter aarde was dat wist hoe je een goeie kop thee moest maken.

'Wat,' vroeg Nikolaj, die een fijne wolk poedersuiker uit zijn baard pufte en woorden uit de lucht plukte waarvan Troy dacht dat die al lang vervlogen waren, 'bedoel je met "Russisch gebral"?'

Troy dacht daarover na. 'Doen!'

'Ik denk,' begon hij, 'ik denk dat Chroesjtsjov wilde dat er iets gebeurde. Ik denk dat het incident hem in de schoot viel en dat hij geweldig de pest in heeft dat het niet een puur propagandistisch succes is geworden.'

Nikolaj wenkte de serveerster en bestelde nog een kwarkpunt.

'Plotseling ben je de meester van de subtiliteit geworden. Het is in voetbaltermen een bal in eigen doel geworden. Of om het anders te zeggen, de premier heeft zich zo vaak in zijn eigen voet geschoten dat de kok van Number 10 zijn schoenen gebruikt om de groenten mee af te gieten.'

Ze stonden weer op straat, en liepen de weg terug zoals ze waren gekomen. Nikolaj zette zijn zonnebril weer op, tuurde naar de lucht, besloot dat hij hem niet nodig had en stopte hem in het borstzakje van zijn jasje. Hij liep verder. Ja. Het loopje zakte duidelijk langzaam af tot een schuifelen. Opnieuw kwam hij terug op iets wat Troy had gezegd.

'Je zei dat je Sasja al een tijd niet had gezien?'

Troy gaf geen antwoord. Als goed verstaander hoorde hij in de verte een 'weet je wat het probleem met jou is?' opkomen. De oude man liep een halve pas voor hem uit, en sprak hem van over zijn schouder toe.

'En toch is ze vrijwel ieder weekend op Mimram, niet?'
Hij wachtte even. Troy hapte niet.
'Ergo, jij bent niet op Mimram geweest. Ergo, je hebt je vrouw niet gezien.'
Troy kwam snel gelijk met hem op lopen. Hij verdomde het om tegen zijn rug te praten.
'Als je van plan bent nu een serie clichés te lanceren in de trant van "haastig getrouwd, lang berouwd", of "gemengde huwelijken geven altijd ellende" zou ik dat maar laten. Ik heb daar geen zin in.'
Nikolaj keek naar hem op, met het begin van een schittering in zijn ogen.
'Integendeel, beste jongen. Het leedwezen is geheel aan mijn kant. De eerste keer dat ik haar zag, betreurde ik het dat ik niet dertig jaar jonger was.'

77

Hij lag op het bed en sloeg *Lolita* open. Hij las de eerste zin: 'Lolita, licht van mijn leven, vuur van mijn lendenen,' en bij het tweede do-re-mi van Lo-li-ta wist hij dat hij verslagen was. Hij pakte *Casino Royale* van het nachtkastje – het exemplaar dat hij uit het kantoortje van Cockerell had gepikt – en besloot dat opnieuw te lezen. Dit keer stoorde hij zich minder aan het weelderige, haast surrealistische proza van de auteur, en werd hij meer geïntrigeerd door de geest van de voorgaande lezer, wijlen kapitein-luitenant-ter-zee Cockerell. Zag die zichzelf zo? Beheerst, aantrekkelijk, onkwetsbaar op een ruwe, mannelijke manier? Troy keek naar het omslag. Behoorlijk luguber, met een tekening in zwart en wit van James Bond onderaan. Cockerell, met zijn bunzinghoofd, streepjessnor en houding van zelfbewuste slungeligheid leek daar absoluut niet op. Als er al van een gelijkenis sprake was, leek Bond hier meer op de acteur Eric Portman, met een nogal ouderwets Engels gezicht, geprononceerd in de neus en de kaak – eerder Rod dan Cockerell. Cockerell was veel meer een armoeiige – of zelfs schooierachtige – Ronald Colman. En dat was eigenlijk nog te veel eer. Dit alles riep de naam van Edward

Everett Horton weer op, met al zijn spichtige gebazel. God behoede ons allen voor zelfbewustzijn, dacht Troy.

Hij moest toegeven dat het nog steeds lekker las en nam zich voor nog een paar Flemings te halen, de volgende keer dat hij in Charing Cross Road was. De plot, de uitkomst van deze, deed hem denken aan een uitspraak van Marlowe: '... maar dat was in een ander land, en daarnaast, de meid is dood.' Dode meiden waren enorm nuttig bij plots in romans, vooral als je, zoals Fleming, je held ongebonden wilde houden, en gefolterd in de ziel. Je mocht wel zeggen dat Fleming Bond al aan voldoende fysieke martelingen blootstelde – Troy huiverde bij het lezen van de scène waarin Bond op de billen kreeg met een rotan mattenklopper. Wat voor soort geest bedacht die dingen? Hoe zag Arnold Cockerell zichzelf, in zijn eigen geest? Zag die miezerige dubbelhartige non-valeur zichzelf nu echt graag lijden, door de rest van zijn leven te treuren aan het graf van een dood wijf, en intussen onvervaard alle andere wijven te neuken? Troy had, besefte hij te laat, zojuist de plot geformuleerd van een goedkoop romannetje over zijn eigen leven van de laatste tien jaar, of zo. En dat deed behoorlijk pijn. God behoede ons voor zelfbewustzijn.

De telefoon ging en redde hem van een overdenking die geen zin had.

'Hallo, Troy? Ben jij dat?'

Troy hoorde de bekende, zij het ongebruikelijke klanken van Tom Driberg. Driberg had hem al jaren niet thuis gebeld. Denkend aan vorige gelegenheden, voorspelde dit niet veel goeds.

'Ja, Tom. Ik ben met ziekteverlof, om precies te zijn.'

Het was een vergeefse poging. Het proberen een beroep te doen op Toms inschikkelijkheid jegens hen die zich niet lekker voelen had evenveel zin als een poging een aanstormende neushoorn staande te houden, om dezelfde dikhuidige redenen.

'Je kunt zeker niet even langskomen?' Driberg ging door alsof Troy niet had gezegd wat hij zei. 'Er zijn wat probleempjes.'

Driberg drukte zich altijd buitengewoon gematigd uit. 'Er zijn wat probleempjes,' betekende naar alle waarschijnlijkheid dat het om iets ging waarbij de politie betrokken was.

'Wie is het dit keer?'

'Het is niet wat je denkt.'

'Gaat het om jou?' vroeg Troy, met een visioen van woedende bobby's in openbare toiletten, die probeerden af te dwingen wat niet afdwingbaar was.

'Echt Troy. Het gaat om iets heel anders. Geloof me maar. Het heeft niets met bruinwerken te maken.'

'Blij dat te horen. Niettemin heeft het allemaal waarschijnlijk wel weer gloeiende haast, neem ik aan?'

'Nou...' hield Driberg aan.

'Maak je geen zorgen, Tom. Ik ben er over een uurtje. Ik wou toch al even naar buiten.'

Hij hing op. Driberg kon liegen of het gedrukt stond. Troy voelde aan zijn water dat hij in aanvaring was gekomen met de wet en, zoals wel vaker, een beroep wilde doen op Troy en diens positie bij de politie om de een of andere onbezonnenheid op homoseksueel gebied onder het tapijt te vegen. En als het niet voor hemzelf was, dan was het voor een van zijn makkers. Rod zou een toeval krijgen. Vlak voor de laatste verkiezingen had Driberg Troy gevraagd een goed woordje bij Rod te doen – voor het geval Labour won, werd het hoog tijd dat hij een ministeriële post kreeg. Nee, had Troy gezegd. Hij wist heel goed hoe Rod over Driberg dacht. Driberg was toen zonder blikken of blozen overgeschakeld naar een verhaal over een van zijn escapades – de keer dat hij na een diner met George IV en koningin Elizabeth een gardesoldaat die op wacht stond bij Buckingham Palace had gepijpt. Een paar pilsjes later probeerde hij opnieuw Troy over te halen tot 'een gesprekje met zijn broer'. Er bevond zich blijkbaar geen natuurlijke scheidslijn in de man zijn geest die hem duidelijk maakte dat bepaalde soorten verhalen niet voor elke gelegenheid geschikt waren. Niet dat Driberg niet discreet kon zijn. Anders was hij al lang geleden achter slot en grendel gezet.

Het appartement waarin Driberg woonde, was niet hetzelfde als dat waar hij tijdens de oorlog had gewoond. Troy was daar blij om. Zijn licht bijgelovige gevoelens zetten hun stekels overeind bij de herinnering aan zijn treffen daar met Neville Pym, al die jaren terug, en alle gevolgen van dien. Misschien had hij het ook wel bij het verkeerde eind. Misschien wilde Driberg gewoon even bijkletsen. De Driberg die de deur voor hem opendeed, leek in ieder geval volkomen op zijn gemak. Hij had een glas in zijn hand, en op weg met Troy naar het kleine raamterras, niet meer dan een uitsteeksel boven de straat, graaide hij een fles moutwhisky mee van de koffietafel.

Troy keek even naar de tafel. Driberg was een verstokt poëzielezer. Een dun bundeltje van Philip Larkin – *The Less Deceived* – lag met de rug naar boven geopend op tafel, de pagina's gespreid bij ontstentenis van een boekenlegger. Het appartement was klein, en deed slechts dienst als Londens pied-à-terre voor Driberg, maar de muren waren bedekt met boekenkasten. De man las meer dan iedereen die hij kende, behalve zijn oom Nikolaj. Troy dacht aan Ian Fleming, met wie hij een lange middag had doorgebracht, en voelde eventjes de zinloze speldenprik van een cultureel schuldgevoel.

Op het balkon was precies genoeg ruimte voor twee rechte stoelen, maar het was een goed idee. Het was een goeie avond om het verstrijken van de dag gade te slaan, te kijken hoe Londen zich naar huis begaf, en dan weer de straat op ging. Zomer in de stad. De moeite van het aanschouwen waard; altijd beter dan de kijkkast. En een aangename variatie op Troys verandaritueel.

Driberg klokte drie vingers whisky in een glas en gaf dat aan Troy. Zo werd het dan misschien toch nog wel een leuke avond. Als hij niet een stokpaardje bereed, kon Driberg bijzonder aangenaam gezelschap zijn. Onder druk gaf dan zelfs Rod toe dat Tom heel vermakelijk was.

'Ik ben in Rusland geweest,' zei hij.

'Dat weet ik,' zei Troy.

'Ik heb mijn interview met Chroesjtsjov gehad.'

'Dat zag ik,' zei Troy. 'Gefeliciteerd.'

'Wacht even, er is meer.'

Driberg wachtte. Draaide de whisky in zijn glas rond en sprak toen, bijna tegen zijn gewoonte, met een zekere omzichtigheid.

'Toen dat voorbij was – of althans toen ik dacht dat het voorbij was – werd die andere kerel opgetrommeld, en werd ik geïnterviewd. De rollen omgekeerd. Als je begrijpt wat ik bedoel.'

Troy begreep het niet.

'Wat voor andere kerel?'

'Serov. Victor Serov.'

Het werd Troy een stuk duidelijker.

'Ivan Serov?'

'Weet ik niet. Kan wel zijn. Victor, Ivan. Zo'n soort naam.'

'Het hoofd van de KGB.'

'Dat is hem.'

Plotseling werd Troy heel veel duidelijk, en nog maar zeer weinig van wat volgde verbaasde hem dan ook. Het kon best wel een leuke avond worden, maar Troy voelde toch hoe die begon weg te glippen. Serov was tenslotte een onaangenaam stuk vreten. Hem was in maart of april de diplomatieke deur gewezen, toen Chroesjtsjov zo dom was geweest hem vooruit te zenden, en hij was zeker, zoals Nikolaj voorspelde, de man die zijn pensioen niet levend zou halen.

'Chroesjtsjov liet die kerel komen,' vervolgde Driberg. 'De tolk bleef, en voor ik het wist vroeg hij me om voor ze te spioneren.'

Dit was niet voldoende om de voortgang van het gesprek te onderbreken. Het enige wat Troy stoorde, was dat alleen iemand als Driberg erover droomde om een dergelijke conversatie te voeren op een balkon. Daarbeneden op straat schuifelden de inwoners van Londen, de onderdanen van Hare Majesteit in wier naam al deze melodramatische spionageonzin werd uitgevoerd, rond tussen huis en werk, plaatsen van oponthoud op weg naar het graf. Het deed Troy denken aan Eliots kantoorbedienden krioelend over London Bridge – hij had niet geweten dat de dood 'zovelen ongedaan had gemaakt'. Zich niet bewust van de nepcultuur waarin ze rondzwommen als vissen in het water, dromen dromend van betere tijden – of zoals zijn vrouw het zo botweg had gesteld 'nog altijd doorzanikend over die verdomde oorlog'. Op een dag, dacht Troy, keken ze misschien nog weleens met weemoed terug op de bizarre balans van de Koude Oorlog – als die ooit voorbijging.

'En wat zei jij?'

'Wel, ik stond nogal raar te kijken. Dat begrijp je wel.'

'Natuurlijk.'

'Ik vroeg me in eerste instantie af wat ze zouden doen als ik nee zei – de Lubljanka? Een zoutmijn? Het Reisorkest voor Dissidente Dames uit Oost-Siberië? Maar wat me uiteindelijk toch meer interesseerde, was wat er zou gebeuren als ik ja zei. Ik weet tenslotte niets wat geheim is. Vijf jaar in de oppositie – maar Gaitskell vertelt me niets. Als hij premier was, zag hij me waarschijnlijk niet eens staan. Dus ik zei: "Wat verwacht u dan precies van me?" Ik dacht dat Serov zou antwoorden. De tolk keek tijdens het vertalen naar hem, maar Chroesjtsjov kwam tussenbeide. "Wij willen dat u de Labourleden bespioneert." Eventjes dacht ik dat ik niet begreep waar hij het over had. Toen besefte ik dat hij de partij bedoelde. Ons. De Labour Party! Nou, ik kan je wel zeggen dat ik daar volkomen van ondersteboven was, Troy.'

Troy dronk van zijn whisky. *Déjà vu.*

'Die avond in het Lagerhuis,' zei hij, 'toen George Brown Chroesjtsjov in de haren vloog. Die maakte daaruit op dat Labour een soort antisovjetgroep was. George wil nog weleens nadrukkelijk overkomen als hij een goeie dag heeft, en dit was een van zijn slechtste, zoals je vast nog wel weet. Chroesjtsjov denkt dat George echt namens de partij spreekt. En hij denkt dat hij een soort teleurgestelde trotskist is. En niets is minder waar. Dat, de lijst van vermiste Oost-Europese dissidenten die Rod hem gaf, en nog wat van dat soort dingen zijn hem bijgebleven. En dat irriteerde hem als de pest, als je het mij vraagt. Ik heb hem uitgelegd wat de partij inhield, maar hij wilde niet naar me luisteren. Hij heeft jou gevraagd de Labour Party te bespioneren omdat hij die echt als bedreiging beschouwt. Hij is daarmee vermoedelijk de enige in Europa, maar goed... Wat heb je gedaan, hem verteld dat Gaitskell binnenkort het roer overneemt?'

'Nee.' Driberg zweeg. Wachtte tot Troy nog een slokje nam. 'Ik heb gezegd dat ik het deed.'

Leuk, dacht Troy. Zie daar maar weer eens onderuit te komen, Tom. Maar dat was het natuurlijk. De hele reden van Troys aanwezigheid hier was omdat Driberg iets van hem moest. Maar die dacht in zijn stoutste verwachtingen toch niet dat Troy hem hieruit kon halen?

'Zeg eens, Tom. Heeft Nikita Sergejevitsj je bijgeval ook een scheutje wodka aangeboden?'

'Ja zeker. Wel meer dan een.'

'Mooi. Nu nog even voor de zekerheid. Na een paar glaasjes te veel, aangeschoten, tot je oksels in de drank, beloof jij de leider van de Sovjet-Unie en zijn hoofd van de KGB dat jij de Labour Party voor ze zult bespioneren?'

Driberg ademde diep in, en liet de lucht langzaam weer ontsnappen, om wat volgde weloverwogen te berde te brengen.

'Zoiets, ja,' mompelde hij.

'Zoiets?'

'Nou, ja, ik zal natuurlijk niet...' De zin loste op in de vaagheid waar die vandaan was gekomen. Een hand wuifde naar het niets om een eindeloos wat dan ook aan te geven.

'Laat ik het dan zo zeggen, Tom. Wat verwacht je in vredesnaam van mij?'

'Nou,' Driberg leefde op, glimlachte bijna. 'Jij kent die knaap. Jij hebt meer tijd doorgebracht met Chroesjtsjov dan wie dan ook in Engeland. Tot jaloezie van de halve geheime dienst, denk ik zo. Wat ik wil weten is: kun je hem vertrouwen?'

'Ik zou hem niet graag móeten vertrouwen,' zei Troy, in de hoop dat deze opmerking niet te vaag was voor wat een slechte dag voor Dribergs intelligentie leek te zijn. En met in zijn achterhoofd de vrees voor de dag dat hij ooit zijn vertrouwen zou moeten stellen in een man als Nikita Chroesjtsjov.

'Maar als puntje bij paaltje komt?'

'Tom, de man is een politicus!'

'Zo erg, hè?'

'Ja. En als ik jou was, zou ik de Dienst inlichten voordat hun mollen dat doen.'

'Jaaa,' zei Driberg langzaam, nadenkend. 'Ik was al van plan een praatje met ze te gaan maken, in de loop van de week. Maar... het geld, weet je.'

'Hè?'

'Het geld. Ze gingen er niet van uit dat ik het voor niks deed. Gaven me vijfhonderd pond vooruit. Zeiden me dat ze een netwerk hadden. Absoluut niet op te sporen. Ze konden me in Engeland uitbetalen, zonder dat het ooit terug te voeren viel naar Rusland. Ik heb daar al wat van uitgegeven. Je weet wel, souvenirs. Dat soort dingen.'

Troy geloofde er geen woord van. Het idee dat Driberg honderden ponden uitgaf aan concentrische houten Russische poppen en rare dozen om sigaretten in te bewaren was ronduit belachelijk. Dit was gewoon Dribergs manier van zeggen dat hij blut was. Het lag in Dribergs aard om zich altijd blut te voelen, ongeacht de omstandigheden – en die omstandigheden waren, dat hij na zijn aftreden na de verkiezingen van 1955 niet meer in het Lagerhuis zat, en zich vermoedelijk zeer blut voelde en zeer begaan met zichzelf. Maar Troy wist donders goed dat literair Londen bol stond van de geruchten dat hij onlangs een groot voorschot had getoucheerd – je hoorde nooit geruchten over kleine voorschotten – van een uitgever, de Weense émigré George Weidenfeld, voor het schrijven van een biografie over Burgess. Hij was ongeveer de laatste persoon die Troy het schrijven van zo'n boek zou toevertrouwen, en hij betwijfelde dan ook of George zou krijgen waarvoor hij had betaald, maar hij vermoedde dat dit de trip naar Rusland had gefinancierd. Wat Driberg zei, was dat hij, als dat enigszins mogelijk was, van beide kanten wilde profiteren – MI5 inlichten en toch blijven incasseren.

'Als ze een netwerk hebben, waarom namen ze dan het risico je contant geld te geven?'

'Het netwerk is tijdelijk buiten werking, zei Serov. Hij vroeg of ik iets tegen contanten had op de manier waarop je iemand vraagt of die iets tegen een cheque heeft, als je weet dat die niet gedekt is. Ik zag er niet bepaald naar uit om met zo'n smak geld langs de douane te moeten, maar ze kijken niet zo naar geld dat binnenkomt. Ze interesseren zich veel meer voor geld dat eruit gaat. En ze hoopten over een paar weken weer normaal te kunnen functioneren, dacht Serov. Ik heb hem niet gevraagd wat hij daarmee bedoelde.'

Troy wist precies wat hij bedoelde. Angus had precies hetzelfde verhaal opgedist, toen Troy hem vroeg hoe het witwassen van het geld in zijn werk ging waar Cockerell zo slim bij betrokken was. Dat Driberg nu de bevestiging bood waarnaar Troy op zoek was, had Troy nooit durven vermoeden, maar zo lagen de zaken nu. Het stukje van de puzzel waardoor het allemaal begrijpelijk werd. Dit was waar de man mee bezig was geweest, met al die nepcijfers en zwevende duizenden. Het klopte wel. Het zou niet lang duren voordat hij werd vervangen. Er zou een nieuwe koerier worden gevonden, en dan werden als bij toverslag de lelijkste tapijtpatronen getransformeerd tot een gezond rijtje nullen op Dribergs bankrekening.

'Ik denk dat je geen keus hebt, Tom. Praat met de Dienst, geef ze het geld en laat het verder aan hen over. Dan hou je er in ieder geval nog een aardige anekdote voor je memoires aan over.'

'O, ja?' zei Driberg iets te gretig. 'Dacht je dan dat iemand die zou willen lezen?'

78

In de weken nadat hij naar Portsmouth was geroepen om te komen kijken naar de opgezwollen warboel die eens Arnold Cockerell was geweest, had Troy zich al vele keren voorgenomen om Charlie te bellen. Hij had het steeds voor zich uit geschoven. Hij had Charlie nooit, voor geen enkele Scotland Yard-zaak, om een gunst gevraagd. Het zou de stilzwijgende overeenkomst verbreken die ze jaren geleden hadden afgesloten, aan het einde van de oorlog, toen de fictie van Charlie de Diplomaat voor het eerst werd gelanceerd. Het zou van zijn werk het laatste maken dat beiden wilden, iets wat tussen hen bestond, met het constante risico dat het tussen hen in kwam te staan.

Het schemerde al toen hij terugkwam van Driberg, een beetje licht in het hoofd vanwege de whisky, met *The Less Deceived*, die Driberg hem in zijn hand had geduwd. Hij pakte de telefoon, zonder precies te weten wat hij ging zeggen als Charlie opnam.

Zelfs in dat ene woord 'Hallo' klonken haast en een enorme gejaagdheid door.

'Met Freddie.'

'Freddie,' Charlie schakelde over naar een aardiger toon, maar zonder succes. 'Lang geleden, maar ik ben bang dat het nog langer wordt. Er staat een taxi op me te wachten.'

'Ik wilde alleen even...'

'En een vliegtuig. Sorry. Schuld van kolonel Nasser. Ik vlieg vanavond naar Akrotiri. Als het kan wachten, bel ik je zodra ik weer terug ben. Echt. Moet nu hollen!'

Troy nam haastig afscheid en hing op. Hij herinnerde zich wat Charlie in de jaren dertig in Cambridge had gestudeerd – Arabisch. Alle Britse diplomaten waren arabisten. Ook dat maakte deel uit van de fictie. Het tilde ze op de een of andere manier op een vlak van academisch aanzien. Het studeren van Duits of Russisch zou de indruk kunnen wekken dat je echt een spion wilde worden, het studeren van economie of filosofie zou de indruk kunnen wekken dat je te pienter was om een spion te worden, en dan voldeed, als iedereen die te dom was voor iets anders dan maar geschiedenis ging doen, Arabisch aardig, als mengsel van een beetje studie en een beetje koloniën, en met een geurtje van T.E. Lawrence en St John Philby. Hij geloofde geen seconde dat Charlie ooit had gedacht het te moeten gebruiken, maar waarom zonden ze hem anders naar Cyprus? Cyprus deed er immers niet toe. Iedereen die ook maar iets te betekenen had, wist dat de Britten Cyprus op een gegeven moment zouden teruggeven aan de Cyprioten. Egypte – Egypte was een andere zaak.

79

De volgende morgen stond Clark bij Troy op de stoep. Het was over negenen. Troy was een beetje aan het lanterfanten. Liep nog in zijn kamerjas. Dronk koffie en bladerde in het ochtendblad. Hij had een bladzijde Nabokov gelezen, en was daar nu beter over te spreken, en een bladzijde Larkin en was daar nog beter over te spreken. Hij deed de voordeur open en zag Clark daar staan in het oostelijk licht, opkijkend naar de warmte van de zon die langzaam via Bedfordbury tevoorschijn kwam, zoals Troys varkens dat eigenlijk altijd deden. Hij draaide zich om naar Troy, en glimlachte.

'Code gekraakt, sir,' zei hij eenvoudigweg.

Troy zwaaide de deur verder open en Clark haastte zich naar binnen. Hij haalde een stapeltje papieren uit de zak van zijn jack en vouwde die uit op de eettafel. Troy ging zitten, en duwde een kopje en de cafetière richting Clark.

Clark reageerde niet. Hij blaakte van enthousiasme, en zijn geijkte, sombere opstelling, zijn gebruikelijke dekmantel – die iedere goeie diender nodig heeft, dacht Troy – was tijdelijk opgeschort.

'Ik kan niet lang blijven. Het was een fluitje van een cent. Het enige wat me van de wijs bracht was het domino-effect. Iedere herhaling verschoof bij twee, maar ieder patroon van vijf, verschoof ze bij drie. Ik denk dat ze een dartsspeelster was. Maar het waren toch meer wel klinkers, dan niet.'

'Ze?' vroeg Troy. Hij wist nog helemaal niet of dit het werk was van Cockerell of van Madeleine.

'Het is geschreven door een vrouw, sir. Dat ziet u straks wel. Een amateur ook, maar wel een goeie. Iemand die het heerlijk vond de boel om de tuin te leiden. De lol van een valse clou.'

Het verbaasde Troy een beetje te zien hoeveel Clark via een simpel cryptogram over het karakter van Madeleine Kerr te weten was gekomen. Ze was een verrukkelijke leugenaar geweest, dacht hij. Ze had een afschuwelijke prijs voor haar leugens betaald. Was dat de reden?

'Sla dat technische gedoe maar over, je spreekt tegen een man die nog nooit in zijn leven een kruiswoordpuzzel heeft afgemaakt.'

'Voor mekaar, sir.'

Clark kwam tegenover Troy zitten, haalde diep adem en begon te lezen.

'Lieve zus – kunt u daar wat mee, sir?'

'Ja – lees het nu maar gewoon voor, Eddie.'

Lieve zus, als je dit leest is de kans groot dat die stomme eikel Ronnie pleite is en schuld draagt aan ons beider dood. En ik kan hier verder niets zeggen dat je nog meer pijn zal doen dat ik je al heb gedaan, dus krijg je het hele verhaal en moet je zelf maar zien wat je ermee doet.

Ik weet dat je het idioot vond dat ik er met hem vandoor ging. En ik weet dat je Brighton maar niks vond. Maar ik was daardoor wel weg uit Derbyshire, niet? Ik was verlost van een kantoorleven als de een of andere stenotypiste. Ik was verlost van het vooruitzicht op een huwelijk met een luie flikker uit de fabriek, die misschien nog weleens voorman werd als hij zich de rest van zijn leven uit de naad werkte. Ik was verlost van zo'n gore twee-onder-één-kap in een wijk met woningwetwoningen. Sorry, ik zei al dat ik je geen pijn meer kon doen. Wel, lieve schat, het was niet Brighton. Er zat meer achter, net als bij Ronnie. Je hebt die kant van hem nooit willen zien, hè? Ik zei je dat ik volslagen hoteldebotel van hem was en je had me moeten geloven. Ik kende de risico's en heb die genomen – en ik bedoel niet de risico's van de getrouwde man. Zus, ik heb Parijs gezien. Ik heb Amsterdam gezien. Ik heb West-Berlijn gezien. Ik heb Chemin de Fer in Monte Carlo gespeeld, ik heb geskied in Zermatt, ik heb mijn tieten gebruind op het strand van St Tropez. Ik ben strontlazarus geweest in Biarritz – en ik heb gezien hoe Ronnie MI5 en de Russen in zijn zak stak.

Schrik nou niet, maar er zijn nog een paar openstaande zaakjes die moeten worden afgehandeld. Als je dat wilt doen, zit je voor de rest van je leven gebeiteld. Als je dat niet wilt, gooi deze spulletjes dan in de open haard en laat alles verder voor wat het is.

Ronnie en ik hebben geld gesmokkeld. De Russen gaven ons dat mee in steden door heel Europa heen, en Ronnie verwerkte het via zijn zaak. Waar het daarna naartoe ging, weet ik niet. Dat heeft Ronnie me nooit verteld, en ik heb er nooit naar gevraagd. We waren voorzichtig. Geen van de mensen met wie Ronnie omging heeft mij ooit gezien. Ik zag hen wel, maar ze zagen mij niet. Maar zoals ik al zei, als je dit leest moet er ergens iets mis zijn gegaan. Er staat geld op vijf banken. Bij de Banque du Commerce Coloniale in Parijs, en de National Bank of South Africa in Zürich, bij de Gebrüder Hesse, ook in Zürich, bij The Merchant Orient in Amsterdam en bij de Monégasque Première in Monte Carlo. Iets in de orde van veertig- of vijftigduizend pond, dacht ik zo. Het is allemaal legaal – Ronnies aandeel. Hij heeft niemand belazerd. We hebben iedere cent ervan verdiend.

Er is ook een lijst van iedereen die ik ooit zag, of iedereen over wie Ronnie me heeft verteld, in dit spel. Het is gevaarlijk spul, maar die wetenschap kan je bescherming zijn. Of je dood worden. Maar ik zei je al – als je wilt, kun je de boel ook laten voor wat die is.

Tot in de hemel, schattebout.

Clark stopte buiten adem. Toen hij verderging, fluisterde hij bijna.

'Het is getekend "Stella" en dan is er nog een lijst van cijfers die corresponderen met de sleutels die u me gaf voor de banken.'

Troy voelde de drukkende stilte. Clarks professionele trots had hem niet blind gemaakt voor de intrinsieke treurigheid van de brief. Een dode vrouw die het samenzweren van complexe, sluw opgezette organisaties omschreef als een spel. Een romantische dwaas die met haar leven betaalde voor niet veel anders dan wat weekendjes rollebollen met een man van twee keer haar leeftijd in de modieuze uitgaanscentra van Europa – een noodlottige vakantie in een andere sociale klasse dan de hare – een dodelijk 'spel' waarvan ze de essentie niet kon hebben begrepen. Troy stond versteld. Verbaasd was hij niet. Hij had dit vanaf de dag dat Angus hem had verteld dat Cockerell zich met zwendelpraktijken bezighield zien aankomen. Zeker ook na het verhaal dat Driberg hem had verteld. Wat moet het de ijdelheid van de man hebben gestreeld om zo heerlijk buiten zijn normale kringen te verkeren in de speellokalen van Monte Carlo, met een vrouw zo mooi als Madeleine Kerr aan zijn arm. Om met haar te worden gezien, alleen al om met haar te worden gezien – en intussen al die tijd te denken dat het hun geheimpje was, de naïeve illusie te koesteren dat ze zagen zonder gezien te worden. Wat bedoelde ze met 'Ronnie stak MI5 en de Russen in zijn zak'? Op de keper beschouwd had de oorlog hetzelfde voor Arnold Cockerell gedaan als voor hen die een vlugge dood stierven en hen die een langzame dood stierven in de jaren die volgden. Hij stierf omdat hij niet was hersteld, of wilde herstellen van dat korte moment van avontuur, die opwekkende adrenalinestoot. Maar Troy betwijfelde of hij wie dan ook in zijn zak had gehad – het was eerder andersom. De geheime dienst was dol op romantische dwazen. Die waren beter dan kanonnenvoer.

'Sir?'

Clark kreeg hem vragend aan, en bracht hem terug naar het heden.

'Ik kan niet lang blijven,' zei hij weer.

'Natuurlijk. Hoe heb je weg kunnen komen?' vroeg Troy.

'Mr. Wildeve is in Hammersmith, sir. Lijk onder de vloerplanken. Vreselijke stank. De buren hadden de Yard gebeld.'

'En Stan?'

'Mr. Onions? Grappig dat u dat vraagt, sir. Die is al sinds zaterdag niet meer gesignaleerd.'

'Is niet zo grappig,' zei Troy.

Hij liep naar de keuken en kwam terug met de Post. Hij sloeg de krant open op pagina vijf – Buitenlands Nieuws.

'Hier, lees maar,' zei hij tegen Clark.

'Wat dit? "BRITS SOLDAAT OP CYPRUS VERMOORD"?'

Clarks ogen schoten over de krant; hij las het hele stuk in een paar seconden.

'Ik begrijp het niet, sir. Wie is sergeant-majoor-vlieger Kenneth Clover?'

'Dat was de schoonzoon van Onions. De man van "onze Valerie".'

'Juist, ja. Arme drommel. Doodgemarteld en in een greppel gegooid met een bord om zijn nek. Een rotmanier om dood te gaan.'

'Hij is niet de eerste. En niet de laatste. Er gingen hem dit jaar al een stuk of vijftien voor. De EOKA wil ons weg hebben. Sergeant-majoor-vlieger Clover had de pech in de buurt te zijn.'

'Kende u hem, sir?'

'Ja, ik kende hem. En Valerie. Onions zit waarschijnlijk in Salford, bij zijn dochter.'

'Waarom heeft hij dan niemand iets gezegd?'

'Hij heeft vast wel iets gezegd tegen mensen die het moesten weten, de hoofdcommissaris, zijn secretaresse – en misschien zelfs wel mij, als ik er was geweest – maar hij zou zoiets verder nooit aan de grote klok hangen. Stan zal hier razend woest om zijn. Woede is een van de weinige emoties die hij toelaat. Hij zou het vervelend vinden als er over zijn familie en hun problemen werd gepraat.'

'Grotere problemen dan deze zijn nauwelijks denkbaar,' zei Clark zacht.

'Inderdaad', zei Troy. 'Maar hij verwerkt het allemaal zelf. Ik was brigadier toen zijn vrouw stierf. Ik heb hem al eerder zo meegemaakt.'

Clark stond op. Keek zonder spijt naar zijn kop koude koffie.

'Ik moest maar eens gaan. Mr. Wildeve zal nog wel een tijdje in Hammersmith blijven, denk ik, zodat ik u wat vaker kan bellen. Ik moet u wel zeggen dat ik dacht dat ik mijn leven van geheimhouding had achtergelaten in Berlijn. Maar ik heb sinds ik voor u ben komen werken meer leugens verkocht dan in de tijd dat ik met kousen de zwarte markt bewerkte.'

Troy liep met Clark mee naar de deur en ging in het zonlicht van het hofje staan. Warme zon op zijn gezicht, koude flagstones onder zijn voeten.

'Ik hoop dat het niet te veel gevergd is?'

Clark tuurde naar de zon, met een hand boven zijn voorhoofd om zijn ogen te beschermen.

'Hemel nee, sir. De rol van Leporello is me aangeboren. En wat is het leven zonder wat extra dimensie?'

Troy zag hoe hij in alle rust naar St Martin's Lane kuierde. Hij begreep precies wat Clark bedoelde. Wat hij zei, beschreef die dikke, kleine snuiter die hij in die sombere jaren in Berlijn had leren kennen heel goed – maar het was ook de filosofie die Cockerell en Kerr het leven had gekost. Hij vroeg zich af of hij hem moest vertellen over Tosca. Hij had nooit iets gezegd. Alleen maar laten weten dat hij in stilte was getrouwd. Op het vasteland. Een oude vlam. Clark had iets van 'gefeliciteerd' gemompeld, en daarmee was het klaar. Maar hij wist het. Diep vanbinnen voelde Troy dat hij het wist.

Toen hij naar binnen liep, hoorde Troy de telefoon overgaan. Hij gooide de deur achter zich dicht en nam de hoorn van de haak. Hij was ervan overtuigd dat het Onions zou zijn, en dat klopte.

'Je zult het inmiddels wel hebben gehoord,' zei die zonder verdere inleiding.

'Ja, Stan. Het stond vanochtend in de krant. Vreselijk nieuws. Ik heb erg met jullie te doen.'

Hij hoorde Onions diep zuchten, hoorde hoe die zijn best deed zich te beheersen. De stilte leek eindeloos.

'Zou je hiernaartoe kunnen komen? Ze vraagt naar je.'

'Wanneer?'

'De begrafenis is overmorgen. Vandaag kun je zeker niet?'

'Nee, dat gaat niet lukken,' antwoordde Troy, die pijlsnel nadacht. 'Maar morgen is prima. Ik zal proberen vroeg te zijn.'

Hij krabbelde het adres neer dat Onions hem gaf – een achterafstraat in de wildernis van rode baksteen in Salford's Lower Broughton. Hij had diep medelijden met Stan. De relatie met Ken was niet noemenswaard geweest. Troy had in feite vaak het gevoel gehad dat Valerie het enige was dat de twee mannen gemeen hadden, maar Valerie was emotioneel genoeg voor hen alledrie samen, en Onions zou het nooit kunnen opbrengen haar in een tijd als deze in zijn eentje bij te staan.

Hij had zich weleens afgevraagd hoeveel Stan eigenlijk wist. Dat Troy en Valerie iets met elkaar hadden gehad in die laatste gespannen zomer voor de oorlog, wist hij vast wel. Het was geen geheim geweest, en ze waren beiden ongebonden. Dat was de reden waarom hij Troy nu liet komen een extra emotionele bufferzone tussen hem en de wervelwind die Valerie kon veroorzaken. Troy hoopte innig dat Onions niet wist dat ze ook nog een keer kort iets hadden gehad in het voorjaar van 1951, toen Ken in Korea zat. Hij betwijfelde of Onions zich een voorstander van overspel zou betonen, maar een groter probleem was zijn beschermende houding jegens de jonge Jackie Clover, zijn enige kleinkind, die aan het extreme grensde. Onions onthield zich van een openlijke mening over Troys zedelijk gedrag – hij had hem één keer, een jaar of wat terug, gevraagd of hij er ooit over dacht te trouwen – en Troy had daarop geantwoord met een vastberaden, maar naar gebleken onjuist nee – en iedere speculatie over het seksleven van een alleenstaande man in goeden doen van tegen de veertig bleef onuitgesproken.

Hij schoor zich, kleedde zich aan, voelde in zijn haar aan de ribbel van gescheurde huid en opgedroogd bloed die de kogel op zijn hoofdhuid had achtergelaten, en rommelde in het laatje onder de spiegel van de kapstok. Huissleutels, autosleutels, en onderin, stof verzamelend in het dunne laagje beschermend vet, een stel staalgrijze lopers. Hij pakte zijn zakdoek, veegde ze schoon, stak ze in de zak van zijn jack en zag zichzelf opeens in de spiegel. Hij voelde nog eens aan de ruwe ribbel. Die deed al dagen geen pijn meer, maar als Wildeve hem niet tot ledigheid had gedwongen, hadden de medici dat wel gedaan, dat wist hij donders goed, en als Kolankiewicz wist dat hij opnieuw op het punt stond een loopje te nemen met de medische stand – 'kloten met de kop' zou hij ongetwijfeld zeggen – dan zou hij hem een wijspeuk noemen, en gestoord, en dan zou hij ontploffen van Poolse woede, ook dat wist hij donders goed.

Hij haalde de Bentley. Reed naar Brighton. Peuterde het slot van de deur van Madeleine Kerrs huis open. Stal vier van haar beste outfits. De schoenen die erbij pasten. Een koffer om het allemaal in te doen. En was rond vier uur 's middags weer terug in Londen. Rond zes uur de volgende ochtend zat hij weer in de Bentley, reed via een verlaten Marylebone Lane in noordelijke richting, de Grote Stad uit, Cobbett's Wen uit, in de richting van Watford en The Black Country en de Potteries en Manchester en het verafgelegen Noorden. Wat het Zuiden in al zijn majesteitelijke verwatenheid nog altijd The Provinces noemde. In Engeland, had Troy lang geleden geleerd, was er haast geen groter belediging dan te zeggen dat je een provinciaal was. Het suggereerde dat je uit de klei was getrokken.

80

Het waren onmiskenbaar wilden. Het was even na twaalven. Hij had net St Clement Street gevonden, in Lower Broughton, en stond geparkeerd voor nummer 25. Al voor hij het sleuteltje uit het contact had gehaald, werd er een groezelig gezicht tegen het raampje aan de bestuurderskant geperst – met de neusgaten tegen het glas gedrukt. Een ander hoofd dook op bij het open raampje aan de passagierskant.

'Wat is dit voor een auto Mister is het een Cadillac of een Packard of een Ferrari het is een grote hè ik heb een dinky van een Caddy en een Packard en een Ferrari.'

De zin werd in één adem uitgesproken. Een oplettende grammaticus had er met een voorhamer nog geen komma tussen gekregen.

Troy keek naar het kind – negen, hoogstens tien – vol nieuwsgierigheid, verstoken van alle kennis.

'Het is een Bentley,' zei hij, en deed wat hij kon om niet stompzinnig te klinken.

'Bentley?'

'Ja.'

'Sjieke kar, toch?'

'Als je wilt.'

'Zijn daar ook dinkies van?'

Troy joeg het andere kind van de ruit en opende het portier. Boven het dak van de auto uit was het spraakzame kind net te zien, reikhalzend, klaar om de carrosserie te beklimmen. Een derde wilde kwam uit het niets opzetten en begon met de vlakke hand de veren van de linkerzijspiegel uit te proberen. Achter hem verscheen de omvangrijke figuur van Onions in de deuropening van nummer 25. Een blond, mooi, droef kijkend meisje van een jaar of tien gluurde op heuphoogte achter hem vandaan.

'Vast wel,' zei Troy tegen de jongen.

Onions brulde.

'Opduvelen. Allemaal!'

Het had geen effect. In de kantine van Scotland Yard zouden volwassen mensen bij zulke klanken van Onions overeind springen en met hun pudding morsen. Zo had hij Onions eens alleen maar de naam van agent Agnew horen uitroepen, waarna Agnew door de kracht van Onions' spreektrant kort in de waan werd gebracht dat hij weer in dienst was: hij schoot recht overeind, dreunde zijn naam en legernummer op en sloeg zijn hakken tegen elkaar bij het uitroepen van 'Sir!'. Ze keken allemaal naar hem, de nieuwkomer onderbrak het technische onderzoek van het spiegeltje zelfs even, maar ze trokken zich verder niets van hem aan.

'Voor een sixpence pas ik op je auto,' zei het eerste kind.

'Oké,' zei Troy.

De jongen hield zijn hand op.

'B.B.L.,' zei Troy.

'Wat?'

'Betaling Bij Levering. Als de auto er nog is als ik terugkom, krijg jij je sixpence.'

De jongen ging schouderophalend met deze voorwaarde akkoord. Onions reikte achter de huisdeur en pakte zijn jack. Jackie Clover stond op de drempel, de fijne grenslijn tussen huis en straat, zeer waarschijnlijk de enige in het hele rijtje die niet onlangs geschuurd was, en keek Troy onderzoekend aan. Met een verontrustende blik. Ze probeerde uit alle macht Troy te doorgronden. Ze kon niet meer weten wie hij was. Dat was te lang geleden, en zij was toen zo klein. Ze wilde niets tegen hem zeggen. Ze zei ook niets tegen Onions, toen die door haar haren woelde en zei dat ze tegen haar moeder moest zeggen dat ze 'naar de Grosvenor' waren. Toen ze langs de Bentley liepen, gaf Onions de jongen bij het zijspiegeltje een oorveeg zonder zelfs maar naar hem te kijken.

81

Onions bestelde brood en kaas. Voor allebei een grote pils. Mopperde dat hij de laatste drie dagen louter eigengemaakte maaltijden had gegeten. De barman smakte een dubbeldikke snee brood voor ieder van hen neer. Onions lepelde zwijgend een kleverig bruin tafelzuur op zijn bord, ging er eens goed voor zitten en begon gulzig te eten. Troy moest denken aan de scène in *Great Expectations* waarin Magwitch, gespeeld door Finlay Currie, zich in de moerassen volpropt met het voedsel dat Pip voor hem heeft gestolen. Kookte Valerie echt zo slecht? Hij had nooit iets gegeten wat zij had klaargemaakt, ze hadden altijd buitenshuis gegeten. Hij dacht weleens dat dit essentieel was geweest voor hun relatie. Nog liever dan te worden geneukt, wilde Valerie mee uit eten worden genomen. Het leven met Kenneth moest geen onverdeeld genoegen zijn geweest. En was er niet beter op geworden toen hij haar na terugkeer uit een achterafstraat in Shepherd's Bush had verhuisd naar een achterafstraat in Salford.

Troy kon de klanken van onverstoorbaar kauwen tegen het vage gemurmel van andere eters op de achtergrond niet langer verdragen.

'Zat Kenneth al lang op Cyprus?' vroeg hij.

Onions maakte zich los van zijn bord en keek hem over de tafel aan. Er stond opluchting te lezen in de steenharde ogen, het heldere blauw vervlakte van verdriet en moeheid tot leigrijs. Hij was blij dat Troy het ijs had gebroken. 'Pas een week of twee. Is daar rond het midden van de maand naartoe gegaan. Niks voorafgaande kennisgeving. Zijn hele eskadron kreeg de opdracht te pakken en scheep te gaan. Ze wisten niet eens waar ze heen gingen. Onze Valerie kwam er pas achter waar hij zat toen ze een kaart kreeg. Dat was vrijdag. Het telegram kwam zaterdag. Had nog slechter gekund. Had nog voor die verdomde kaart kunnen komen, bedoel ik.'

Troy kon niet eten. Zou het bier toch al niet hebben aangeraakt. Hij kende Onions goed genoeg om te weten dat die binnenkort zou exploderen.

'Nou vraag ik je. Wat had hij daar in godsnaam te zoeken? Wat moeten Britse soldaten op Cyprus?'

'Wil je dat echt weten?'

'Anders zou ik het toch niet vragen, wel?' snauwde Onions.

Troy wist dat hij de woede van Onions alleen maar kon helpen losmaken; beheersen of beteugelen kon hij hem niet. Hij kon hem uitlogen en laten stromen. En dat moest hij dan maar doen.

'Met Cyprus heeft het eigenlijk niets te maken,' zei hij. 'De nationalisten mollen nu eenmaal graag zo nu en dan een militair, net als de joden in Israël tijdens het mandaat, een jaar of wat terug. Dat is gewoon toeval.'

'Ken stierf bij toeval?'

'Ja. Zijn verblijf daar had niets met Cyprus van doen. Cyprus is een drijvend eiland, het grote mediterrane vliegdekschip. Handig gelegen voor het binnenvallen van Egypte.'

'Jezus nog aan toe,' fluisterde Onions.

Was hij daar werkelijk zelf niet opgekomen? Het was pas zes weken geleden dat Nasser het kanaal overnam. Lag het dan niet voor de hand? Ieder weldenkend mens in Groot-Brittannië kon toch op zijn vingers natellen dat er een oorlog op komst was?

'Het lijkt wel... het lijkt wel of Kens dood niets te betekenen heeft.'

'Voor Eden inderdaad niet.'

'Eden?' Onions schrok nogal van die naam.

'Die wil Nasser te pakken nemen. Hem vernederen voor de ogen van de wereld.'

'Hij is gek.'

'Ja. Rod vindt dat hij rijp is voor het gekkenhuis.'

Het bleef even stil. Troy voelde de verandering in stemming. De mildheid van de schok en het onbegrip, die overging in nieuwe woede.

'Hij is de eerste minister!'

'Ja.'

'Ik heb op die hufter gestemd'

Troy had daar niet geschokt over hoeven te zijn. Het fenomeen van de arbeidende klasse die conservatief stemde was zo Engels als thee met scones en The Last Night of the Proms. Het was alleen dat hij en Onions nooit over politiek spraken, in ieder geval niet over de binnenlandse politiek. Die keek, zoals dat bij zijn klasse hoorde, tot op zekere hoogte op tegen het geheel, ongeacht de partij, en was zeer eerbiedig tegenover Rod als die de Yard bezocht. Maar het was duidelijk hoe het zat. Stan had niet voor Eden gestemd, maar voor Churchill via Eden, die in de ogen van mensen als Stan min of meer Churchills schaduw was. Dat Churchill bijna kierewiet door zijn eigen partij uit zijn functie moest worden getrapt, zou Stan niet hebben begrepen. En het was te omslachtig de geloofwaardigheid daarvan aan te tonen. Troy had het zelf gezien. Toen hij op Chroesjtsjov wachtte in Number 10, was hij in de gang tegen Winston aangelopen, die duidelijk onder invloed was, van de drank en nog meer van de jaren. Troy verwachtte niet dat hij hem zou herkennen. Ze hadden elkaar een tiental keren ontmoet bij de dinertjes van zijn vader, maar dat was tijdens zijn 'wilderness'-jaren, bijna twintig jaar terug. Wat hij wel had verwacht, was dat een man die volledig bij zinnen was de plee nog kon vinden in een huis waar hij bijna tien jaar had gewoond. Hij had hem de goede deur gewezen en hem met gebaren duidelijk gemaakt dat hij zijn gulp weer dicht moest doen toen de oude man naar buiten kwam met een flap van zijn overhemd uit zijn broek als een olifantsoor.

'Wat moeten we in godsnaam op Cyprus? Wat moeten we in hemelsnaam met de lui daar? Het gaat weer net als met die verdomde Boerenoorlog. Wat is dit? De laatste uithaal naar de bruine jongens? Ik dacht dat we na mijn kindertijd waren opgehouden met al die flauwekul. Ik dacht dat we alleen oorlog voerden voor een betere wereld.'

Onions schreeuwde nu. Het was verreweg de langste politieke uiteenzetting die Troy ooit van hem had gehoord, zij het dat deze heen en weer slingerde tussen verwarring en onduidelijk sentiment.

'Geen wonder dat de zwartjes ons afmaken als vliegen. We hebben daar niets te zoeken. Laat Cyprus toch aan de zwartjes, net zoals die klotewoestijn!'

Vanuit zijn ooghoeken zag Troy hoe wat mensen in de pub hun richting op keken. De meesten met enige tegenzin. Men keek liever niet. De hele straat wist wie Onions was. Iedereen moest weten wat hem was overkomen.

'Wat moet ik nou tegen onze Valerie zeggen? Dat haar man werd verkoold door een vlammenwerper en zijn tanden met buigtangen werden uitgerukt omdat wij zo nodig nog één keer achter de zwartjes aan moesten voordat het imperium ons definitief door de vingers glipte? Is dat het? Is dat wat ik haar moet vertellen?'

De barman verscheen zwijgend aan hun tafeltje en zette een groot glas cognac naast Onions' elleboog. Hij noch Troy hadden hun bier aangeraakt. Troy verruilde zijn bord met brood en kaas voor het lege bord van Onions. Stan maakte de cognac soldaat en begon aan zijn tweede volle bord. Hij keek een paar keer op naar Troy. Er stonden tranen in zijn ooghoeken.

'Heb jij geen honger?' vroeg hij uiteindelijk.

'Ik heb onderweg iets gegeten. Ben gestopt bij Dunham Park, net ten zuiden van hier.'

Onions haakte in op deze tactische verandering van onderwerp. Onderging de last van de prietpraat.

'Ja, dat ken ik wel. De kant van Altrincham. Was tijdens de oorlog een Amerikaanse basis, niet?'

'Zo op het oog zou je zeggen dat ze gisteren pas zijn vertrokken. Overal jerrycans, betonnen bunkers, uitgebrande jeeps. En dan te weten dat het een paar eeuwen daarvoor een favoriete plek was van landschapsschilders.'

'Lijkt in ieder geval een betere reden om te gaan.'

De stilte viel als fijn stof door het zonlicht. Onions at. Fragmenten cafépraat drongen tot Troy door in betekenisloze flarden. Hij voelde zich opeens machteloos in het licht van Onions' onweerlegbare, zo te rechtvaardigen woede, en de brokstukken conversatie vormden zo'n bizar beeld in de tijdelijke tabula rasa van zijn gedachten dat hij zich omdraaide om te zien wie er zat te praten.

'Busby's Babes,' zei de man. Het was de enige zin waar hij wat van kon maken, en Troy zag voor zijn geestesoog zwevende caleidoscopen van knappe vooroorlogse vrouwen die dansten voor batterijen camera's en bij melodieën van Irving Berlin. Flitsen in zwart-wit van Dick Powell en Ruby Keeler. 'Remember My Forgotten Man'. De velen die door de dood ongedaan waren gemaakt. Toepasselijk tot in het absurde. Toen tikte de man die het woord voerde met zijn middelvinger op de tafel, trok een streep in de glans van gemorst bier en zei: 'Bobby Charlton is de man. Die brengt ons dit seizoen aan de top,' en het beeld spatte uiteen als een bel uit een pijp, en de realiteit drong tot hem door. Voetbal. Hij had het kunnen weten. Ze hadden het over voetbal.

Hij wendde zich weer tot Stan. Die had de inhoud van het tweede bord vrijwel geheel naar binnen gewerkt.

'Hoe is het met haar?' vroeg Troy.

Stan keek niet op.

'Dat zie je straks wel.'

'Is het erg hard aangekomen?' Een armzalige vraag. Stan keek op. Tranen gedroogd.

'Ze is hysterisch. Je kent Valerie. Altijd wel een reden.'

82

Ze kwamen de hoek om van Great Clewes Street, terug in St Clement's. Troys auto stond daar als een soort Sherman tank. De enige auto in de straat. De geschuurde deurdrempels van de huizen glommen als valse tanden – behalve die van de Clovers, waar Jackie zat, op precies dezelfde plek als waar Troy en Onions haar hadden achtergelaten. De jongen met de obsessie voor modelauto's zat op de bumper van de Bentley, met een *Beano* in de ene hand, en een boterham met braadvet in de andere. Zijn lippen bewogen geluidloos tijdens het lezen, en hij was zich niet van zijn omgeving bewust. Bij het hoekhuis stond een jonge vrouw in een jasschort en met een sjaal om haar hoofd in de deuropening. Ze koesterde zich in de zon en rookte een shagje. Kastanjebruine lokken staken van onder haar hoofddoek vandaan. Het was een adembenemend mooi gezicht.

Troy staarde even te lang, en ze trok een ondeugend gezicht, gaf hem een kushandje en knipoogde. Typisch iets wat Tosca ook zou doen, dacht hij.

'Waar is je moeder?' zei Onions tegen het meisje.

'Ze zei dat ze even ging liggen, opa.'

Jackie zweeg even, en trok toen met haar gezicht om Onions recht aan te kunnen kijken.

'Wanneer mag ik nou met haar naar Lewis?' vroeg ze.

'Daar zal wel niets van komen, denk ik.'

'Maar ze had het me beloofd.'

'Wanneer was dat?'

'Vorige week.'

'Maar dat was voor... voor...'

Het kind wachtte. Troy vermoedde dat Onions deze zin niet zou afmaken. 'Als Val toch slaapt,' zei hij, 'heb ik wat tijd over. Het heeft geen zin haar wakker te maken. Dan kan ik wel even met Jackie naar Manchester, als je wilt.'

Jackie stond op en begon omstandig het stof van haar kleren te slaan en haar rok glad te strijken.

'Mag ik voorin?'

Voordat Troy aan haar wens tegemoet kon komen, zei een kleine stem achter hem: 'Mag ik dan nu mijn sixpence?'

83

Troy mocht voor haar een paar witte enkelsokken en een Alice-band kopen. Meer hoefde ze blijkbaar niet. Het duurde bijna de hele middag voor het besluit was gevallen, en vereiste een grondige inspectie van het rijk voorziene aanbod van Manchesters grootste warenhuis. Meer dan vijftien jaar was er vrijwel niets te krijgen geweest. De bescheidenheid van haar keuze was geheel in stijl met de bescheidenheid van de tijd.

Op de terugweg keek ze minder gericht uit het raam dan tijdens hun rit naar de stad. Toen ze de Irwell Bridge overstaken, vroeg ze Troy wie hij was.

Onions serveerde thee met brood en jam op het wasdoeken tafelkleed in de achterkamer. Valerie vertoonde zich niet. Onions bracht een blad naar boven en haalde dat een uur later, onaangeraakt, weer terug.

'Verdomme,' zei hij binnensmonds.

Troy loog toen hem werd gevraagd of hij bleef logeren. Zei tegen Onions dat hij een kamer had gereserveerd in het Midland. Het had niet veel zin elkaar te gaan zitten vervelen als hij morgen met Valerie werd geconfronteerd en moest doen waar Onions zichzelf niet toe in staat achtte.

84

Het zou moeten regenen, dacht hij. Met bakken uit de hemel moeten vallen, zoals op die mistroostige novemberdag toen ze zijn vader begroeven. In vlagen langs de hemel zwiepen, zoals bij de begrafenis van Debussy – iets wat hij alleen wist omdat zijn moeder bij die gelegenheid iets over het weer had gezegd, en de overeenkomst daarmee. Hij had nooit geweten dat ze de man had gekend. Al die jaren had hij op haar aandringen aan de piano zitten oefenen, en dan was zij zo'n vrouw die nooit de moeite had genomen hem te vertellen dat ze in haar jeugd Debussy had gekend, dat die haar had lesgegeven toen ze acht was, dat ze op een natte dag in 1918 naar Frankrijk was gereisd om zijn begrafenis bij te wonen, tijdens een storm die door God was gezonden om het rivaliserende donderen van de Duitse bombardementen naar de kroon te steken. Een feit dat zo begraven bleef als het lijk, tot de begrafenis van haar echtgenoot opeens deze herinnering in haar opriep, net zoals nu gebeurde bij Troy. Misschien waren begrafenissen wel Chinese dozen, waar er altijd nog weer eentje in zat.

Overvloedige, oogverblindende zonneschijn leek geen respect te hebben voor de doden. En had een negatief effect op de levenden. Legde door het tonen van iedere veeg en vlek de nadruk op het armzalige zwart als rouwkleur, en maakte van de rouwkleding een narrenpak.

Hij zat voor in de oude zwarte Rolls-Royce. Valerie zat tussen haar vader en dochter, en huilde onophoudelijk achter haar sluier. Ze was die dag om twaalf uur opgestaan, gaf Troy een teken van herkenning door het noemen van zijn voornaam, nam een kusje op haar wang in ontvangst van haar dochtertje en reageerde niet op Onions' onsamenhangende pogingen tot een gesprek. Ze trok zich met een kop thee terug in de badkamer en kwam veertig minuten later weer tevoorschijn in haar weduwdracht. Ze zaten een lang halfuur op een van de rechte stoelen in de voorkamer, in de lavendelgeur van meubelwas en de bedompte lucht van onbruik. Toen de lijkwagen met het lichaam van sergeant-majoor-vlieger Clover arriveerde, fluisterde Onions: 'Ben je zover?' en had ze geknikt.

Troy stond bij het graf met de gereserveerdheid van een camera – 'kodakkoel', zoals Philip Larkin het zo bondig had uitgedrukt. Buren kwamen condoleren en stelden Valeries geduld danig op de proef. Onions hield Jackies hand vast, en toen de laatste rouwenden vertrokken, stak Valerie haar hand uit naar Troy. Hij stak haar zijn arm toe om op te leunen. Op de terugrit zat Jackie voorin, waar ze al die tijd al had willen zitten. Troy nam haar plaats in.

Er was geen begrafenismaaltijd. Geen gasten. Geen wake. Onions ging weer eens theezetten. Toen hij in de bijkeuken liep te rommelen, hoorde Troy doffe bonkgeluiden in de kamer boven hen. Hij glipte stilletjes de trap op en vond Valerie zittend op de vloer van haar slaapkamer met de inhoud van het haardkastje om zich heen. Ze rukte aan het vergane rubber van een gasmasker uit de Tweede Wereldoorlog en keek naar de brokstukken in haar handen.

'Moet je die zooi nou eens zien,' zei ze. 'Ik mocht nooit iets van hem weggooien.'

Ze kwakte het gasmasker tegen de muur.

'Vuile schoft,' zei ze.

Er waren nu geen tranen.

'Vuile schoft.'

Troy ging op de grond zitten. Een kleine balgcamera waar de zoeker van ontbrak lag op een fotoalbum, waar dat uit het kastje was gevallen. Hij pakte die eraf, legde hem voorzichtig neer en bladerde in het album. Daar was Jackie, in haar moeders armen, in 1946, voor het huis in Shepherd's Bush. Zes weken oud. Toen dezelfde opstelling, dezelfde plek en pose, behalve dan dat nu een trotse vader in uniform zijn dochter vasthield.

'Maar deze dingen wil je toch wel houden?' zei hij.

'Op dit moment mag van mij de hele boel in de fik. En dan beginnen we met dit rothuis.'

Ze sloeg het album dicht.

'Ik wil het niet zien. Hij heeft me daarvandaan gesleept om in dit gat te wonen. Wist je dat hij om deze standplaats had gevraagd? Toen hij terugkwam uit Korea, haalde hij ons weg uit alles wat ik had, alles wat ik kende. Ik was zeven toen vader naar de Yard ging. Lancashire zei me vrijwel niets meer. Ik was met West-Londen vergroeid. Ik wilde helemaal niet weg. Vuile schoft.'

'Dat wist ik niet.'

'Hij wilde me zo ver mogelijk bij jou vandaan hebben.'

'Ik wist niet dat hij van mij wist.'

'Dat was ook niet zo. Hij wist alleen dat er iemand was. Die hij mijn "minnaar" noemde.'

Troy wist niet wat hij daarop moest of kon zeggen.

'Vlei jezelf maar niet, Troy,' zei ze. 'Je was de enige niet. En als je dat niet wist, verbaast het me dat je jezelf een rechercheur noemt.'

Het was bijna een grapje. Een kort, bitter lachje flitste over haar lippen. Toen welden de tranen in haar ogen op. Ze boog haar hoofd, en hij hoorde haar fluisteren: 'Godallemachtig, Troy. Wat moet ik nu verder?'

Ze strekte haar armen, sloeg die om zijn nek en snikte tegen zijn schouder.

'Vuile schoft,' zei ze tussen het snikken door. 'Vuile schoft. Ik hoop dat hij in de hel terechtkomt.'

Ze snikte een eeuwigheid lang. Troy zag aan het licht dat de middag op zijn eind liep, via het achterraam dat uitkeek op de privaten en via de doorgang op de huizen aan de achterkant. Ze had zich al een tijdlang niet bewogen. Het enige wat hij voelde, was het langzame, ritmische stijgen en dalen van haar borst tegen de zijne. Hij legde een hand op haar haar. Dat gebaar kwam goed aan. En vroeg blijkbaar om meer. Ze bewoog. Haar gezicht kwam omhoog naar het zijne. Dichtbij in het schemerlicht. Ze was pas zevenendertig. En zag er prima uit. Haast net zo blond als haar dochter, haar vaders doordringende blauwe ogen in een breed, bleek gezicht. Ze kuste hem op de wang. Trok zich terug. Keek hem uitdrukkingsloos aan. Kuste hem op de lippen en begon die van elkaar te duwen met haar tong.

Ze voelde dat hij niet reageerde. Lippen als tentkleppen.

'Jezus, Troy.'

'Ik ben getrouwd,' zei hij simpel.

'Hah? Getrouwd?'

'Ja,' zei hij, en het voelde meer als een leugen dan alle leugens die hij de laatste tijd had verteld.

'Ik was getrouwd. Toen maakte dat toch ook niets uit? Troy, je hoeft me niet te zeggen dat ik de liefde van je leven ben. Ik ben niet zo naïef als ik eruitzie, maar ik weet wat me te wachten staat. Vader snelt me te hulp als een redder in de nood. Het huis raken we kwijt. En dat is maar goed ook. Het is een RAF-huis, Huisvesting Gehuwden, ten behoeve van onderofficieren – maar vader neemt me mee terug naar dat vreselijke Acton. Ik wil geen Acton, Troy. Ik wil niet meer het meisje zijn in pappies huis. Acton kan barsten, vader kan barsten. Ik moet alleen de kans krijgen, een kans om op mijn eigen twee benen te staan. Jackie en ik. Geef me een dak boven mijn hoofd tot ik dat voor mekaar heb. Acton betekent voor mij het einde. Hij haalt me terug en laat me nooit meer gaan. Ik zit voor de rest van mijn leven in Huisje Weltevree nr. 22. Een eeuwigheid in Tafelkleed Terrace. Doe dit voor me, Troy. Je hoeft niet te zeggen dat je van me houdt. Help me alleen maar. In Acton ga ik dood. Help me, Troy.'

Troy zei niets.

85

Onions had een miezerig vuurtje aangelegd in het grote keukenfornuis in het achterhuis. Hij zat daarvoor een sigaret te roken.

'Ik begon me net zorgen te maken,' zei hij

'Ze redt het wel.'

'Maar hoe. Er zijn vroeger wel momenten geweest dat ze dermate over haar toeren raakte dat ik dacht ze gek werd.'

'Ze is nu volwassen, Stan. Ze komt er weer sneller bovenop dan je denkt. En ga er maar niet van uit dat ze haar weduwdracht lang zal dragen.'

'Hè?'

'Ze zal niet langer voor Ken rouwen dan nodig is. Wat korter dan de etiquette vereist, vermoed ik zo. Ze wil zo gauw mogelijk van het huis af, en van Salford, en terug naar Londen. Deze straat en Ken hebben geen speciale plek in haar hart.'

'Geld zal toch geen probleem zijn, hè?'

'Nee, hoor. Ken was beroeps. Ze krijgt een vol RAF-pensioen. En hij is in de strijd gesneuveld. Misschien nog wat extra geld en een medaille. Ik heb gisteravond mijn broer gebeld. Die staat nog altijd hoog aangeschreven bij de luchtmaarschalken waar hij generaal was onder Attlee. Hij zegt dat het Valerie aan niets zal ontbreken. Daar zorgt hij voor. Er is geld voor Jackies scholing, als je dat wilt, en geld voor de verhuizing naar Londen.'

'Verhuizing?' vroeg Onions, tot wie alles maar langzaam doordrong.

'Als ik jou was, bracht ik haar oude kamer in Acton op orde en nam ik die twee terug tot ze weer op eigen benen kan staan.'

'Wil ze dat dan?'

Troy haalde zijn schouders op, een gebaar waarvan Stan kon maken wat hij wilde.

'Ik moet hier nog wel even een poosje blijven.'

'Natuurlijk. Wat wil je dat ik doe?'

'Jij moet de leiding overnemen bij de Yard. Ik kan het niet langer zonder je stellen. De jongen had gelijk.' Die jongen was Wildeve. Zesendertig en voor Onions nog altijd dezelfde. 'Hij kwam naar me toe en stond erop dat ik je op non-actief stelde. Maar nu gaat het toch wel weer met je, niet?'

Het was hem blijkbaar ontschoten dat er andere, betere redenen waren voor Jacks verzoek.

'Met mij gaat het best.'

'Ik neem een week verlof wegens familieomstandigheden. Maar pas met ingang van aanstaande maandag. Dan heb jij een paar dagen tijd om je medisch te laten keuren en je leven op orde te brengen. Je zult dan een tijdje mijn werk moeten doen. En je hebt dan vanaf nu de leiding over de afdeling – Tom komt niet meer terug. Dat hoorde ik vrijdag. De dokters geven hem nog een maand. Vrijdag was mijn dag voor het slechte nieuws. Dus terug naar de Yard en aan het werk. Je aanstelling als commissaris komt door zodra Toms papieren op orde zijn. Ik regel de dingen hier.'

Onions verviel in stilte. Een eindeloze droefheid. In beide ooghoeken welde opnieuw een begin van een traan op. Hij pufte nog eens aan zijn sigaret en gooide de peuk in het vuur. Zelden had Troy Stan zo verslagen gezien. Twintig jaar lang had Stan als een rots in zijn leven gestaan. Rotsen bloedden niet, stenen weenden niet.

Al met al kon Troy zijn geluk niet op.

86

Jackie zat weer op de voordeurdrempel. Op een bepaald moment moest ze naar boven zijn geglipt om haar moeder op te zoeken. Ze had het ontmantelde gasmasker voor haar gezicht en droeg uit voorzorg de Alice-band aan de buitenkant. De felle plastic kleuren en glazen steentjes contrasteerden grappig met de grijzen en bruinen van rubber en canvas. Het zei wel iets over het land, vond Troy, de zinloosheid van de erfenis die zijn generatie had nagelaten aan de volgende. Ze draaide zich om en keek door het gebarsten plexiglas naar Troy. De autojongen stond op de stoep.

'Toe dan. Ik geef je er een sixpence voor.'

Ze draaide terug naar hem.

'Goed,' zei ze door het masker, en klonk als een astmatische kikker.

Haar hand ging omhoog, verwijderde voorzichtig de Alice-band en trok toen het masker af.

'Kom op met je geld,' zei ze.

Ze stak het kleine zilveren muntstuk in de zak van haar jurk, stopte het weg onder haar zakdoek.

Troy bleef kijken. Dat voelde ze. Ze keek op en zei: 'Ik kreeg een shilling voor pappies oude camera.'

Troy nam afscheid en liep naar de bestuurderskant van zijn auto. De jongen liep rondjes om de auto, vleugels wijd, landingsgestel uit, en een zacht gepruttel van een propeller dat uit het masker opsteeg. Hij had de dingen niet helemaal in de goeie volgorde.

Troy draaide het raampje open, zodat de warmte van de dag eruit kon. De jongen landde naast hem.

'Waarom heb je je geld aan dat ding verspild?' vroeg Troy hem.

'Hoezo verspild? Dit ding is goed!'

'Goed voor wat?'

'Voor als de moffen weer komen.'

'Doe niet zo stom,' zei Troy. 'Dat was jaren geleden.'

'Kan nog altijd,' protesteerde de jongen. 'Me vader zegt dat het de volgende keer die *gyppo's* zijn.'

'Dat kan. Maar dat zijn geen Duitsers, wel?'

'Me vader zegt dat het allemaal buitenlanders zijn.'

Zo jong nog, en vol van de onweerlegbare logica van de xenofobie. En het onfeilbare orakel 'me vader' Troy stak het sleuteltje in het contact en beschouwde het gesprek als beëindigd. Maar de jongen nog niet.

'Me vader zegt dat Jackies vader door die gyppo's is vermoord.'

Troy keek naar het huis. De deur was dicht. Ze was weg.

'Dat is niet zo,' zei hij zacht tegen de jongen. 'Dat waren de Cyprioten. Niet de Egyptenaren. De Egyptenaren hebben niemand vermoord.'

'Me vader zegt dat ze hem in mootjes hebben gehakt, net als de Jappanezen in de oorlog,' zei de jongen, duidelijk vergenoegd.

Troy glimlachte bedrieglijk en draaide het sleuteltje om.

87

Het was een schitterende rit. Over de Pennines met de zon uit het westen in de rug. Via Whalley Bridge en door het oude kuuroord Buxton. Aan het eind van de dag stopte hij in Monsal Head. Hij had die route nooit eerder gereden en altijd al dat spoorwegviaduct willen zien waar Ruskin zich zo over had opgewonden. De mooiste vallei van Engeland, ontheiligd door een enorme brug en een hoge spoordijk, alleen maar omdat 'iedere gek uit Buxton dan met een halfuur in Bakewell kon zijn, en andersom'.

Troy staarde naar de brug. Hoog en smal over de Wye. Zo elegant als een rij flamingopoten. Ruskin had ongelijk. Nu, zo'n honderd jaar later, leek het wel of God op de eerste zondag een extra halve dag overuren had ingezet om te zorgen dat Moedertje Natuur niet werd verstoord.

Hij had niet in het donker willen rijden of aankomen. Dat vond hij niet horen. Hij nam een kamer in de Peacock Inn in Rowsley. At laat, ontbeet vroeg, en reed de volgende morgen om half acht vanuit het noorden de woonplaats van kapitein-luitenant-ter-zee Cockerell binnen, via de bochtige kilometers van de A6, bekneld tussen de Derwent en de oude Midland Railway-lijn die van hoog naar laag kronkelend en wroetend zijn weg zocht van Derby naar Manchester.

Hij stopte bij de katoenfabriek en vroeg naar de Wirksworth Road. Een man die zijn hond aan het africhten was, wees met zijn wandelstok naar boven. De rivier over, voorbij Ashbourne Road. Noord, dichterlijk, noordwest.

Hij parkeerde voor nummer 44 en pakte de roze koffer die hij sinds Brighton bij zich had uit de kofferbak. Er was geen deurbel. Hij bonkte luid met de horizontale klopper op de brievenbus.

Ze was niet gekleed. Ze stond in de deuropening in een badstof kamerjas, het haar opgestoken tot een knotje hoog op haar hoofd.

Ze gluurde om Troy heen. Keek naar de Bentley.

'Laat je die daar staan? Hij is nog langer dan het huis.'

'Hoezo, ben je bang dat de buren gaan praten?'

'Ik hoop het maar,' zei Foxx.

88

Troy keek toe, terwijl ze zich aankleedde. Haar handen maakten snelle bewegingen tussen een grote mok oploskoffie en de diverse kledingstukken. Eventjes stond ze naakt, bij het aantrekken van haar slip, toen verdween ze onder een Amerikaanse blauwe spijkerbroek met knopengulp, een grote rage wist hij van zijn neefjes, en heel moeilijk te krijgen, en een wit T-shirt. Toen ze haar armen in de lucht stak om het shirt over haar borsten te trekken, ging één hand naar haar achterhoofd en trok de pen los die het haar bijeenhield. Ze schudde het los, waardoor het tot halverwege haar rug golfde. Ze opende de achterdeur naar een rij steile betonnen treden die leidden naar een gevaarlijk aflopende tuin, ging in het ochtendlicht in de deuropening staan en begon haar haar uit te borstelen.

'Ik neem aan,' zei ze op gemaakte toon, 'dat jij gewend bent aan vrouwen met kleedkamers en kaptafels. Typisch voor de arbeidende klasse om je aan te kleden in de keuken. Maar de reden dat alles zich in de keuken afspeelt, is dat die in de meeste gevallen het enige verwarmde vertrek in het huis is. Daarnaast woon ik alleen.'

Ze keek de tuin in, en naar de vallei, en borstelde het haar nog eens stevig. Troy zei niets. Ze had natuurlijk gelijk, maar hij genoot van minuut tot minuut. Toen hij klein was, hadden zijn zusters, van zelfbewustzijn en zelfkennis gespeend, zich aangekleed en opgemaakt waar hij bij was. Het was vreemd, nostalgisch zelfs, amper seksueel, maar amper van seksualiteit verstoken.

'Waar is die koffer voor?'

Het leek net alsof ze die zojuist pas had opgemerkt, maar hij had hem bij zich toen hij binnenkwam, en ze keek er nu ook niet naar – ze had haar eigen moment gekozen.

'We gaan op reis.'

'Met ragfijne vleugeltjes naar de maan?'

Ze sloot de deur met het uitzicht en legde de haarborstel naast de stilstaande klok op de schoorsteenmantel.

'Nee. Naar Parijs. En misschien Monte Carlo.'

Ze ging op de leuning van een afgeleefde utility-stoel zitten, die in de hoek stond tussen de deur en de haard, en trok een paar honkbalschoenen aan, de rug gebogen, haar vingers bijna sneller dan het oog kon volgen bij het dichtrijgen tot aan de enkel. Ze kwam met een sprongetje overeind, op haar tenen, zoals een bokser zich door de ring beweegt in de seconden voordat de handschoenen elkaar raken.

'Ik ben niet gekleed voor Monte Carlo.'

'Wat denk je dat er in die koffer zit?'

'Mijn vermoeden is een handvol jurken van Stella. Maar die zijn niet echt mijn stijl. Luister, we hoeven toch niet meteen weg, hè?'

'Nee,' zei hij. 'Niet meteen.'

'Nou, dan gaan we er eerst even op uit. Wandelen. Je kunt toch wel even wandelen, hè?'

Ze liep lichtvoetig door het vertrek op hem toe. Ze ging oog in oog met hem staan, schouders tegen schouders, stak haar handen uit en trok zijn hoofd naar beneden. Met een gebaar zo zacht als de hardheid van Kolankiewicz, maar met hetzelfde doel. Ze ging met haar vingers langs zijn litteken.

'Het geneest goed. Als je denkt dat je het aankunt, laat ik je wat van de omgeving zien. We moeten nog wel even een en ander bespreken, voor we onze biezen pakken en vertrekken.'

Ze liepen de hele weg de steile heuvel af die het stadje in voerde zo'n dertig meter achter een groepje druk pratende jonge vrouwen aan.

'De ploeg die om acht uur in de fabriek begint,' zei Foxx. 'Op iedere andere dag loop ik met ze mee.'

'Heb je verlof wegens familieomstandigheden?'

'Wat? Doe niet zo raar. Dit is een katoenfabriek, niet de Royal Navy. Toen die politieman me kwam vertellen dat Stella dood was, heb ik alle vakantiedagen opgevraagd die ik nog had. Ze gaven me, met een gezicht als een oorwurm, twee weken. Ik heb nu meer dan een week achter de rug. En ik wil nog altijd niet terug.'

Ze dirigeerde Troy vlak voor de Derwent Bridge van de weg af en liep een pad op langs de rivier, hoog boven het voortjagende witte water.

'Hoe lang zei je dat je hier had gewerkt?'

'Ik begon toen ik achttien was. Later dan de meesten. Ik had al op mijn vijftiende of zestiende kunnen gaan, denk ik. Rondwaggelend op hoge hakken en met een opgevulde bh, deed ik net of ik Jane Russell was en probeerde ik eruit te zien als een volwassene. Dat lukte niet. Mijn moeder heeft altijd gedacht dat we waren voorbestemd voor iets beters. Lang na de dood van onze vader probeerde ze ons nog vooruit te helpen. Ik volgde dezelfde secretaresseopleiding als Stella. Typen en steno was dan misschien "beter", maar betaalde niet zo goed – en ik was, om je de waarheid te zeggen, het goed zat om secretaresse van Jan en alleman te zijn. Mijn baas was geen haar beter dan Cockerell – slechter nog, want hij dacht dat hij zijn hand in je slip kon steken *zonder* een liefdesnest voor je op te zetten. Ik ging in de fabriek werken. Dat lag het meeste voor de hand, en was de makkelijkste uitweg. De halve stad werkte daar tenslotte al. En de helft die er niet werkte, zat in de mijn of bij de spoorwegen. Het kostte me minder dan een dag om het vak te leren en na een week kon ik het in mijn slaap. Of op zijn minst als ik stond te dagdromen. In die tijd vond ik een baan waarbij je niet hoefde na te denken marginaal beter dan eentje waar je je hoofd een beetje bij nodig had – ik beschouwde dat als een soort vrijheid. En het betaalde goed, in verhouding tot het typewerk, bracht voldoende binnen voor het levensonderhoud van mam en mij. Toen begon Stella geld te sturen. Ik had het kunnen terugsturen – ik wist dat het Cockerells geld was – maar dat deed ik niet. En ik had kunnen weggaan bij de fabriek, maar dat deed ik ook niet. Mam dacht dat Stella een secretaressebaan had in Londen. Ik maakte deel uit van de dekmantel, denk ik. Als ik gestopt was met werken, zou ze hebben gevraagd waar het geld vandaan kwam. Dat we er een stuk beter van leefden dan van het loon van een fabrieksmeisje mogelijk was, ontsnapte blijkbaar aan haar aandacht. Ze was er tegen het einde toch al niet helemaal meer bij. Maar mam stierf met Kerstmis. En ik begin langzamerhand schoon genoeg te krijgen van de fabriek. Er komt een moment dat dagdromen verzuren, als je er niet iets mee doet.'

Het kostte Troy moeite haar tempo bij te houden. Ze klommen steil de helling van de vallei op, weg van de rivier, en naar een oneffen, oud pad dat zuidwaarts liep langs de kam van de Pennines.

'Weet je waar een plek als die op draait?'

Ze wees achter zich op de schoorsteen van de fabriek, het grootste voorwerp aan de horizon.

'Loonzakjes? Promotie? Nee – op een voortdurende onderstroom van seksuele toespelingen. De mannen zeggen geen "hallo" op maandagmorgen, maar "Hejjumraakt?"'

'Wat?'

'Hejjumraakt? Heb je hem geraakt? Seks gehad?'

'Juist, ja,' zei hij, zonder zich daar iets bij te kunnen voorstellen.

'Maar intussen raakt niemand je aan.'

'Veel geschreeuw maar weinig wol?' vroeg hij.

'Ja. En je hebt geen idee hoe dankbaar een meisje daar soms voor kan zijn. Ik ben immuun voor vieze praatjes. Maar ik was ook immuun voor de charmes van Arnold Cockerell. Als Stella dat ook was geweest, had ze nu misschien nog geleefd.'

Foxx wipte behendig over een houten hek. Troy volgde geestdriftig en stond opeens tegenover een kolossale stenen muur die in het niets stond – of eigenlijk, aangezien ze vadsig werden toegeloeid door een kudde Schotse langhoorns, in een weiland met grazend vee.

Troy keek langs de muur naar boven. Die was zo'n acht meter hoog, stevig gebouwd van graniet uit de buurt, en zat vol kleine gaten, uit sommige waarvan ambitieuze jonge esdoornboompjes sproten. Het was een schietstand, die volgens een ijzeren plakkaat net onder de borstwering dateerde van 1860. Een overblijfsel van de laatste keer dat de twee landen van Troy elkaar in ernst hadden bevochten, in de Krim. De futiele, bloederige impasse van de jaren 1850. Diverse voorouders en bloedverwanten waren omgekomen bij Sebastopol. Deze muur halverwege de Pennines was het gevolg geweest, aangezien het Britse leger zich wilde bekwamen, na eindelijk te hebben ingezien dat een goede graafschapsmilitie evenveel waard was als tien charges van de Light Brigade. Het was een raar idee dat de geschiedenis tot hiertoe was doorgedrongen. Het jaartal en het duidelijke doel van de structuur deden hem meteen denken aan allerlei verhalen van zijn grootvader over de broers en neven die de oude man in de strijd had verloren. Welke symbolische waarde de muur ook mocht hebben voor Foxx, ze had er waarschijnlijk geen idee van wat die voor Troy betekende.

Foxx zette een voet tegen de muur en werkte een teen in een gat dat vermoedelijk generaties geleden door een musketkogel was veroorzaakt. Ze zette zich met haar armen schrap tegen de haast verticale glooiing van de muur en klom één, anderhalve meter omhoog.

'Je hoeft niet te blijven staan kijken, hoor,' zei ze, en keek onder haar arm door naar hem. 'Dan wil ik zo niet meer. Hoe zit het met je hoofd?'

'Doet nog altijd een beetje pijn,' zei hij.

'Ik bedoel met duizeligheid op grotere hoogten. Aan de andere kant staat een ladder. Ik zie je boven.'

'Ga je dat allemaal klimmen?'

'Ik had niet het plan te vliegen. Ik doe dit al sinds mijn tiende. Zolang je me niet afleidt, gaat het best.'

Troy klauterde naar het beukenbosje achter de stand en vond een roestige metalen ladder. Die kreunde onder zijn gewicht en hij concludeerde dat hij de eerste was in vele jaren die er een voet op zette. Op een halve meter van de top brak één sport met een droge klap in tweeën en dat joeg zijn hart op hol, maar hij trok zichzelf op het platte bovenstuk en trof daar een uitzicht over het dal aan dat zich kilometers ver uitstrekte.

Er verscheen een hand op het muurtje, gevolgd door een voet, en even later trok Foxx zich over de rand. Ze lag een paar seconden hijgend aan zijn voeten, stond toen op, sloeg haar kleren af, en zei eenvoudigweg: 'En?'

'Was het dat waard?'

'O, ja,' zei ze naar adem snakkend. 'Iedere keer weer.'

Ze liep naar het uiterste puntje, keek uit over het dal, waar de fabriekschoorsteen nog altijd de boventoon voerde, ademde diep in en kwam weer naar hem toe.

'Je hebt nieuws,' zei ze 'Je hebt nieuws, anders was je hier niet met je blitse auto en een gepakte koffer.'

Troy haalde de vertaalde brief uit zijn zak.

'Dit zat in het bankkluisje van je zuster. Hij was in code, maar een eenvoudige code, en was geadresseerd aan jou.'

Ze ging op de rand van de muur zitten, haar benen bungelend op acht meter boven de grond, en las de brief in stilte. Hij zag dat ze hem nog een keer dubbelvouwde. Ze stopte, bleef bijna een minuut lang muisstil en klopte toen op het steen naast haar, aangevend dat hij daar moest komen zitten. Hij keek niet naar beneden.

Ze gaf hem de brief terug, bleek en gespannen, maar zonder een spoor van tranen.

'Ik wist dat allemaal wel, geloof ik. Niet van het geld. Of de Russen. Maar de rest wel. Ze nam het er goed van.'

'Geloof je haar?'

'Ja. En jij ook. Anders zat je hier niet. Het wordt zo langzamerhand tijd dat je me vertelt waarom je hier bent.'

'Ik wil dat je meekomt naar Parijs om daar de kluis voor me te openen. En daarna misschien een andere, als we niet vinden wat we zoeken. Londen was het Oude Makkersverbond. Ik ken de bankdirecteur. Maar ergens anders lukt me dat niet. Maar als jij je haar knipt, je make-up verandert...'

'En een van die jurken aantrekt die je meebracht.'

'Ik bracht pakjes mee. Tweedelige. Heel discreet. Als je dat doet, kun je voor je zus doorgaan. In theorie is de sleutel het enige wat je nodig hebt om een kluis te openen. Het hebben daarvan is alles. Maar in de praktijk is niemand zo naïef. Ze kennen hun cliënten. Op deze manier doen we wat gedaan moet worden, zonder enige verdenking op te roepen.'

'Aha.'

'Doe je het?'

'Het gaat ons niet om het geld?'

'Dat is een bijkomstigheid. Ik moet weten wat er verder nog is. Het is de enige manier om haar moordenaar te vangen.'

'Ze zegt dat de andere spullen gevaarlijk zijn.'

'Ze heeft gelijk.'

'Dan is het geld geen bijkomstigheid. Ik zie niet hoe veertigduizend pond voor iemand bijkomstig kunnen zijn. Als er een risico is, moet er een beloning zijn.'

'Doe je het?'

Weer gaf ze geen antwoord. Ze stond op, en draaide zich om naar het stadje aan de andere kant van de rivier.

'Kijk daar. Zeg me eens wat je daar ziet.'

Hij beschouwde haar vraag met een zeker wantrouwen, maar pakte haar hand toen ze hem overeind trok en keek uit over het dal. Wat werd hij geacht te zien? Misschien was het wel een volkomen onschuldige vraag. Er was, zag hij voor het eerst, meer dan één fabrieksschoorsteen – misschien was katoen wel de grote bron van inkomsten geweest in het stadje en was dat een halve eeuw later weer stilgevallen. Ook waren er massa's kerktorens en torenspitsen, en straat na straat aangebouwd tegen de hellingen van een klein dal dat overging in de Derwent Valley, waarin, had hij op school geleerd, vrijwel zeker een zijriviertje moest stromen. De huizen langs de straten kwamen in zijn ogen zo uit een sprookje van Grimm. De eenzame reus die de berg beklimt met een zak vol pasklare huisjes voor zijn modeldorp, die te laat ontdekt dat er een gat in de zak zit, waardoor de huizen in willekeurige volgorde, dus geen volgorde, langs de helling naar beneden tuimelen. En daar laat hij ze dan, her en der verspreid langs de hoogtelijnen van het landschap.

Behalve de fabriek tastte verder niets de rivieroever aan; het stadje hield tweehonderd meter voor het water op bij een duidelijk omlijnde uiterwaard. Op de heuvel ernaartoe strekten zich velden uit in alle modellen, de onregelmatige schoofhoekige parallellogrammen en trapeziums van de Engelse lapjesdeken, bezaaid met schapen en eiken, rafelige linten van haagdoornheggen, klitten hondsroos overgegaan tot rozenbottels, het rood van gedroogd bloed van rijpende bramen. Net daaronder trok een ordelijke rij haagbeuken een lijn naar een karrenspoor, en het spoor leidde op zijn beurt naar een stel boerenhoeves, uit steen gehakt en op het oog half verzonken in het landschap. Het was een goeie tijd voor de hardhoutbomen. Net over hun hoogtepunt, in de volle glorie van hun diepe groen, dat over een week of twee, bij het begin van de herfst, zonder twijfel zou overgaan in bruin.

Hij werd, besefte hij, gedwongen zich opnieuw een beeld te vormen van de plek. Het orwelliaanse gevoel dat hij had van nauwe, hobbelige straatjes en armoeiige noordelijke huizen maakte plaats voor deze ruimere zienswijze. De stad leek op de vele andere noordelijke stadjes met soortgelijke industrie. Toch was deze heel anders dan wat hij verder in Yorkshire had gezien. De plaats was kleiner, netter, het landschap zo veel weliger, zo overdadig groen. Het was, gaf hij zichzelf in stilte toe, een beter ogend deel van de sombere graafschappen dan zijn eigen geboortedistrict.

'Het is aardig,' zei hij minzaam.

'Aardig?'

'Goed dan – mooi.'

'Oké. Dan mag je het hebben. Hou het maar. Stop het maar in je reet. Ik wil het niet!'

'Wat wil je dan wel?'

'Ik wil,' zei ze langzaam en zorgvuldig, articulerend als een spraaklerares, waarbij de woorden op haar lippen barstten als bellen, 'dat jij me weghaalt van dit alles.'

Haar arm zwaaide uit over het dal en wees naar alles en niets. Plotseling kreeg een gezwollen zinsnede uit een stuiversromannetje iets realistisch, veelbetekenends en gevaarlijks.

'Oké,' zei hij.

'Ik meen het, Troy. We gaan naar huis. Pakken. Ik stuur de huissleutel terug naar de gemeente. We stappen in die absurde auto van jou en we komen nooit meer terug.'

'Oké,' zei hij weer.

'Fantastisch.'

Ze grijnsde, breeduit, prachtig, draaide zich plotseling om en sprong naar beneden. Troy bukte zich instinctief om haar te pakken en viel bijna over de rand. Hij zag haar door haar knieën zakken, omrollen als een parachutist, en weer overeind veren op haar voeten. De val moest haar beide benen hebben gebroken – dat kon volgens Troy niet anders. Maar daar ging ze, op een holletje het pad af. Ze draaide zich om, huppelde een paar stappen achteruit, en riep naar hem.

'Ik heb een uur nodig om te pakken. Niet verdwalen, hoor!'

89

Foxx kreeg meer dan haar uur. Troy vond een voetpad dat naar de stad leidde en ploeterde langs de straten zijn weg weer naar boven aan de andere kant van de vallei, op zoek naar Jasmine Dene.

Mrs. Cockerell deed open met een verfkwast tussen haar tanden. Die ze wegnam.

'Ik heb altijd geweten dat het slecht nieuws zou zijn als ik u weer zag.'

Ze liep zonder verder iets te zeggen voor hem uit het huis weer in, naar de achterkant. Troy volgde. Het was niet in hem opgekomen dat hij de brenger van goed of slecht nieuws zou zijn. Hij was ervan uitgegaan dat ze nu gewoon zekerheid wilde, hoe die ook te pas kwam.

Hij dacht dat ze misschien de tuin inging. Door de openstaande terrasdeuren zag hij een schildersezel, opgezet naar het zuidoosten, en een grote gebroken witte kaart met daarop een halfvoltooide haast abstracte beeltenis. Maar ze liep naar de keuken en hij hoorde het ploffende geluid van gas dat werd aangestoken. Thee en mededogen. Maar wat voor mededogen hij kon brengen, wist hij niet. Ze stond met haar rug naar het fornuis. Verfkwast in de ene hand, gasaansteker in de andere, armen gekruist voor haar boezem. De huisvrouw Nefertiti.

'Het is hem dus toch?'

'Ja.'

'Daar bent u zeker van?'

'Ja.'

Ze legde de aansteker neer. Veegde de karmozijnrode verf van de kwast af aan haar driekleuramaranten schort, en zette de kwast in een jampotje.

'Wees maar niet bang, Mr. Troy, ik ga niet huilen.'

Dat deed hem genoegen. Hij had genoeg van tranen. En toen barstte ze los als een tropische regenbui.

90

Troy koos voor een klein hotel op de Linkeroever, tussen de Boulevard St Germain en de Place de l'Odéon. De tegenovergestelde strategie van zijn ondernemingen in Amsterdam en Wenen. Verscholen in de stillere delen van de stad. Een hotel dat een stuk onopvallender was dan L'Europe of het Sacher. Als iemand naar hem op zoek ging, werd dat zoeken naar een naald in een hooiberg. De kamer was klein, maar Foxx had geen vergelijkingsmateriaal en accepteerde alles zonder commentaar. Ze vroeg geld om te kunnen gaan winkelen. Onontbeerlijk voor het bedrog was, dat wisten ze beiden, dat ze zo veel mogelijk op haar zuster leek. Naar de kapper dan maar, en nieuwe kleren misschien?

Troy stond verbaasd van het gemak waarmee Foxx zich van haar taak kweet. Ze kwam terug van de kapper met een tweede roze koffer en een grote groene boodschappentas, het haar gewikkeld in een hoofddoek, haar figuur verborgen achter de plompe lijnen van een seksloze jopper en haar gebruikelijke T-shirt en spijkerbroek.

Ze ontknoopte de jopper en liet die van haar schouders op de grond glijden. Deed haar hoofddoek af en schudde haar haar vrij. Veertig centimeter wilde blonde manen waren veranderd in een net kapsel, op kinlengte, dat het gezicht een ander aanzien gaf. Toen het haar lang was, had het de neiging naar achter te vallen, weg van het gezicht; nu het kort was, viel het naar voren, de geschoren punten naar binnen krullend onder aan de wangen, en verstopte zo haar gezicht, en een groot deel van haar gelaatsuitdrukking.

Ze haalde een van haar zusters pakjes uit de kast, scheurde de verpakking van het nieuwe ondergoed weg, en legde dat alles naast elkaar op bed, een voor een, als papieren coupures, voor het aankleden van de pop – de bh, de slip, de jarretelgordel en kousen – het dubbelrijs jasje, de bijpassende bordeauxrode rok.

'Weet je wat dit is?' vroeg ze Troy.

'Nee. Ik heb gewoon het eerste gepakt wat ik tegenkwam.'

'Dit is een Dior. Wat ze de H-lijn noemen als ik me niet vergis. Die een paar jaar geleden een rage was in Parijs. Kost een lieve duit. Als het niet zo'n toeval was, had ik bijna gezegd dat je smaak had.'

Ze trok het T-shirt uit, maakte de stalen knopen van haar spijkerbroek los, wat een beetje klonk als het doppen van erwten, en stapte uit de broek. Ze stak haar duimen achter het elastiek van haar slip, schoof die naar haar enkels en schopte hem uit. Ze stond naakt, en keek niet naar Troy, maar naar zichzelf in de spiegel.

Het waren zusters. Het waren tweelingen, maar zelfs nu kon Troy het verschil zien. De strakke gespierdheid van Foxx stond in zijn geest pal naast de naakte Madeleine die uit haar badkamer was komen stappen met een pistool op hem gericht – het pistool dat nu tussen de pluizen en de oude buskaartjes in zijn zak zat. De Madeleine in zijn herinnering was bezig de prijs te betalen voor het extravagante leven, op haar tweeëntwintigste al aan het uitzakken vanwege de aanslagen die door voedsel, sigaretten en drank op haar waren gepleegd. Foxx golfde van de spieren. Troy vermoedde dat haar biceps groter waren dan de zijne. Haar benen waren in ieder geval langer – de dijspier die afstak als een enkele kam, de spieren van de kuit die met strakke pezen in elkaar overliepen toen ze op haar tenen ging staan om haar achterste naar de spiegel te draaien. De kleine borsten zwaaiden zijn kant op, stevig van vorm, de roze tepels omhoog piepend volgens de beste clichés van de slechtste pikante romannetjes.

'Adieu, Shirley Foxx,' zei ze, bij het aantrekken van haar slip. 'Nu ben ik Maddy, nu ben ik gek.'

Troy ging op bed liggen en keek naar de assemblage van het ensemble. Het sluiten van de bh met dat onmogelijke gebaar van armen verdraaid achter de rug, het hand voor hand omhoogrollen van de kousen langs iedere dij tot aan het uiterste punt, het dichthaken en dichtritsen van de rok, de omgekeerde striptease van een totale metamorfose. Als laatste van alles werd er een paar schoenen uit een doos gehaald, dure schoenen, goede schoenen, van rood leer. Ze stapte erin en trok aan de manchetten van haar jasje, die halverwege haar onderarm waren blijven steken.

'Dit pakje is erop gemaakt om met handschoenen te worden gedragen, dat weet je toch?'

'Het is geen moment bij me opgekomen,' zei hij, nog altijd uitgestrekt op bed.

'Goed dan dat het bij mij opkwam. Anders had ik er niet uitgezien.'

Ze opende de nieuwe koffer, haalde daar een ander, kleiner roze koffertje uit, en daaruit haalde ze een paar lange witte handschoenen, alsof dat de prijs was die wachtte aan het eind van een spelletje.

'*C'est tout,*' zei ze.

'*Non,*' antwoordde hij. '*Ce n'est pas tout.*'

Hij haalde een zwarte bijouteriedoos uit zijn zak en klapte het deksel open. Op een bed van fluweel lag een parelsnoer. Ze draaide zich om. Hij maakte de sluiting achter in haar nek dicht en draaide haar weer terug om haar te kunnen aankijken.

'Zo,' zei hij. 'Nu is het af.'

'Zijn die van haar?'

'Ik vond ze op haar kleedtafel,' zei hij.

Foxx keek weer in de spiegel. En van de spiegel naar Troy.

'Zijn ze echt?'

'Vermoedelijk.'

Ze liet het parelsnoer door haar vingers glijden. De traditionele halsversiering van de Engelse vrouw uit de betere kringen. Deel van het uniform.

'Jemig, wat bezielde haar toch? Wie had ooit gedacht dat ze zo graag de namaak Engelse dame wilde uithangen? Geloofde je haar?'

'Voor een groot deel wel. Soms leek het niet altijd even goed te kloppen, maar meestentijds was ze heel acceptabel als een meisje uit een gegoed gezin in Midden-Engeland. Alleen haar wereldwijsheid was niet altijd even geloofwaardig. Kan het zijn dat die namaak Engelse dame voor Cockerell was bedoeld?'

'Nee. Het was Stella. Dit was Stella's aandeel. Arnold zorgde voor het geld en deed wat hij deed, maar dit deel was Stella. Dat merk je aan alles.'

Foxx draaide zich weer naar de spiegel en monsterde haar eigen voorkomen.

'Ik ben niet meer mezelf, hè? Ik ben haar.'

'Uiterlijkheden,' zei Troy. '"Uiterlijk schoon is slechts vertoon."'

'Dat weet ik zo net nog niet. Echt niet. Vind ik mezelf ooit nog terug?'

'Er is één manier om dat te weten te komen.'

'Aha.'

'Je kunt alles weer weghalen.'

'Alles?'

'Zonder uitzondering. Stukje bij beetje.'

'Een soort striptease?'

'Zoiets, ja. Maar als dat klaar is, blijf jij over.'

Hij keek hoe het hele proces zich in omgekeerde richting ontwikkelde. Het statische geknetter toen haar rok langs haar gekouste benen over de heupen naar beneden gleed en ophoopte aan haar voeten. De Degas-hoek van het lichaam, het overhellen als een ballerina, met het ene been absurd veel langer dan het andere, toen ze de kous losmaakte van de jarretelgordel, de spier in haar dij verankerde en de nylon uittrok. En het strekken van het bovenlijf, het uitstrekken en omhoogtrekken van de ribbenkast, het afplatten van haar borsten toen de armen weer boven haar hoofd gingen bij het uittrekken van de bh, met haar vingertoppen naar het plafond gericht, balancerend op de punten van haar tenen. Ze stond weer naakt. Voor Troy hoefde ze nooit meer kleren aan. Alleen door naar haar te kijken stond hij al in vuur en vlam. Haar aanraken joeg hem over de kling. Ze boog zich over hem heen, met alleen de parels om haar hals. Hij dacht dat hij gek werd. Het was jaren geleden dat hij zo'n onbedwingbare lust had gevoeld. Hij was gewend geraakt aan de redelijke lust, de lust waarmee kon worden omgegaan, de welgemanierde seks van de middelbare leeftijd, de behoeften die de tijd hebben.

Hij legde een hand op een kleine borst, schoof de andere tussen haar benen. Ze legde een hand over de zijne, hield die tegen haar geslacht, sloot zijn palm eromheen.

'Rustig maar,' zei ze. 'We hebben de hele nacht.'

Hij was het daar helemaal niet mee eens. Hij was buiten zinnen. Hij had helemaal geen zinnen meer.

Toen hij 's morgens wakker werd, lag zij diep in slaap, met één been over de zijne. Hij schoof het voorzichtig weg en zag voor het eerst het laatste onomstotelijke verschil tussen Foxx en haar zuster – een kleine tatoeage aan de binnenkant van de linkerenkel. Een soort vogel, een vogel die opvloog met iets in zijn snavel. Een duif? Het moest wel een duif zijn. Een duif met een olijftak. Hij had de zeeschelp uit Madeleines linkervoet gezogen. Een eventuele tatoeage had hij dan toch moeten zien. Als ze straks weer gekleed ging, zich weer kleedde als haar zuster, de namaak Engelse dame zoals ze het zelf noemde, zou hij aan haar tatoeage denken – zo ontzettend on-Engels, niet-kleinburgerlijk – verstopt tussen nylonkousen en dure schoenen.

91

De Banque du Commerce Coloniale leek in alle opzichten op een normale woning, en was hoog en smal als in een Londens huizenblok. Hij bevond zich in een straat met voornamelijk woonhuizen, waar de eerste modeontwerpers hun domicilie zochten – de Avenue Montaigne, die zich van de Champs Elysées met een hoek van vijfenveertig graden een weg baande naar de Pont de l'Alma over de Seine. Alleen een kleine koperen plaat gaf aan dat het een bank betrof, net als bij Mullins Kelleher. En als je niet oplette, liep je er zo voorbij.

Vanaf zijn plaats op een bankje op het driehoekje modderig gras op de Place de l'Alma had Troy vrij zicht op de bank en even vrij zicht op de Crazy Horse aan de Avenue George V. Het viel hem op hoe dicht die bij elkaar lagen. Zei dat iets, wat dan ook, over Cockerell? Die geld van zijn bank haalde om dat te kunnen uitgeven in de zo prettig nabije poel van zonde en wellust? Het kostte hem moeite zich te concentreren op de krant die zijn dekmantel moest vormen. Parijs was een stad van geheugensteuntjes – de republikeinse gewoonte om ieder wissewasje vast te leggen in straatnamen die de herinnering moesten activeren. De Engelsen deden dat eigenlijk niet. Waar vond je in Londen de Avenue Churchill of de Rue Ernie Bevin? Of, bijvoorbeeld, de George V Street? Hij was in de ban van een wereld van zinnebeelden en kortstondige toevalligheden. Place de l'Alma: het Franse equivalent van een straat in zijn wijk, toen hij als agent in de East End de ronde liep, en ook weer de naam van een slag in de Krim waarbij oude Troys waren gesneuveld. En Montaigne, Montaigne, wat had Montaigne ook weer gezegd over leugens?... die verachtelijke ondeugd? Nee... die vervloekte ondeugd. Liegen, Madeleine Kerrs vervloekte ondeugd. Hij zat doelloos met het 'kerr cur'-rijm te spelen en miste zo haar vertrek. Voor hij er erg in had stond Foxx bij de deur van de bank iemands hand te schudden en met haar ogen knipperend tegen het zonlicht te wachten tot de man een taxi voor haar aanhield.

Troy stopte een taxi die kwam aanrijden over de Avenue George V, wees op de achterkant van Foxx' taxi en zei: '*Suivez*.'

De chauffeur sloeg zijn ogen ten hemel – verveling en wrevel alsof alle Engelsen altijd alleen maar hun tijd verdeden met het volgen van andere taxi's. Bij het links afslaan op de andere oever, naar de Quai d'Orsay, kon Troy het blonde hoofd van Foxx door het achterraampje van de taxi zien. Zijn eigen chauffeur kankerde en vloekte, maar ze hadden haar duidelijk in zicht, en hij verplaatste zijn aandacht naar belangrijker dingen. Werden zij gevolgd? Hij keek iedere paar seconden achterom, tuurde bij iedere auto die gelijk met hen opreed naar binnen, en hield bij elk stoplicht langs de lange Boulevard St Germain de taxi voor hen in het oog, met een hand op Madeleine Kerrs gouden pistool.

Hij kreeg de indruk dat ze niet werden gevolgd. De taxi draaide vanaf de Boulevard de Rue de l'Odéon in, met twee taxi's achter ze, daarna de Rue de l'Odéon door de Rue Racine in, en toen waren er geen taxi's meer. Haar taxi en de zijne waren de enige in de straat. Foxx sloeg rechts af, en Troy wist dat ze bij het hotel zou stoppen. Hij stapte uit op de hoek en liep de laatste vijftig meter.

Vijf minuten rondhangen in de hal van het hotel, maar er kwam niemand anders binnen. Hij ging naar hun kamer. Die was leeg. De kleinste roze koffer lag op het bed, ongeopend. Haar schoenen lagen op de grond, waar ze die had uitgeschopt. Hij duwde de badkamerdeur open en liep naar binnen. Alleen het suizen van de lucht waarschuwde hem voor de klap. Hij dook weg en een Perrierfles, gebruikt als een knots, klapte tegen de muur boven zijn hoofd.

'Ik dacht dat je hier zou zijn,' zei Foxx, en boog zich over hem heen. 'Je zei dat je hier zou wachten. Ik wist niet of je iets was overkomen.'

Troy kwam overeind. Schudde de glasscherven uit zijn haar.

'Ik hield je in de gaten,' zei hij. 'Als ik je dat had gezegd, had je naar me uitgekeken, en zou je onwillekeurig op me hebben gelet.'

'Werden we dan gevolgd?'

'Nee, volgens mij niet. Maar dit was de enige manier om daarachter te komen.'

'Wie zou ons dan moeten volgen?'

Op weg naar de slaapkamer pakte hij een handdoek mee en bette het mineraalwater van zijn hoofd en gezicht. Dit was een onderwerp waarop hij liever niet doorging.

'Hoe is het gegaan?'

Hij ging op het bed zitten, naast de roze koffer, schudde met een schouderbeweging zijn jasje van zich af en wreef met de handdoek zijn haar droog.

'Best. Maar één raar moment. Ik sprak de directeur toe in het Frans; hij gaf antwoord, zei dat mijn uitspraak verbeterd was, en schakelde toen over op het Engels, waar we mee doorgingen tot we op straat stonden. Ik probeerde zo authentiek mogelijk Midden-Engels te klinken. Ik denk dat Stella en hij op een speciale manier met elkaar omgingen – een beetje flirterig, denk ik zo – maar hoe precies weet ik niet. Ik kon alleen maar inhaken op wat hij deed. Maar ik geloof niet dat hij iets vermoedde.'

'En de safe?' vroeg Troy.

Foxx klikte de sloten van het koffertje open. Stapels witte bankbiljetten van vijf pond, een bruine enveloppe en diverse strips met gouden munten in plastic verpakking.

'Ik heb alles meegenomen. Ik weet niet hoeveel er is aan papiergeld, maar er zitten vijftig gouden pondstukken in iedere strip, en daar zijn er zes van.'

Troy scheurde de enveloppe open. Vijf vellen papier. Vijf met dubbele interlinie getypte vellen met de vijfbloks getalscode die hij had aangetroffen in de Londense bank. Hij was niet goed in getallen. Had de pest aan cijfers. Het zou hem de hele dag kosten om dit, aan de hand van de instructies die Clark hem had gegeven, te decoderen.

Hij keek naar Foxx. Zoals ze daar stond, met haar armen over elkaar, op haar kousenvoeten, met de strakke bordeauxrode rok, de frisse katoenen bloes en het obligate parelsnoer. Ze schudde haar nieuwe ponyhaar uit haar ogen. Licht, groen, op hem gericht, vol vertrouwen en in afwachting. Er wachtte hem een dagtaak, en het enige wat hij wilde was haar neuken. Hij had de kern van het raadsel binnen handbereik, goud en openbaring, weggestopt in cellofaan en cijfers, en het enige waaraan hij dacht was haar, op haar rug, met haar benen rond zijn middel.

'Je bent drijfnat,' zei ze op nuchtere toon 'Je hemd is doorweekt. Hier, laat mij maar even.'

Ze trok aan de knoop van zijn das en begon de knopen van zijn overhemd los te maken – een moederlijk, seksloos gebaar dat hij niet onderging als moederlijk en seksloos – en hij wist dat hij verloren was. Zij was de kern van het raadsel, weggestopt in katoen en nylon. Daaronder zat de duif. Hij hoefde alleen maar de verpakking te verwijderen.

92

Toen ze boven water kwamen, was het al over twaalven. Foxx ging in bad en hij legde de vijf vellen papier uit op het tafeltje bij het raam. Tegen de tijd dat ze uit de badkamer kwam, had hij de eerste regel gedecodeerd en was hij zowat klaar met de tweede. Het ging een stuk langer duren dan hij had gedacht.

'Wat kan ik doen?'

'Niets. Waarom ga je de stad niet bekijken? Dan zie ik je met het eten.'

'Waar zal ik naartoe gaan?'

'Er is hier in de omgeving van alles te doen. De Jardin du Luxembourg is op loopafstand hiervandaan, en de rivier is nog dichterbij, de andere kant op. Ik zou zeggen: bekijk de Jardin, wandel naar het Ile de la Cité, bekijk de Notre-Dame en ga dan, als de zon nog niet onder is, in het parkje aan de andere kant van het eiland zitten. Dat is een prachtige plek. Lees een krant en kijk naar het voorbijvaren van de binnenschepen op de Seine. Dan zie ik je rond achten bij Lapérouse.'

'Waar is dat?'

Troy schetste de flauwe U-bocht van de Seine op de achterkant van het roomservice-menu, tekende de uitgerekte omtrekken van de twee eilanden en gaf de Quai des Grands Augustins aan met een X.

'Daar,' zei hij. 'Vanavond om acht uur.'

Maar rond achten was hij nog niets wijzer. Hij had alle variaties op het spiekbriefje dat Clark hem had meegegeven uitgeprobeerd, alle zesentwintig mogelijke uitgangspunten. Zonder resultaat.

Hij vond haar in een donker hoekje van Lapérouse, verscholen in het diepzwart en goud, waarbij haar bordeauxrode pakje zich als een natuurlijke camouflage mengde met de haast onderaardse omgeving. Een hoektafeltje, verlicht door een sputterende kaars. Ze had een halfleeg glas champagne in haar hand en leunde met gesloten ogen achterover tegen de met panelen beklede muur. Ze sloeg haar ogen even op, toen hij aan het tafeltje kwam zitten.

'Ik droom,' zei ze. 'Ik ben gestorven en ten hemel gegaan. Ik ben op de Eiffeltoren geweest. Dat was betoverend. Je kunt je niet voorstellen wat voor een dag ik heb gehad.'

Dat kon hij wel. Hij kende de betovering van Parijs. Zijn moeder had hem in de jaren twintig verscheidene keren meegenomen naar Parijs. Waar ze recitals hadden gehoord van Ravel en Stravinsky. En in dit restaurant hadden gegeten. Ze had verteld over haar eigen Parijse betovering, haar eerste bezoek toen ze zeventien was, en was voorgesteld aan De Maupassant en Zola, en de Eiffeltoren in aanbouw had gezien, en die 'vulgair' had gevonden.

'Jammer dat we al zo gauw weer weg moeten.'

Foxx ging rechtop zitten en lachte hem toe.

'Jij niet,' zei Troy.

'Ik niet?'

'Ik kan de code niet kraken. Ergens klopt er iets niet. Ik moet terug en mijn brigadier aan het werk zetten. Ik had toch al terug moeten zijn op de Yard en denk niet dat ik ze nog een dag langer kan laten wachten. Maar jij moet door. Ik moet weten wat er in de volgende kluis zit. Misschien wel iets anders. Misschien wel iets makkelijkers.'

'Door, waarnaartoe?'

'Een andere stad. Monte Carlo, Zürich, Amsterdam. Kies maar.'

Ze stak een hand uit.

'Pen,' zei ze, en Troy haalde er een uit zijn binnenzak.

Ze scheurde strookjes van de wijnkaart, schreef daar de namen van de drie steden op, en schikte die als een driekaarts-monte. Even schudden en ze vroeg hem 'een kaart te pakken'.

Hij verbaasde zich over haar gebrek aan besluitkracht, maar pakte er een.

'Zürich,' zei hij. 'Het is Zürich.'

93

Onions had een burgersecretaresse die hij achter haar rug om 'de toverkol' noemde. Haar echte naam luidde Madge.

'U bent laat,' zei Madge, die met een grote stapel papieren tegen haar boezem geklemd voor haar bureau stond. 'Ze hadden gezegd dat u vanochtend kwam. Ik heb u vier keer gebeld.'

'Dokter,' loog Troy. 'Ik moest naar de dokter.'

Hij was bij Foxx gebleven, in Foxx verzonken tot het ochtendgloren, en was teruggereisd in het fletse licht van de aanbrekende dag. Hij voelde zich verschrikkelijk.

'Maar u bent nu weer in orde?' vroeg Madge ongeïnteresseerd.

'Ja,' zei hij.

De stapel papieren belandde met een klap op zijn bureau.

'Mooi.' zei ze. 'Mr. Wildeve is in Hammersmith. Mr. Clark volgt zijn voetsporen. De baas is in Manchester en Mr. Henrey is dood. Dus het wordt tijd dat iemand hier eens wat doet. Lezen en paraferen, behalve waar moet worden getekend, en u tekent p.p. Mr. Onions.'

Ze liep naar de open deur. Troy hield haar met een hand op haar arm tegen.

'Wanneer?' vroeg hij.

'Wanneer wat?'

De vrouw had de gevoeligheid van een reptiel.

'Wanneer is Tom overleden?'

'Gisteravond. Ik belde u niet om u te vragen hoe het met uw gezondheid stond.'

Het was niet dat Madge niet om Tom gaf. Madge gaf, behalve om Onions, om niemand.

'Is er nog nieuws uit Manchester?'

'Naar het zich laat aanzien blijft de baas daar nog tot donderdag.'

'Ik moet hem spreken.'

'Hij wilde niet gebeld worden. Ik ken de aanleiding niet, Troy, maar u vormt op het moment de voornaamste bron van onenigheid met "onze Val". Ik zou doen wat hij zei, als ik u was, en geen slapende honden wakker maken.'

Hij liet haar gaan. Hij voelde even wat zinloze schuld. De rede die zich kortstondig overgaf aan de samenloop van omstandigheden. Een collega blies zijn laatste adem uit terwijl hij in de armen, tussen de dijen, lag van een vrouw die qua leeftijd zijn dochter kon zijn. En toen was het voorbij. Tom was geen vriend van hem geweest, en een waardeloze politieman.

Troy hoopte eigenlijk dat er de komende drie dagen geen belangrijke zaak op zijn bureau zou belanden, die hij niet kon delegeren. Wat hij voor Onions moest doen was routinewerk, zo zat hij nu bestellingen te paraferen voor paperclips en wapenstokken. Hij merkte dat hij zich moeilijk kon concentreren. Zou hij iets aankunnen met Clarks koffiemachine? Zou hij een kop koffie uit dit wonderbaarlijke bouwwerk kunnen toveren? Toen hij met de kop in zijn hand naar de Theems stond te staren, merkte hij dat hij de beeltenis van Foxx tevoorschijn kon toveren als een geest uit een lamp.

In de loop van de ochtend kwam Clark terug van een huis-aan-huisonderzoek. Troy gaf hem de nieuwe papieren. Hij keek ernaar als een loodgieter naar een verstopt toilet en siste tussen zijn tanden.

'Dat gaat tijd kosten,' zei hij.

's Middags kwam Jack terug uit Hammersmith. Troy luisterde naar zijn verslag over lijken die lagen te rotten onder de vloerplanken van de huizenrijen in Bedford Park, een zaak die hem onder alle andere omstandigheden hevig zou hebben geïnteresseerd. Aan het einde daarvan zag hij het schuldgevoel in Jacks ogen, zoals dat ook zo vaak in die van Rod was te lezen.

'Je bent nu toch weer helemaal in orde, hè Freddie?' vroeg Jack. 'Ik bedoel, dat was toch kantje boord, toen.'

Jack had hem laten schorsen, op non-actief gesteld.

'Ja,' zei Troy. 'Alles is goed.'

Op donderdagmorgen vereerde Madge zijn kantoor met haar onbuigzame aanwezigheid om hem te zeggen dat Onions een dag later kwam.

Op vrijdag was er geen spoor van Stan. En van Clark evenmin.

'Ik moet hem bellen,' zei Troy tegen Madge.

'Pech gehad,' zei ze. 'Valerie heeft een van haar toevallen met de pook gehad. Ze heeft het servies stukgeslagen, de spiegels stukgeslagen, en de telefoon ook stukgeslagen. De baas belt me nu vanuit een cel. U zult moeten wachten.'

Maar hij kon niet wachten. Hij was zich ervan bewust dat hij de grond onder zijn voeten begon te verliezen. Stan was de man die hij moest hebben. Stan was de logische, de officiële verbinding tussen de Yard en de nationale veiligheidsdiensten. Hij had een misdrijf aan het licht gebracht dat zijn vermogens te boven ging. Erger nog, hij had geen idee wie de schuldige was. Hij, net als Clark, dat wist hij vrijwel zeker, had geconcludeerd dat Cockerell, Jessel en Kerr door beide zijden konden zijn vermoord.

Dus pleegde hij het telefoontje dat hij al wekenlang had uitgesteld, en in een bredere context eigenlijk al twintig jaar.

'Charlie, ik moet je spreken. Zakelijk.'

'Jouw zaken of mijn zaken?' vroeg Charlie.

'Allebei,' zei Troy.

Charlie zweeg zo lang, dat Troy begon te denken dat de verbinding was verbroken.

'Best,' zei Charlie uiteindelijk, met toonloze stem. 'Ik zit vandaag tot over mijn oren, en morgenochtend eigenlijk ook. Maar morgenmiddag is wat mij betreft goed. Wat dacht je van thee in het Café Royal? Rond vieren?'

Ze hadden een grens overschreden, iets wat hij nooit had gewild. En Charlie ook niet, dat wist hij zeker.

94

Troy zat in Goodwin's Court in het toenemende schemerdonker van de vrijdagavond. Hij had overal boodschappen achtergelaten voor Clark met het verzoek hem te bellen – in het Police House en iedere pub binnen loopafstand van de Yard. Hij zat in het donker en de stilte bij de telefoon en dwong die in gedachten over te gaan. En toen dat gebeurde, had zijn bezweringsformule het verkeerde resultaat – en had hij Madge wakker geschud bij de hellepoort.

'De baas is terug in Acton. Hij zegt dat hij over een uur op kantoor is.'

'Ik kom eraan,' zei Troy.

Hij legde de hoorn op de haak, en de telefoon rinkelde opnieuw. Hij onderdrukte de neiging er geen aandacht aan te schenken. Ze rinkelden vaak uit zichzelf, zonder enige aanleiding.

'Freddie?' zei Johnny Fermanaghs stem. 'We moeten praten. Ik moet je zien.'

'Je belt heel ongelegen,' zei Troy.

'Alsjeblieft. Het is belangrijk.'

Troy hoorde lachen op de achtergrond, de onmiskenbare klanken van kroegleut.

'Johnny, waar zit je?'

'Colony Room. Dean Street.'

'En hoe zit het met "droogstaan" en "De liefde van een bijzondere vrouw"?'

'Dat zit goed. Is onveranderd. Ik ben zo nuchter als een kalf.'

'Wat doe je dan op een plek die alleen maar ten doel heeft de leeglopers van Soho vol te gieten op alle uren van de dag en de nacht, zonder zich iets aan te trekken van de openingstijden?'

'Freddie, ik ben nuchter! Het probleem is alleen dat je na twintig jaar zuipen niet weet waar je anders naartoe moet. Je kent alleen de plekjes van vroeger. Vermaak jij je maar eens op een natte vrijdagmiddag in Soho!'

'Ik geloof je niet.'

'Ik zit aan het mineraalwater, god wat is dat smerig! Hier, Muriel, zeg jij eens wat tegen hem. Ik ben toch nuchter, niet?'

Troy hoorde een stem op de achtergrond, die zei: 'Helaas wel.'

'We moeten praten. Je had het bij het rechte eind. Vrouw. De liefde van een bijzondere vrouw.'

Troy keek op zijn horloge. Hij wist dat hij in afwachting van Onions toch niets anders zou ondernemen. Waarom Fermanagh niet een kans gegeven? Wat die te zeggen had kon vast niet in de schaduw staan van zijn eigen problemen.

'Goed dan. Over een kwartier in de achterkamer van de Salisbury.'

Hij zou hem opvangen bij de deur. Dan konden ze op straat praten, en niet in de pub of zijn huis. Als hij genoeg had gehoord, was het opbreken des te gemakkelijker.

Het was gaan regenen. Een gestaag motregentje hulde de straatlantaarns in een waas en verleende de ramen van de pub een verlokkende gloed. Troy sloeg de kraag van zijn overjas op en ging in de deuropening van de Salisbury staan. Na enige minuten zag hij Johnny via St Martin's Court komen aanlopen uit de richting van

Charing Cross Road, in het uniform van zijn stand – de zwarte kasjmier overjas, de bruine slappe hoed en de rode sjaal, om zijn hals geslagen tegen de regen, maar met een glimlach op zijn gezicht. Hij leek oprecht verheugd Troy te zien.

'Gaan we niet naar binnen?' vroeg hij op de man af.

'Nee,' zei Troy. 'Niet als je me de waarheid vertelt. Zo'n opgaaf is het niet om tien minuten op de stoep te staan. Een goeie test voor je wilskracht en je lever.'

'Ik heb sinds juni geen drup meer gedronken, Freddie. Niet sinds de laatste keer dat we elkaar hebben gezien.'

Troy wist niet zeker of hij hem kon geloven, maar bij nadere inspectie, door onder de rand van zijn hoed te kijken, zag hij dat zijn huid strakker en gezonder was en zijn ogen voor het eerst in jaren niet bloeddoorlopen waren. Het waren de ogen van zijn zuster, van een diep, mooi flessengroen.

'Nou, kom dan maar op met je verhaal.'

Nu stond hij met zijn mond vol tanden. Hij schraapte met zijn voet over de grond en slaagde er niet in Troy aan te kijken.

'Johnny, voor de dag ermee.'

'Weet je nog hoe ik je vertelde dat er een probleem was met het huwelijk van... eh... mijn bijzondere vrouw?'

'Ik dacht dat het probleem juist was dat ze getrouwd was.'

'Ja. Ik zeg het allemaal niet zo goed, hè? Nou, het is eigenlijk heel simpel. Ze wil vanwege mij bij hem weg.'

'Dus heeft ze het hem verteld?'

'Nee, maar dat gaat ze doen. Dit weekend.'

Troy vroeg zich af of Johnny werkelijk zo naïef was als hij zich voordeed.

'Hoe vaak heb je dat niet gehoord in een film of gelezen in een boek, Johnny?'

'Nee, Freddie. Ik weet wat je bedoelt, maar dit keer is het echt. Dit keer gebeurt het echt.'

'Hoe weet je dat?'

'Omdat... omdat... omdat ze flink is.'

Troy kreunde luid vanwege de onnozelheid van dit alles.

'Johnny, Johnny, Johnny. Jezus nog aan toe.'

'Omdat... ze je zuster is.'

'Welke zuster?' vroeg Troy onwillekeurig, en zodra die woorden uit zijn mond kwamen besefte hij wat een stomme vraag dat was. Welke zuster? Sasja natuurlijk. Die al maandenlang een verhouding met iemand had. Hij had Masja keer op keer alibi's voor haar overspel zien verschaffen. Hij had gezien hoe de frictie tussen Sasja en Hugh nog net niet ontvlamde tijdens het familiediner waarbij hij ze allemaal aan Tosca had voorgesteld. Natuurlijk was het Sasja.

Hij wist dat hij Johnny nu niet kon wegsturen. Hij moest de arme drommel alle aandacht geven die hij kon opbrengen.

'Het komt heel ongelegen,' zei hij.

'Dat weet ik. Dat zei je al.'

Troy zocht in zijn jaszak naar zijn huissleutels.

'Ik moet naar de Yard. Ga maar naar mijn huis, hier zijn mijn sleutels. Ik ben over anderhalf uur of zo weer terug. Dan praten we verder.'

Ze liepen de hoek om, St Martin's Lane in. Vanuit de luwte van de steeg sloeg de regen toe.

'Je wordt drijfnat,' zei Johnny. 'Hier, neem deze maar.'

Hij nam zijn hoed af en zette die op Troys hoofd. Hij maakte zijn sjaal los en sloeg die losjes om Troys nek. Een merkwaardig gebaar, bijna roerend, haast broederlijk.

Troy keek op zijn beurt naar Johnny. Op de ogen na hadden ze fysiek veel van elkaar weg. Kleine donkere mannen met veel zwart haar dat tot over hun voorhoofd hing. Dat was hem nog nooit eerder opgevallen.

95

Hij zat meer dan een uur duimen te draaien. Madge was naar huis gegaan. Jack gaapte ten afscheid en ging op zoek naar de volgende alleenstaande vrouw. Van Onions geen spoor. Van Clark geen spoor.

Hij ging op weg naar huis, in de motregen en met zijn ongebruikelijke hoed. Geërgerd vanwege het tijdverlies deed hij zijn best om in de goeie stemming te komen voor het probleem Johnny, de ophanden zijnde scheiding en het schandaal dat Sasja binnenkort over de familie zou uitroepen.

Op de binnenplaats was geen licht. De straatverlichting van St

Martin's Lane reikte niet verder dan de eerste drie meter, en de lamp aan het andere einde brandde om de een of andere reden niet. Hij liep blind tastend de steeg door zoals hij dat al duizend keer had gedaan en struikelde op zijn eigen stoepje over iets groots. Hij viel daardoor naar voren, op zijn handen, met zijn knieën over het voorwerp. Zijn handpalmen vingen zijn gewicht op, voorover op de grond, en kwamen nat weer boven. Maar regen rook niet zo, regen rook niet, en niets ter aarde was zo onmiskenbaar als de geur van bloed. Er schoot hem een malle uitdrukking van Kolankiewicz door het hoofd: 'zoete stront, zoete stront' en daarmee had het beest precies de juiste omschrijving gegeven van de geur van vergoten, stollend bloed. En Troy was bedekt met bloed.

Op de tweede verdieping in het gebouw achter hem ging een licht aan. Het reflecteerde in de ramen van zijn huis en wierp een flauw schijnsel over de steeg. Het lichaam aan zijn voeten was dat van een man. Een man die gekleed was als hij, in een met bloed doordrenkte zwarte overjas. Troy lichtte het hoofd op.

'F... F... F....' borrelde het van de lippen.

Hij legde Johnny's hoofd in zijn schoot. Trok de knopen van zijn jas los en legde de jas als een deken over de man heen.

'Fr... Fr... Fr...' zei Johnny.

Troy veegde het bloed uit zijn gezicht. Wreef met de punt van zijn vinger zijn lippen en oogleden schoon. En de lippen openden zich opnieuw.

Troy leunde naar voren, zijn oren gespitst, en verstevigde zijn greep. Zijn hand zonk achter in de verbrijzelde schedel weg, waarbij er wat grijze materie tussen zijn vingers doorsijpelde.

'Freddie,' zei Johnny duidelijk.

Hij sperde zijn ogen open. Zo wijd als maar kon. En sloot ze toen. Troy hoorde zijn adem ontsnappen, voelde de borst zakken en het leven uit hem wegvloeien.

Troy zat er een eeuwigheid. Had geen besef van tijd meer. Het licht boven hem ging uit, en een tijdje later weer aan. Er stond opeens iemand naast hem.

Troy keek, maar kreeg zijn blik niet op scherp. Keek, maar kon niet praten. Hij hoorde dat iemand zijn naam zei, daarna zei dezelfde stem: 'O, mijn God,' en hoorde hij het schrille geluid van een politiefluitje.

'Freddie, Freddie,' zei de stem dicht bij zijn oor. 'Laat nu maar los. Je moet nu loslaten. Hij is dood.'

Via de binnenplaats kwam er nog iemand aangehold. Ze kwamen binnen oogbereik, bogen zich over hem heen, trokken zijn vingers van het lijk. De ene was Diana Brack, de ander was Ruby de Hoer. Ruby, Ruby, hij had Ruby al jaren niet gezien. Ze was met een klant getrouwd en in Leamington gaan wonen.

'Ruby?' zei hij zwakjes.

'O, verdorie,' zei de eerste stem. 'Hij slaat door. Bel een ambulance. Bel de Yard. Geef ze mijn naam. Wildeve, inspecteur Wildeve. Zeg dat ze Kolankiewicz moeten sturen, met de grootste spoed.'

En Troy zag Ruby weghollen, met een uitwaaierende rok en roffelende laarzen.

Tegen de tijd dat de kleine, dikke lelijkerd arriveerde, hadden ze de sleutels uit de vingers van de dode losgemaakt en Troy op de chaise longue in zijn woonkamer gelegd. Hij lag onbeheerst te rillen en ze hadden zijn eiderdons van zijn bed gehaald en die over hem heen gelegd.

'O, nee,' zei de kleine, dikke, lelijkerd. 'Niet weer. Hoe vaak heb ik je niet gewaarschuwd, wijspeuk?'

'Kijk nou maar even,' zei de jongste. 'Alles zit onder het bloed. Ik heb geen idee hoeveel daarvan van hem is.'

De lelijkerd onderzocht zijn schedel met stompe, harde vingers. Knoopte toen zijn hemd los en veegde met een handdoek het bloed weg.

'Hij is zo te zien onbeschadigd. Het komt allemaal van die andere stumper!'

'Dan verkeert hij in een shock.'

'Natuurlijk verkeert hij in een shock. Zou jij dan niet in een shock verkeren, verdomme? Nee, jij keert je maag om boven het bewijsmateriaal. Uit de weg. Ga uit de weg!'

De lelijkerd verscheen met een injectiespuit en liet wat vloeistof uit de naald sprietsen. Troys hand schoot uit en greep hem bij de pols.

'Nee,' zei hij.

'Nee? Best, Troy. Wie ben ik?'

Troy dacht daarover na. Een kleine, dikke, lelijke man. Hij kende een kleine, dikke, lelijke man. Hij had zijn eigen kleine, dikke, lelijke man. Al jaren.

'Kolankiewicz. Jij bent Kolankiewicz.'

Het stel keek elkaar aan als een duo komieken uit het variététheater.

'En wie ben ik?' vroeg de jongste van de twee.

Troy viste een woord op uit de diepte van zijn bewustzijn.

'Jack?' zei hij.

'Misschien is er dan toch niets met hem aan de hand.'

'Gelul,' zei de lelijkerd. 'Troy, hoor eens. Welk jaar is het?'

'1944.'

'Dat bedoel ik maar.'

De lelijkerd trok zijn pols los en ging op zoek naar een ader in Troys arm.

'Nee', zei de jongste. 'Een halve dosis. Ik moet morgenochtend met hem praten.'

Troy hoorde niet meer wat de lelijkerd zei. Roze sleurde hem mee naar rood, rood naar paars en paars naar zwart, de zwarte nacht in.

96

Johnny's bloed kleurde het badwater bruin. Troy trok de stop los en keek hoe het wegkolkte, schopte tegen de pijp aan de andere kant van het bad en wachtte tot de geiser zijn miezerige tien centimeter schoon water afleverde.

Jack verscheen met een grote mok zwarte koffie en ging, terwijl Troy die opdronk, op de wc-deksel zitten. Het was het bekende tafereel – de ceremoniële wassing, waarbij Jack nu zijn plaats innam en hij, zonder zeepbellen, ruikend naar de dood, een Tosca zonder borsten verving.

'Weet je,' zei Jack, 'ik kende Johnny Fermanagh al bijna dertig jaar. Sinds school, eigenlijk. Voor een oudere jongen was hij een aardige vent, zelfs al op zijn twaalfde. Eenmaal volwassen was hij een waardeloos stuk vreten, maar hij deed niemand kwaad. Er was dan ook geen enkele aanleiding om hem te vermoorden. Zodat ik moet concluderen dat het niet om hem ging. Maar om jou. Ze hadden het op jou voorzien.'

'We stonden in St Martin's Lane,' begon Troy, op fluistertoon. 'Hij wilde dat ik zijn hoed en sjaal aanpakte. Ik zag hoe hij de steeg in liep. Hij sloeg zijn kraag op tegen de regen. Iedereen die ons zag en er niet op was toegespitst zou denken dat ik hem was en hij mij. Zelfs ik dacht dat hij mij was.'

'Ik heb me afgevraagd: wie zou jou willen vermoorden? En het antwoord dat in me opkwam is... dezelfde mensen die je de vorige keer wilden vermoorden. Dus vertel eens, wat bracht je ertoe de zaak weer op te nemen?'

'De zuster. Die jij in Derbyshire vond. Zij vond een sleuteltje van een kluis. Madeleine Kerr had een soort testament nagelaten, waarin ze een boekje opendeed over alles waar Cockerell en zij mee bezig waren.'

Iedere keer als Troy naar Jack keek, knikte die bemoedigend. En na tien minuten kreeg die, in halve zinnen en kortademig gemompel het hele verhaal.

'Hoeveel weet Clark?' vroeg hij uiteindelijk.

'Alles. Nou, bijna alles. Word nou niet meteen kwaad. Hij heeft gewoon de rol gespeeld die jij vroeger altijd speelde. Wat is per slot van rekening een samenzwering zonder een samenzweerder?'

'Heb je Stan op de hoogte gebracht?'

'Dat heb ik geprobeerd. De hele week al. Maar hij is onbereikbaar. En dat is misschien maar goed ook. Je weet hoe hij is, als de geheime dienst eraan te pas komt. Dan wordt hij vormelijk, dan wordt hij zenuwachtig, dan wordt hij boos. En dan zijn we in de aap gelogeerd. En doet hij de verkeerde dingen. Ik benader de kwestie via de achterdeur.'

'Aha,' knikte Jack. 'Die vriend van jou, Charlie?'

'Ja.'

'Wanneer?'

'Vandaag. Eind van de middag. Rond vieren. Tenzij ik hem eerder kan bereiken.'

'Ik ben de hele avond thuis. Bel me. Wat er ook gebeurt, bel me. Het wordt tijd dat we ophouden elkaar tegen te werken, en gezamenlijk de vijand te lijf gaan.'

'Wie dat dan ook is,' zei Troy.

'Precies,' zei Jack. 'En dat weet ik evenmin als jij.'

Troy ging achteroverliggen, met de rand van het bad in de holte van zijn nek, en zijn ogen dicht. Het water was bijna koud, hij lag onder een dun waterig schuimlaagje van bloed en zeep, met een spoortje van Tosca's badzout, en wat hem betrof bleef hij voor altijd zo liggen.

'De doldrieste dandy's,' zei hij zacht.

'Wat?'

'Zo noemden ze ons vroeger op de Yard, tot we hoog genoeg voor ze waren om te doen alsof ze respect voor ons hadden – de doldrieste dandy's.'

'Goeie genade, nou je het zegt. Die heb ik jaren niet meer gehoord. De doldrieste dandy's slaan weer toe, hè?'

97

Er was geen reden om zich zo te voelen. Geen logische reden, welteverstaan. Maar toen Troy Charlie in het Café Royal aan hetzelfde tafeltje zag zitten waar Anna en hij elkaar symbolisch de bons hadden gegeven, tintelden zijn vingers en prikten zijn duimen.

'Je ziet er bar slecht uit,' zei Charlie. 'Is daar een speciale reden voor?'

'Tientallen, honderden,' zei Troy.

Charlie zat daar kennelijk al een tijdje. Hij had een schaal met broodjes leeggegeten en de paarden voor de late races in Sandown Park aangestreept in de ochtendkrant. Hij riep de kelner en bestelde nog eens hetzelfde.

'Tenzij je liever iets sterkers wilt,' zei hij. 'We kunnen altijd naar een van de pubs verhuizen.'

'Nee,' zei Troy. 'Dan ga ik me alleen nog maar beroerder voelen.'

'Nou, vertel ome Charlie dan maar wat er aan de hand is, dan kan ik je weer beter kussen.'

'Cockerell. Het gaat allemaal om Cockerell.'

Troy wilde eigenlijk maar één ding horen van Charlie. Hij begon met zijn absurde verhaal en al na een paar zinnen zei Charlie dat.

'Verdomme, Freddie. Waar heb je nou oude vrienden voor. Waarom heb je me niet eerder gebeld?'

Ze wisten allebei wel waarom.

Charlie zocht in zijn binnenzak, merkte dat hij geen papier bij zich had, sloeg de achterkant van zijn chequeboek open en begon te krabbelen. Hij schreef op de achterzijde van een cheque – die bespottelijke enorme vellen papier met het formaat van de vooroorlogse bankbiljetten, waarmee Mullins Kelleher zo graag werkte – en toen die vol was, schreef hij verder op de volgende. Troy vroeg zich af of hij uiteindelijk het boek zou volschrijven, met de souches als samenvatting van deze grote rommelzooi. Dan viel alles weer op zijn plaats. Hij hoefde daarna slechts de souches te lezen om te weten waarover het ging. Gestort – een mysterie. Opgenomen – een leven.

Hoe langer Troy vertelde, hoe meer de lucht boven zijn verhaal betrok. Dat bleek keer op keer en manifesteerde zich steeds vaker bij iedere vraag die Charlie stelde. Hij kreeg opeens het gevoel dat hij de afgelopen avond had gedroomd, dat het niet was gebeurd. Gewassen en gekleed, de geur van bloed gesmoord in talkpoeder, kreeg alles voor hem opeens iets onwerkelijks, alsof hij een droom was binnengelopen. Hij voelde het gewicht van Johnny in zijn armen, hij zag het masker dat hij van zijn gezicht had gemaakt toen hij het bloed van zijn oogleden en lippen veegde, het bloedrode masker van een negerzanger uit het variététheater. Maar hij hoorde hem niet, en hij rook hem niet, en het gewicht verhief zich en het visioen loste op en hij begon te denken dat hij het had gedroomd en er niet over kon praten, omdat hij het had gedroomd. Hij kon het niet aan Charlie vertellen.

'Waar is dat nu?' vroeg Charlie.

'Waar is wat?'

'Dat document dat je in Parijs hebt gevonden.'

'O... dat is bij mijn brigadier. Hij weet een en ander van cryptografie.'

'En waar is die? Op de Yard?'

'Dat weet ik niet. Ik weet niet waar hij is. Hij lijkt spoorloos verdwenen.'

Ze hadden het punt bereikt dat de chronologie een verslag van de vorige avond vereiste. Hij probeerde het zich allemaal weer voor de geest te halen. Het moment waarop Johnny hem de hoed op het hoofd drukte en ze symbolisch van identiteit waren gewisseld. De klank van zijn laatste woord – Troys naam. Het was een droom. Hij had ergens rondgedreven in het roze. Het was nooit gebeurd. En hij wist dat hij het niet kon vertellen.

En toen zag hij haar. Haar weg zoekend tussen de tafeltjes en het winkelpubliek van die middag in Regent Street, dat aan de thee zat die het volgens hen had verdiend, op weg naar hem, druk wuivend, opkomend achter Charlie. Hij kwam overeind. Charlie keek om, om te zien wie er naar ze toekwam, en stond ook op toen hij zag dat het een vrouw was.

'Dat had ik nou nooit gedacht,' zei Troy.

'Ai... ik ben hier met je zusters. Ze wilden de stad in en wat geld verbrassen. Dat was even leuk, maar jezus, het enige waar die vrouwen over kunnen praten is winkelen en neuken, en neuken en winkelen.'

Toen zag ze Charlie. En Troy zag het vonkje dat tussen ze oversprong.

'Charlie. Mijn vrouw – Larissa Troy,' zei Troy. 'Larissa. Charles Leigh-Hunt.' Charlie wierp haar zijn beroemde glimlach toe en pakte haar hand.

'Eindelijk,' zei ze. 'Ik heb zo veel over je gehoord.'

'Niks goeds, naar ik hoop?'

Troy keek toe. Zelfs Tosca koesterde zich in de attentie van een man als Charlie. Hij wist niet precies wat het was, maar hij wist dat hij het niet had. Deze dierlijke magie die het gezonde verstand van de vrouwen ondergroef. De lengte hielp, de bevalligheid die daaruit voortkwam, en de mooie blauwe ogen spraken even luid als zijn perfecte glimlach, maar dit waren maar delen van de puzzel, en de som was groter dan de delen. Ze wuifde met een hand, quasi-afwijzend en leek haast te blozen bij een van de oubolligste opmerkingen uit het boek.

'Neuh – gewoon allerlei praat over al die dingen die jij en de club uitspookten.'

'De club?'

'O, je weet wel... Jantje en Pietje en Klaasje.'

Charlie keek verbaasd naar Troy.

'Gus en Dickie, zei die.

'Schat. Ik moet hollen. Of ze komen me halen. Kom maar gauw thuis. Leuk je te hebben ontmoet, Charlie.'

Ze tikte Troy tegen zijn wang, wuifde schalks naar Charlie en schoot naar de deur. Een wervelwind van tien seconden.

Ze gingen zitten.

'Nou,' zei Charlie.
'Je zat in het buitenland,' zei Troy.
'O, ja?'
'Ik heb je proberen te bellen.'
'Ik neem aan dat ik je moet feliciteren.'
'Als je wilt.'
'Ik had van ons allebei nooit gedacht dat we ooit zouden trouwen, weet je. Gek eigenlijk. Want daar is geen enkele aanleiding voor. Ik had het alleen nooit gedacht.'
'Ik ook niet.'
De pauze die volgde was een van de merkwaardigste die Troy ooit had gekend. Tot Charlie zei: 'Goed – waar waren we?'

98

Troy holde. De hele weg naar huis. Het Café Royal uit, het kwadrant in, en in vliegende vaart naar Piccadilly Circus. Bij het oversteken van Leicester Square struikelde hij, scheurde de knie van een van zijn broekspijpen, duwde de attente handen die hem overeind hielpen weg en holde naar Charing Cross Road, St Martin's Court, over de Lane en buiten adem naar zijn eigen deur. Hij voelde de druk nog van Charlies stevige omhelzing, waarbij zijn handpalmen als duivelse stigmata tegen zijn schouderbladen klapten.
Tosca was thuis. Het dreunen en ratelen van de leidingen duidden erop dat het bad aanstond. Troy gooide zijn jasje uit en holde naar boven. Ze was half gekleed en liep zacht neuriënd op kousenvoeten in haar bloes en jarretels door haar slaapkamer te rommelen.
Ze sloeg haar armen om zijn nek. In opperbeste stemming, glimlachend, guitig. De gevatte, gisse, puur Amerikaanse meid die ze kon zijn, als ze ervoor in de stemming was. Hij legde, geheel uit gewoonte, zijn armen rond haar middel. Een reflex die in het geheel niet weergaf wat er in zijn hoofd omging.
'Dat was vlug. Des te beter. We gaan uit. De stad onveilig maken. Dat werd zo langzamerhand weleens tijd!'
Ze kuste hem. Een echte klapzoen – een parodie van een kus – ze leunde achterover, boog haar nek, rustte in zijn armen en keek hem

stralend aan. Hij voelde het uitdagende strijken van een gekouste hiel tegen zijn kuit. Het was toch wel erg ironisch dat het beste in haar bovenkwam op het ongelukkigste moment.

'Nou? Tong verloren?'

'Ga zitten,' zei Troy.

'Hoezo?'

Hij duwde haar naar de rand van het bed en dwong haar te gaan zitten.

'Waar ken jij Charlie van?'

'Wat?'

'Waar ken jij Charlie van?'

'Ik ken hem nergens van. Je hebt ons nog geen halfuur geleden aan elkaar voorgesteld.'

'Nee', zei Troy. 'Nee. Ik ken Charlie al van kinds af aan. Hij deed zijn uiterste best, maar slaagde er niet in. Hij heeft je herkend. Hij wist wie je was.'

'Schat, ik heb nooit...'

Hij nam haar gezicht in zijn handen. Met zijn vingers uitgespreid over haar wangen keek hij haar recht in haar ogen. Dat was beter dan tegen haar te schreeuwen.

'Denk goed na!' zei hij. 'Denk goed na! Waar heb je hem eerder gezien?'

Tranen welden op in haar ooghoeken.

'Heeft hij me herkend?'

'Ja.'

'Ik kende hem niet. Ik dacht gewoon dat hij je oudste vriend was.'

'Hij is mijn oudste vriend. Maar hij is ook van de geheime dienst.'

'Dat zei je, maar iets hoogs – een diplomaat of zo. Ikzelf stelde helemaal niks voor. Ik had geen reden aan te nemen dat hij iemand kon zijn met wie ik ooit iets te maken had gehad.'

'Ik evenmin. Maar ik weet meestentijds precies wat er in Charlie omgaat. Hij heeft je eerder gezien, en in de enige rol die van belang is.'

'Tijdens het werk.'

'Ja.'

'Kan het misschien tijdens de oorlog zijn geweest? Zo is het bijvoorbeeld ook een godswonder dat ik in die tijd nooit iets met je broer te maken heb gehad. Ik heb toen zoveel Britten ontmoet.'

'Als het tijdens de oorlog was, denk je niet dat hij dan wat zou hebben gezegd?'

Hij voelde hoe haar weerstand bij de logica van zijn woorden afnam en vreesde dat als hij haar losliet, ze zou neervallen op bed.

'Tja. Natuurlijk. Ik probeerde alleen maar wat. Ik ken het type. Hij is niet zo'n klungel met vrouwen als jij. Hij is aalglad, een verleidelijk stuk. Een salonheld van het zuiverste water. Als hij ook maar de geringste aanleiding had gehad, had hij met me geflirt tot zijn ballen eraf vielen. Verdomme, verdomme, verdomme!'

De tranen vloeiden onder zijn handen vandaan en achter zich hoorde hij het bad overlopen, het plassen van water op de houten vloer. Hij liet haar los en liep naar de badkamer om de kraan dicht te draaien. Bij zijn terugkeer lag ze met haar gezicht in het kussen gedrukt. Hij pakte haar op en nam haar in zijn armen. Ze snikte tegen zijn schouder. Hij hoorde haar gesmoorde stem zeggen: 'We raken hier nooit van af, hè? We zullen altijd moeten vluchten.'

Ze sliep en hij liet haar slapen.

Toen ze wakker werd, was het donker. Hij zat op een stoel in de hoek van haar kamer. Hij zag hoe ze zich bewoog, hoe ze door haar haar wreef en met knipperende ogen naar hem keek. Even leek het wel of ze hem niet herkende, de handen verlieten haar haar en klapten tegen haar open mond, om een schreeuw te dempen.

'Jeeezus. Jeezus. Ik weet het weer! Ik weet het weer! Hij is het!'

Troy liep naar haar toe, trok haar handen van haar mond weg en hield die vast.

'Vertel het maar.'

'November. Drie jaar terug. 1953. Ik werkte als koerier op Lissabon. Een geregelde dienst. Al vanaf dat voorjaar. Zelfde vent, zelfde werkwijze, zelfde uitwisseling. Die zich meldde met een twee dagen oud exemplaar van *The Times* waarvan de lussen van de E's waren dichtgemaakt, en dan gaf ik hem een pakje. Ze hebben nooit gezegd wat daarin zat, maar ik wist dat het geld was. Ik had dat een keer of zes op rij gedaan. Toen, in november, stond er een andere vent, met een krant die op de goeie manier was bewerkt. Dus gaf ik die het geld. Dat duurde nog geen vijftien seconden – we stelden allebei geen vragen – en hij probeerde niet met me te flirten. Maar dat was Charlie. En de enige keer. In december was de vaste man weer terug. Charlie heb ik nooit meer gezien. Daarna was het altijd de vaste man. In Lissabon, Parijs, Zürich. Met de regelmaat van een klok, tot ze me van de klus haalden.'

Troy liep naar beneden en kwam terug met zijn aktetas. Hij kieperde die leeg boven het bed en hield een foto op van Cockerell die hij uit een krant had geknipt.

'Is dat de man?'

'Ja zeker. Dat is de man. Ronnie Kerr. Maar hoe weet jij...'

'Zijn echte naam is Arnold Cockerell.'

'De kikvorsman? Naar wie je een onderzoek hebt lopen? Dat begrijp ik niet.'

'Het is toch niet zo moeilijk. Jij was het gewillige sluitstuk van een onfrisse onderneming.'

'Ik?'

'Waar dacht je dat dat geld naartoe ging? Waar dacht je dat het voor was bedoeld?'

'Ik dacht helemaal niet. Daar hou je vanzelf mee op. Je doet wat je wordt gezegd en hoopt dat je er zonder kleerscheuren vanaf komt. Tja. Misschien is het wel niet zo erg als het lijkt. Verder weet niemand iets. Charlie houdt zijn mond wel, toch? Als hij mij verraadt, gaat hij er zelf ook aan. Een echte patstelling, zou ik zeggen. Dus zijn we veilig. Niemand weet verder iets. Ik bedoel, wie kan mij nou ooit hebben gezien?'

Troy wist niet of haar pleidooi bedoeld was om hem gerust te stellen, en daarmee zichzelf. Hij pakte de grote politiefoto van Madeleine Kerr.

'Ken je haar?'

'Nee. Nooit gezien.'

'Zij was Ronnie Kerrs vrouw. Of deed in ieder geval alsof. Tweeëntwintig. Vond het allemaal hartstikke leuk. Ze werd vermoord. Nog geen twee weken geleden. Herinner je je die zaak nog waarvoor ik naar Derbyshire moest? Dat was Ronnie Kerrs accountant. Waardoor jij overblijft – jij bent de laatste persoon in Engeland die weet dat Charlie op de loonlijst van de Russen staat. Alle anderen zijn vermoord.'

'O shit. O shit. O shit.'

De telefoon had tijdens deze woorden aanhoudend staan rinkelen. Hij nam hem aan, met de bedoeling weer op te hangen en hem het zwijgen op te leggen.

'Mr. Troy?' De stem van de telefoniste.

'Ja.'

'Een gesprek op uw rekening vanuit Leicester. Van een Mr. Clark. Betaalt u de kosten?'

Tosca had gelijk. Niemand behalve Charlie had haar ooit in haar oude rol gezien. Niemand, behalve Clark.

'Ik ben het, sir.'

'Eddie, waar zit je?'

'Ik sta op het station in Leicester, sir. Ik heb veertig minuten overstaptijd. Ik wacht op de stoptrein uit Nottingham, maar ik vond het beter u zo gauw mogelijk te bellen. Ik ben op de terugweg van Derbyshire. Ik heb de code gekraakt.'

'De code?'

'De laatste brief van Madeleine Kerr, sir. Ik kon er niets mee. Kwam niet verder dan de eerste zin. Toen kreeg ik het opeens door. Zij had die niet geschreven. Maar Cockerell. Dus moest ik op zoek naar de sleutel.'

'Sleutel?' zei Troy, die zich net een domgehouden papegaai voelde.

'Ja, sir. Voor codes als deze is een tekst nodig. Een rasterwerk van begin- en eindletters waarvan de schrijver en de lezer weten hoe ze dat moeten toepassen. In het gunstigste geval heb je twee codeblokken, eenmalige blokken worden die genoemd, met vijf letters in een blok, waarbij je iedere keer als je klaar bent de pagina eruit scheurt, zodat je nooit dezelfde code gebruikt. In het ongunstigste geval heb je een machine met een heleboel draaiende tandraderen in vergelijking waarmee de machine van Babbage op een simpele wekker lijkt, met een paar duizend geclassificeerde experts en marva's in houten hutten in Bletchley Park om het ding te bedienen. Ik ging ervan uit dat kapitein-luitenant-ter-zee Cockerell niet zo geraffineerd te werk zou gaan, dus wist ik dat ik op zoek was naar een gedrukte tekst. De brief begint in de oude alfabetische code – Dear Sis. Dat is volgens mij een woordspeling, sir. SIS. Snapt u wel?'

'Vertel het nou maar gewoon, Eddie.'

'Dan staat er 49AA. Deze vier letters leverden me iedere keer weer koeterwaals op, hoe ik de code ook toepaste. Ik dacht dat ik die verkeerd toepaste. Maar toen werd het me duidelijk, er was een nieuwe code voor alles wat volgde en dat was de sleutel, ze stonden zelf niet in code. Wat we bij de politie een aanwijzing noemen, sir. Ik begon te beseffen dat Madeleine Kerr alleen de eerste twee regels schreef, iets om haar zuster op het spoor te zetten van de echte code die Cockerell gebruikte. En dat moest iets zijn waar Cockerell iedere dag toegang toe had. Dus ik pakte zijn winkelsleutels uit uw bureaula en ben er gistermiddag naartoe gegaan. Ik kon het niet vinden. Het lag voor het grijpen, maar ik kon het niet vinden. Ik ben de hele afgelopen nacht en de halve morgen bezig geweest zijn laden leeg te halen. Toen zag ik het uit een van die postvakjes boven zijn bureau steken. Het Handboek van de Club van Automobilisten van 1949. Op de achterkant van dat boek geven ze je de afstanden tussen de belangrijkste steden van het land. Een simpele A-Z-grafiek met twee middellijnen. De perfecte code, die steeds opnieuw kan worden gebruikt. Die je nooit kunt kraken als je niet weet waarop die is gebaseerd. Dus de A is voor Aberdeen, en het eerste gebruik van de letter A is de afstand tussen Aberdeen en Aberystwyth – die 427 mijl is, en de code luidt daarom 427. Het tweede gebruik moet dan gebaseerd zijn op de afstand tussen Aberdeen en Barnstaple, die 573 mijl is, dus 573. En aangezien er zevenenvijftig mogelijke codes zijn voor de letter A, kan je een pagina of meer volschrijven zonder een code te hoeven herhalen. Soms krijg je een overlapping – zo is de afstand van Londen naar Brighton dezelfde als van Londen naar Cambridge, zodat 53 in theorie zowel voor B kan staan als voor C, maar aangezien Londen onderaan op iedere kolom staat, zou je tegen die tijd aan je dertigste gebruik van die letter zijn, dus... En wat het een beetje moeilijk maakt, is dat er geen belangrijke Britse stad is die met een J begint, dus wordt de tweede I, die Ipswich is, de J. U raadt nooit wat ze met de Z hebben gedaan.'

'Godallemachtig, Eddie. Zeg het nou maar!'

'Ashby de la *Zouche*. Niet slecht, hè?'

Hij wist blijkbaar niet tot Clark door te dringen. Troy keek om zich heen, op zoek naar Tosca, maar die was naar beneden gegaan.

'Je hebt de code gekraakt. Goed werk. Vertel me nu wat er staat.'

Maar hij wist wat er stond. Wist dat hem niets zou worden bespaard.

'Cockerell was een dubbelagent, sir. Ik betwijfel of hij de hersenen had om te begrijpen wat dat precies inhield, maar de mensen voor wie hij werkte deden dat wel. Ze gebruikten hem als koerier om informatie Groot-Brittannië uit te krijgen en geld weer naar binnen. Ze stuurden hem heel Europa rond – Parijs, Milaan, Lissabon. U zegt het maar. Hij was in 1951 tijdens een trip naar Londen, zogenaamd voor een bezoek aan het Festival of Britain, aangetrokken door een man die Charles Leigh-Hunt heet. Zegt dat Leigh-Hunt MI6 is en dat hij hem kende uit de oorlog, maar ik heb niet zoveel vertrouwen in Mr. Cockerells verklaringen op dit gebied. Het kan een verzonnen naam zijn, het kan ook een zoethoudertje zijn geweest. Maar het lijdt geen twijfel wie zijn directe controlepunt was – wat dacht u van onze oude vriend inspecteur Cobb?'

'Dat verbaast me niets,' zei Troy.

'Dan is er een lijst met zeven namen van agenten die volgens Cockerell op zijn loonlijst stonden. Earl, John – Smith, Alan – Harwood, Anthony...'

'Ik hoef het hele rijtje niet. Geef me alleen maar wat belangrijk is. De grote vis, niet de sprotten.'

Clark zweeg, alsof Troy hem voor een dilemma had geplaatst.

'Wel, sir. Er is maar één andere grote vis, zoals u dat noemt. De koerier die door de Russen werd gestuurd. Hij noteert alle samenkomsten, alle data, alle plekken, maar zegt dan dat ze steeds een andere naam gebruikte, zodat hij die maar niet opschreef, omdat ze toch allemaal vals waren.'

Clark wachtte weer. Troy hoorde zijn eigen hart kloppen.

'Maar geeft hij een beschrijving van haar?'

Opnieuw stilte. Die Troy niet wilde verbreken, bang voor wat er zou volgen.

'Een die me bekend voorkomt, als ik het zo mag zeggen, sir.'

'O ja?'

'Ongeveer 1 meter 50, gemillimeterd haar, waarvan de kleur varieert van blond tot roodachtig bruin, met de bouw van Jane Russell, nogal een schoonheid, en met wat Cockerell omschrijft als een "irritant Amerikaans accent". Maar, sir, hier is waar het om gaat, "en altijd een exemplaar van *Huckleberry Finn* in haar hand". Nou, sir, aan wie doet u dat denken?'

Wat had hij haar nu graag tegenover zich gehad. En haar in haar ogen willen kijken. En haar opmerking "dus zijn we veilig" in al zijn overmoedige stompzinnigheid in haar gezicht willen terugsmijten. Waarom was ze uitgerekend nu niet in de buurt? Nu – nu de leugens die ze had opgebouwd haar ieder moment konden verpletteren.

'Eddie, woon je nog altijd in het Police House?'

'Ja, sir.'

'Ga daar nu niet naartoe. En kijk op de terugreis goed om je heen. Neem een hotelkamer. Ga naar de Ritz, geef ze mijn naam. Dan hebben ze een kamer voor je. Ze komt je daar opzoeken.'

'Ik begrijp het niet helemaal, sir.'

Maar hij vroeg niet wie Troy bedoelde met 'ze'.

'Er is weer een moord gepleegd. Iemand van wie Cobb dacht dat ik het was.'

'Allemachtig!'

Troy liep naar beneden, naar de zitkamer. Tosca zat in de ene leunstoel. Foxx in de andere. Als boekensteunen van de hel. Foxx was de nieuwe Foxx – het pakje van Dior, de mooie schoenen – de bijpassende roze bagage op een hoop tussen de stoelen in. Tosca was de oude Tosca, die hoopte dat blikken konden doden.

'Nou,' zei die, 'betrapt met de hand in de koektrommel zo te zien, hè?'

Ze sloeg haar benen over elkaar en zwaaide met haar voet, als metronoom van haar ongeduld. Foxx keek naar hem. Van haar stuk gebracht en bezig kwaad te worden.

'Krijg ik nog wat uitleg, of laten we het hierbij?' vroeg Tosca.

Troy greep haar hand, sleurde haar de keuken in en schopte de deur dicht. Hij zag de vuist die op hem afkwam niet komen, en een directe klap tegen zijn kaak bracht hem aan het wankelen. Hij weerde de tweede slag af, en de derde kwam in de lucht terecht, en raakte vervolgens een steelpan. Ze bezeerde haar knokkels en slaakte een kreet van pijn.

Troy schoot op haar toe en duwde haar rug met een klap tegen de muur.

'Vuile hufter,' siste ze. 'Jij vuile gore hufter. Je kon niet op me wachten, hè? Je kon godverdomme niet wachten! Was dat nou werkelijk zo veel gevraagd? Om even op me te wachten?'

Hij pakte haar bij haar kaak, duwde haar hoofd op en dwong haar hem aan te kijken. Haar voeten trappelden nog, maar haar handen vielen stil.

'Kop dicht. Hou je mond en luister naar me. Wat er nou ook door je hoofd spookt en wat je verder denkt dat ik je heb aangedaan, er is iets aan de hand wat veel belangrijker is.'

Tosca kreeg met enige moeite een 'o, ja?' tussen haar samengeperste lippen door naar buiten.

'Ze hebben gisteravond een man vermoord.'

'Ze?'

'Zij. De mensen met wie jij te maken hebt.'

'O, god.'

'Hier. Pal voor mijn deur.'

Ze sperde haar ogen open. Hij voelde haar lichaam ontspannen en wist dat haar strijdlust was geweken.

'Ze dachten dat ik het was.'

'O, god. O, jezus. God helpe ons.'

Hij liet haar los. Ze liet zich op de vloer zakken, sloeg haar armen om zich heen en hij zag de tranen in haar ogen opkomen.

Hij hurkte, zodat ze elkaar beter konden aankijken.

'Wie was dat? Die man van wie ze dachten dat jij het was?'

'Een oude vriend. Ik heb het weleens over hem gehad. Johnny Fermanagh.'

'En die man leek op jou?'

'Een beetje. Nou, behoorlijk veel.'

Ze leunde met haar hoofd tegen zijn dij en kreunde.

'Watmoetenwedaarnouinvredesnaammeeaaaan?'

Hij stak een hand uit, wreef door haar haar, haalde het spinrag weg dat ze had opgepikt toen ze zich langs de muur op de vloer had laten zakken.

'Precies doen wat ik je zeg.'

'Ik ben een en al oor.'

'Je neemt Shirley mee. Je checkt in bij de Ritz. Je neemt drie kamers.'

'Voor wie is die derde kamer?'

'Voor mijn brigadier. Die neemt over een paar uur contact met je op.'

'Waar herken ik hem aan?'

'Hij is een oude vriend – Edwin Clark.'

Haar hoofd schoot met zo'n vaart omhoog dat hij bang was dat ze haar nek zou verrekken, en haar ogen werden zo groot als theeschoteltjes.

'Edwin? Edwin? Je bedoelt die dikke kleine Eddie Clark uit Berlijn? Die zoete kleine Swifty met zijn leuke handeltje in vrouwenondergoed en koffie van de zwarte markt? De jongen die die zwarte Schiaparelli zonder schouderbandjes voor me heeft versierd?'

'Ja.'

'En die is jouw brigadier?'

'Ja.'

'Jeezus! Jeezus, Troy. Waarom heb je me dat niet verteld? Clark kent me, hij kent me! Dat had je me kunnen vertellen, dat had je me kunnen vertellen, verdomme!'

'Het is niet van belang. Het zou jou alleen maar zenuwachtig hebben gemaakt. Bovendien hoort hij nu bij ons.'

'Ons? Ons? Troy, dat woord ken ik niet eens.'

'Laat een boodschap achter bij de receptie en zeg in welke kamer je zit. Hou je gedeisd en doe niets tot je van me hoort. Trek nu je schoenen en je jas aan. Tijd om te pakken is er niet.'

Hij deed de deur van de keuken open en ze holde naar de trap. Foxx stond bij de haard, met haar rug naar hem toe. Ze draaide zich om en klapte een bruine enveloppe tegen zijn borst.

'Toen ik zei dat je getrouwd was, zei je tegen me dat jullie niet meer bij elkaar woonden.'

'Dat deden we ook niet, of dat dacht ik tenminste,' zei Troy, die niet precies meer wist wat nu waar was of niet.

'Maar hier is ze dan toch, en hier ben ik.'

'En jullie blijven ook nog even bij elkaar.'

'Zijn we in gevaar?'

'Ja.'

'Daar was ik wel op voorbereid. Waar ik niet op was voorbereid, was een echtgenote.'

99

Troy zette de twee vrouwen in een taxi en ging terug naar huis. Hij haalde het kleine gouden pistool uit zijn zak, ontgrendelde de veiligheidspal en schoof een patroon in de kamer. Hij legde het wapen op het tafeltje naast de telefoon. Hier moest hij het mee doen. Een van de twee moest hem uit deze situatie redden.

Vroeger bespraken Charlie en hij altijd al hun levensaangelegenheden. Eens, bijna twintig jaar geleden, had Charlie hem opgebeld en gezegd: 'Ik ben verloofd. Zorg dat dat overgaat.' En dat deed Troy. Hij was zelfs nooit te weten gekomen hoe de ongelukkige vrouw heette. Maar hem opbellen om de vuisten te ballen, hem opbellen om een streep in het zand te trekken, hem opbellen en bereid zijn zo ver te gaan als chantage – dat had hij nooit eerder gedaan, en hij wist niet hoe hij dat moest aanpakken. Met een beetje geluk belde Charlie hem. 'We zitten in de puree, Freddie, daar moeten we zien uit te komen.' Vroeger wist Charlie altijd overal uit te komen.

Een halfuur verstreek waarin hij de telefoon niet had aangeraakt. Toen die ging, nam hij op. Als het Charlie was, moest dat maar.

'Troy? Ik bent het... Foxx. Ik ben in de Ritz. Er is iets gebeurd. De taxi bracht ons naar King's Cross. Na ons vertrek gaf Larissa de chauffeur nieuwe instructies. Niet de Ritz. Ze zei dat het stom was om direct naar de Ritz te gaan. "Geloof me maar," zei ze. "Ik ben een beroeps." Ze zei dat ze wel vaker was gevolgd. En wist hoe je iemand moest afschudden. Op King's Cross namen we een andere taxi. Die ik aanhield. Ze stond achter me en betaalde de eerste taxi. Ze liet haar tas vallen, en toen ik me omdraaide was ze verdwenen. De tas lag er nog, op de grond, maar zij was weg, Troy. Gewoon spoorloos. Ik heb meer dan tien minuten gewacht, maar ze was verdwenen! Weg, Troy. Gewoon... verdwenen!'

100

Het was jaren geleden dat hij voor het laatst op Edwardes Square was. Hij had het er altijd mooi gevonden, met zijn landelijke sfeer, maar had nooit een reden gehad om ernaartoe te hoeven, en genoeg redenen om er niet naartoe te hoeven. Eén ding was in ieder geval veranderd. Er stond nu bij nummer 52 geen mannetje van de Special Branch voor de deur. Hij hoefde zich nu niet schuil te houden in de schaduw. Hij parkeerde de Bentley bij Mrs. Edge voor en trok aan het belkoord.

'U bent laat,' zei ze, toen ze hem in de deuropening zag staan.

Troy keek op zijn horloge. Het was kwart voor elf.

'Dat spijt me,' zei hij 'Ik was me niet bewust van de tijd.'

'Ik bedoel laat in de levensduur van uw gunst, Mr. Troy. Niet het uur. Maar goed, ik heb u de afgelopen tien jaar verwacht. Komt u binnen.'

Ze duwde de deur dicht en trok er een zwaar gordijn voor, om de nacht buiten te sluiten.

'Het is bijna herfst, weet u. Mooie luchten en kleurigheid, om van koude tocht en optrekkend vocht maar niet te spreken.'

Hij liep achter haar aan de gang door naar een oververhitte zitkamer aan de achterkant van het huis.

'Ik ga met de kerst met pensioen. Als u niet gauw was gekomen, had u nooit kunnen innen wat wij u nog schuldig waren.'

'Dat was helemaal niet in me opgekomen.'

'Doe maar niet zo bedeesd. Dat staat u niet.'

Ze nam plaats in een hoge leunstoel naast een sissende gaskachel. Troy herinnerde zich nog vaag een blafferig schoothondje, maar de beste plaats op het haardkleedje werd nu ingenomen door een dikke cyperse kat, die bij de nadering van Troy één oog opendeed, maar zich verder niet verroerde op zijn plaats in de kunstmatige zon. Een spelletje patience lag voor haar uitgelegd op het groene laken van een laag kaarttafeltje, de laatste roman van Kingsley Amis lag opengeslagen op het voetenbankje. De tijd was niet onopgemerkt aan Muriel Edge voorbijgegaan. De lijnen rond haar bijziende ogen waren diep ingevallen. De hoge stoel moest duidelijk soelaas bieden aan een beginnende artritis en het onvermogen zich te bukken zonder pijn. De ziekte had haar vingers vervormd tot klauwen, krom en hoekig, en de gezwollen knokkels waren zo groot als kastanjes. Troy kon aan alles zien dat ze pijn leed.

'Ik had op mijn zestigste weg gemoeten, in het voorjaar. Maar toen Dick White vertrok om die andere tent te gaan runnen, vroeg de nieuwe man me aan te blijven. Om de sectie te begeleiden tijdens de overdracht, zeg maar. Wat ik graag deed, bang dat ik me zou doodvervelen als ik eenmaal gepensioneerd was. Ik kan toch niet de hele tijd maar aan mijn memoires gaan zitten werken, wel?'

Ze wuifde Troy met een verkrampte hand naar een stoel tegenover haar.

'En vertel me nou maar eens wat u wilt. Ik hoop dat het binnen mijn bereik ligt. Ik heb er een hekel aan, als ik mijn schulden niet kan inlossen.'

Wat Troy had gezegd was waar. Hij zag dit niet als het opvragen van een wederdienst. Maar hij zou nooit een beroep op haar hebben gedaan als zij zich er voor zijn gevoel niet bewust van zou zijn geweest dat hij al die jaren geleden een klus voor haar had geklaard – het opsporen van Jimmy Wayne waar zij dat niet kon, en hem levenslang bezorgen toen haar mogelijkheden waren uitgeput. Hij zag het als een samenhang, niet als een schuld, maar als zij het anders zag, maakte dat niet veel uit. Hij wilde een gunst. Zolang ze hem die verleende, kon het hem niet schelen of ze hem die nou schuldig was of niet.

Op een klein eiken tafeltje in de nis van de schoorsteenmantel stonden twee telefoontoestellen op armlengte afstand van haar stoel. Een zwarte en een witte – de witte had geen kiesschijf De standaarduitrusting van een staflid van MI5. Muriel Edge was sectiehoofd. De witte telefoon was direct verbonden met de centrale van MI5. Ze hoefde de hoorn maar van de haak te nemen om bij naam te worden toegesproken door de officier van dienst. De gunst die Troy van haar wilde, zou weinig moeite van haar vergen.

'Kent u Norman Cobb?'

'Ja. Ik ken inspecteur Cobb. Hij heeft weleens wat voor me gedaan. Maar de laatste tijd niet meer. Hij is... eh... te tactloos. Dat kan ik niet hebben. Er werken betere mensen bij de Branch, hoewel er daar wel meer zitten die zich niet kunnen laten voorstaan op hun fijnbesnaardheid.'

'Cobb heeft vandaag het gebruik van een onderduikadres aangevraagd. Ik moet weten welk.'

'Is dat alles?'

'Ja.'

Ze haalde haar schouders op, alsof hij zich had laten afschepen met een fooi en reikte naar de witte telefoon.

'Ja. Ik moet Norman Cobb van Special Branch spreken. Hij zit op een van onze onderduikadressen. Ik weet niet welk. Nee, ik wil niet doorverbonden worden, maar bel me op de andere lijn als u weet waar hij zit.'

Ze wendde zich tot Troy.

'Hij belt zo terug. Waarom schenkt u niet iets te drinken voor ons in. U ziet namelijk zo wit als een doek. We kunnen allebei wel een cognacje gebruiken.'

Troy liep naar waar de gebogen vinger naartoe wees, het dressoir met een keur aan drankflessen. Hij kwam terug, zette voor haar een glas naast het spel kaarten en dronk van zijn eigen glas. De cognac smaakte nog altijd naar zeep, maar ze had gelijk – het was net wat hij nodig had.

'Ik heb uw loopbaan een beetje gevolgd. Zo nu en dan, welteverstaan. Behalve hoogtepunten waren er ook weleens wat dieptepunten, niet?'

Het zou Troy niet hoeven verbazen – wat het wel deed – maar ze had nog niet gevraagd wat hij van Cobb wilde op zijn onderduikadres van MI5. En ze was dat zo te zien ook niet van plan.

'U was het gesprek van de dag, een tijdje terug.'

'O, ja?'

'En of. Ik was trots dat ik u kende. Toen u Ted Wintrincham liet weten niet Boelganin te willen bespioneren, maar Chroesjtsjov.'

Ze gniffelde zachtjes – maar naar het leek, lachte ze hem niet uit.

'Wist u daarvan? Ik wist niet dat iedereen dat wist.'

'Dat was ook niet zo. Het was een soort publiek geheim. Ted is een echte grappenmaker. Vertelde het verhaal tot in de details, deed dat overdreven bekakte accent van u na en lachte zich toen een kriek. Hij vertelde het aan iedereen die het horen wilde. Vond dat hij nog nooit zoiets leuks had meegemaakt.'

'Ik moet bekennen dat ik de grap ervan niet zo kon inzien,' zei Troy.

'Dat was de bedoeling ook niet. Zo hebben ze u te pakken genomen. U had nooit op hun plannen moeten ingaan. Op geen van hun plannen. U had moeten opstaan en zeggen dat ze hun eigen smerige klusjes moesten opknappen. U had de deur moeten uitlopen zonder zelfs maar over uw schouder te kijken uit vrees in een zoutpilaar te veranderen. Het was waanzin. Het was verwaandheid in zijn meest primaire vorm. U was gevleid dat ze u vroegen. U was gevleid door de gedachte aan een ontmoeting met Chroesjtsjov. U viel voor het vriendschappelijke gedoe, voor het contact met de groten en monsters der aarde – maar zo kregen ze u te pakken. En bleef u altijd van hen. En als ze je eenmaal te pakken hebben, laten ze je nooit meer los. En dan uitgerekend u, u had toch beter moeten weten. Ik kan haast niet geloven dat u dat niet wist. Als ze je eenmaal te pakken hebben, laten ze je nooit meer los!'

Haar stemgeluid was tot deze laatste herhaling steeds hoger gaan klinken. 'Als ze je eenmaal te pakken hebben, laten ze je nooit meer los' – dit waren de laatste woorden van Daniel Keeffe geweest.

'Ik ben aan het zorgen dat ze me niet meer "te pakken" hebben,' zei hij.

'O? Werkelijk? Inspecteur Cobb, neem ik aan?'

De zwarte telefoon ging over. Ze nam die aan, zei 'ja', en hing vrijwel meteen weer op.

'Narrow Street; zei ze. 'Cobb is in Narrow Street 11a, in Limehouse.'

101

Narrow Street was de droom van een gloedvolle verbeelding. Een fragment uit Dickens, een verdichtsel van Edgar Wallace of Arthur Machen. Het soort in mist gehulde laantje langs de waterkant in Limehouse waar dode honden ronddreven in groene poelen, waar de jongste zonen van de hoge adel met hoge zijden en zwarte capes rondwankelden onder invloed van de opium uit de kits in Londens Chinatown, waar Dorian Gray, eeuwig jong en eeuwig slecht, de nacht plukte, waar lichte vrouwen in scharlakenrode jurken met hun rokken zwaaiden onder de gaslantaarns en hun klanten lokten met een zacht 'Allo schatje', waar iedere jongeman een beurzensnijder was, die je keel doorsneed van oor tot oor en je lijk in de Theems gooide zodat het met de stroom werd meegevoerd.

Troy kende Narrow Street uit zijn tijd als straatagent en had het daar altijd wel leuk gevonden.

Het was bijna één uur in de nacht. Hij stond met Jack in de druilerige regen en keek vanaf de overkant van de straat naar nummer 11a. Hij had Jack uit bed gebeld en die had Troy bij de Yard opgepikt in zijn ongemarkeerde zwarte politie-Wolseley 4/44, een stuk onopvallender dan een Bentley. Hij had het politiebureau in Leman Street gebeld en gevraagd naar de recherche-inspecteur van de J Divisie, en kreeg die te pakken terwijl hij op het punt stond naar huis te gaan.

'Paddy – met Troy. Wil je nog steeds de kans om je rekening te vereffenen met Norman Cobb?'

'Zeg maar waar hij zit,' had Milligan gezegd.

'Hij zit in jouw wijk. Narrow Street.'

'Bingo,' zei Milligan.

En hij had George Bonham gebeld.

'George, past je uniform je nog altijd?'

'Natuurlijk,' had Bonham gezegd. 'Wat is er aan de hand?'

Troy zag nu hoe Bonham vanuit Limehouse Cut de straat door kwam stappen. Zijn hoge schoenen klepperend over de kinderhoofdjes, stappend door de plassen, zijn schaduw die voor hem uitviel, torenhoog in het maanlicht, meer dan twee meter lang, met die puntige helm op zijn hoofd.

Milligan stapte geruisloos op zijn zachte schoenen vanuit de schaduwen onder 11a en stak de straat over.

'Hij zit daar inderdaad. Er staat een politieauto onder een zeildoek in de doorsteek naast het huis. Ze hebben de zaak aardig verduisterd, maar er branden wel degelijk lichten op de eerste en tweede verdieping.'

'Je kent George Bonham toch, hè Paddy?'

'Natuurlijk. We hebben een tijdje samen op Leman Street gezeten, niet, Mr. Bonham?'

Troy wendde zich nu tot Bonham. Hij was degene die de meeste uitleg behoefde en er het minste van zou snappen.

'George, we zijn allemaal buiten dienst. Begrijp je wat ik bedoel?'

'Ik niet,' zei Bonham. 'Ik ben met pensioen.'

'Dat komt op hetzelfde neer,' zei Troy.

Bonham keek verbaasd, en krabde onder zijn helm aan een oor.

'Maar we zijn toch allemaal politiemensen, niet?'

'Ja – we zijn allemaal politiemensen, maar dit is geen politieoperatie. We zijn...'

Troy pijnigde zijn hersenen op zoek naar een eufemisme dat verklaarde maar niet alarmeerde.

'Vanavond werken we freelance.'

'O, ik snap het. We zijn een soort troep.'

Dat begrip was nog niet bij Troy opgekomen, maar beschreef wel precies wat ze waren, en het woord was eigenlijk precies goed.

'Ja, een troep. We zijn een troep.'

'En op wie jagen we dan?'

'Norman Cobb.'

'Wat, die hufter van de Branch?'

Naar het zich liet aanzien was er niemand te vinden die een goed woord overhad voor inspecteur Cobb.

'Jij hoeft er alleen maar voor te zorgen dat ze de voordeur opendoen. Daarom hebben we een uniform nodig. Cobb heeft in ieder geval een agent bij zich. Die zal wel naar de deur komen. Stel vragen. Vraag hem naar de auto. Laat je niet afschepen door het gewapper met een legitimatiebewijs. Pak je opschrijfboekje, vraag hem naar het kenteken en het registratiebewijs. Ik ga achterom. En veroorzaak dan de opschudding die we nodig hebben om Jack en Paddy binnen te halen. Maar hou jij die agent bezig.'

'Freddie – wat is daarbinnen aan de hand?'

'Het is een onderduikplek van MI5, George.

'Juist ja,' zei hij, maar begreep het niet. 'MI5 – die staan toch aan onze kant?'

'Meestal wel,' zei Troy. 'Maar...'

'Maar,' onderbrak Milligan, 'als ze een onderduikadres gebruiken in jouw wijk en niet de beleefdheid opbrengen om het plaatselijke politiebureau in te lichten, houden ze zich niet aan de regels. En doen wij dat dus ook niet.'

'We gaan iemand redden, George. Als we dat goed doen, houdt iedereen verder zijn mond. Dan lijkt het alsof er niets is gebeurd. Jouw pensioen is veilig, en met een beetje geluk halen de anderen hier hun ouwe dag dan ook nog weleens.'

'Genoeg gezegd,' zei Bonham. En Troy hoopte dat hij dat meende.

Troy en Jack slopen tussen Cobbs auto en de golfplaten van het hek, dat naar de rivier liep, in de richting van het huis.

'Weet je zeker dat je dit aankunt?' vroeg Jack.

'Ja.'

'Ik kan het ook doen, hoor.'

Troy wees op het raam aan de achterkant van de bovenste verdieping, waar het gebouw boven de rivier uitstak.

'Dat is klein,' zei hij. 'Ik ben de kleinste. Dus moet ik het doen. Geef me tien minuten om binnen te komen, en laat George dan op de voordeur los. Blijf jij uit het zicht. Die lui binnen mogen hem goed zien. Als ze denken dat hij een agent op zijn ronde is, die plichtsgetrouw zijn werk doet, is dat des te beter. Als ik haar heb gevonden, ga ik kabaal maken. Genoeg herrie, indien nodig, om een geforceerde toegang te rechtvaardigen...'

'Ik denk dat we het begrip rechtvaardig maar even buiten beschouwing moeten laten. Misschien dat er nog even met George moet worden gepraat. Wat mij betreft is het niet van belang. Cobb krijgt zijn verdiende loon.'

'Ik vind alles best... als je maar binnen komt vechten.'

Jack verstrengelde de vingers van zijn handen voor een voetsteuntje en hielp Troy over het hek.

'Doldrieste dandy's!' fluisterde hij op dezelfde toon als waarmee je een acteur succes wenst.

'Godallemachtig,' zei Troy, en kwam aan de andere kant onhandig op de grond terecht.

Door de regen was alles glibberig geworden. Troy greep de afvoerpijp en begon zich af te vragen of tien minuten wel lang genoeg was. De pijp, van ijzer en twintig centimeter in doorsnee, was oud, solide en zat stevig tegen de muur bevestigd. Bij de eerste verdieping maakte hij een slinger van vijfenveertig graden en verhuisde van de zijkant van het gebouw naar de achterzijde, waar hij gevaarlijk uitstak boven de slikken van de Theems. Troy voelde zich, toen hij zich bij het om de hoek gaan vastklampte aan de pijp, net een menselijke vlieg, maar de pijp hield zijn gewicht, boog weer terug in verticale richting en liep zo te zien, van wc naar wc, naar de top van het gebouw en het open raam op de bovenste verdieping – het enige zonder tralies, of dat niet was dichtgemetseld.

Op de derde verdieping schoot zijn voet uit en kwam hij los in de ruimte te hangen, meer dan twintig meter boven de rivier. Hij greep zich vast aan een dakgoot, met de striemende regen in zijn gezicht en met uitzicht op de kranen van Canada Wharf, die zich verderop flauw aftekenden.

Wat raar was, was het trillen van zijn knie. Hij liet zich zachtjes door het raam van de bovenste verdieping in een in onbruik geraakte toiletruimte zakken, en kwam op de wc-bril terecht. Bij iedere aanraking woelde de oude muurverf op en bedekte zijn kleren met een dunne, grauwe aslaag. Maar de knie, dezelfde knie die hij had geschaafd bij zijn val op Leicester Square, het been dat was uitgeschoten aan de pijp, schokte nu zonder dat hij er iets tegen kon doen. Hij drukte het met beide handen recht en dwong het te reageren.

Bonham kon nu ieder moment met zijn reuzenvuist tegen de deur gaan rammen en het huis op zijn grondvesten laten schudden.

De bovenste verdieping was verlaten. Regen en maanlicht vielen door de gaten in het dak naar binnen. Troy haalde het pistool uit zijn zak en liep naar de vierde verdieping. Die was leeg. Toen naar de derde. Zachtjes een voor een de deuren open. En in het tweede vertrek vond hij haar, net toen Bonham de deur begon te bewerken.

Tosca lag op een kale matras tegen de achterste muur. Ze was niet vastgebonden of gekneveld: ze was finaal van de kaart. Troy knielde bij haar neer, legde het wapen op de zitting van een Thonetstoel, en draaide haar gezicht naar zich toe. Ze was geslagen. Haar gezicht was een en al blauwe plekken, haar rechteroog zat dicht door zwelling en niet door slaap, en een van haar voortanden was beschadigd. Maar de knokkels van haar rechterhand waren ontveld en bloederig. Ze had zich blijkbaar duchtig geweerd.

Hij hield zijn mond tegen haar oor en sprak zo luid als hij durfde. 'Tosca, Tosca.'

Ze bewoog even, kreunde en mompelde wat, en vanwege dat mompelen hoorde hij te laat de voetstappen op de planken achter zich. Hij draaide zich met een ruk om. Het enige wat hij zag waren benen, toen zwaaide er een arm naar hem toe – met zijn eigen wapen, vastgehouden bij de loop, met de kolf gericht op zijn gezicht. Hij rolde achterover, schopte met beide benen en raakte de schenen van Cobb met een klap. Cobb ging onderuit. Troy wierp zich boven op hem en sloeg beide handen rond de hand die het wapen vasthield. Hij keek Cobb recht in het gezicht. Een bloederige kneuzing onder een van zijn ogen getuigde van de worsteling die hij met Tosca had gehad. Maar Troy was amper groter dan zij. Cobb duwde Troy schijnbaar moeiteloos van zich af en draaide de rollen om. Troy had zijn wapenhand nog steeds vast. Cobb verdraaide de pols. De loop wees nog in het niets, maar draaide langzaam in de richting van Troy.

Troy legde zijn duimen over Cobbs trekvinger en drukte. Het schot ging af en een regen van pleisterkalk viel over ze heen. Cobb veerde overeind, sloeg Troy met zijn linkerhand in het gezicht, maar kon zich niet schrap zetten en miste de kracht en het gebruik van zijn rechterhand. Toen hoorde Troy voetstappen op de trap en zwiepte er een wapenstok over Cobbs rug. Er viel een gewicht van hem af, de lucht joeg weer in zijn longen, en hij zag hoe Milligan Cobb een hoek in mepte.

Jack trok hem overeind. Milligan had Cobb buiten westen gelagen, nam nu Tosca in zijn armen alsof ze niet meer woog dan een veertje en verdween door de deur.

'Alles nog heel?' vroeg Jack.

'Ja. Hij had me bijna te grazen, maar alles is nog heel.'

De knie die beefde weigerde plotseling dienst. Jack ving Troy op, en de kogel van Cobb schoot tussen hen door en trok een bloedrode streep langs de buitenkant van Troys rechterdij. Cobb lag languit op de vloer aan de andere kant van het vertrek, knipperde met zijn ogen alsof hij moeite had zijn blik scherp te krijgen en hield het kleine gouden pistool op armslengte voor zich uit. Jack was in twee grote stappen bij hem. Hij zette zijn ene voet op Cobbs pols en gaf hem met de andere een knallende schop tegen zijn kaak. Cobbs hoofd schoot opzij en zijn greep op het wapen verslapte. Dit keer was hij echt van de kaart. Troy strompelde door het vertrek, met zijn hele gewicht op zijn linkerbeen, maar Jack ving hem met beide armen op.

'Laat hem maar, Freddie! Hij is het niet waard. Laat nou maar!'

En hij manoeuvreerde hem de deur uit en de trap af.

Natuurlijk was Cobb het niet waard. Maar het ging Troy niet om Cobb. Maar om het pistool.

Op straat drukte Bonham een jonge agent van niet meer dan vijf- of zesentwintig met zijn hoge schoen maat negenenveertig op zijn keel tegen het plaveisel, en hield een wapenstok op zijn ballen gericht.

Troy, hangend aan Jacks arm, stopte op de drempel terwijl het bloed langs zijn been liep en zijn schoen opvulde.

'Jij,' zei hij. 'Legitimatiebewijs!'

De man tastte in zijn zak. Troy keek naar de kaart. Het was een gewone agent van Special Branch. Troy had geen idee of hij hier te maken had met een knechtje van Cobb of met iemand die echt dacht dat hij zijn plicht deed.

'Weet je wie ik ben?'

De man knikte.

'Dan raad ik je het volgende aan. Als je een loopbaan bij de politie wilt, vergeet dan wat er vanavond is gebeurd. Ga terug naar de Yard en vraag overplaatsing buiten de Branch. En blijf, tot dat rond is, ver uit de buurt van Cobb. Doe je dat niet, dan kun je het verder wel vergeten. Begrijp je wel?'

Hij knikte opnieuw. Bonham maakte geen aanstalten zijn voet weg te halen. Jack trok aan zijn mouw en maakte een opwaarts gebaar met zijn platte hand. Bonham trok zich terug, en de jonge agent zoog met een pijnlijk gepiep zijn longen vol.

Milligan had Tosca op de achterbank van de auto gelegd. Ze was nog niet bijgekomen. Nu tilde hij Troy op de stoel voorin, terwijl Jack de motor startte.

'Ziekenhuis,' zei Milligan, tegen niemand in het bijzonder.

Troy legde een hand op Jacks arm om hem tegen te houden, en reikte naar de vloer van de auto, zich er terdege van bewust dat de nattigheid die hij aan zijn vingers voelde zowel bloed kon zijn als regen. Zijn hand pakte het harde ronde voorwerp dat hij zocht.

Troy gaf de aardappel aan Bonham. Die legde hem in zijn grote hand en keek er verwonderd naar. Toen begon het hem te dagen. Een ontwapenende glimlach vol onhandigheid, die dankzij zijn goede manieren overging in dankbaarheid.

'Dank je beleefd. Lekker voor bij een paar pastinaken en het zondagse gebraad.'

'Nee, George. Dat is geen cadeautje. Die is bestemd voor de uitlaatpijp van Cobbs auto. Mocht hij, als hij weer bij zijn positieven komt, het idee opvatten om ons te volgen, dan hebben wij een paar uur winst voordat hij een andere auto heeft.'

Bonham keek naar de aardappel, nu weer een mysterieus voorwerp, terwijl hij net had begrepen dat het een gewone groente was.

'Voor de uitlaat? Waar leer je dat soort dingen toch?'

'Het hoger onderwijs in Engeland, George. Het alternatief was het leren blazen van rookkringetjes.'

Troy bedankte Milligan, Jack schakelde in en ronkte weg naar de Highway en Cable Street.

'Ziekenhuis,' zei hij in navolging van Milligan.

'Nee,' zei Troy. 'De Ritz.'

'De Ritz? Wat is er verdomme in de Ritz?'

'Clark en de zus.'

Jack knikte naar de achterbank en de horizontale Tosca.

'En wat doen we met Doornroosje?'

'Breng haar naar Mimram. Ik kom zodra ik kan.'

'Kun je in deze staat wel rijden?'

De houw deed geen pijn. Er was veel bloed, maar de wond was een keep in het vlees. Die te ondiep was om een ader te hebben geraakt, en zeker geen bot. Het bloeden hield op een gegeven moment wel op.

'Ja,' zei Troy optimistisch.

'We kunnen binnen twee minuten in het London Hospital zijn.'

'Een ziekenhuis – met een kogelwond. Jack, dan moeten ze de politie bellen.'

'We zijn de politie.'

'Ik zou de acties van vanavond niet graag aan de hand van deze vier woorden willen uitleggen.'

102

'Je kunt daar zo niet naar binnen.'

Jack had gelijk. Zijn jasje was bezaaid met groene verfvlokken, zodat hij wel een marsmannetje leek met hevige roos. Door een van zijn broekspijpen stak een knie, de andere broekspijp vertoonde een scheur bij de dij en stond stijf van een bruine plak gestold bloed. Zijn schoen sopte tijdens het lopen.

'Waarom neem je mijn regenjas niet?'

Jack was 1 meter 80. De regenjas bedekte talloze zonden en reikte Troy tot op zijn enkels.

Jacks hand veegde het haar uit zijn ogen.

'Je ziet er nog steeds verschrikkelijk uit,' zei hij.

'Bedankt, Jack.'

De nachtportier kende Troy van gezicht en was duidelijk trots op zijn eigen discretie. Hij keek even naar Troys schoenen en gaf hem het kamernummer van Clark.

Troy hoorde Clarks stem antwoorden door de gesloten deur.

'Als u hoofdinspecteur Troy bent, hoe luidde dan mijn bijnaam in Berlijn in 1948?'

'Ik zal je zeggen hoe die nu luidt – dikke-kwajongen-die-vraagt-om-degradatie-en-terugplaatsing-naar-dat-verdomde-Birmingham!'

'In één keer goed,' zei Clark, en schoof het kettinkje van de deur terug.

Troy liet zich in een stoel vallen en voelde voor het eerst in uren hoe zijn spieren zich begonnen te ontspannen en zijn adem in een slepende zucht aan hem ontsnapte.

Clark was in hemdsmouwen en bretels. De kranten van de vorige avond lagen uitgespreid over de grond, een zakschaakspel en twee lege bierflesjes stonden op een koffietafeltje onder een schemerlamp. Hij speelde tegen zichzelf. Troy zou geesten als die van Clark nooit begrijpen, al werd hij honderd, en zoals hij zich nu voelde, was hij al blij als hij de tweeënveertig haalde.

'Foxx?' vroeg hij.

'Hiernaast. Ik heb de sleutel van de verbindingsdeur.'

'Ben je op de hoogte?'

'Voor een belangrijk deel. Onze Amerikaanse vriendin?'

'Veilig en redelijk onbeschadigd. Jack rijdt haar op dit ogenblik naar Hertfordshire.'

Troy verzamelde zijn laatste restje energie en trok Jacks regenjas en zijn eigen jasje uit.

'Bel roomservice. We moeten een schrijfmachine hebben, een stapel papier en wat carbonpapier. Hoe lang duurt het om jouw versie van Cockerells boodschap in geheimschrift uit te tikken?'

'Een halfuurtje, of zoiets. In Berlijn ben ik een tijdje kantoorbediende bij een groothandel geweest. Daar heb ik blind leren typen,' zei Clark, en voegde er toen nog een veelbetekenend 'onder andere' aan toe.

Hij pakte de telefoon en plaatste de order.

'En een broek,' zei hij met een blik op Troy.

Troy fluisterde een 'wat?' naar hem en hij legde zijn hand over het mondstuk.

'Nou, als ze om twee uur in de morgen voor ons een schrijfmachine kunnen vinden, zou een broek toch geen probleem mogen zijn. Welke maat?'

'Taille negenentwintig, en beenlengte eenendertig. Denk je dat ze er ook een paar sokken bij kunnen doen?'

'En broodjes rosbief voor drie,' besloot Clark, en hing op.

'Over een minuut of tien, sir.'

'Mooi. Drie exemplaren. Ik moet naar hiernaast.'

103

Foxx sliep niet. Ze zat rechtop in bed en droeg een modieus kort nachthemd. Hij tilde zijn been op de rand van het bed.

'Je ziet eruit als iets wat de kat heeft binnengebracht.'

'Ik weet het. Dat zegt iedereen.'

'Heb je haar gevonden?'

'Ja.'

'Ik zou die broek maar uitdoen, als ik jou was.'

Hij kon het niet. De knopen van zijn gulp wilden wel lukken, maar hij kon niet bij zijn enkels, en door het gewicht van het gedroogde bloed gaf de broek niet mee. Foxx trok zijn schoenen uit, trok aan de broek, en hij zat op de rand van het bed, met doorweekte sokken en overhemdsslippen, te kijken naar een been dat zwart zag van het geronnen bloed en met een gapend gat van los vlees in zijn dij.

'Goeie genade,' zei ze. 'Dat moet gehecht.'

'Het moet maar zo. Ik kan niet naar het ziekenhuis.'

Foxx ging naar de badkamer en kwam terug met alle handdoeken en een washandje, doorweekt met warm water. Ze waste de wond en toen het been, wrong het washandje vier, vijf keer uit in de wastafel, en droogde hem daarna af met de handdoeken. De handdoeken waren nu vies, en hij zat nog steeds vol bloed, maar het vlees was nu zichtbaar en de wond was schoon.

'Hoe is dat gebeurd?'

'Iemand heeft op me geschoten.'

'Dezelfde iemand die Stella heeft vermoord?'

Troy zei niets.

'Troy!'

'Ja.'

'Heb je hem te pakken gekregen?'

'Dat weet ik niet. Het is nog niet voorbij.'

Foxx rommelde in haar handtas en haalde er een pak naalden en een klosje synthetisch draad uit.

'Dit is niet helemaal steriel, maar gaat ook niet zweren. Zet je schrap.'

Troy zag tussen zijn kapotte been en haar gebogen hoofd door de naald naar binnen gaan en weer naar buiten komen.

'Het doet geen pijn. Waarom doet het geen pijn?'

'Ik weet niet waarom, Troy. Misschien omdat je innig van me houdt, en innige liefde geen pijn kent. Maar – daarin geloof ik al niet meer sinds mijn twaalfde. Dus God weet. Het behoort pijn te doen. Je verdient het.'

Ze werkte langzaam. Volgens Troy was ze niet medisch onderlegd, maar een goeie kleermaakster, en behandelde ze hem met de open zoomsteek van een perfecte naaister. Haar hoofd bewoog mee met haar handen en de punten van haar haar beroerden zijn been. De lading trok door hem heen, langs zijn ruggenwervel, zodat de haren op zijn hoofd overeind gingen staan, dat heerlijke samentrekken van de hoofdhuid – maar het vlees was willig en de geest zwak als een druipende kaars.

'Wat nu?' zei ze. 'Wat moet er nu van mij terechtkomen?'

'Hoeveel geld heb je?'

'Achtendertigduizend zeshonderdenvijfenveertig pond in contanten. En zevenhonderd in gouden munten. Ik heb geen idee hoeveel die waard zijn. En nog twee ongeopende kluizen. We zijn nog niet in Amsterdam en Monte Carlo geweest. Maar het is nog altijd veel meer dan Stella had gezegd.'

'Pik in.'

'Dat heb ik al gedaan. Dacht je dat ik gek was? Ik heb in Zürich een rekening geopend op eigen naam.'

'Pik in. Ga naar Brighton. Ze komen niet achter je aan. Je bent vrij. Het huis stond op haar naam en is nu van jou. Neem een advocaat en regel het beheer van je zusters nalatenschap. Als dat achter de rug is, kun je alles doen wat je wilt.'

'Alles?'

'Alles. Je hebt het geld.'

'Gaat het dan daar allemaal om? Geld?'

'Heb je ooit *De Graaf van Monte Christo* gelezen?'

'Jaren geleden. Als kind.'

'Herinner je je de Abbé Faria nog? De oude man die door het Château d'If groef op zoek naar Dantès? Dat was de best ingelichte, meest ontwikkelde man die Dantès ooit had ontmoet. Die probeerde zijn wijsheid over te dragen op Dantès, maar op het eind was de enige nalatenschap die telde het fortuin, het onbegrensde fortuin dat lag opgestapeld in een grot op een mediterraan eiland. Wijsheid kon niet in de schaduw staan van geld. Ik zag in mijn vader altijd de combinatie van Faria en Dantès. Hij kocht vrijheid voor ons allemaal, hij bezorgde zijn hele familie een plaats naar keuze in de loop van de geschiedenis, maar ik ben er nog steeds niet achter of het door zijn talenten kwam of door zijn geld.'

Ze bukte zich om de draad stuk te trekken tussen haar tanden, en zei: 'En hoe zit het met jou?'

'Ik heb blijkbaar... verplichtingen.'

'Verplichtingen waarvan je je niet bewust was?'

'Zoiets.'

Ze richtte zich op, trok de gebroken draad tussen haar tanden vandaan en blies het woord naar hem toe als een afscheidskus.

'Liegbeest.'

104

Tegen de tijd dat Troy zijn huis bereikte, begon de dag al aan te breken. De zon vertoonde zich boven de horizon rechts van hem en was zo nu en dan te zien in zijn achteruitkijkspiegeltje terwijl hij de Bentley over de laatste kronkelende laantjes manoeuvreerde die de loop van de rivier tussen de hoofdweg en Mimram volgden.

Jack had gelijk. Hij had het rijden met de beschadigde spieren van zijn rechterbeen onderschat. Iedere keer als hij met zijn voet het gaspedaal indrukte, verging hij van de pijn. Eenmaal buiten het centrum van Londen, waar minder hoefde te worden gestopt en geschakeld, liet hij de koppeling voor wat die was en gebruikte hij zijn linkervoet voor de rem en het gas en schakelde over op de klank van de motor.

Jack stond op de veranda geleund, ingepakt tegen de vroege ochtendkou in Rods vuilwitte rij-jas, een dubbelloops geweer langs de heup, met één vinger door de trekkerbeugel. Hij had zo waarachtig wel iets van Jesse James.

'Ik vond het geweer in de paraplubak. Het is alleen voor de show. Ik kon nergens munitie vinden.'

'Het is al in jaren niet meer gebruikt,' zei Troy, en dacht aan het pistool dat hij dankzij Jack in Narrow Street had moeten achterlaten. 'Heb je eigenlijk wel geslapen?'

'Nee. Ik heb een uurtje geleden wat peppillen geslikt. Wanneer ik instort, valt de hemel met me mee, maar dat duurt nog wel een paar uur. Als je wilt houd ik... eh... de wacht wel, terwijl jij slaapt.'

Hij slingerde het geweer rond aan zijn vinger en schoof het moeiteloos op zijn plaats in de holte van zijn elleboog, alsof hij op deze beweging had geoefend. Nee, dacht Troy, het was niet Jesse James. Het was John Wayne, in de rol van Ringo Kid in *Stagecoach.*

Troy gaapte. Dit aanbod was te mooi om af te slaan.

'We moeten schoon schip maken. Het is zondag. Er komt hier in de loop van de ochtend een hele horde mensen naartoe, tenzij we dat voorkomen. Bel Rod en de vrouwen, en zeg dat die thuis moeten blijven. De kok komt rond tienen, en voor twaalven komt iemand om het gras te maaien. En ga zo maar door. Zeg tegen iedereen dat ze morgen maar terug moeten komen.'

Jack maakte hem om elf uur wakker. Hij ging weer op de wc-deksel zitten, terwijl Troy het badwater opnieuw bloederig bruin zag worden en de nette streep van zwart zoomgaren bekeek die de vlezige flappen van zijn dij bij elkaar hield. Hij zag de amfetamine in Jacks ogen, zijn pupillen vergroot tot bodemloze zwarte putten.

'Ik heb ze allemaal gesproken tijdens het ontbijt,' zei Jack. 'Behalve Sasja. Ik kreeg Hugh aan de lijn. Die zei dat ze toch al niet van plan waren te komen, en leek het nogal onbeschaamd te vinden dat ik belde. Er hing een stilzwijgend "donder op" tussen alles wat hij zei, dus ben ik opgedonderd.'

Troy vroeg zich af of Sasja al op de hoogte was. Of ging ze nu Hugh vertellen dat ze bij hem wegging voor een minnaar die al dood was? Hij had het bijzonder onaannemelijk gevonden dat Sasja Hugh zou verlaten – het was zo makkelijk hem te bedriegen en door te gaan met hem te bedriegen – maar Johnny's dood had hem een bijgelovig respect voor diens geloof in haar bijgebracht.

Hij liep even aan bij Tosca. Die sliep als een blok. Hij trok het laken weg. Haar gezicht was behoorlijk toegetakeld, maar haar lichaam was onbeschadigd. Daarna dronken Jack en hij staande hun koffie op de veranda. Jack liep nog steeds als een idioot met het geweer in het rond, zijn pupillen zo wijd, dat Troy daaruit opmaakte dat hij pillen naar binnen sloeg alsof het pinda's waren. Ze keken toe hoe de nazomer nog een laatste zonnige, winderige middag ten beste gaf. Troy voelde zich voor het eerst in dagen schoon. Het stijfsel in zijn overhemdsborst vormde een onverklaarbare bron van genoegen. Schoon, maar kreupel. Dezelfde paraplubak die een geweer had prijsgegeven, zorgde nu voor een wandelstok, die niet meer was gebruikt sedert de dood van zijn vader, meer dan tien jaar geleden.

Het was na vieren toen Troy de deur naar Tosca's slaapkamer openduwde. Ze was op, gebaad en aangekleed. Ze had zijn kleren weer aan. De grijze tuinbroek, het versleten Tattersall-shirt. Ze was net klaar met haar make-up. Troy kreeg het gevoel dat ze een boog in de tijd hadden beschreven, een boog die een cirkel was geworden. Tosca was net zo gekneusd en bloederig als toen hij haar in Amsterdam aantrof. Ze zette het potje vleeskleur neer, draaide zich naar hem om, het beschadigde ooglid als een vastgeraakt zonneblind, trok intussen een handschoen aan over haar rechterhand om de kapotte knokkels te bedekken, en de cirkel was rond. Voor hij iets kon zeggen hoorde hij Jack de treden naar het trapbordes opkomen.

'Er staat een auto aan het begin van de oprijlaan, in de parkeerhaven aan de overkant van de weg.'

Ze gingen weer naar de veranda. Jack gaf de verrekijker aan Troy. Troy zag Charlie uit zijn auto stappen, zag Cobb in de passagiersstoel, zag Charlie iets tegen Cobb zeggen en de oprijlaan oplopen.

'Hij komt hiernaartoe.'

Jack keek naar Troy. Hij was niet zo gedrogeerd dat hij niet wist wat er ging komen.

'Ik moet dit alleen doen.'

'Ik weet het.'

'Alleen Charlie en ik.'

'Je bent dat niet aan hem verplicht, weet je.'

'Nee, ik ben het aan jou verplicht. Wat er verder ook te gebeuren staat, het is beter dat je er niet van weet.'

'Ik ben in de Blue Boar in het dorp.'

Jack stopte zijn auto halverwege de oprijlaan en draaide het raampje open, Charlie en hij wisselden een paar woorden, en Charlie wandelde verder. Hij was bleek, en moe, maar nog altijd onontkoombaar knap. Een lok blond haar wuifde in de bries, en hij hield zijn handen diep in de broekzakken van een olijfkleurig zomerpak. Een bevallige elegantie waaraan Troy in zijn stoutste dromen nog niet zou kunnen tippen.

'Weer een mooi zooitje, hè Freddie?' zei hij vanaf de oprijlaan, waarmee hij bewust een zekere afstand hield.

'Het is rond vieren. Je bent net op tijd voor de thee.'

'Mooi zo.'

Troy hinkte de lange gang door naar de keuken. Stak het gas aan onder de ketel voor weer een rondje Engelse theeceremonie en ontdekte dat hij niet bij de plank met de theebus kon – zijn been gaf niet mee. Charlie pakte die voor hem, stak zijn handen weer in zijn zakken en drentelde heen en weer door de keuken, hoofd gebukt, leren zolen zachtjes tikkelend op de tegels, als een schooljongen op zoek naar iets om tegenaan te schoppen.

'Waar hebben ze jou gesnapt?' vroeg Troy. 'Cambridge? Tegelijk met Burgess en MacLean?'

Charlie stopte met zijn geschuifel en keek op door een eigenzinnige haarkrul. Die hij daarna met zijn hand uit zijn ogen veegde.

'Als je het zo wilt stellen. Zo zit het niet helemaal, maar Cambridge voldoet wel als symbool. MacLean en een paar anderen zijn op die manier binnengehaald – maar als je zeker weet dat ze Burgess hebben gesnapt, weet je meer dan ik. Ik ben er tot op de dag van vandaag niet zeker van dat Guy een van ons is.'

'Dus ben jij de beruchte Derde Man?'

'Goeie hemel, nee. Ik ben niet eens de vierde of de vijfde man. Philby is de derde man. Die zou het meest gepikeerd zijn als hij dacht dat ik die titel zou opeisen.'

Troy zette de theekoppen op het blad. Het gerinkel van het serviesgoed weerkaatste luidruchtig in zijn hoofd. Hij hoopte dat hij in zijn aarzeling niets deed waardoor hij zich zou verraden. Het was ruim een jaar geleden dat Philby tijdens een persconferentie zijn onschuld had betuigd, pas een jaar terug dat MacMillan hem had gezuiverd in het parlement. Charlie vertelde hem dit niet als hij vreesde dat hij dit zou doorvertellen. Charlie wilde hem, op welke manier dan ook, de mond snoeren. En Troy had geen idee hoever hij daarbij wilde gaan.

De ketel floot, Charlie leunde met zijn rug tegen de keukenkast, Troy vulde de pot.

'Draag jij maar,' zei hij, en pakte zijn wandelstok. 'Ik heb geen twee handen, vrees ik.'

Troy hinkte over het gazon naar waar een klein rieten tafeltje en twee stoelen in het voorbijgaande zonnetje stonden, en Charlie volgde met het theeblad. Dezelfde wind die de regen van die nacht uit het gras had geblazen joeg nu langzaam wolken langs de lucht in het westen – grote wolken, lensvormige wolken, gestreepte wolken, golvend als mollige tijgerkatten die lui koprollend door de hemel buitelen.

Charlie zette het blad neer. Troy ging in een rieten stoel zitten en legde zijn stok tegen de leuning. Er zat iets hards in zijn rug. Hij stak zijn hand achter zich, duwde het weg, vertrok zijn gezicht, duwde zijn handen tegen zijn heup en rechtte zijn rugspieren.

'Het spijt me van dat been, Freddie,' zei Charlie. 'Is het erg pijnlijk?'

'Nee. Maar dat komt nog wel. Ik heb nog vaak behoorlijk last van die wond van mijn nier, en die is van tien jaar geleden.'

Charlie had de oorlog en iedere volgende schermutseling die deze betiteling niet verdiende ongedeerd doorstaan. Hij ging tegenover Troy zitten, trok de knieën van zijn perfecte broek op, sloeg zijn ene perfecte been over het andere en plaatste de toppen van zijn perfecte vingers tegen elkaar. Hij sprak kalm en met een genegenheid in zijn stem die bedoeld was te provoceren.

'Freddie, we moeten hieruit zien te komen, dat zie jij toch ook wel? Toch?'

'Nee. Ik zie niets. En ik hoor niets. Ik heb mijn hele leven al naar je geluisterd. Mijn hele leven heb ik naar jouw pijpen gedanst. En nu hou jij je mond en luister je naar mij.'

'Freddie...'

'Kop dicht! Het spel is uit, Charlie. Begrijp je dat niet? De tijd van de zoete woordjes is voorbij. Ik ga je nu vertellen waar het op staat en jij luistert.'

'Wat, zoals de laatste pagina van een Agatha Christie? Poirot Geeft Een Samenvatting?'

Het klonk uiterst minzaam, hoewel het ongetwijfeld hatelijk was bedoeld.

'Zoals je wilt.'

'Best. Maar als je helemaal teruggaat tot Cambridge zitten we hier volgende week nog.'

'Cambridge interesseert me geen reet. 17 april. Daar begint het, de dag waarop die twee arme stumpers van de Branch met hun auto tegen een boom langs de weg naar Portsmouth waren beland.'

'Ik ben een en al oor.'

Zijn vingers bleven staan in hun gotische positie, de vingertopkerk, misleidend sereen, terwijl de lichtblauwe ogen zich hechtten in die van Troy.

'Toen de Branch me strikte, was dat het laatste wat jij had verwacht, en zeker het laatste wat jij had gewild. Als er ook maar één politieman was in Londen die je niet in de buurt van Portsmouth wilde hebben, was ik dat wel. Niet vanwege de contacten tussen mij en Chroesjtsjov – de bewaking van Chroesjtsjov was, zoals mijn broer dat terecht stelde, een afleidingsmanoeuvre – maar je wilde me bij Arnold Cockerell vandaan houden. Het was wel pech hebben dat ze me toch hadden gestrikt. Maar je pech nam nog toe. Je probeerde het me uit mijn hoofd te praten, en toen liepen we Johnny Fermanagh tegen het lijf. Johnny kostte me altijd mijn nachtrust, en bezorgde me slapeloosheid. Dus pakte ik de laatste trein naar Portsmouth en, alweer pech gehad, deelde de volgende ochtend de ontbijttafel met Cockerell, een uur of twee voor je hem zijn dood in stuurde in de naïeve veronderstelling dat hij het Russische schip moest bespioneren. Zit ik tot zover goed, Charlie?'

'Natuurlijk. Tot nu toe klopt het allemaal.'

'Een paar dagen daarna begon de pret en haastte inspecteur Bonser van de recherche zich naar de King Henry om de sporen te vernietigen. Dat zette me aan het denken. Bonser is geen impulsief mens. Ik denk niet dat hij het in zich heeft om zelf een initiatief te ontwikkelen. Nou heb ik niet de tijd gehad om Cobbs staat van dienst na te gaan, maar hoe groot is de kans, denk je, dat ik, als ik dat wel doe, ontdek dat Cobb, voor hij bij de Yard terechtkwam, bij de Special Branch in Liverpool zat? En dat hij in Liverpool had gewerkt met een zekere brigadier Bonser? Toen Bonser hoorde over de kikvorsspion belde hij zijn oude vriend Norman Cobb – en als dat zo was, is dat na te gaan in het logboek van die dag – en Cobb, die geen contact met jou kon opnemen, raakte in paniek en droeg Bonser op het bewijsmateriaal te vernietigen. Dus scheurde Bonser de pagina uit het registratieboek van de King Henry, een pagina waar ook mijn naam op stond. Toen kreeg Cobb je te pakken. Jij vertelde hem wat een dwaas hij was geweest en dat je vooral wilde dat het lijk werd geïdentificeerd als dat van Cockerell. Want als het Cockerell niet was, zat je zonder schandaal, nietwaar?

Nou, als ik me niet vergis was jij in juni en juli het land uit – dat weet ik omdat Gus Fforde me vertelde dat je in Wenen was, op weg naar iets, en ik zelf heb geprobeerd je te bellen, om je te vertellen dat ik was getrouwd en je aan Tosca voor te stellen – maar Cobb was dat niet, hè? Cobb zat op de Yard en behandelde dit fiasco in zijn eentje. Dus toen het lijk uiteindelijk in juli aanspoelde, belde Bonser Cobb weer, en kreeg nieuwe, tegenstrijdige orders – geen sporen meer vernietigen, het moet Cockerell zijn, zei Cobb, wat er ook gebeurt. God weet wat Bonser tegen Cobb heeft gezegd, maar als je er was geweest, betwijfel ik of je erg blij zou zijn geweest met zijn volgende stap. Toen niemand in Portsmouth het lijk kon identificeren als dat van Cockerell, consulteerde Bonser de uitgescheurde pagina, sprak met Quigley en belde daarna mij. Bonser is een goeie politieman, die zijn orders tot in detail opvolgt.

Hij haalde me naar Portsmouth, vroeg me naar het lijk te kijken en te gaan praten met de treurende weduwe. En opnieuw overkwam je het ergste wat je kon overkomen – ik stelde een onderzoek in naar de dood van Arnold Cockerell. Erger nog, ik stelde een onderzoek in naar het leven van Arnold Cockerell.

Ik kwam er gister pas achter dat het Cobb moest zijn die achter me aan zat. Stom van me, dat heeft me bijna het leven gekost. Het moet voor hem niet moeilijk zijn geweest om via de Yard op de hoogte te blijven van mijn activiteiten, hij hoefde alleen maar zijn oor aan de deur te luisteren te leggen om te weten dat ik naar Derbyshire ging om Cockerells vrouw op te zoeken. Ik vond Jessel, en voor ik een woord uit hem kreeg, had Cobb hem al vermoord. Dat was vermoedelijk zijn opzet niet, maar hij overdreef zijn intimidatietactiek en joeg de stakker de doodsschrik aan. Ik heb vingerafdrukken van Jessels bureau. Een van die afdrukken komt vast overeen met die van Cobb.

Toen... toen maakte ik er een puinhoop van. Cobb had geen idee van het bestaan van Madeleine Kerr. Geen idee dat Cockerell een vriendin had. Ik heb haar recht in zijn armen gedreven en hij heeft haar vermoord. Geen ongeluk, dit keer. Hij brak haar nek, trok aan de noodrem, sprong uit de trein en had mij, als hij een betere schutter was geweest, ook vermoord.

Ik werd gedwongen met ziekteverlof te gaan en werd op non-actief gesteld. Maar dat betekende ook dat ik niet op de Yard kwam en dat ik, met Onions gramschap op de achtergrond, een stuk terughoudender was over wat ik deed. Cobb verloor me uit het oog. Hij volgde me niet naar Parijs, omdat hij niet wist dat ik weg was. In feite wisten jullie daar geen van allen iets van, tot gisteren, toen mijn vrouw het Café Royal kwam binnenzeilen en ons beiden te kijk zette.

Maar we leefden allemaal in geleende tijd. Als jij er was geweest toen ik haar voor het eerst mee naar huis nam, was de hele zaak weken geleden al uit elkaar gevallen.

Dus vond ik Arnold Cockerells verzekeringspolis – het document waarnaar Cobb op zoek was en waarvoor hij Madeleine Kerr had vermoord. En nu weet ik niet alleen wat er is gebeurd, maar ik weet ook waarom.'

Charlies reacties waren minimaal geweest. Een lichte samentrekking van de spieren in zijn wang – van het nerveuze soort dat de koning had vertoond tijdens diens toespraak bij zijn troonsafstand – en een vooroverbuigen van het hoofd zodat zijn lippen de uitgestrekte vingers raakten.

'Ik luister nog steeds,' zei hij, nauwelijks hoorbaar boven zijn vingertoppen uit.

'Nu gaan we een tijdje terug in de tijd. Niet zo ver als de jaren dertig, en niet naar Cambridge, maar naar, laten we zeggen, 1951, naar Londen. Jij en Cobb zijn een nieuw netwerk aan het opzetten voor de Russen. Ik neem aan dat je zowel Cobb als Cockerell kende vanuit de oorlog?'

Charlie rechtte zijn rug en glimlachte, bijna blij dat hij een bijdrage kon leveren.

'Natuurlijk,' zei hij. 'Die waren SOE. Een van onze meest operationele afdelingen in die dagen. Ik kende Cobb redelijk goed. Hij had geen politieke voorkeuren, maar had wel altijd geld nodig, en ik wist dat hij haast alles zou doen om dat te krijgen. Zulke mensen vormen meestal niet de beste agenten, maar je hebt altijd wel een zekere macht over ze, omdat ze zo verdomde hebzuchtig zijn. Een hebzuchtige man is een zwakke man. Cockerell had ik een paar keer gesproken, maar ik kende hem verder niet. Norman was de man die Cockerell kende.'

'En toen de Russen zeiden dat ze een geldwitwasregeling zochten en een koerier, kwam Cobb met Cockerell op de proppen?'

'Natuurlijk. Ik was die vent helemaal vergeten. Het was niet iemand aan wie je voortdurend dacht, wel? Cobb wist dat hij een bedrijf had, en dat leek precies de dekmantel die we zochten.'

'1951,' vervolgde Troy. 'Cockerell vertelde zijn vrouw dat hij naar het Festival of Britain ging. Intussen arrangeerde Cobb een ontmoeting voor jullie drieën. En wat ik me steeds heb afgevraagd, Charlie, is welke leugen je hem hebt voorgeschoteld, welk verhaal je hem hebt opgedist.'

'Geen enkele leugen. Ik heb hem de waarheid verteld. Dat het een Russische onderneming was. Het is niet mijn fout dat hij de consequenties daarvan niet kon overzien. En hij kwam naar het Festival. We spraken af in de Dome of Discovery, om precies te zijn.'

'Je hebt Cockerell ingehuurd om geld binnen te brengen en te distribueren voor je netwerk. Je bedacht een aannemelijke dekmantel, je droeg hem op een buitenlands bedrijf op te richten, dat op te blazen tot iets groots, en hij haalde Jessel erbij om te zorgen dat alles er koosjer uitzag. Jessel bedacht de truc van het betalen van belasting over het geld, en wettigde zo een en ander met succes – maar niemand vertelde Jessel de waarheid. Jessel dacht dat het alleen maar om een knoeipartijtje ging. En als er één ding is wat dit tijdperk van schaarste voor ons heeft gedaan, is dat het ons tot een maatschappij van knoeiers heeft gemaakt. Met Sid James als ons aller voorbeeld. Jessel zag daar niets verkeerds in. Wie weet beschouwde hij zichzelf wel als eerlijk, voor ik op het appel verscheen. Het was gewoon het zoveelste staaltje van oplichting – de economische modus operandi van de bonboekjesmaatschappij.

Het vreemdste van alles was dat je Cockerell opdroeg om respectabel te worden. Hij verbeterde zijn dekmantel, verliet de Labour Party, sloot zich aan bij de Conservatieven en de Rotary Club – hij werd een steunpilaar van de plaatselijke gevestigde orde, de middenman van Midden-Engeland, en intussen pompten jullie continu via zijn winkels vol Hedendaagse Troep duizenden ponden naar een netwerk van sovjetagenten die bezig waren alles te gronde te richten wat Cockerell nu leek uit te dragen. Dat getuigt van een goed ontwikkeld gevoel voor ironie, dat moet ik je nageven.

Zo'n kleine vijf jaar liep het allemaal gesmeerd. Toen is er iets in Cockerell gevaren. Ik heb me suf gepeinsd om te bedenken wat, maar op een gegeven moment is hij naar je toe gekomen en heeft hij gezegd dat hij een echte missie wilde, dat hij nog één keer wilde excelleren op zijn eigen terrein.'

'Het was bijna krankzinnig,' zei Charlie. 'Hij kwam naar me toe en zei dat hij weer moest zwemmen. Het was iets wat hij voor zichzelf moest doen. Hij zei "ik moet een missie hebben" – je had gelijk, dat is precies wat hij zei, en hij stelde voor iets met Boelganin en Chroesjtsjov te doen, niet ik. Ik zei: "Arnold, we staan aan hun kant." En daar snapte hij niets van. Het leek wel of er een knop in was gedrukt in zijn hersenen en hij terug was in de oorlog. Zwemmend naar Brest, een verkenningsexpeditie naar de stranden van Normandië, of zoiets. Het lukte me niet hem duidelijk te maken wat we aan het doen waren. Hij had er niets van begrepen. Hij ging er blijkbaar van uit dat het allemaal in een kringetje ronddraaide, dat hij, door dit voor me te doen, deel uitmaakte van een dubbel- of tripelagentensysteem, waarbij het uiteindelijk allemaal ten gunste van Groot-Brittannië zou blijken te zijn. En je zit fout wat betreft zijn dekmantel – ik heb hem nooit gezegd dat hij zich bij de gevestigde orde moest gaan voegen. Dat deed hij allemaal op eigen initiatief. Erger nog, ik denk dat hij er ook echt in geloofde. Hij was de man die hij voordeed te zijn. Eigenlijk wel het lot van ons allemaal, als je erover nadenkt. Je bent een uitvinding van jezelf.

Zoals je begrijpt begon hij in maart een risico te worden. Ik vertelde de Russen over zijn geschifte plannen en vroeg wat ik met hem moest doen, en die zeiden: "Best, stuur hem maar op de Ordzhonikidze af." Ik stond paf. Ik was verbijsterd. Maar ik deed wat ze zeiden. Ik wist niet dat ze die arme dwaas gingen vermoorden.'

'Maar ze zeiden ook niet waarom je hem moest sturen, wel?'

'Niet tot ik het had gedaan, nee.'

'Het was een macabere grap. Een van Chroesjtsjovs beste. Cockerell werd door de Russen uitgestuurd om de Russen te bespioneren, zodat die hem weer konden gebruiken om een rel te trappen waardoor de Britse regering op haar grondvesten zou staan schudden. Dat is toch wel een klap in je gezicht, hè? Je dacht dat je eindelijk van Cockerell af was, en dan gooien ze hem als een ondermaatse spiering naar je terug. Zie je dan niet, met het uithalen van zo'n stunt, wat een minachting ze voor je koesteren?

Maar het verliep niet van een leien dakje. Die maandagavond hoorde ik Chroesjtsjov zeggen: "Doen!" Ik had geen idee wat hij bedoelde. Ik wist niet met wie hij sprak, maar de volgende morgen deed de kapitein van de Ordzhonikidze wel zijn beklag bij het ministerie van Buitenlandse Zaken over een kikvorsspion. Diezelfde maandagavond, toen Chroesjtsjov en ik op kroegentocht waren, gooiden zij wijlen kapitein-luitenant-ter-zee Cockerell overboord. Dat was het "Doen" – "Nu het lijk dumpen!" Maar 's ochtends was er geen lijk. Het was verdwenen, terwijl het op zijn rug door de haven van Portsmouth had moeten drijven als een dode makreel. God, wat moet Chroesjtsjov woest zijn geweest. Hij had Cockerell bewaard om een diplomatieke crisis te kunnen veroorzaken op het moment dat het hem uitkwam. Hij was op wraak belust na de ruzie met de Labour Party en droeg de Russische kaptein op om het te "Doen". Maar niemand had rekening gehouden met de stromingen, en Cockerells lijk spoelde acht kilometer verderop en vele maanden later aan, en werd een schandaal zonder bewijzen. Alleen de stampij van mijn broer in het Lagerhuis en de stupiditeit van Eden vergunden Chroesjtsjov nog een zuchtje zegepraal. Hij kreeg zijn schandaal, maar veel te laat en veel kleiner dan hij had beoogd. Hij had graag gezien dat de bom was gebarsten toen hij nog hier was. Twee vliegen in één klap – de publieke verlegenheid van de regering en het zich ontdoen van een inmiddels waardeloze voormalige agent. De dode Cockerell was voor Chroesjtsjov vermoedelijk een stuk waardevoller dan de levende.

Toen het lijk uiteindelijk aanspoelde, was dat onherkenbaar geworden dankzij de vissen, de scheepsschroeven en god weet wat nog meer. Het was nog altijd belangrijk dat het Cockerell was, maar tegen de tijd dat ik je de positieve identificatie gaf, het onomstotelijke bewijs als het ware, maakte het allemaal niet zo veel meer uit. De rijstebrij van gisteren. Eden koos ervoor om de schade binnen de perken te houden, bekende schuld voor iets wat hij niet had gedaan, en daarna was het allemaal ouwe koek. Bovendien was inmiddels de perfecte zondebok gevonden. Beide partijen zochten een slachtoffer, beide partijen moesten iemand anders de schuld kunnen geven, en als die eenmaal was gevonden, kon de kwestie door alle betrokkenen veilig van tafel geveegd. Schandaal, vergelding, opoffering en ten slotte gerechtigheid. Vertel eens, hoe heb je het voor elkaar gespeeld om Daniel Keeffe voor dit alles te laten opdraaien?'

'O, dat was niet zo moeilijk. Ik had Cockerell opgedragen verslag uit te brengen aan zijn voormalige chef tijdens de oorlog. Keeffe. Ik wist dat Keeffe het een belachelijk plan zou vinden, maar tegen die tijd was het al te laat. Zijn bezoek had dan inmiddels al officieel plaatsgehad. Niemand bij MI5 of MI6 zou Keeffe nog geloven, wat die verder ook zei.'

'Dus Keeffe stierf voor jouw zonden. De perfecte zondebok.'

'Als je wilt.'

'En nu begin je je trekken thuis te krijgen.'

'Ik kan je niet helemaal volgen.'

'Toen je Cockerell van de geldroute haalde, hadden de Russen ook niets meer aan hún koerier – Tosca. Ze haalden haar weg bij hun kant van de operatie, mishandelden haar, en zij vluchtte voor haar leven – op zoek naar mij, en dus ook uiteindelijk naar jou. Vind je het niet een tikkeltje ironisch dat je door Cockerell de dood in te jagen de gebeurtenissen die tot je ondergang leiden zelf op gang hebt gebracht?'

'Ironie is aan mij niet besteed, Freddie. Daar heb ik niks mee. Onderstreep het, schrijf het met hoofdletters. Doe wat je wilt. Mij deert het niet. Ik ben een gelover.'

'En ik niet. En jou geloof ik al helemaal niet.'

'Nee, dat zal wel niet. Maar misschien kunnen we, nu we het wat en het waarom en de ironie hebben gehad, en je het einde van je sermoen hebt bereikt, dan nu spijkers met koppen gaan slaan en zaken doen. Mijn complimenten voor al je speurwerk, maar we zitten hier toch uiteindelijk vanwege Tosca. Er moet toch voor ons allebei een oplossing te vinden zijn. We zullen wat moeten marchanderen, maar kunnen de dingen niet op hun beloop laten.'

'Nee.'

'Hoe bedoel je – "nee"?'

'Nee. Geen koehandeltjes. Niet zolang je nog steeds tegen me liegt.'

'Freddie, ik lieg niet.'

'Je zei dat je niet wist dat de Russen Cockerell zouden vermoorden. Misschien probeer je me te ontzien, dat weet ik niet, maar Cockerell was al dood toen de Russen hem kregen. Cobb heeft hem vermoord.'

'En waarom zou hij dat doen?'

'Omdat jij hem dat hebt opgedragen. Omdat Cockerell te veel wist en jij je niet kon permitteren dat de Russen hem levend in handen kregen. Die zeiden dat je hem naar ze moest toesturen, maar van dood of levend werd niets gezegd, dus sloeg Cobb de arme dwaas zijn achterhoofd in en dumpte hem daarna in zijn kostuum van kikvorsman bij de Russen in het water. Die stuurden er, toen ze de Solent opvoeren, van een van de begeleidende schepen een paar kikvorsmannen op uit. Wat die ook hadden verwacht, Cobb gaf ze een lijk – en wist maar net op tijd weer in Portsmouth te komen. Hij zweette als een otter en was doodop. Ik was daar. Ik heb hem gezien. Hij was ongedurig, en ik schreef dat toe aan zijn temperament. Hij was iemand die kickte op macht, maar het was meer dan dat – hij had net iemand vermoord, en de adrenaline gierde nog door zijn aderen als na een shot heroïne.'

'Gokwerk, Freddie. Meer niet.'

'Nee – feiten. Als Cockerell nog had geleefd tot de dinsdag waarop de Russische kapitein zijn klacht indiende, hadden er geen resten meer in zijn maag gezeten van zijn laatste maal in Portsmouth – maar hij stierf binnen een uur na het verorberen van zijn verdomde kedgeree. Misschien hebben de Russen hem wel zes dagen lang in de ijskast gelegd, maar hij was dood toen ze hem kregen. En hij was dood omdat jij het risico niet wilde lopen dat hij hun de waarheid zou vertellen over je netwerk. Ik heb Cockerells verzekeringspolis gelezen, Charlie. Zijn laatste wil en testament. Die hij opstelde omdat hij jou niet vertrouwde. Hij wist dat hij er zijn dood niet mee kon voorkomen; maar ook dat hij met die tekst daarna jouw leven en dat van Cobb goed zuur kon maken. Hij noemt zeven agenten die op je loonlijst stonden. Iemand van Government Communications Headquarters, een oud-lid van de wetenschappelijke staf van Cambridge om geschikte studenten op te sporen, een paar lage ambtenaren van het ministerie van Oorlog, die je blijkbaar chanteerde, twee kamerleden en een getikte lord. Nou, hoeveel zei je tegen de Russen dat je er had? Twaalf? Twintig? Want je verwerkte meer geld via Cockerells boeken dan je ooit kon besteden aan dat armzalige lijstje van would-be verraders. En waar gaat de rest van het geld naartoe?'

Troy zweeg even, maar Charlie zei niets.

'Herinner je je nog wanneer je voor het laatst geld van mij hebt geleend? Ik wel. Dat was in de zomer van 1951. Je hebt me datzelfde jaar terugbetaald – contant, en je hebt sindsdien nooit meer om geld gevraagd. Jij en Cobb romen de boel af als een stelletje goedkope croupiers. Jullie stoppen het geld in je zak waarvan de Russen denken dat het naar je lijst van nepagenten gaat.'

'Dat idee kwam niet van mij, Freddie. Neem dat maar van me aan. Ik geloof in wat ik doe. Het was Cobb. En ik heb Cobb niet opgedragen Cockerell te vermoorden. Dat heeft hij op eigen houtje gedaan.'

'Ik geloof je niet. "Ze zijn zo verdomde hebzuchtig. Een hebzuchtige man is een zwakke man."'

'Hè?'

'Dat zei je tien minuten geleden. Je had het over Cobb, maar het is ook een aardige beschrijving van jezelf. Je bent altijd spilziek geweest, Charlie. Dat komt na hebzuchtig.'

'Freddie, ik heb Cockerell niet vermoord. Cobb heeft hem uit eigen beweging koud gemaakt. Net als Jessel en Madeleine Kerr.'

'En had hij ook bedacht om Johnny Fermanagh te vermoorden en Tosca te kidnappen?'

'Wat?'

'Had hij ook bedacht om Johnny Fermanagh dood te slaan en Tosca te ontvoeren?'

Troy kreeg het gevoel dat dit de vraag was waar het allemaal om draaide. Daar zaten ze, ieder op de rand van hun stoel, elkaar toe te schreeuwen. Maar het zou op de een of andere manier toch een andere kleur geven aan het onvermijdelijke einde van hun vriendschap als Charlie zou antwoorden met 'ja'.

De vraag leek een domper te zetten op Charlies woede. Hij keek verbijsterd en opende zijn mond zonder iets te zeggen. Troy heeft zijn antwoord nooit gekregen. Via de voorkant van het huis kwam, zoals Troy al van het begin af aan had verwacht, Cobb de hoek om zetten. Hij liep met grote passen hun kant op, door een dolende zonnestraal die door de wolken brak beschenen alsof hij in het voetlicht stond, zijn kolossale voeten dreunend als de hoeven van een werkpaard, zijn gezicht grimmig vertrokken en zijn blik duister en dreigend.

Charlie kwam overeind.

'Nee, Norman. Nee!'

Maar Cobb luisterde niet.

'Ik heb genoeg van deze schertsvertoning.'

Cobb stak zijn rechterhand in zijn jasje om de Browning te pakken die warmpjes lag te slapen in zijn leren holster in de oksel van zijn ruim gesneden maatpak. Nu mag een dubbelrijs pak een flatterende uitwerking hebben op de grotere man, en de bolling van een verborgen wapen verhullen, maar het voegt ook kostbare fracties van een seconde toe aan de actie die Cobb van zins was. Voordat zijn hand het lapel opnieuw had teruggeslagen, had Troy hem vijf keer door het hart geschoten.

Hij was er niet zeker van geweest of hij het wel zou kunnen.

De Mauser had het grootste deel van de middag onder het kussen van zijn stoel gelegen, en hij had hem onder zijn broeksband geschoven toen hij ging zitten. Hij had hem die morgen van zijn houten pinnen gehaald, gevoeld wat hij woog en getwijfeld. Er zat munitie – jaren oud, maar goed – in de onderste la van zijn vaders bureau. Troy had het wapen geladen en vond het zwaarder en langer dan ieder ander wapen dat hij ooit had gehanteerd. En erger nog, zijn vader was rechtshandig en Troy was linkshandig. Bij negenennegentig van de honderd wapens maakte dat niets uit, maar de Mauser was, zoals zijn vrouw hem zo levendig had gedemonstreerd, ontworpen als cavaleriewapen, waarvan de haan gespannen moest worden door een rol over de dij, terwijl de arm omhoogkwam van het zadelholster. Dientengevolge waren er modellen met de hamer aan de linkerkant voor rechtshandige mensen en, ongebruikelijk, modellen met de hamer aan de rechterkant voor linkshandige mensen. Hij kon het wapen niet trekken op een conventionele manier. En besloot dus het onder zijn broeksband te stoppen, in de lendestreek, met de kolf gericht naar links. Met een beetje oefening kon hij dan het wapen linkshandig trekken, de haan bij het omhoog- en onderuithalen bijna op de heup spannen en er overdwars mee schieten, met de hamer in de hoogste positie, gericht op rechts – en hij ontdekte dat dat vlug kon. Maar, had hij zich afgevraagd, hoe vlug zou het moeten?

Iedere roek in iedere boom klapte luid protesterend hemelwaarts. Cobb viel als een eik na een blikseminslag – hij kromp niet ineen, schreeuwde niet, maar sloeg achterover, met een dreun die de aarde deed trillen. Zijn hand vloog uit zijn jasje, de arm in rechte hoeken gestrekt, de Browning nog altijd vastgeklampt.

Troy had de effecten van de terugslag niet voorzien. Hij had de trekker overgehaald en het halve magazijn leeggeschoten, en de kracht daarvan had hem uit zijn evenwicht gebracht, waardoor hij op zijn knieën terecht was gekomen. Hij steunde op zijn rechterhand. Cobb lag roerloos. In kruisvorm uitgestrekt. Hij keek naar Charlie en zag dat die, op slechts een meter bij hem vandaan, ook op zijn knieën lag, zijn gezicht begraven in zijn handen. Een doorweekt fluisterend 'Jezus, Jezus,' sijpelde door het masker dat hij zo voor zichzelf had gemaakt.

Troy richtte het pistool op hem en zag een oog opengaan, en tussen de vingers doorgluren, als van een kind dat doet of het onzichtbaar is.

Cobb reutelde toen zijn laatste adem uit zijn keel ontsnapte. Troy hield zijn blik op Charlie gericht, bewoog het wapen met een snelle beweging zijwaarts, schoot Cobb door het voorhoofd, en richtte het toen weer op Charlie.

'Kijk me aan, Charlie,' zei Troy.

Charlie haalde zijn handen van zijn gezicht, binnensmonds 'jezus, jezus' fluisterend als flarden van een half vergeten gebed, het magische woord dat alles ongedaan moest maken wat hij had gezien. Zijn wangen waren met tranen bedekt.

'Kijk me aan, Charlie.'

Charlie keek naar Troy, wierp toen een blik op Cobb, alsof hij zich van het ergste wilde verzekeren, en keek daarna weer naar Troy, die nog steeds op zijn rechterarm leunde, en nog steeds het wapen op hem gericht hield.

'Voor het geval je je dat afvraagt,' zei Troy zwaar ademend, 'dit is een Mauser Conehammer semi-automatisch machinepistool uit 1896. Met tien patronen. Volgens mij heb ik er net zes in de voormalige Cobb gepompt. Haal jij wat je bij je hebt maar tevoorschijn en gooi dat op het gras.'

'Wat ik bij me heb?' Charlies stem sloeg over van ongeloof. 'Dacht je dat ik een wapen had? Waarom zou ik in godsnaam een wapen hebben?'

'Natuurlijk niet – jij had Cobb. Jij hoefde geen wapen te hebben. Maar ik neem het risico niet. Sta op, en trek je jasje uit.'

Charlie deed wat hem was gezegd. Kwam beverig overeind. Hield zijn jasje omhoog en schudde het uit.

'Geloof me alsjeblieft, Freddie. Ik wist niet dat Cobb dat ging doen. Echt niet. Ik had gezegd dat hij in de auto moest wachten. Het laatste wat ik tegen hem zei was: "In de auto blijven".'

'Draai je om, laat het jasje vallen en rol je broekspijpen op.'

Toen Charlie met zijn rug naar hem toe stond, kuiten bloot als een potsierlijke vrijmetselaar, met scheve hals over zijn schouder kijkend, schoof Troy weg uit het gras en terug in zijn stoel, met zijn pistool losjes aan zijn zijde, en wuifde Charlie met zijn vrije hand naar de zijne. Deze handelingen braken hem stevig op, persten de lucht uit zijn longen en Charlie en hij zaten een tijdje in een knetterende, elektrische stilte tegenover elkaar tot Troy de energie weer kon opbrengen om verder te praten.

'Charlie, dit is de deal. En het is de enige die je krijgt. Ik heb alles wat ik zojuist tegen je heb gezegd op papier gezet, en dat is op weg naar drie advocaten in drie verschillende steden in drie verschillende landen, samen met een kopie van Cockerells laatste brief. Ik raad je ernstig aan me in leven te laten, Charlie. Als ik sterf, hebben zij instructies om alles aan MI5 te sturen. Maar je bent veilig – je miezerige netwerkje is veilig – zolang ik nooit meer iets van je hoor. Als ik, of mijn vrouw, of enig lid van mijn familie ooit worden lastiggevallen door een van de twee partijen – het kan me niet schelen welke – dan verlink ik je aan beide. Ik wil met rust gelaten worden. En als dat niet gebeurt, merken we op de onaangename manier wel hoe overtuigend de bewijzen zijn.'

'De Britten zijn makkelijk beet te nemen, Freddie. Je hebt gezien hoe Philby ze te grazen heeft genomen. En denk je nou echt dat je iets naar de Russen kunt krijgen zonder dat ik daar iets van weet?'

'Dat is al gebeurd.'

'Wat?'

'Check het dienstrooster van de bewaking bij de Russische ambassade maar. Dan zul je zien dat een man die aan mijn signalement beantwoordt vanochtend om vier uur een brief in hun bus heeft gestopt.'

'Nou ben je toch wel erg naïef. De KGB zal heus niet...'

'Пирожки,' zei Troy, met tuitende lippen bij de eerste lettergreep.

'Wat?'

'Пирожки.'

Voor het eerst kreeg Troy het gevoel dat hij echt tot Charlie was doorgedrongen – met slechts één woord, in een taal die hij niet sprak.

'O, god. O, mijn god. Chroesjtsjov heeft je de ambassade-code gegeven, niet?'

'Er moet een einde komen aan het vluchten. Ik heb hem een briefje geschreven. Hem verteld waar ze zat, dat ze niemand iets zal zeggen van het weinige wat ze weet, en hoe dankbaar we zullen zijn als we beiden met rust worden gelaten. Je zou kunnen zeggen dat ik je een goede uitgangspositie heb gegeven. Maar laten we dan maar hopen dat de Eerste Secretaris mijn wens inwilligt, want als hij de honden op ons loslaat, hebben we het allebei gehad.'

'Je bent gek, Freddie. Misschien doet hij dat wel.'

'Ja, maar misschien ook niet. En in dat geval blijft de status-quo van kracht. Nog één keer jij en ik met een gemeenschappelijk doel – *contra mundum*, zoals we zeiden toen we nog jong waren.'

De stilte overviel ze weer. Troy had voor zijn gevoel nu wel alles gezegd. Hij had het grootste deel van de dag de tijd gehad dit te repeteren, maar het was hem niet gelukt te bedenken hoe het moest eindigen. Hij had geen onvergetelijke slotwoorden op het puntje van zijn tong.

'Ik zal je missen, Charlie.'

Charlies ogen vlamden op. De finaliteit van wat Troy net had gezegd leek hem te steken.

'En dat is het dan? Alles zomaar voorbij?'

'We hebben elkaar niets meer te zeggen.'

'Je hebt heel veel gezegd, Freddie, maar je hebt me niet gevraagd waarom.'

'Het waarom kan me niet schelen. Ik ben niet geïnteresseerd in ideologieën.'

'Het heeft geen donder te maken met ideologieën. Is het niet duidelijk waarom?'

Troy zei niets.

'Is het al niet duidelijk sinds we op school zaten? Heb jij ook niet, iedere keer als we door die hufters bont en blauw werden geslagen, gezworen die tot op de laatste man af te maken? Heb jij je ook niet tientallen keren per dag afgevraagd wat al die kleingeestige rituelen met jou en mij te maken hadden? Ben jij ook niet schreeuwend de wijde wereld in getrokken met een diepe haat tegen God, Koning en Vaderland? En iedere waarde en norm waar die voor staan? Kijk jij ook niet nog steeds om je heen met de vraag wat dit allemaal te maken heeft met jou en mij? Vraag jij je ook niet voortdurend af hoe je hier ooit deel van kan uitmaken?'

Charlies arm maakte een alomvattend gebaar – het huis, de tuin, de varkensstallen, de wilgen en de rivier, zo Engels in hun oergroenigheid en hun milde excentriciteit, zo Russisch in de menselijke keuzes die ze weergaven en de extremen die ze onopvallend en stilzwijgend met elkaar in overeenstemming probeerden te brengen of, als dat niet lukte, in ieder geval in toom te houden. De ironie hiervan ontging Charlie – het waren gewoon symbolen binnen handbereik – maar Troy niet, en Troy wist dat hij hiervan deel uitmaakte, en andersom, en hij wist ook dat hij dat Charlie nooit zou kunnen uitleggen.

'We horen er niet bij, Freddie, jij en ik. Dat hebben we nooit gedaan. Het is al zo lang jij en ik *contra mundum* geweest.'

Zijn stem ging over tot gefluister, de duisternis van de biecht.

'En waar je niet bij hoort, kun je niet verraden.'

Het kwam op Troy over als een distillaat van alles wat Deborah Keeffe tegen hem had gezegd – haar intelligente, oprechte betoog ingekookt tot een harde slotsom, tot een vergoelijking voor moord.

'Dat soort dingen hebben we allemaal gezegd. En die hadden niets te betekenen,' zei hij, zich er heel goed van bewust dat dat wel zo was.

'O, nee – ik meende het. Ik was er wel degelijk op uit om ze te pakken. Ik was tot moorden bereid.'

'En wie hebben we dan uiteindelijk vermoord, Charlie? Een gluiperige, uitgetelde ex-kikvorsman, een uitgerangeerde beëdigd accountant, een naïeve, onschuldige meid...'

'En Cobb, Freddie. We hebben Cobb vermoord.'

'Daardoor verandert er niets, Charlie. Cobb is mijn verantwoordelijkheid niet.'

Charlie keek naar Cobbs lijk. De borst doorweekt van het bloed. Het voorhoofd doorboord met een schoon, bloedeloos zwart gat. Hij keek weer naar Troy. Troy had genoeg gehoord, en was niet meer geïnteresseerd in wat hij verder te zeggen had.

'Ga nu maar, Charlie. We hebben alles gezegd wat we ooit nog te zeggen zouden hebben.'

Charlie keek naar Troy, maar verroerde zich niet.

'Ik meen het, Charlie. Ga nu.'

Charlie kwam overeind. Zijn lippen gingen van elkaar. Er kwamen geen woorden. Hij maakte rechtsomkeert en begon met grote passen weg te lopen.

'Charlie,' riep Troy hem na. 'Je vergeet Cobb.'

Charlie bleef staan.

'Wat? Je verwacht toch niet echt dat ik zijn lijk achter me aan sleep?'

'Ja hoor, dat verwacht ik wel. Zie jezelf maar als Hamlet met Polonius. Sjor de resten maar achter het wandtapijt.'

Charlie zette een paar stappen terug en ging bij het lijk van Cobb staan.

'Wat moet ik godsnaam met hem beginnen?'

'Geen idee, Charlie. En het kan me ook niks schelen. Maar je verzint wel wat. Zoals altijd.'

Charlie pakte Cobb bij de kraag van zijn jasje en trok. Het lichaam verschoof een stukje, de hielen van zijn schoenen trokken parallelle sporen over het grasveld. Charlie keek hoopvol op naar Troy, omdat die toch kon zien dat hij zich onmogelijk van Cobb kon ontdoen, maar Troy keek stug voor zich uit en zei niets. Hij bleef Charlie de hele weg naar het hek nakijken. Het kostte een kwartier van sjorren, en uitrusten en zweten, voordat hij daar was – en Troy bleef al die tijd kijken. En toen Charlies auto weg loeide, bleef hij zitten, en keek naar een groen-gele libel die excentrische cirkels danste boven het gazon, en naar de eerste voorbodes van de avond, die de lucht een roodachtig tintje gaven, en luisterde hij naar het toonloze ratelen van het gezang van een winterkoninkje – en bleef hij zitten tot hij de kilte van de avond voelde optrekken langs zijn huid, zitten tot de laatste zwaluw de laatste vlieg had gevangen in de vlucht, en de eerste vleermuizen de vroege avondlucht kwamen binnenglijden.

Hij had het pistool nog in zijn hand, zijn vingers rond de kolf geklemd alsof die uit zijn arm groeide. Hij reikte naar zijn stok. Zijn been was pijnlijker dan ooit. Hij leunde op de stok en hinkte het huis binnen.

In het schemerlicht zag hij Tosca halverwege de trap zitten, met een bleek gezicht en haar knieën onder haar kin, haar armen om haar schenen geslagen, de ene witgehandschoende hand gewikkeld om de andere, haar blik op hem gericht.

Hij klikte het magazijn uit de Mauser en ledigde de houder.

'Kun je daarmee leven?' zei ze zacht, toen de patronen in zijn hand vielen als erwten uit hun dop.

'We gaan er niet over praten.'

'Jeezus, Troy. Dat was moord.'

'We gaan er niet over praten... omdat, als we dat wel doen, we ons moeten gaan afvragen voor hoeveel levens jij verantwoordelijk bent geweest, in jouw tijd.'

'Troy, dat heb ik je nu al duizend keer gezegd. Ik was een gewone spion. Ik handelde in informatie. Ik heb nooit iemand vermoord.'

'Geloof je dat nou echt?'

Ze liep stampvoetend de trap op. Hij hoorde de deur van haar slaapkamer dichtgaan.

Troy hobbelde de keuken in. Het licht was aan. De ketel stond op de gaspit te zingen. De Dikzak zat aan de keukentafel en at een boterham met rosbief.

'Hoe lang ben jij hier al?' vroeg Troy.

'Lang genoeg,' zei de Dikzak. 'Ik zei al dat Old Spot morgen moet biggen, dus leek het me verstandig om vandaag bij haar te gaan kijken.'

Troy ging tegenover hem zitten. Legde het pistool op de tafel.

'Ah,' zei hij. 'Natuurlijk. Het varken. Ik was het hele varken vergeten.'

'Kan ik iets doen om te helpen, ouwe makker?'

'Kun je zorgen dat dit verdwijnt?' zei Troy, met zijn hand nog steeds op de Mauser.

'Dat zal wel lukken.'

'Voorgoed?'

'Komt voormekaar, ouwe makker.'

Troy gaf het wapen een zet over de tafel, als een pul bier die over de bar wordt geschoven, en de Dikzak stak het onder zijn riem en trok er zijn trui overheen.

'Nou,' zei hij, 'zin in een koppie thee?'

105

Gedurende drie dagen aten ze hun maaltijden in stilte – zoals in de tekeningen van Osbert Lancaster zaten ze aan verschillende uiteinden van de eettafel in een sfeer die te snijden was. Tussen de maaltijden in vonden ze bezigheden in allerlei uithoeken van het huis of de tuin en als het bedtijd werd, trokken Maxim en Mrs. De Winter zich terug in hun gescheiden slaapkamers.

Op de avond van de vierde dag reed Troy naar Londen en bracht de nacht door in Goodwin's Court. De volgende morgen ging hij naar de Yard. Hij had nog altijd last van zijn been en leunde zwaar op zijn wandelstok. Onions zat bij de gashaard op zijn kantoor op hem te wachten en pufte zachtjes aan een Woodbine. Het was een bekend tafereel. Troy was de afgelopen jaren tientallen keren zijn kantoor binnengekomen, met Onions daar, in diezelfde houding – ineengedoken bij de gashaard en de asbak, ongeacht de tijd van het jaar, ongeacht het feit of de haard nu aan was of niet.

Hij nam een stevige trek van zijn sigaret en keek op toen Troy tegenover hem kwam zitten.

'Ik hoor geruchten,' zei Onions.

'Natuurlijk,' zei Troy laconiek.

'Geruchten van het soort dat ik nooit eerder heb gehoord over een politieman van de Yard en ook nooit dacht te zullen horen.'

'Ik weet het.'

'Daar moet iets aan worden gedaan. Ik ben degene die daar iets aan moet doen. Dat begrijp je toch wel, Freddie?'

Troy haalde een lange witte enveloppe uit de zak van zijn jasje en gaf die aan Onions. Onions bekeek die. Hij was niet dichtgeplakt en gericht aan 'Assistent Hoofdcommissaris Onions', in Troys al te minutieuze, bijna cyrillische handschrift. Onions stopte die ongelezen in zijn jaszak.

'Hoe lang denk je dat je hebt? Hoe lang denk je dat je hebt voor ze haar komen halen? De ene kant of de andere?'

'Dat is al geregeld. Ik heb het al geregeld.'

Пирожки.

Onions stak een volgende sigaret op aan de wegstervende gloed van de vorige.

'Ik had nooit gedacht dat het zo zou aflopen,' zei hij.

Troy reed naar huis, en haalde op de Great North Road alles uit de Bentley wat erin zat. Toen hij na de beuken aan het begin van de oprijlaan de bocht omkwam, zag hij het huis liggen in het eerste herfstlicht. De zon lag vlak boven de horizon, sneed scherp door de bomen en tekende het huis met de schaduwen van de uitgeklede stammen van de haagdoorn. Hij draaide het raampje naar beneden – in de lucht hing die onmiskenbare geur van de herfst, die pittige, heldere lucht van geploegde aarde, die de stoffigheid van de oogst verving. De warme nazomer was voorbij. In één enkele nacht was het seizoen omgeslagen, en eiste oktober zijn rechten op. De deur van de veranda stond op een kier, die werd gevuld met gouden bladeren die zachtjes ritselden in de bries. Het huis was leeg.

Hij begon te roepen, alsof hij zijn eigen stem hoorde in een droom, alsof hij terugkeerde naar een huis dat hij alleen kende uit een droom, bewoond had in een ander leven – maar niemand gaf antwoord.

Boven, in Tosca's kamer, stond een briefje tegen de spiegel – een vel stug briefpapier van Mimram House, met een wapentje erop.

106

Troy zat nu nog met het probleem dat hij vier zaken moest afsluiten. De dood van Arnold Cockerell kon precies zo worden gelaten als die was in april. De dood van George Jessel precies zo als die was in september. De dood van Madeleine Kerr en die van Johnny Fermanagh moesten nog worden afgerond – een rapport voor de Yard kon nu eenmaal niet worden afgesloten zonder de een of andere conclusie. Toen belandde er een circulaire op zijn bureau die hem informeerde over de verdwijning van Cobb tijdens werkzaamheden voor het ministerie van Defensie. Wintrincham trok geen openlijke conclusies. Als hij wist wat Onions wist, hield hij dat voor zich. Wat Charlie tegen de Branch had gezegd was duidelijk. God mocht weten wat ze tegen Cobbs familie hadden gezegd – als hij die tenminste had. Het was niet bij Troy opgekomen om dat na te vragen. Troy gaf een signalement uit van een man die sprekend op Cobb leek, als iemand die werd gezocht in verband met de moord op Kerr en Fermanagh, en gaf dat aan Jack. Jack nam het aan zonder een kik te geven en sloot beide zaken stilzwijgend af.

107

De herfst voerde de wereld naar de rand van de waanzin. Een golf van oorlogszuchtigheid die wel leek op het volvoeren van een collectieve zelfvernietigingsdrang. Russische tanks trokken op naar Polen, toen Polen die herfst een politieke lente beloofde – Chroesjtsjov vloog naar Warschau, en vloog weer naar huis nadat hij die belofte in de kiem had gesmoord. Kolankiewicz belde Troy en zei uitdrukkingsloos, zonder een spoortje humor of aanstellerij: 'Zei ik het je niet? Je hebt met de duivel uit één schotel gegeten.'

November bracht de aanraking van de stenen. De wereld sloeg weer door. Over de rand van de waanzin en de afgrond in. Groot-Brittannië en Frankrijk vielen Egypte binnen. Rusland viel Hongarije binnen. Boelganin dreigde tussen neus en lippen door Londen en Parijs plat te gooien.

Stenen raakten elkaar.

Troy las iedere dag de kranten, zag de bioscoopjournaals in de Eros Cinema op Piccadilly Circus – Britse paratroepers die boven Suez neerstreken als grote witte kwallen; een oorlogsvloot van Franse en Britse schepen op weg naar het zuiden – maar zijn aangeboren cynisme voorkwam dat hij triomfeerde in zijn gelijk. De zegevierende bondgenoten van de vorige oorlog omspanden de wereld en stapten daarover rond als kibbelende kolossen.

Stenen raakten elkaar.

Hij zat wat ongelukkig in Onions' zitkamer, met een biertje in zijn hand, en met een verwarde, boze Onions, een zwijgende, rancuneuze, achter-de-geraniums-geplakte Valerie, terwijl Jackie aan de tafel zat en op een groot vel papier in vijftig verschillende kleuren eindeloze concentrische cirkels tekende, en keek naar het twintig-centimeter-televisiescherm dat Onions door de nieuwe generaties was opgelegd – zag hoe Gaitskell het volk toesprak, met een bezielende, onberispelijk morele speech, die de regering afkraakte voor haar 'criminele dwaasheid', terwijl op zijn gezicht de pijn stond te lezen van een man die wist dat hij was misleid. De minister-president moet aftreden, zei hij, 'alleen dat kan de eer van ons land redden,' en in die klinkende zin voelde hij de hand van Rod. Het bracht hem terug naar

Janet Cockerell, en de kwestie van haar mans eer. Zij had geen tijd gehad voor eer, zo'n mannelijk begrip. Het was de schuld die telde.

Stenen raakten elkaar.

Hij begaf zich tussen de bont gemêleerde Britse dissidenten op Trafalgar Square. Optimisten in houtje-touwtjejassen die zich afzetten tegen hun land op zijn smalst, dat barstend van het Britse patriottisme, 'hun beste momenten' hadden laten verworden tot 'eerloze eenzaamheid'. Hoorde Nye Bevan, de meest uitgelezen politieke redenaar van het land, pleiten voor 'gedragscodes, geen oorlog'. Rod had daar moeten staan. Op het platform, schouder aan schouder. Het was een Rod-moment, maar hij viel nergens te bekennen.

Stenen raakten elkaar.

Ike zette een streep onder de 'speciale betrekkingen'. Stak er de open haard van het Witte Huis mee aan. Nieuwe oorlogen, verteerd door oude vlammen. De Britse troepen liepen vast in de woestijnen van Egypte, geen 'rechterwiel in Ismailia', geen 'volgende halte Cairo', geen hoop, geen glorie – snakkend naar economische stimulans en politieke wil. IJdelheid, dwaasheid en vuur. Nieuwe oorlog. Oude vlammen.

En Troy ging op zoek naar Angus. Hij vond hem in de derde pub die hij probeerde – de 'Twee Honden aan de Gang'. De waard had een ingelijste foto van Churchill en een paar Union Jacks op houten stokjes opgeduikeld, en Winston boven de bar gehangen met de gekruiste vlaggen daarboven. Troy kwam precies op het goeie moment binnen – Angus stond net te schreeuwen: 'Wat heeft dat verdomme nou weer te betekenen? De Battle of Britain deel Twee? Wat denken jullie idioten dat de afgelopen tien jaar zijn geweest? Het reclameblok? En waar heb je die dingen vandaan? De nationale verkleeddoos?'

Het kwam snel en meteen tot klappen. Troy sleepte Angus naar buiten, die doorging met het beledigen van simpele mannen die zichzelf simpelweg als vaderlandslievend zagen en door zijn aanhoudende schofferingen werden aangespoord tot het plegen van simpel geweld. Hij had er al drie geveld voordat Troy hem naar de deur kon duwen. '*Dulce et decorum est*,' schreeuwde hij. '*Pro* zooitje gatlikkers *mori!*'

Troy zag de woede uit ze wegebben, even snel als die in ze was opgelaaid. Het meewarige knikken van hoofden – 'en dat noemt zich een oorlogsheld'. Zij kwamen beiden op de stoep terecht, Angus' blikken been gleed onder hem weg de goot in, zijn aktetas vloog de deur uit en kwam voor zijn voeten terecht – zijn bolhoed volgde. Troy stak zijn arm uit en ving die keurig in volle vlucht, voor hij buitenspel ging.

'Oké, stelletje zakkenwassers.' Angus kwam overeind, maar keek niet naar de 'Twee Honden aan de Gang', hij keek naar de gedempte oranje gloed die de novemberavond in sijpelde vanuit de Lucifer's Arms aan de overkant van de straat.

'Oké, stelletje zakkenwassers,' zei hij opnieuw, en tuitte zijn lippen – een borrelend, uitjouwend geluid – en Troy realiseerde zich opeens dat dat de klanken waren die kleine jongens maakten als ze vliegtuigje speelden. Angus spreidde zijn armen wijd.

'Blokken weg,' zei hij. 'Takkatakkatakkatakkatakkatakkatakka.' En hij schoot de deuren van de Lucifer's Arms binnen, op weg naar het volgende luchtgevecht.

Troy wachtte. Staarde naar de gedeukte bol van de hoed. Keek op zijn horloge. Vijf minuten verstreken zonder enig teken van iets anders dan het gebruikelijke kroeggedruis. Hij duwde een deur open. Een man aan de bar gaf het volkslied ten beste in scheten, 'God Save the Queen' zonder melodie gespeeld op de menselijke sluitspier, zonder dat iemand er ook maar enige aandacht aan schonk.

Angus zat aan een van de ronde tafeltjes, met twee enorme whisky's voor zich en zijn gezicht verborgen in zijn handen. Het enige wat Troy aan hem zag, was de kalende schedel en de rossige stralenkrans die daarboven omhoogkringelde. Hij ging naast hem zitten. Angus nam zijn handen weg en keek op naar Troy – een wirwar van gebarsten aderen; een reliëfkaart van Arizona, doorsneden met droge rivierbeddingen; een ruwe schets van de maan, overdekt met open poriën zo groot als kraters; Passendale, de dag erna.

'Je herkent de drinker aan het gezelschap dat hij verkiest,' zei hij.

Troy kende dat gezegde wel. Zijn vader citeerde het vaak. God weet waar hij dat vandaan had... 'En het zwijn stond op en wandelde langzaam weg.'

Angus sloeg zijn whisky naar binnen. Troy was hem bijna te vlug af. Hun lege glazen belandden tegelijk op het tafeltje.

'Juist,' zei Angus. 'Nog eens hetzelfde?'

Stenen raakten elkaar.

Toen Troy acht of negen was, werd hij weer eens door een schijnbaar oneindige kinderziekte geveld. Hij was vaak duizelig, kon zijn blik niet op scherp stellen, en kon niet lezen. Zoals altijd kwam hij, in dekens gewikkeld, weer op verhaal tijdens de lange zomeravonden op de zuidveranda. Zijn vader las hem dan iedere dag na thuiskomst voor uit *The Golden Bough*. Een oud azteeks ritueel had Troy toen de stuipen op het lijf gejaagd. Hij zou nooit het ziekmakende gevoel van afschuw vergeten toen hij voor het eerst het verhaal hoorde van de aanraking van de stenen – zo verwoord dat het leven dat tot pulp werd vermalen als de stenen elkaar raakten niet eens voorkwam in de titel. Weer moest hij denken aan Nikolajs klaaglied om de apparatsjiks – 'de kleine mensen' noemde hij die toen, om daarna met een hatelijkheid door Rod en Troy te worden weggewuifd. Maar – de wereld tussen de stenen was de wereld van de kleine mensen – die zonder pardon werden vermalen als ze een taal spraken die klonk als een ongelukje met de Scrabbledoos, of de pech hadden een huid te hebben van een donkere tint. De wereld tussen de stenen zat vol enge buitenlanders.

Uit Cyprus kwam een blanco kaart in een blanco enveloppe, met alleen de tekst: 'Vergeef me'. Troy antwoordde niet. De stenen raakten elkaar. Weer voelde hij dat ziekmakende gevoel van afschuw. De stenen raakten elkaar.

Hij had met de duivel uit één schotel gegeten.

108

Kerstmis naderde in hoog tempo. De zusters vielen bij hem binnen, klagend en jammerend over de rantsoenering van de benzine – het gevoel te kort te worden gedaan was zo typisch van vroeger en zo Brits, zo vreselijk Brits – en deden de plaatselijke middenstand opleven met hun bestellingen aan fazant, en wildbraad, en kalkoen, en hingen het huis vol hulsttakken. Op kerstavond kwamen alle Troys in Mimram samen, zoals ze dat al dertig jaar of meer hadden gedaan. Hij stond op de veranda met Rod, zonder jas en rillend, toen Rod, die als laatste arriveerde, de eerste sneeuwvlokken van zijn hoed sloeg, en zacht zei: 'Ik ben BuZa kwijt. Gaitskell heeft me op een zijspoor gezet, bij Binnenlandse Zaken. Dat is de prijs die ik moet betalen voor het feit dat ik gelijk had, neem ik aan.'

'Nee', zei Troy. 'Ik denk eerder dat het de prijs is voor het pure feit dat je op de hoogte was.'

Rod draaide zijn hoofd naar het huis waar de vrouwen druk in de weer waren met de kerstvoorbereidingen.

'Als ik eerlijk moet zijn, heb ik hier eigenlijk niet zo veel zin in, op het moment. Maar ik neem aan dat ik even zal moeten doorbijten.'

'We', zei Troy. 'Wé zullen even moeten doorbijten.'

Troy ontweek alle vragen over waar Tosca uithing. Deed of hij zich dol vermaakte, ontdook de gezelschapsspelletjes en verloor twee keer per dag van zijn oom met schaken. Op tweede kerstdag lag er een misleidende kalmte over het huis en de witte landerijen. De grotere kinderen eigenden zich de bediendekamer toe om naar de televisie te kijken, die blijkbaar onontbeerlijk voor hen was geworden. De jongeren verzamelden zich rond de kerstboom in de rode kamer om de grote trein op te zetten die Nikolaj aan de jongens van Masja had gegeven. Nikolaj trok zich terug in de salon achter een krant van vele dagen oud. Pas toen Troy, in zijn rol als gastheer, hem vroeg of hij nog een glas van iets wilde, merkte die dat hij zat te dutten. Hugh dronk glas na glas van een of andere whisky en werd in hoog tempo stomdronken. De ruzie tussen hem en zijn vrouw die er al zo lang zat aan te komen brak los tussen het engelenhaar en de sherry. Ze stonden elkaar aan weerszijden van de open haard uit te schelden, tot Hugh zijn arm verhief en Rod een bestand van vele maanden doorbrak en Hughs arm blokkeerde met de zijne en hem zei dat hij te veel had gedronken en moest gaan zitten.

Hugh keek langs Rod heen naar zijn vrouw.

'Je krijgt een knal voor je kop, egoïstische trut,' schreeuwde hij als in een goeie B-film.

'Hugh, je hebt het lef niet eens. Een grote bek, maar een eersteklas schijtebroek!' gilde Sasja terug.

'O, nee,' antwoordde hij, en probeerde zich los te maken uit Rods houdgreep. 'Ik neem je te grazen, zoals ik die mooie meneer van je te grazen heb genomen!'

Rod liet opeens los en gooide Hugh achterover in een leunstoel. Sasja had haar hand voor haar mond geslagen en schreeuwde volgens Troy in stilte.

'Wat?' zei Rod zacht. 'Wat zei je daar?'

'Ik zei,' siste Hugh, 'dat ik haar net zo te grazen zou nemen als ik die verwijfde slijmbal Johnny Fermanagh te grazen heb genomen.'

Rod keek naar Troy. Met de wanhoop in zijn ogen.

'Ik heb niet gehoord wat hij zei,' zei Troy. 'Hij is dronken, en hij kletst maar een eind weg. Ik heb hem niet gehoord. En jullie ook niet.'

Hij keek het vertrek rond om zich ervan te vergewissen dat iedereen akkoord ging met wat hij zei. Toen ging hij naar boven, naar Tosca's kamer. Lag op het bed en huilde in stilte om Johnny Fermanagh. Het kwam hem nu voor dat zijn leven voor altijd vervlochten zou zijn met de Bracks, dat noch Johnny noch zijn zuster ooit uit zijn gedachten of zijn dromen zou verdwijnen. Hij had Tosca verloren, hij had Charlie verloren, en hij had Johnny verloren voordat hij zich had gerealiseerd dat de man iets voor hem betekende. Dus huilde hij om zichzelf. Nog nooit in zijn leven had hij zich zo alleen gevoeld. Hij sliep. Hij wist niet hoe lang. Toen hij wakker werd, knipte hij het licht van de kaptafel aan. Daar, tegen de spiegel, stond het briefje dat Tosca had achtergelaten. Hij had het nooit weggehaald. Het stond nog waar ze het weken geleden had neergezet.

Op de grote witte leegte van het vel papier stonden alleen haar woorden: 'Zo kunnen we niet leven.'

'Wie heeft er niet iets of iemand verraden die belangrijker was dan een land?'

Graham Greene

(uit zijn inleiding bij Philby's '*My Silent War*', 1968)

Historische kanttekening

Dit boek is een roman. Het bestaat niet uit feiten – zelfs niet uit feitelijkheden – het is fictie. Ik heb de geschiedenis hier en daar een beetje geweld aangedaan, meestal omdat die niet zo goed paste in de plot zoals ik die voor ogen had.

Zo werden bestaande figuren vervangen door bedachte figuren die ik in een historische context plaatste. Kapitein-luitenant-ter-zee Cockerell vervangt de echte kikvorsspion kapitein-luitenant-ter-zee Lionel Crabb. De verwikkelingen rond Crabbs missie waren (en zijn?) te gecompliceerd voor wat ik ermee wilde. Dat lijk werd pas gevonden in 1957 en is nooit positief geïdentificeerd als dat van Crabb. Ik wilde niet belemmerd worden door de feiten van de zaak, ook al waren die het uitgangspunt voor het idee dat geleid heeft tot dit boek. Rod Troy, mijn fictieve schaduwminister van Buitenlandse Zaken vervangt de echte, Alf Robens – sorry, Alf, maar het zou me verbazen als iemand na veertig jaar nog wist dat je ooit een schaduwminister voor Buitenlandse Zaken bent geweest.

Verder heb ik tijd gestolen van Chroesjtsjovs treffen met de NEC (National Executive Committee) van de Labour Party. Hij werd wel woest, en stormde weg, maar eerder tegen 11 uur 's avonds dan de 9.30 die ik opgaf. Ik had die tijd nodig voor iets anders. Wat George Brown, de enige van al deze historische spelers die ik ooit heb ontmoet, bij die gelegenheid heeft gezegd, is overgenomen uit zijn eigen verklaring. Wat Chroesjtsjov zei, is nooit openbaar gemaakt – de pers was niet aanwezig – maar bestaat nog fragmentarisch in de herinneringen van de hoge omes van Labour.

Suez. De onthulling die ik Rod Troy in de mond heb gelegd, eind augustus/begin september, over de Anglo-Franse samenzwering om een inval te doen is – wederom ten behoeve van het plot – bewust niet synchroon, zij het passend in de tijdgeest. De Fransen, de Britten en de Israëli's tekenden pas een overeenkomst op 24 oktober. Het Britse exemplaar is aan Eden gegeven en werd nooit teruggevonden. Dat hij het heeft verbrand, valt niet te bewijzen, maar is bepaald niet ondenkbaar. De tekst van het Israëlische exemplaar verscheen in het Engels in de memoires van generaal Dayan (Weidenfeld & Nicolson, 1976), het origineel kwam boven water in het archief van David Ben-Goerion en werd een kleine twintig jaar geleden openbaar gemaakt. De gedachte dat de CIA een blik heeft geslagen in het exemplaar van de Israëli's is weliswaar denkbeeldig, maar vermoedelijk niet onmogelijk. Dat gezegd, wat de Verenigde Staten wisten over Suez, ervoor en tijdens, was eerder te danken aan de U2-vliegtuigen dan aan spionnen op de grond. Diverse historici zeiden over Suez dat de CIA in die tijd vaak gebruikmaakte van de U2 boven Egypte en Israël, en ook dat het controleapparaat van de CIA in Rome, New York, vermoedelijk de codes kraakte die werden gebruikt door de Britten, Fransen of Israëli's, of iedere combinatie daarvan, en zeer waarschijnlijk alledrie. Als er iets is in mijn verzinsels dat denkbeeldig mag worden genoemd, is het wel de gedachte dat de CIA alles wat ze wist netjes doorgaf aan Ike.

Wat betreft het verzoek aan Tom Driberg om te spioneren voor de KGB, mijn bron hiervoor was Chapman Pinchers boek *Their Trade is Treachery*. In zijn inleiding tot zijn voortreffelijke biografie over Driberg laat Francis Wheen zich afwijzend uit over Pinchers beweringen. Intuïtief deel ik zijn scepticisme. Echter, ongeveer twee jaar na Dribergs dood en, als ik me niet vergis, twee of drie jaar voor Pinchers boek, gonsde het overal van de geruchten over Toms spionageactiviteiten, voor de ene kant, of voor de andere, of voor beide. Ik heb Peter Cook gevraagd, die zo vaak in zijn hoedanigheid van eigenaar van *Private Eye* Toms werkgever was, of hij dacht dat Tom een spion was geweest.

'Ja,' zei hij, met een stem die veel weg had van die van E.L. Wisty. 'En een heel slechte. Hij vertelde het iedereen die het maar wilde horen. De eerste keer dat ik hem ontmoette, kwam hij naar me toe in de toiletten, ging met zijn pik in zijn hand bij de pisbak naast me staan, en zei: "Ik ben een spion voor de KGB."'

Ik kan deze anekdote niet gebruiken als bewijs, of voor iets wat daar zelfs maar op lijkt – immers, het gevaar van Peter iets te vragen is altijd dat hij het antwoord gebruikt om de boel voor de gek te houden – maar dan heel smakelijk, min of meer aannemelijk, en precies passend in het verhaal zoals ik dat wilde vertellen. De Tom Driberg aan wie ik een fictieve ontmoeting toeschrijf met mijn held, is niet het verachtelijke onmens uit Pinchers boeken, maar de innemende praatjesmaker die zich van niemand iets aantrok, uit de herinnering van Peter Cook.

Lees ook van Karakter Uitgevers B.V.

John Lawton

Black-out

1944. De Luftwaffe voert een laatste wanhopige aanval uit op Engeland. Londen verandert in een duistere wereld van volle metrostations, ondoordringbare mist en corruptie...

De Luftwaffe voert in 1944 een laatste wanhopige aanval op Londen uit om het moreel van de inwoners te breken. De nacht is inktzwart, de Londenaren vluchten naar de schuilkelders van de verduisterde stad. Maar de gewone misdaad tiert even welig als in andere tijden en sergeant Frederick Troy van de politie wordt door een aantal straatschoffies in East End geconfronteerd met een gevonden arm. Door het uitloven van een beloning vinden deze jochies vervolgens ook het verkoolde, van ledematen ontdane lijk.

Analyse wijst uit dat het slachtoffer een Duitser is en er blijken meer buitenlanders verdwenen te zijn. Voor Troy, zoon van een welgestelde Russische emigrant, is dit het startsein voor de jacht op de dader. Daarbij wordt hij bijgestaan door twee vrouwen: lady Diana Brack, een forse, majestueuze schoonheid met een duister verleden, en de Amerikaanse sergeant Larissa Tosca, nog geen anderhalve meter lang met een figuur als een zandloper en een raspend New Yorks accent. Maar staan de vrouwen wel aan zijn kant? En welke vrouw doet het meest haar best om Troy te versieren? En om welke reden?

ISBN 978 90 452 0123 8